Zu diesem Buch

«Land östlich der Sonne» nannten die russischen Eroberer jenen geheimnisvollen hintersten Teil Sibiriens, der sich vom Fluss Lena bis zum Stillen Ozean erstreckt. Durch dieses raue, unermesslich weite Land zogen einst die Vorfahren der nordamerikanischen Indianer.

Klaus Bednarz ist auf ihren Spuren gereist. Vom Baikalsee bis nach Alaska – mehr als 10 000 Kilometer durch Taiga, Sümpfe und reißende Flüsse. Zu Fuß, per Schiff, Geländewagen, Hubschrauber oder Rentierschlitten. Er hat mit Goldsuchern und Walfängern gesprochen, mit Polarforschern, Archäologen, Schamanen und Indianerhäuptlingen, mit Verbannten und Sträflingen des GULAG. Immer wieder ist er dabei auf Gemeinsamkeiten sibirischer und indianischer Mythen und Legenden gestoßen, auf überraschende Parallelen von Kultur und Lebensweise.

Entstanden ist dabei ein lebendiges Bild des heutigen Landes östlich der Sonne – mit all seinen Problemen und Hoffnungen. Eine faszinierende Reise voller Abenteuer und unvergesslicher Eindrücke.

Klaus Bednarz, geboren 1942 in Berlin, ist einer der bekanntesten deutschen Journalisten. Er war lange Zeit ARD-Korrespondent in Warschau und Moskau und leitete fast zwei Jahrzehnte des Politmagazin «Monitor». Für seine Arbeit wurde Bednarz, heute Chefreporter des WDR, mit zahlreichen Preisen ausgezeichnet. 1995 erschien «Fernes nahes Land. Begegnungen in Ostpreußen», 1998 «Ballade vom Baikalsee» und 2003 der Bildband «Vom Baikal nach Alaska» (Rowohlt Verlag).

Klaus Bednarz

ÖSTLICH DER SONNE
Vom Baikalsee nach Alaska

Rowohlt Taschenbuch Verlag

Veröffentlicht im Rowohlt Taschenbuch Verlag,
Reinbek bei Hamburg, Dezember 2003
Copyright © 2002 by Rowohlt Verlag GmbH,
Reinbek bei Hamburg
Kartographie: Peter Palm, Berlin
Umschlaggestaltung: any.way, Barbara Hanke
(Foto Landschaft: Max Schmid; Foto aus dem Bildband
«ALASKA Spektrum» von Max Schmid, © Verlag terra magica, Luzern)
Druck und Bindung Clausen & Bosse, Leck
Printed in Germany
ISBN 3 499 61656 4

INHALT

TEIL 1 **DIE LENA HINAB –**
VON IRKUTSK BIS TIKSI

Taigamarsch

Bootsman und Valet kennen sich gut. Sie sind im selben Dorf am westlichen Ufer des Baikalsees geboren, im selben Jahr. Gemeinsam haben sie ihre Kindheit verbracht, im Ufersand gespielt, ihre ersten Erfahrungen gemacht – mit den anderen Dorfbewohnern, dem See und der angrenzenden unendlichen Taiga. Sie haben gelernt, wie man sich im Sommer vor den Stechmücken schützt und im Winter sogar durch den dicksten Schnee noch einen Weg findet. Sie können fast 24 Stunden ununterbrochen auf den Beinen sein, aber auch ganze Tage träge in der Sonne verdösen.

Freunde allerdings sind sie nicht. Wo immer sie einander begegnen, und das geschieht in dem kleinen Dorf ein paar Mal täglich, kommt es zu Reibereien, lautstarken Auseinandersetzungen und nicht selten zu blutigen Raufereien. Bei einem dieser Treffen verlor Valet ein Auge, doch Reue hat Bootsman nie gezeigt, und auch sein Opfer scheint wenig beeindruckt. Angst lässt Valet jedenfalls nicht erkennen, einen Bogen um Bootsman macht er noch immer nicht. Im Gegenteil. Die Auseinandersetzungen zwischen den beiden sind heftiger geworden, seit vor zwei Jahren Susanna im Dorf auftauchte. Susanna gehört zur selben Rasse wie Bootsman und Valet. Es sind sibirische Laikas, östliche Verwandte jener etwas kleineren, legendären karelischen Vierbeiner, die einst – noch vor Jurij Gagarin – zum höheren Ruhm des Sozialismus in einem Sputnik die Erde umkreisten. Doch die Zeiten, zu denen die Augen der Weltöffentlichkeit auf ihnen ruhten, sind längst vorbei, und auch in den sibirischen Dörfern ist von ihrem außerirdischen Ruhm nicht allzu viel geblieben. Hier sind sie das, was sie seit Jahrtausenden waren: die wichtigsten Verbündeten der Menschen beim Überlebenskampf in einer unwirtlichen und gefährlichen Natur. Und in dieser Funktion werden sie auf unserem Marsch vom Ufer des Baikalsees zur Quelle der Lena auch für uns von Bedeutung sein. Drei Tage, so heißt es, würden wir bei gutem Wetter für den Hinweg brauchen: zunächst über den Pass im Baikal-Gebirge, dann abwechselnd durch Taiga und Waldtundra.

Ausgangspunkt wird der Ort sein, in dem Bootsman, Valet und Susanna zu Hause sind. Er trägt den sinnigen Namen Pokojniki, was im Russischen sowohl die Ruhigen als auch die Verblichenen bedeuten kann. Außer den Laikas, ein paar Kühen, Schweinen und Hühnern leben hier noch sechs Männer, drei Frauen und vier Kinder. Im Sommer kommen, vor allem nachts, gelegentlich einige Bären, im Winter hungrige Wölfe hinzu. Ansonsten sagen sich hier, so heißt es auch bei den Russen, Fuchs und Hase gute Nacht.

Die Idee, zur Lena-Quelle zu Fuß zu gehen, stammt von Semjon Ustinow. Wir hatten ihn bereits bei unserer ersten Reise an den Baikalsee vor sechs Jahren kennen und als eine in jeder Hinsicht imposante Persönlichkeit schätzen gelernt. Wissenschaftler, Umweltschützer und Naturfreunde nennen seinen Namen weit über die Grenzen des Baikal-Gebiets hinaus mit Ehrfurcht. Seine Visitenkarte ziert der Hinweis, dass er Doktor der Biologie ist, verdienter Ökologe der Russischen Föderation, verdienter Mitarbeiter der Jagdwirtschaft der Russischen Föderation und Mitglied des Schriftstellerverbandes der Russischen Föderation. Und außerdem zeigt die Visitenkarte klein gedruckt neben fünf Bärentatzen an, dass Ustinow «Leiter der Abteilung für naturschützende Bildungsarbeit des Baikal-Lena-Biosphären-Reservates» ist, des größten Naturschutzgebiets der Baikal-Region. Er, so hatte Ustinow bei unserer ersten Begegnung wie beiläufig und dennoch mit unüberhörbarem Stolz erklärt, sei der eigentliche Entdecker der Lena-Quelle, zumindest der Erste, der sie wissenschaftlich beschrieben habe. Natürlich könne man, so hatte er gesagt, wenn man genug Geld habe, auch mit dem Hubschrauber zu der sonst nur schwer zugänglichen Quelle des gewaltigsten der sibirischen Ströme fliegen. Aber dies sei erstens umweltschädlich und zweitens kaum geeignet, einen Eindruck von dem grandiosen Naturschauspiel zu vermitteln, das der Weg vom Baikal, dem heiligen Meer der Sibirier, zur Mutter Lena, der wichtigsten Lebensader Sibiriens, für den tapferen Fußgänger bereithält.

Auch diesmal führte unsere Route zunächst über das etwa 400 Kilometer südlich der Lena-Quelle gelegene Irkutsk. Mit der «Wega», einem Schwesterschiff der «Minkas», die wir ehedem benutzt hatten, fuhren wir von dort rund 36 Stunden über den Baikal nach Norden, Richtung Pokojniki – vorbei an vielen Ortschaften, Buchten, Flussmündungen und Felsen, die uns von früher vertraut waren: der Fels Rytyj etwa, der Aufgewühlte, kurz vor Pokojniki, auf gleicher Höhe mit der Lena-Quelle, nur zwölf Kilometer Luftlinie von ihr entfernt. Den Burjaten, den Ureinwohnern am Baikalsee, gilt er als schrecklich und heilig zugleich; als Ort, wo böse Götter wohnen, die Söhne des burjatischen Gottes Ucher, der Verderben bringende Winde schickt. Sie bestrafen jeden, der es wagt, sich mehr als zwei bis drei Kilometer vom Baikal-Ufer weg auf ihr heiliges Territorium zu begeben – just das Gebiet, in dem die Lena-Quelle liegt. Als wir den Rytyj mit dem Schiff passierten, herrschte strahlender Sonnenschein, und es wehte kein Hauch. Unser Kapitän betrachtete ihn dennoch mit Argwohn.

Semjon Ustinow hatte sich erboten, uns beim Marsch zur Lena-Quelle zu begleiten. Als Führer, wissenschaftlicher Berater, Träger und Beschützer. Denn der Baikal-Lena-Naturpark gilt, wie einer Broschüre zu entnehmen ist, als «besonders schwer zugängliche, wilde Taiga, in der es zudem von Bären wimmelt». Touristen dürfen ihn nur mit Genehmigung – vier Dollar pro Tag – und in Begleitung eines Jägers mit Gewehr betreten. Dass sich Semjon Ustinow dabei auch noch ein Zubrot zu seinem kärglichen Gehalt als Angestellter der staatlichen Naturschutzbehörde verdient, versteht sich von selbst.

In Irkutsk erstanden wir die letzten für unsere Expedition noch erforderlichen Ausrüstungsgegenstände. Zu den Rucksäcken, Zelten, Isomatten, Schlafsäcken und Bergschuhen, die wir aus Moskau mitgebracht hatten, kamen noch kreisrunde, erdfarbene Taigahüte mit bis auf die Schultern fallenden Moskitonetzen; Plastikfolien zum Einpacken der Kameraausrüstung, der Nahrungsmittel und Kleidung; ferner Gummistiefel und Gamaschen, die bis hoch über die Knie reichen und dort fest verknotet werden. Auf diese Weise soll verhindert werden, dass beim Waten durch Sumpfgebiete, durch Flüsse und Bäche Wasser von oben in die Gummistiefel rinnt. Glauben wir wenigstens.

Beim Einkauf des Proviants war uns Semjon Ustinow persönlich behilflich: Brot, Dauerwurst, Buchweizengrütze, Suppenwürfel, Teebeutel, ein paar kleine Dosen Büchsenfleisch sowie eine Flasche armenischen Kognaks – als Medizin gegen Unterkühlung, falls jemand in einen der eiskalten Gebirgsbäche plumpst. Gegen die Mitnahme von Toilettenpapier hatte Ustinow zunächst protestiert. «In der Taiga nimmt man Gras.» Erst auf unseren nachdrücklichen Hinweis, dass es sich um umweltfreundliches Klopapier handle, das sich binnen kurzem in seine natürlichen Bestandteile auflöse, willigte der verdiente Ökologe der Russischen Föderation brummend ein.

Proviant und Ausrüstungsgegenstände wurden mühsam in den winzigen Kajüten der «Wega» verstaut; überdies zwei Kisten Wodka und 100 Liter Diesel, abgefüllt in fünf Blechkanistern. Allerdings nicht für den Eigenbedarf, sondern als kostbarstes Zahlungsmittel im heutigen Sibirien. Wir wussten nämlich, dass wir in Pokojniki würden versuchen müssen, noch zwei ortskundige Männer für den Marsch zu engagieren: einen Jäger mit Gewehr und, wenn möglich, auch Hunden sowie einen weiteren Träger für die Teile unserer umfangreichen Kameraausrüstung und des Proviants, die wir selbst nicht mehr schleppen konnten. Mehr als 30 Kilo auf dem Rücken traute sich keiner von uns zu.

Pokojniki, malerisch in einer sanft geschwungenen Bucht am Fuße des steil aufragenden Baikal-Gebirges gelegen, hat zweifellos schon bessere Zeiten erlebt. Ein paar kleine Holzhäuschen, dazu einige Stallgebäude und Scheunen – alles ist altersschwach und vom Verfall bedroht. Die meisten Zäune sind vom Wind niedergedrückt, die winzigen Badehütten, Banjas, mit rostigen Schlössern verrammelt. Lediglich die Wetterstation mit ihrem unter freiem Himmel aufgestellten Wald von Geräten scheint auf den ersten Blick noch intakt.

Außer der Wetterstation befindet sich in Pokojniki nur noch ein Außenposten des Baikal-Lena-Naturparks, besetzt mit drei Rangern, wie sie sich stolz nennen. Einer von ihnen ist Kostja, ein Taigajäger, der offiziell die Funktion eines Wildhüters ausübt. Kostja zur Teilnahme an unserer Expedition zu bewegen ist allerdings nicht einfach. Wieso solle er sich in dieser Sommerhitze – wir haben über 30 Grad – mit Gepäck übers Gebirge und bis zur Lena-Quelle schinden, wo doch gerade so viele Fischschwärme durch die Bucht ziehen und es nichts Schöneres gebe, als bei gutem Wetter mit dem Motorboot auf dem Baikal herumzubrausen und Netze auszulegen? Außerdem sei er sowieso erst ein einziges Mal an der Lena-Quelle gewesen, und wir fänden sicher andere Leute, die uns führen könnten. Dabei weiß Kostja genau, dass wir ohne ihn nicht losmarschieren können, weil er – offiziell – der einzige Jäger mit Gewehr auf der Station ist. Und er kennt seinen Preis. Geld? Na klar! Und Wodka? Auch klar. Und 20 Liter Diesel für sein Motorboot. Doch das alles ist noch nicht genug. Erst die Zusage, ihn nach unserer Rückkehr auf dem Schiff nach Irkutsk mitzunehmen, lässt ihn endgültig einwilligen. Immerhin, der Handel hat auch für uns seinen Vorteil. Das jedenfalls macht uns Kostja glauben, indem er großzügig versichert, dass er nun sogar bereit sei, seine zwei Hunde mitzunehmen. Später wird er wie selbstverständlich sagen, dass er nie ohne Hunde in die Taiga gehe. «Alles andere wäre viel zu gefährlich.»

Neben Kostja erklärt sich noch Anatolij, ein etwa 50-jähriger untersetzter Mann burjatischer Herkunft, einverstanden, uns zu begleiten. Er ist Förster und ein guter Freund von Semjon Ustinow. Die Expedition ist komplett.

Bereits am Vorabend haben wir auf dem Schiff unter Anleitung von Semjon Ustinow unsere Ausrüstung wasserdicht in Plastikfolien verpackt. Die Kameras und Tongeräte ebenso wie den gesamten Proviant und die aufs Notwendigste reduzierten persönlichen Sachen – Schlafsäcke, Socken, Pullover. Im günstigsten Fall, hatte uns Ustinow erklärt, seien wir sechs Tage zu Fuß unterwegs; wenn die Witterung nicht mitspiele, könnten es sogar zehn werden. Der Marsch zur Lena-Quelle führe durch unwirtliches Gebiet, nicht nur durch das steile Baikal-Gebirge, sondern auch durch dichte Taiga mit mannshohem Unterholz und Gestrüpp, durch mehrere Flussläufe, kilometerweite Sümpfe, riesige Geröllfelder mit scharfkantigen Felsformationen sowie weite, mit trockenem Rentiermoos überzogene Flächen der Waldtundra, die aussehen wie ein riesiger grauer Teppich, Menschen aber an manchen Stellen unvermittelt bis zur Hüfte einsinken lassen. Eine Art Weg gebe es nur das Gebirge hinauf, ansonsten müsse man sich nach der Sonne und dem Kompass orientieren. Eine genaue Karte des Gebiets sei noch nicht erstellt. Tagsüber könne das Thermometer in diesem Teil Sibiriens jetzt im Sommer bis auf 35 Grad klettern, nachts dagegen sei durchaus Frost denkbar. Und plötzlich hereinbrechende Unwetter mit gewaltigen Regenmassen könnten die Flüsse und Sümpfe auf Tage hinaus unpassierbar machen.

Ausführlich unterrichtet uns Semjon Ustinow über Vorsichtsmaßnahmen. Gegangen werde grundsätzlich im Gänsemarsch, dicht hintereinander: vorneweg Kostja mit seinem Karabiner, Ustinow als Letzter mit einer russischen Armeepistole aus dem Zweiten Weltkrieg, einer TT 7,62 mm. «Die reicht auch für Bären.» Wenn einer von uns dennoch einmal allein einem Bären begegnen sollte, so gebe es nur zwei Möglichkeiten: laut schreien, am besten die Tonleiter von oben herunter lachen oder anderweitig Krach machen. Sollte dies den Bären unbeeindruckt lassen, bleibe nur noch: «sich auf den Boden werfen, tot stellen und abwarten, was passiert». Auf keinen Fall dürfe man versuchen wegzulaufen, denn das wecke mit Sicherheit den Jagdinstinkt des Tieres. Und selbst der schnellste Läufer habe dann keine Chance mehr. Auch auf einen Baum zu klettern oder ins Wasser zu springen nütze nichts, weil Bären klettern und schwimmen. Aber häufig sei der Bär bloß neugierig und wolle sehen, welcher Fremde sich da in seinem Revier tummelt. Dies sei meist der Fall, wenn er auf den Hinterpfoten stehe. Das Dumme sei nur, dass man es nie so genau wisse …

Gegen die Schwärme von Stechmücken, so Semjon Ustinow, hätten die sibirischen Jäger hingegen ein einfaches Rezept: «Beachtest du sie, stechen sie dich. Ignorierst du sie, lassen sie dich in Ruhe.» Trotzdem könne es nicht schaden, größere Mengen Autan mitzunehmen, das inzwischen auch in Russland erhältlich ist. Glück hätten wir, dass es in dieser Region am Baikalsee die ansonsten so gefürchteten Zecken nicht gebe. Eine echte Gefahr sei aber eine besonders giftige Schlangenart, deren Biss in der Regel eine sofortige Nervenlähmung hervorrufe und tödlich sei. Überwiegend im Gras und auf den sonnenüberglänzten Steinen und Felsen des Baikal-Gebirges sei sie anzutreffen. «Also, Vorsicht bei jedem Schritt und vor allem beim Lagern!»

Für den Fall, dass jemand in der Taiga den Anschluss an die Gruppe verliert, besteht Semjon Ustinow darauf, zu kontrollieren, ob jeder von uns auch die für Notsituationen wichtigsten Dinge bei sich hat: ein Päckchen Streichhölzer, ein solides Taschenmesser und eine Ration Schokolade.

Das Kamerateam, mit dem ich unterwegs bin, ist dasselbe wie schon bei meinen Filmen über Ostpreußen und den Baikalsee: Sascha, der Journalistenkollege aus St. Petersburg, Maxim, der inzwischen mehrfach preisgekrönte Kameramann, Dima, der Toningenieur, sowie der Videotechniker und Fotograf Andrej, mit 23 Jahren der Jüngste von uns. Ihm ist zugleich die schwierigste Aufgabe auf dem Marsch zugefallen: der Transport der schweren, überaus empfindlichen Videokamera mit ihrem Spezialobjektiv. Maxim ist vor einigen Jahren bei Dreharbeiten im äußersten Nordosten Sibiriens mit einem Hubschrauber abgestürzt und hat dabei eine Rückenverletzung erlitten. Wenn es nach den Ärzten ginge, dürfte er überhaupt nicht mehr in seinem Beruf arbeiten. Aber das, so sagt er, sei nun einmal sein Leben; nur kann er sein Gerät nicht mehr selbst über weite und unwegsame Strecken tragen. Wir sind heilfroh, dass er überhaupt dabei ist. Denn er «zaubert» Bilder wie sonst keiner.

Die ersten drei Kilometer von der Wetterstation bis zum Fuß des Baikal-Gebirges will Anatolij einen Teil unseres Gepäcks im einzigen noch betriebsbereiten Fahrzeug der Forstverwaltung transportieren. Es ist ein russischer Armeejeep, der aus der Zeit vor dem Zweiten Weltkrieg stammt. Während Anatolij in halsbrecherischer Fahrt das Vehikel durch die an dieser Stelle lichte Taiga, über umgestürzte Baumstämme, durch ausgetrocknete Bachläufe und meterhoch wucherndes Steppengras quält, können wir direkt unter uns ins Freie schauen. Der Boden des Jeeps ist durchgerostet. Ein Bremspedal gibt es auch nicht mehr. Unter beängstigendem Krachen schiebt Anatolij beidhändig den ersten und zweiten Gang hinein, die anderen sind kaputt und werden hier im Wald sowieso nicht gebraucht. Alle hundert Meter säuft der Motor ab, und Anatolij wirft ihn mit lautem Fluchen und einer gewaltigen Kurbel nach mehreren Fehlversuchen wieder an.

Seit zehn Jahren, so erzählt Anatolij, wenn er gerade mal nicht kurbelt und flucht, seit zehn Jahren hätten die Forstleute hier oben am Baikal nichts, aber auch gar nichts mehr erhalten: keine Ersatzteile für die Fahrzeuge und die anderen Maschinen, keine Geräte, keine Schutzkleidung, keine Arbeitsschuhe und oft nicht einmal den ohnehin nur symbolischen Lohn. Wenn irgendwo in der Taiga ein Feuer ausbreche, müssten sich die Forstleute zu

Fuß auf den Weg machen, mit Schaufeln und Äxten. Selbst richtige Feuerpatschen hätten sie nicht. Von Funkgeräten oder auch nur einem funktionierenden Telefon könnten sie lediglich träumen. Und Treibstoff für den Jeep und ihre kleinen Motorboote müssten sie sich im Tauschgeschäft von vorbeikommenden Schiffen erbetteln – ein Korb Fische gegen fünf Liter Diesel oder ein Bärenfell gegen ein ganzes Fass. Vergessen habe man sie offenbar, auch um die vielen Waldbrände habe man sich in der Zentrale wenig gekümmert. Erstmals habe die Forstverwaltung Irkutsk in diesem Jahr, 2001, bei einem gewaltigen Brand im Lena-Nationalpark wieder ein Löschflugzeug und einige Fallschirmjäger geschickt. Gleichzeitig aber habe man ihnen, den Forstleuten, und den zur Brandbekämpfung eingeflogenen Soldaten so sehr misstraut, dass man sofort einen Staatsanwalt entsandte, der kontrollieren sollte, wie die Löschmannschaften arbeiteten …

Der Weg zum Kamm des Baikal-Gebirges führt steil nach oben, fast geradeaus. Es ist ein alter Goldgräberpfad, über den im 18. und 19. Jahrhundert Glücksritter und Abenteurer aus allen Ecken Russlands mit ihren Maultieren kletterten, um an den Ufern der zu Tal rauschenden Bäche nach dem kostbaren Edelmetall zu schürfen. Der als Vater der russischen Wissenschaften geltende Michail Lomonossow, dessen Namen heute die Moskauer Universität trägt, hatte 1763 in einem kleinen Handbuch darauf hingewiesen, dass Gold nicht nur in Bergadern, sondern auch im Sand von Flussbetten und Bächen zu finden sei. Der in der Folgezeit ausbrechende Goldrausch führte dazu, dass in Sibirien bald größere Mengen dieses Edelmetalls zutage gefördert wurden als in Westeuropa, dem übrigen Asien und ganz Lateinamerika zusammen. Russlands Anteil betrug Ende des 18. Jahrhunderts zwei Fünftel der Weltausbeute.

Doch Goldgräber gibt es im Baikal-Gebirge schon lange nicht mehr. Und der Pfad, den sie einst vom Ufer des Sees bergauf gestiegen sind, ist für das ungeübte Auge nicht mehr zu erkennen. Dafür entdecken wir bereits nach einem Kilometer einen großen, frischen, noch dampfenden Haufen Bärenkot. Aus seiner grünlichen Farbe schließt Semjon Ustinow, dass der Bär, der recht gewaltig sein muss, Gras gefressen hat. Das sei um diese Jahreszeit – es ist Juni – auch ganz normal, da es für Bären noch nichts anderes zu fressen gebe, keine Beeren, keine Nüsse, keine sonstigen Früchte. «Und das bedeutet, dass sie ziemlich hungrig sind.»

Wir nehmen es äußerlich gelassen zur Kenntnis. Wozu haben wir schließlich Kostja mit seinem Karabiner und Semjon Ustinow mit seiner Armeepistole sowie die beiden Hunde, die ebenfalls einen gewissen Schutz vor Bären bieten sollen. Dass dies keineswegs sicher ist, erfahren wir erst später. In den fünf Stunden, die unser Marsch bis zum Gebirgskamm auf 1500 Meter Höhe dauert, bekommen wir keinen Bären zu Gesicht, dafür aber immer wieder frischen Bärenkot. Offenbar, so Ustinow, macht unsere Gruppe beim Marschieren und Klettern so viel Lärm, dass sich die Bären lieber verziehen. «Möge es so bleiben!», murmelt Maxim.

Gleich in den ersten Stunden unseres Ausflugs zur Lena-Quelle stellen wir fest, dass die Taigajäger mit ihrem Rezept gegen die Stechmücken, die in riesigen Schwärmen über uns herfallen, offensichtlich Recht haben. Denn während wir uns mit Autan und Moskitonetzen um Kopf und Hals vor den lästigen Blutsaugern zu schützen versuchen und auch Kostja das Moskitonetz seiner Militärmütze heruntergelassen hat – er trägt, wie viele Taigajäger, eine Tarnuniform der russischen Armee –, marschiert der burjatische Forstmann Anatolij im ärmellosen Unterhemd und ohne Kopfbedeckung gelassen durch die dicksten Mückenschwärme und wird nicht gestochen. «Ich hab's doch gesagt», erklärt er hintergründig lächelnd, «man muss einfach nicht drauf achten.» Alle Versuche, es ihm nachzumachen, schlagen jedoch fehl.

In einem anderen Punkt aber haben sich unsere einheimischen Begleiter geirrt. Mit leisem Spott in der Stimme hatten sie uns abgeraten, Trinkwasser auf den Marsch mitzunehmen. Zum einen sei unser Gepäck ohnehin schon schwer genug, und zum anderen möge es zwar in der Taiga an manchem mangeln, an einem aber nie: an Wasser. Bäche, Flüsse, Seen und so weiter, die Vorräte seien schier unerschöpflich. Nicht gerechnet haben die Taigaleute, wie sie sich selbst nennen, allerdings damit, dass in diesem Jahr die Sommerhitze sogar die Bergbäche in den höheren Regionen austrocknen lassen würde. Und so schleppen wir uns bei sengender Sonne und 33 Grad im Schatten den alten Goldgräberpfad hinauf und lernen, dass man auch aus harten Berggräsern Feuchtigkeit gewinnen kann. Oder zumindest die Illusion davon.

Etwa jede Stunde machen wir Rast. Die Hunde, die zuvor ständig um unsere Gruppe herumgerast sind und das Unterholz nach allen Seiten durchstöbert haben, liegen dann ebenso erschöpft im Gras oder auf den Steinen wie wir. Die Zunge lang heraushängend und mit den Augen blinzelnd, als würden sie jeden Moment einschlafen. Es sind Valet und Susanna, die sich prächtig zu verstehen scheinen und gemeinsam mit heftigen Attacken den ungeliebten Bootsman, der sich uns ebenfalls anschließen wollte, vertrieben haben. Wenn sie, uns oft weit voraus, die Taiga durchstreifen, kann Kostja, so sagt er, an der Art ihres Gebells erkennen, was sie treiben und worauf sie gerade gestoßen sind – ein Eichhörnchen, einen Hasen, Fuchs oder Bären. Respekt hätten sie allenfalls vor Wölfen. Kein Wunder, denn jedes Jahr im Winter holen sich diese im Dorf bei der Wetterstation ihre Opfer. Auch einer von Kostjas Hunden ist im vergangenen Jahr von Wölfen gefressen worden.

Die Bergkuppe des Baikal-Gebirges bildet die Wasserscheide zwischen Lena-Becken und Baikalsee, dem mittleren Teil Sibiriens und Ostsibirien. Der größte Strom, der jenseits des Baikal entspringt, der Amur, fließt Richtung Osten in den Pazifik; die unweit des westlichen Baikal-Ufers am Fuß des Baikal-Gebirges entspringende Lena fließt nach Norden, ins Polarmeer – 4400 Kilometer weit.

Die Stelle, an der der Goldgräberpfad die Gebirgskette überquert, gilt den Einheimischen als heiliger Ort, über den der burjatische Gott des Baikal, Burchan, wacht. Ihm zu Ehren ist eine kleine Steinpyramide errichtet, an der einfache Opfergaben niedergelegt werden – Münzen, Zigaretten oder bunte Stofffetzen –, die zugleich geheime Wünsche symbolisieren. Bei schönem Wetter hat man von hier aus einen weiten Blick bis hinüber ins Lena-Tal.

Der Abstieg Richtung Westen ins Tal ist vergleichsweise leicht. So schroff das Gebirge vom Ufer des Baikalsees in die Höhe ragt, so sanft fällt es über weit geschwungene Hügelketten zur Lena hin ab. Gegen die nun tief stehende Sonne bewegen wir uns über zerklüftete Geröllfelder und mit dürren Kiefern und Fichten kärglich bewachsene Hänge. Zuweilen versperrt hartes, meterhohes Gestrüpp den Weg und zwingt zu zeitraubenden Umwegen. Unser Ziel für den ersten Marschtag ist eine noch etwa zehn Kilometer entfernte Blockhütte, eine «zimowka», Unterschlupf der Taigajäger im Winter. Natürlich sind wir auch darauf eingerichtet, unter freiem Himmel zu kampieren, doch dies wollen wir, nicht zuletzt wegen der mit der einbrechenden Dunkelheit immer aggressiver werdenden Stechmücken, nach Möglichkeit vermeiden.

Das einzige an diesem Tag noch vor uns liegende Hindernis ist die Lena, die hier im Tal, etwa 40 Kilometer von ihrer Quelle entfernt, die Gestalt eines reißenden, etwa 20 Meter breiten Bergbachs angenommen hat. An manchen Stellen ist sie lediglich knietief, an anderen reicht das Wasser fast bis zur Hüfte. Kostja, der vorneweg den günstigsten Weg durch die Strömung erkundet, hat seine Armeestiefel anbehalten. Wir ziehen die mitgebrachten Gummistiefel an, schnüren die Gamaschen über die Knie und merken spätestens in der Mitte der Lena, wie das eiskalte Wasser von oben über die Waden in die Socken rinnt. Die

Stiefel auszuziehen und barfuß weiterzugehen ist jedoch auch nicht möglich. Spitze, glitschige Steine und Felsbrocken auf dem Grund des Bachs verursachen nicht nur höllische Schmerzen an den Fußsohlen, sondern verhindern, dass man in der gewaltigen Strömung irgendwo festen Halt findet. Ein Sturz mit der Kamera aber, mag sie auch vermeintlich wasserdicht verpackt sein, oder mit einem der anderen elektronischen Geräte würde das Ende unserer Drehreise bedeuten.

Am klügsten hat es Semjon Ustinow angestellt. Er hat die Socken einfach ausgezogen und ist in seinen Gummistiefeln zum anderen Ufer gewatet. So braucht er nur das Wasser aus seinen Stiefeln zu kippen, ein wenig zu warten und kann dann trockenen Fußes weitermarschieren. Wir ärgern uns, dass wir nicht selbst auf diese Idee gekommen sind. Ustinow hingegen meint, ein bisschen Lehrgeld könne nicht schaden.

Winterhütte im Sommer

Kurz vor Einbruch der Dunkelheit erreichen wir die Winterhütte. Bei Nacht zu marschieren, so hatten uns die Taigaleute eingeschärft, sei lebensgefährlich – wegen der Bären, der Wölfe, der Unwegsamkeit des Geländes, der Gefahr, in ein Sumpfgebiet zu geraten und die Orientierung zu verlieren, über quer liegende Baumstämme zu fallen, in mit Rentiermoos überwachsene Felsspalten zu stürzen, und aus tausend anderen Gründen mehr. Also haben wir uns immer wieder aufgerafft, versucht, die Blasen und blutigen Stellen an den Füßen, die unzähligen, widerlich juckenden Mückenstiche und die vor Erschöpfung weichen Knie zu vergessen, um im letzten Licht der Abendsonne noch jenen verwunschenen, von dunklen Tannen umgebenen Taigasee bewundern zu können, an dem die Winterhütte steht. Am Ufer haben sich, an den Spuren im Sand deutlich zu erkennen, kurz vor unserer Ankunft eine Bärenfamilie, ein Elch und ein paar Wölfe aufgehalten.

Die Winterhütte ist ein kleines, aus roh behauenen Stämmen gefügtes Blockhaus mit spitzem Dach, dessen Grundfläche etwa drei mal drei Meter beträgt. Die Tür ist vernagelt. Als wir sie öffnen, entdecken wir im Inneren ein paar Holzpantinen, eine Axt, eine kleine Handsäge sowie eine Schaufel für den Schnee im Winter und einen rußgeschwärzten Blecheimer. An einer der Wände, unter einer winzigen, nicht zu öffnenden Fensterluke, steht ein eiserner Ofen, dessen Rohr quer durch den Raum und dann durchs Dach ins Freie führt. Über dem Ofen hängen an zwei groben Nägeln ein kleiner Plastikbeutel mit Salz sowie ein Leinensäckchen mit getrocknetem Brot. Die Hälfte des Raumes nimmt ein hüfthohes hölzernes Podest ein, auf das genau sechs Schlafsäcke passen. Anatolij will im Freien vor der Hütte schlafen. Als Taigamensch sei er das schließlich gewohnt, im Sommer jedenfalls. Und ihn würden, wie man wisse, die Mücken sowieso nicht stechen. Wir aber spannen zur Vorsicht noch zwei Moskitonetze vor die Tür, doch bei der Findigkeit dieser sibirischen Plagegeister ist auch das für sie kein ernsthaftes Hindernis.

Das sicherste Mittel, Mücken zu vertreiben, ist Rauch. Deshalb, so haben wir es auf alten Zeichnungen gesehen, trugen manche Ureinwohner Sibiriens, etwa die Tungusen am Oberlauf der Lena, im Sommer kleine, mit Birkenrinde umwickelte Tonkrüge auf dem Rücken, in denen Reisig und angefeuchtetes Moos kokelte.

Das Feuer, das wir vor der Winterhütte mit zuhauf in der Gegend herumliegenden vertrockneten Ästen und Baumstümpfen entfachen, dient aber nicht nur dem Schutz vor Mücken, sondern auch zum Trocknen der noch immer feuchten Schuhe, Socken und Hosen sowie zum Kochen von Suppe und Tee. In dem verrußten Eimer, den wir in der Hütte vorgefunden haben, wird Wasser aus dem See mit Buchweizengrütze erhitzt. Dann kommen einige Löffel Dosenfleisch dazu, und fertig ist die Mahlzeit. Die Rationen sind genau abgezählt, wie die Teebeutel – zwei pro Kopf. Zum Tee gibt es die getrockneten Brotstückchen, «suchariki», die wir ebenfalls gefunden haben, und für jeden einen Riegel Schokolade, Marke «Roter Oktober».

Am Feuer erweisen sich unsere einheimischen Begleiter, die tagsüber eher wortkarg waren, als durchaus gesprächig. Sie schwärmen, als seien sie zum ersten Mal in der Taiga, von deren Reichtum und Schönheit. Die beiden mächtigen Zedern etwa, zwischen denen sich die Winterhütte hinduckt, sind, so erklärt Anatolij, der Forstmann, mehr als 400 Jahre alt. Und all die Gräser, auf denen wir uns gerade ausgestreckt haben, seien Nahrungsmittel oder Heilpflanzen – «Tscheremscha» zum Beispiel, ein längliches, fleischiges Zwiebelgewächs, das auch im Kaukasus vorkommt. In seiner sibirischen Variante trägt es den wissenschaftlichen Namen «Allium ursinum», Bärlauch.

Wenn er allein in der Taiga unterwegs sei, so Anatolij, nehme er überhaupt keinen Proviant mit – allenfalls etwas Brot. Aber selbst darauf verzichte er häufig. «In der Taiga wiegt jede Nadel.» Im Grunde reichten ein Gewehr und ein Messer, mehr brauche man auch auf längere Zeit nicht zum Überleben.

Umso bitterer kommt es Anatolij an, dass dort, wo eigentlich, wie er sagt, «zivilisazija» («Zivilisation») herrschen sollte, das Leben oder Überleben immer schwieriger wird. In Pokojniki etwa, wo er und Kostja, der Jäger, mit ihren Familien wohnen. Zu Sowjetzeiten, so Anatolij, wurde das Dorf, das praktisch nur aus der Wetterstation und dem Außenposten der Naturparkverwaltung besteht, «königlich» versorgt. Regelmäßig wurden über den Baikalsee Lebensmittel und andere wichtige Güter gebracht, Diesel etwa für die Fahrzeuge und Boote. Die Kinder waren kostenlos in einem Internat in Irkutsk untergebracht, mehrmals im Jahr kam per Schiff ein Arzt vorbei. Strom erzeugte der dorfeigene Generator, und für ständigen Kontakt mit der Außenwelt – die nächste Stadt, Irkutsk, ist immerhin 400 Kilometer entfernt – sorgte ein Funkgerät. Und im Notfall – bei Krankheit, einer schwierigen Geburt, einem Unfall – wurde ein Hubschrauber geschickt. Heute, so Anatolij, würden keine Lebensmittel mehr gebracht, auch kämen keine Schiffe mit Diesel und anderen Versorgungsgütern. Sogar die medizinische Betreuung sei eingestellt. Und die Kinder könnten nicht mehr zur Schule gehen, da für die Unterbringung im Internat nun bezahlt werden müsse. Das altersschwache Funkgerät breche ständig zusammen, und wenn man im Notfall einen Hubschrauber anfordere, laute die erste Frage: «Welche Organisation bezahlt denn?» Der staatliche Wetterdienst und die Naturschutzverwaltung seien «so gut wie pleite», und für private Unternehmen lohne der Transport in diesen entlegenen Winkel der Welt nicht. «Kapitalismus eben!»

Wenn es ihnen, ergänzt Kostja, doch einmal gelinge, nach Irkutsk zu kommen, so zeige sich rasch, dass es im Kapitalismus auch nicht alles gebe. Nicht einmal mehr Dochte für Petroleum-lampen, von Petroleum selbst ganz zu schweigen. Die Produk-tion, so heiße es, sei eingestellt. «Dabei sind Petroleum und Dochte lebenswichtig für Pokojniki – seit Diesel für den Genera-tor eine Rarität ist.»

«Und wie», frage ich, «behelfen Sie sich?»

«Wir schlafen viel», sagt Kostja und lächelt.

Am nächsten Morgen weckt uns geradezu hysterisches Hunde-gebell und lässt uns alarmiert aus den Schlafsäcken fahren. Vor der Hüttentür steht Kostja, den Karabiner mit dem Lauf nach vorne über die Schulter gehängt, und schaut aufmerksam in die Richtung, aus der der ungewöhnliche Lärm herüberdringt. Doch das Gebell kommt nicht näher, sondern entfernt sich tie-fer in die Taiga hinein. Kostja wirkt zunehmend entspannter. Nach einiger Zeit verstummt das Gebell, und wieder etwas spä-ter trotten Valet und Susanna gemächlich, aber immer noch hechelnd und mit weit heraushängender Zunge zur Hütte zu-rück. Vermutlich, so Kostja, seien sie auf eine frische Bärenspur gestoßen, hätten sie dann aber verloren oder die Verfolgung aus irgendeinem anderen Grund aufgegeben. «Auch besser so», meint Kostja. Warum, wird er uns allerdings erst später er-zählen.

Wir springen zum Waschen kurz in den eiskalten See, früh-stücken Buchweizengrütze mit Büchsenfleisch und rollen un-sere Schlafsäcke zusammen. Für die nächsten Besucher der Hütte, die vielleicht erst im Winter kommen, stapeln wir neben dem Ofen ein paar Lagen Brennholz, hängen ein frisches Säck-chen mit Salz an die Wand und ein anderes mit Brotscheiben, die bald trocknen werden. Dann vernageln wir sorgfältig die Tür.

Bevor wir losmarschieren, nimmt Anatolij die Pudelmütze vom Kopf, die er am frühen Morgen aufgesetzt hat, verbeugt sich vor der Hütte und sagt, für alle Umstehenden deutlich vernehmbar: «Danke diesem Haus. Gebe Gott, dass wir nicht zum letzten Mal hier waren.» Dann zieht er die Mütze wieder auf, um sie erst in der Mittagshitze endgültig wegzupacken. Die Mücken lassen ihn auch an diesem Tag in Ruhe.

Jägererzählungen

Am Abend des dritten Marschtages sitzen wir wieder am Feuer vor einer Winterhütte. Obwohl alle, außer unseren einheimischen Begleitern, völlig erschöpft sind, kann niemand einschlafen. Am Mittag waren wir in einem riesigen Sumpfgebiet in ein schweres Unwetter geraten, das unsere Führer zeitweilig die Orientierung verlieren ließ. Angesichts der Wassermassen, die wie aus Eimern vom Himmel strömten, war an ein Weitergehen nicht zu denken. Unser einziges Zelt aufzuschlagen war aber auch nicht möglich, da wir schon bis zu den Knien im Wasser standen. Was, fragten wir uns, würde passieren, wenn das Unwetter bis zum Abend andauerte und wir über Nacht im Sumpf feststeckten? Die Antwort Kostjas, des Jägers, war einfach: «Die Mücken würden uns fressen.» Nur Anatolij, der Forstmann, blieb unbeeindruckt.

Nach einigen Stunden jedoch – jeder von uns war trotz Regenhülle nass bis auf die Haut – verzog sich das Unwetter. Es klarte auf, und unsere Begleiter fanden die Marschrichtung wieder.

Doch nicht nur die Erinnerung an den, wie Maxim es formuliert, etwas ungemütlichen Tag lässt uns an diesem Abend länger als sonst am Feuer sitzen. Es ist auch die immer stärker werdende Vorfreude, die uns erfüllt. Morgen nämlich sollen wir, wenn alles gut geht, die Quelle der Lena erreichen. Jenen geheimnisvollen Ort, an den vor uns noch kein Kamerateam zu Fuß gelangt ist, die Stelle, an der die wichtigste Lebensader des östlichen Sibirien ihren Ursprung hat. Entlang dieses Stromes sind ganze Völkerschaften nach Norden gezogen und dann – wie die Vorfahren der nordamerikanischen Indianer – weiter Richtung Osten, bis nach Alaska. Mehr als 4400 Kilometer, von der Quelle der Lena bis zu ihrer gewaltigen Mündung im Polarmeer, wollen wir auf der ersten Etappe unserer Reise dem Lauf des Flusses folgen. Danach soll es auf den Spuren weitergehen, die die Menschen vor Tausenden von Jahren auf ihrem Weg in die Neue Welt hinterlassen haben, bis zu den Tlingit-Indianern im Süden Alaskas – eine Route von über 10 000 Kilometern.

Aber nicht von der Vergangenheit und den Vorfahren unserer sibirischen Begleiter ist an diesem Abend am wärmenden und trocknenden Feuer die Rede, sondern von dem, worüber sich Kostja und Semjon Ustinow in jeder freien Minute am liebsten unterhalten – von Bären. Ustinow hat mehr als 50 Jahre lang Bären in Sibirien beobachtet und unzählige Bücher und Artikel über sie geschrieben. Kostja, in Pokojniki geboren, ist ebenfalls seit seiner Kindheit mit Bären vertraut und lebt davon, sie sich und anderen vom Leibe zu halten. Was er erzählt, klingt wie Jäger- oder genauer: Bärenlatein. Doch Ustinow, der Wissenschaftler, korrigiert ihn an keiner Stelle, meldet bei keiner von Kostjas Geschichten Zweifel an.

Und so berichtet Kostja, der auch einige Zeit als Bärenjäger auf der Halbinsel Kamtschatka vor der Ostküste Sibiriens gearbeitet hat, von jenem französischen Kameramann, der in Begleitung eines einheimischen Jägers Filmaufnahmen vom Leben der Bären dort machen wollte. «Plötzlich», so Kostja, «steht vor beiden ein riesiger Bär, unerwartet, zweifellos angriffslustig. Der Jäger schießt zweimal, trifft zweimal, doch der Bär ist unbeeindruckt, springt auf beide zu. Während der Jäger zu den Patronen greift, um nachzuladen, rennt der Kameramann weg und hechtet in den nahen Fluss. Der Bär, ihm nach, schwimmt dem Kameramann hinterher. Erst mit dem dritten Schuss kann der Jäger den Bären erlegen.»

Maxim, unser Kameramann, hat sich die Erzählung Kostjas ungerührt angehört. «Ich hoffe», sagt er lakonisch, «du schießt besser.»

Das ist das Stichwort für Kostjas nächste Geschichte. Selbst der beste Schütze, erklärt er, ist im Zweifelsfall gegen den Bären machtlos. So sei der Chefjäger des Baikal-Lena-Naturparks, in dem wir uns gerade befinden, ein im Zweiten Weltkrieg mehrfach ausgezeichneter Scharfschütze, als er vor ein paar Jahren mit seinen zwei Hunden in der Taiga unterwegs war, von einem Bären angefallen worden. Und zwar so blitzschnell, dass er gar nicht erst zum Karabiner oder zu seiner Parabellum-Pistole greifen konnte. Er wurde zerfleischt.

Semjon Ustinow, damals der Vorgesetzte des Chefjägers, bestätigt Kostjas Geschichte ausdrücklich. Und weist darauf hin, dass Bären schnell laufen können, bis zu 80 Kilometer in der Stunde, und zuweilen auch von einem Baum herab auf Menschen springen. Das sei vielleicht beim Tod des Chefjägers der Fall gewesen. Im Übrigen, so Ustinow, hätten Bären einen ausgesprochen bösartigen Charakter. Selbst von klein auf im Haus aufgezogene Bären seien unberechenbar und höchst gefährlich. Deshalb würden laut Statistik die meisten Unfälle beim Zirkus bei Bärendressuren passieren, nicht etwa bei der Arbeit mit Löwen, Tigern, Panthern oder anderen Raubtieren.

Auch über die gewaltigen Körperkräfte des Herrn der Taiga weiß Kostja zu erzählen. So habe er beobachtet, wie ein Bär am Ufer des Baikalsees im Frühsommer mit seinen Tatzen einen riesigen Stein umwälzte, um an ein Nest der von ihm heiß geliebten Schmetterlingslarven zu kommen. Später sei es sechs Männern nicht gelungen, den Stein von der Stelle zu bewegen.

Und auf Kamtschatka sei er Zeuge gewesen, wie im November im Schnee ein hungriger Bär mit einem Tatzenhieb drei Hunde erledigte. Als man den Bären schließlich erlegte, stellte man fest, dass er ein Gewicht von 586 Kilo hatte.

Beim Bau der Baikal-Amur-Magistrale (BAM), der neuen Transsibirischen Eisenbahn, die um die Nordspitze des Baikalsees herumführt, so Kostja weiter, mussten vor einigen Jahren wegen der Bären vorübergehend die Arbeiten eingestellt werden. Und im Baikalsee, nahe dem Ufer seines Dorfes Pokojniki, habe sich ein wütender Bär bis zur Hälfte aus dem Wasser gereckt und

an einem Ruderboot mit drei Fischern gerüttelt. «Noch stunden-
lang haben die Fischer gezittert.»

Glück, meint Kostja, dem nun eine Schauergeschichte nach
der anderen einfällt, habe auch sein Freund gehabt, der von einem Bären angefallen und schwer verletzt worden sei. Vier Stunden habe er den zeitweise Bewusstlosen, der zu verbluten droh-
te, in seinem Boot über den Baikalsee zum nächsten Dorf
gerudert, in dem es einen Arzt gebe. «Der war an diesem Tag
nüchtern.»

Ob denn, fragen wir Kostja, die Hunde, die er immer in die
Taiga mitnehme, tatsächlich ein Schutz vor Bären seien?

Kostja kratzt sich am Hinterkopf und schiebt seine Schirmmütze etwas tiefer ins Gesicht. Mit den Hunden, meint er und
starrt dabei gedankenvoll ins Feuer, sei das so eine Sache. Im
Prinzip gebe es drei Möglichkeiten: Entweder die Hunde verja-
gen den Bären, oder sie halten ihn wenigstens auf, oder sie laufen
vor ihm weg, zurück zu Herrchen – und der Bär hinter ihnen her.
Erst unlängst habe er Letzteres erlebt und dabei Glück gehabt.
Der Bär, der hinter den Hunden herhetzte, die zu ihm zurücklie-
fen, habe ein solches Tempo gehabt, dass er glatt an dem Baum
vorbeirannte, hinter dem sich Kostja versteckte. «Ich hier – und
der Bär prescht an mir vorbei, ganz nah, ich hab sogar den Luft-
zug gespürt.»

Am meisten gefährdet, so wirft Semjon Ustinow mit einem
kurzen Blick auf Kostja ein, seien erfolgreiche Jäger. Sie seien
häufig zu selbstsicher, unvorsichtig, überschätzten sich und ver-
ließen sich zu sehr auf ihr Gewehr. Dabei wisse eigentlich jeder,
dass ein Bär mit einem Schuss nicht zu erschrecken sei.

Kostja hört es nicht gern, wenn man ihn einen Bärenjäger
nennt. Obwohl er in seinem Leben, wie er sagt, schon mehr als
30 von ihnen erlegt hat. Natürlich, er gehe auf die Jagd, nach
Hirschen, Rehen, Elchen, Wildschweinen, Füchsen, Zobel und
im Winter auch auf Robben. Aber noch nie habe er sich vorge-
nommen, einen Bären zu jagen. Wenn er einen von ihnen er-

schieße, dann nur aus Notwehr – um sich, sein Vieh, sein Dorf zu beschützen.

«Aber wir haben gehört», wende ich mich an Kostja, «dass auf dem Schwarzmarkt in Irkutsk von Ausländern bis zu 1000 US-Dollar für ein Bärenfell geboten werden.»

«Auch für 1000 Dollar riskierst du keine Begegnung mit einem Bären», sagt Kostja. «Ein Bär ist kein Hase.» Und zur Bekräftigung spuckt er ins Feuer, dass es zischt.

Das Verhältnis von Semjon Ustinow zu Bären ist durchaus zwiespältig. Sie faszinieren ihn und sind ihm zugleich unheimlich. Ganz offen erklärt er: «Ich glaube, mich in der Natur einigermaßen auszukennen. Und dennoch habe ich in der Taiga vor zwei Dingen Angst: in eine Schneehöhle zu fallen, aus der man nicht wieder herauskommt, und vor Bären. Man weiß nie, was sie tun werden. Da scheint einer nur neugierig und verspielt, doch wenn er auf zehn Meter herangekommen ist, wird dir plötzlich anders. Wenn der Riese dann nämlich losspringt, hast du keine Chance mehr. Deshalb gehe ich auch nie ohne Waffe in den Wald. Ein paar Mal schon hat sie mir, als ich von Bären angefallen wurde, das Leben gerettet. Ich erschieße sie nicht gern, sondern nur, wenn ich gezwungen bin.»

In seinen Büchern hat Ustinow mehr als hundert Fälle beschrieben, in denen Menschen im Baikal-Gebiet von Bären angegriffen wurden. Besonders aggressiv sind sie bei Futtermangel, wenn sie verwundet oder alt sind. Dann gehen sie weite Wege, erscheinen an den ungewöhnlichsten Plätzen, sind noch hinterhältiger als ohnehin schon. Ustinow weiß von einem angeschossenen Bären zu berichten, der sich in einer Grube versteckte und einen vorbeigehenden Jäger von hinten anfiel. «Von dem Mann sind nur die Stiefel und Fußlappen übrig geblieben.» Auch gebe es, so Ustinow, «ausgesprochene Mörderbären», Kannibalen, die sich bei jeder Gelegenheit auf ihresgleichen und Menschen stürzten.

Noch eine andere, nach menschlichem Verständnis negative Eigenschaft hat Ustinow bei Bären entdeckt: «Sie sind schreckliche Väter. Mit Vorliebe fressen sie ihren eigenen Nachwuchs. Bärenmütter fürchten nichts mehr als das Erscheinen von Bärenmännern.»

Trotz der vielen negativen Eigenschaften der Bären sieht Ustinow in ihnen ein «sehr gelungenes System der Natur». Bären seien nämlich keineswegs ungeschickt und auch mitnichten Klumpfüße, wie der russische Volksmund sie nenne. Im Gegenteil: Wie kein anderes Tier verfüge der Bär über mehrere, ganz verschiedene Fähigkeiten in höchster Vollendung. Er könne blitzschnell laufen, springen – aus dem Stand zwei Meter hoch –, auf Bäume und Felsen klettern und hervorragend schwimmen. Er fresse Fleisch und Fisch, Insekten, Gras und Wurzeln, Beeren und Nüsse und sogar Aas. Als Allesfresser könne er selbst unter extremen Bedingungen überleben und – als Gattung – auch in jedem Klima: im ewigen Eis ebenso wie im tropischen Urwald. Und er verfüge über Fähigkeiten, für die die Forscher noch immer keine endgültige Erklärung haben.

So wissen Bären, das jedenfalls ist das Ergebnis jahrzehntelanger Beobachtungen von Semjon Ustinow, schon im Voraus, ob ein Winter streng wird oder nicht. Dementsprechend legen sie ihre Höhlen an. «Wenn sie spüren, dass es ein milder Winter wird, bauen sie ihre Höhlen nur ganz knapp unter der Erde. Wenn ein harter Winter kommt, graben sie sich tief ein – unter Bäumen oder Felsen.»

Bei einigen Völkern Sibiriens, so Ustinow, gelte der Bär – wie auch der Adler, der Rabe, der Schwan, die Eule oder der Storch – als eine Art heiliges Tier und stehe unter dem besonderen Schutz der Geister. Er sei für die Jagd tabu. Dies sei vielleicht auch der tiefere Grund, warum Kostja so vehement bestreite, ein Bärenjäger zu sein.

An ein anderes sibirisches Tabu scheint sich, bewusst oder unbewusst, auch Semjon Ustinow zu halten. Aus Furcht und

Respekt vor der Erscheinung und der beinahe an die des Menschen reichenden Intelligenz des Bären nämlich darf der Name dieses Tieres nicht ausgesprochen werden. Stattdessen werden im Russischen und den Sprachen der sibirischen Völker unzählige Umschreibungen verwendet wie «Herr der Taiga», «Großvater» und «alter Mann der Wälder». Semjon Ustinow nennt den Bären meist «Mischa» oder – entgegen seiner eigenen wissenschaftlichen Erkenntnis – «Klumpfuß».

Der Bärenforscher

Unter der braungrün gefleckten, weit offen stehenden Uniformjacke der Naturpark-Mitarbeiter trägt er ein blauweiß gestreiftes, langärmeliges Matrosenhemd. Mit seinem gewaltigen Jagdmesser am Gürtel und der großkalibrigen Pistole in der ausgebeulten Innentasche der Jacke könnte man ihn auch für einen Fallschirmjäger im Spezialeinsatz halten. Seine hünenhafte Erscheinung, seine jungenhaften Gesichtszüge, seine hellen, flink hin und her wandernden Augen und sein zuweilen fast kindliches Lachen, das zwei Reihen makellos glänzender Zähne entblößt, lassen keinen Gedanken daran aufkommen, dass dieser Mann nicht mehr im Soldatenalter ist. Auch das volle, straff nach hinten gekämmte schlohweiße Haar ist kein Gegenbeweis. Dabei ist Semjon Ustinow, die zentrale Figur unserer Expedition zur Lena-Quelle, schon stolze 70 Jahre alt. Die Taiga, sagt er, habe ihn jung gehalten.

Geboren wurde der Doktor der Biologie und berühmteste Bärenforscher Russlands in einem kleinen Dorf am Ostufer des Baikal. Seine Eltern waren Altgläubige, Angehörige einer als besonders fromm geltenden christlichen Glaubensgemeinschaft, die im 17. Jahrhundert Reformen der russisch-orthodoxen Amtskirche abgelehnt hatte und sich deshalb blutiger Verfolgung ausgesetzt sah. Sibirien war der wichtigste Zufluchtsort der Altgläubigen.

Auch Semjon Ustinow wurde strenggläubig erzogen. Bis zu seinem 17. Lebensjahr musste er auf dem Fußboden schlafen. Ein Bett gab es, so erzählt er, nur für die Eltern. Bis heute zieht er blanke Bretter einer weichen Unterlage vor. Wir hatten es auf dem Schiff beobachtet, wo er sich lieber auf den Kajütenboden legte als in die weiche Koje. Ustinow raucht nicht und trinkt nicht, nicht einmal Bier. Alkohol und Tabak galten in seiner Familie als «Teufelszeug», ihr Genuss als Sünde. «Ich bin ein glücklicher Mensch, dass ich solche Vorfahren habe und von ihnen auch diese Gene, die mich gesund erhalten.»

Dem klassischen Sündenkatalog der Altgläubigen hatte der Vater Semjon Ustinows noch eine weitere hinzugefügt: «Du darfst nie in die Partei eintreten.» Ustinow ist stolz, dass er sich auch daran gehalten hat.

Dennoch hat er eine wissenschaftliche Karriere gemacht. Er hat in Irkutsk die Landwirtschaftsfakultät absolviert und in Moskau Biologie studiert. Das Thema seiner Diplomarbeit: «Ökologie der großen Säugetiere der Taiga – Elche, Hirsche, Rentiere, Bären». Letztere wurden dann sein Spezialgebiet, sein Lebensinhalt, wie er zu sagen pflegt.

Doch nicht nur den Bären gilt seine Aufmerksamkeit. In jeder Pause unseres Marsches – er hat sich einen der schwersten Rucksäcke aufgeladen – zückt er seinen Fotoapparat und einen kleinen Notizblock und streift, während wir erschöpft und reglos im Gras oder auf dem Waldboden liegen, durch die Umgebung. Es scheint, als fotografiere er jeden Grashalm, jedes Insekt, entdecke auch dort noch etwas Bemerkenswertes, wo wir beim besten Willen nichts erkennen können – und verfasse darüber gleich, das Notizbuch auf dem Knie, eine wissenschaftliche Abhandlung. Aus dem Stegreif hält er uns Vorträge über Bären, rote Milane, graue Kraniche, weißschwänzige Seeadler und langschwänzige Zieselmäuse – ja sogar über die Nützlichkeit der von uns so verfluchten Stechmücken. Nicht nur in ihrer Funktion als Nahrung für Vögel und Fische, sondern in ihrer Bedeutung für den biologischen Kreislauf insgesamt. Und wehe, wir lassen auch nur das Etikett eines Teebeutels am Rand des niedergebrannten Lagerfeuers liegen. Er hebt es auf und beschämt uns. «Meine Großmutter hat immer gesagt, beschmutze nicht die Erde, auf der du lebst.»

Semjon Ustinow ist stolz darauf, dass er, wie er sagt, mit seiner wissenschaftlichen Arbeit und seinen Büchern «ein wenig dazu beigetragen» hat, dass der Baikal-Lena-Naturschutzpark im Jahre 1986 von der russischen Regierung zum Biosphären-Reservat erklärt wurde; seitdem gelten in dem Gebiet, das fast dreimal so groß ist wie das Saarland, besonders strenge Vorschriften. Mehr als 40 Jahre habe man darum kämpfen müssen, und fast sei es zu spät gewesen. Denn die Gier der Menschen nach Ausbeutung der natürlichen Ressourcen hatte am Nordwestufer des Baikalsees, wie anderswo in Sibirien auch, schon erste unübersehbare und kaum reparable Spuren hinterlassen. Abholzung der Wälder, Wilddieberei, Erschließung von Bodenschätzen – all das hätte diesem, so Ustinow, «einzigartigen Naturparadies» bald ein Ende machen können. Und selbst nach dem Beschluss der russischen Regierung sei der Kampf keineswegs gewonnen gewesen. Denn im Zuge der Wirtschaftskrise in Russland seien die staatlichen Gelder für den Naturschutz drastisch gekürzt worden. Erst seit kurzem würden die Löhne wieder regelmäßig gezahlt, gebe es erneut bescheidene Mittel für Forschungsprojekte.

Was die Zukunft des Baikal-Lena-Reservats angeht, äußert sich Semjon Ustinow betont optimistisch. Man habe inzwischen eine durchaus fähige Administration, und auch die Politik beginne sich wieder verstärkt für den Naturschutz zu interessieren.

«Aber was ist», frage ich, «wenn Geologen hier plötzlich wertvolle Bodenschätze entdecken?»

Die Antwort Semjon Ustinows klingt staatsmännisch: «Nach unseren Naturschutzgesetzen ist das ausgeschlossen. Unsere Gesetze verbieten jede wirtschaftliche Nutzung dieses Territoriums – auf ewig. Nicht nur für fremde Institutionen ist die wirtschaftliche Nutzung verboten, selbst die Verwaltung des Naturschutzparks darf aus ihm keinerlei wirtschaftlichen Nutzen ziehen, wenn dabei irgendwelche Ressourcen angegriffen werden. Unsere einzige Aufgabe ist, die Natur hier zu erhalten und allein der kontrollierten wissenschaftlichen Forschung Zugang zu gewähren.»

«Und wie steht es mit dem Tourismus?»

Semjon Ustinow zögert. Dann antwortet er, jedes Wort sorgsam wählend: «Zum Tourismus gibt es zwei Meinungen. Die einen sagen, dass es im Naturschutzpark keinerlei Tourismus geben darf, und ich bin damit bis zu einem gewissen Punkt einverstanden. Andere sagen, dass man durchaus naturkundliche Exkursionen für Touristen auf genau festgelegten Routen erlauben soll, denn man darf die Schönheiten dieser Erde nicht vor den Menschen wegschließen. Und außerdem kann man damit den Etat aufbessern, ohne Ressourcen zu beschädigen.»

«Und was ist Ihre persönliche Meinung zum Tourismus hier im Lena-Baikal-Naturschutzpark?»

«Ich meine», antwortet Ustinow, «gewöhnliche Touristen, die sich heute für das eine und morgen für das andere begeistern, brauchen wir hier nicht. Aber Leute, die sich ganz speziell für die Natur interessieren, für ihren Erhalt und ihre Pflege, die sollten durchaus die Möglichkeit haben, unter unserer Führung und auf festgelegten Pfaden den Park zu besuchen. Allerdings ohne die barbarischen Unsitten wie das Zertreten und Abreißen von Blumen, Gräsern, Zweigen und Pflanzen, ohne lautes Reden, das nur die Tiere erschreckt, ohne Müll und sonstige Spuren zu hinterlassen. Solche Gruppen sollten sechs oder maximal acht Leute umfassen – und es sollten auch nicht mehr als zwei oder drei Gruppen im Jahr sein. An einer derartigen Konzeption arbeiten wir, und ich glaube, sie ist richtig.»

Semjon Ustinow ist Russe und durchaus stolz darauf. Doch die fast 300 Jahre, die seine Familie in Sibirien lebt, haben, wie er sagt, auch seine «Sinne geschärft» für das Schicksal und die Probleme der sibirischen Ureinwohner, der «Völker des Nordens», wie sie im Russischen genannt werden. Er ist unter buddhistischen Burjaten östlich des Baikalsees aufgewachsen und spricht ihre Sprache, ebenso wie die der Ewenken, von denen noch einige im nördlichen Baikal-Gebiet siedeln. «Wir haben uns», sagt er einmal zu später Stunde am verglimmenden Lagerfeuer, «an den

Völkern des Nordens versündigt. Wir haben sie ausgebeutet, unterdrückt, dezimiert, vertrieben. Dabei haben wir alle eine gemeinsame Aufgabe: ihren und unseren Lebensraum zu erhalten.»

Während Kostja, Sohn eines Russen und einer Burjatin, zustimmend nickt, murmelt Anatolij, der burjatische Forstmann, kaum vernehmbar: «Wenn es dafür mal nicht zu spät ist.»

An der Lena-Quelle

Am vierten Tag unseres Marsches liegen nur noch fünf Kilometer bis zum Ziel vor uns. Die Nacht haben wir in einer Winterhütte unterhalb der Quelle verbracht, wo wir jetzt auch das Gepäck zurücklassen. Die Lena ist dort bereits ein reißender, steiniger Gebirgsbach, dessen Getöse in der tiefen Stille der Taiga kilometerweit zu hören ist. Zunächst geht es am Ufer bergauf durch einen wild wuchernden Urwald, wo mächtige umgestürzte Zedern- und Fichtenstämme das Fortkommen erschweren, dann über eine weite, sonnenüberstrahlte Geröllhalde, deren scharfe Gesteinsbrocken das Leder der Schuhe zerreißen, und schließlich durch ein Sumpfgebiet, in dem die Lena sich in unzähligen Bögen gemächlich dahinschlängelt. Am Ende dieses sumpfigen Geländes erreichen wir eine kleine Anhöhe, von wo man einen weit geschwungenen, kahlen Talkessel mit einem tiefblauen See erblickt. Im Näherkommen wird die Stelle sichtbar, an der die Lena, eingebettet in das saftige Grün einer Wiese, als lieblicher Bach von etwa zwei Meter Breite den See verlässt.

Der See, erläutert Semjon Ustinow, hat noch keinen Namen. «Bis jetzt gab es dafür keine Notwendigkeit. Fremde kommen sowieso nicht hierher, und wir nennen ihn einfach Lena-Quelle.»

Der Name «Lena» hat allerdings nur scheinbar mit dem auch in Russland weit verbreiteten Mädchennamen zu tun, der vom griechischen «Helena» abgeleitet ist. Vielmehr stammt die Bezeichnung des Flusses aus dem Ewenkischen, wo «Ely-leni» «großer, reicher Strom» bedeutet. Erst die russischen Entdecker Sibiriens machten daraus der Einfachheit halber den ihnen vertrauten Mädchennamen.

Unmittelbar neben der Stelle, an der die Lena aus dem namenlosen See tritt, steht ein kleiner hölzerner Pavillon, dessen Dach einer Kirchenkuppel ähnelt. Auf der Spitze trägt es eine vergoldete Kugel mit einem russisch-orthodoxen Kreuz. An der dem See zugewandten Seite des Pavillons ist auf einer geschnitzten Holztafel zu lesen: «Dieses Zeichen wurde an der Quelle des großen russischen Stroms Lena gesetzt – zu Ehren des heiligen Innokentij, des Metropoliten von Moskau und Kolomensk und Apostels der Völker Sibiriens und Amerikas. 19. August 1997».

Der ein paar hundert Kilometer von hier flussabwärts in Wercholensk an der Lena geborene russisch-orthodoxe Priester Innokentij Wenjaminow hatte sich im Jahre 1823 von Sibirien aus aufgemacht, die Völker Amerikas, vor allem Alaskas, zu missionieren. Er hat die Aleuten zum Christentum bekehrt, ihre Sprache erlernt, ihnen das Zimmermannshandwerk beigebracht und die erste Kirche auf dem aleutischen Inselarchipel gebaut. Ab 1833 missionierte er auf der zu Alaska gehörenden Sitka-Insel die Tlingit-Indianer. Später zog er als Bischof von Kamtschatka durch ganz Ostsibirien und übersetzte die Bibel nicht nur ins Aleutische, sondern auch ins Kurilische und Jakutische.

Die Errichtung des Pavillons an diesem Platz, so erklärt uns Semjon Ustinow, beruhe allerdings auf einem «kleinen Irrtum» oder, vorsichtiger ausgedrückt, auf einer «gewissen Ungenauigkeit». Denn die eigentliche Quelle der Lena sei keineswegs die Stelle, an der sie als schmaler Bach aus dem See trete. Sie befinde sich in Wahrheit an einem Hang auf der gegenüberliegenden Seite des Sees, noch etwa drei Kilometer entfernt.

Um dorthin zu gelangen, müssen wir zunächst durch ein bizarr verschachteltes Felsplateau am westlichen Seeufer klettern und uns dann einen mit hartem Steppengras und dichtem Brombeergebüsch bewachsenen Hang hinaufquälen. Diesmal geht Semjon Ustinow voran. Er ist der Einzige, der weiß, wo die Quelle liegt. Er hat sie im Jahr 1996 entdeckt und zum ersten Mal wissenschaftlich beschrieben.

Nach einigem Suchen bleibt Ustinow auf halber Höhe des Hangs stehen und zeigt auf ein winziges, etwa armdickes Rinnsal, das unter dem Steppengras aus der Erde sprudelt. «Das ist sie, die Quelle von Mütterchen Lena, dem mächtigsten Strom Sibiriens.» Dann kniet er nieder und schöpft mit der hohlen Hand einige Schluck Wasser aus der Quelle. «Wenn man dieses Wasser nicht trinkt», sagt er mit aufforderndem Blick, «kann man sich gleich hinlegen und sterben. Das beste Wasser der Welt.» Und nach einem weiteren Schluck mit geschlossenen Augen fügt er hinzu: «Wollte Gott, es gäbe auf der ganzen Welt so reines Wasser.»

Wir schöpfen ebenfalls Wasser; es ist in der Tat köstlich und, auch jetzt im Hochsommer, eiskalt. Knapp einen Meter unter der Erdoberfläche beginnt der ewig gefrorene Boden. Fast ganz Sibirien gehört zu der Zone des Permafrostes, auch das Gebiet der Lena-Quelle.

Als wir uns genauer umschauen, bemerken wir noch vier andere Rinnsale, die sich etwas unterhalb am Hang wie die Finger einer Hand mit dem Quellbach vereinigen und in Richtung See fließen. Aus diesen fünf winzigen Bächlein also entsteht der Fluss, der zu den zehn größten der Welt gehört und laut Statistik achtmal mehr Wasser führt als der Nil. Auf ihrem Weg bis zur Mündung, 4400 Kilometer durch Taiga und Tundra, halb Asien durchquerend, nimmt die Lena mehr als 200 000 weitere Flüsse und Bäche in sich auf. Die Fläche des Lena-Beckens ist größer als Spanien, Frankreich und Osteuropa zusammen. Das Delta, das die Lena bei ihrer Mündung ins Polarmeer bildet, wird in seiner Ausdehnung nur noch vom Delta des Mississippi übertroffen, die Überschwemmungen, die sie alljährlich im Norden Sibiriens anrichtet, sind allenfalls mit denen des Ganges oder des Jangtsekiang zu vergleichen.

Dies und vieles mehr weiß Semjon Ustinow zu berichten, als wir uns nach einiger Zeit wieder auf den Weg zurück zur Winterhütte machen. Doch weshalb, fragen wir, wurde die eigentliche Quelle der Lena erst so spät entdeckt?

«In diese Gegend», so Ustinow, «gelangen nur ganz selten Leute. Vielleicht mal ein Jäger, vielleicht auch mal eine Gruppe

Geologen. Aber offenbar hat sich niemand dafür interessiert, wo die Lena tatsächlich entspringt. Ins Auge fällt sie erst, wo sie aus dem See tritt. Also hat man ganz einfach angenommen, der See sei die Quelle. Auf die Idee, weiter oben am Hang zu suchen, ist niemand gekommen. Und ich habe sie auch eher zufällig gefunden, als ich die Spur eines Bären verfolgte.»

«Was war das für ein Gefühl, als Sie die tatsächliche Quelle der Lena entdeckten?»

Ustinow lächelt. «Ich gebe zu, dass ich ergriffen war. Dass mich eine Art Euphorie befiel, wie sie auch andere Entdecker beschrieben haben. Und zugleich eine romantische Stimmung. Dabei bin ich eigentlich ein nüchterner Wissenschaftler.»

«Und was», fragen wir, «haben Sie dann als Erstes getan?»

«Zunächst einmal habe ich mich hingesetzt und lange auf dieses winzige Rinnsal geschaut, das dort aus der Erde quillt. Danach habe ich Feuer gemacht und Tee getrunken. Und hatte dabei das Gefühl: Hier an der Quelle der Lena versammeln sich nachts alle Geister der Nebenflüsse, die die Lena zu diesem gewaltigen Strom werden lassen, und feiern die Geburt ihrer Mutter. Am nächsten Tag habe ich damit begonnen, das ganze Gebiet um die Quelle detailgenau zu fotografieren, zu vermessen und mir ausführliche Notizen zu machen. Daraus ist die erste wissenschaftliche Abhandlung über die Lena-Quelle geworden.»

Als Ustinow die Lena-Quelle entdeckte, war er wie ein Taigajäger allein unterwegs. Doch er jagt nicht, jedenfalls nicht mit dem Gewehr, und in der Regel gehen Wissenschaftler hier in Gruppen, zumindest aber zu zweit auf Exkursion. Warum streift er stets ohne Begleitung durch die Taiga? Hat er dabei keine Angst?

«Seit ich denken kann, also seit Jahrzehnten, gehe ich allein in die Taiga. Dabei habe ich immer ein Gefühl höchster Anspannung, Aufmerksamkeit und Vorsicht. Die Taiga verzeiht keinen Fehler. Der Grund, warum ich allein durch die Taiga streife, ist nicht, dass ich menschenscheu bin oder bewusst die Einsamkeit suche. Es steckt auch nicht irgendeine Ideologie dahinter, sondern etwas ganz Banales: Ich ertrage keinen Zigarettenqualm. Ich verstehe einfach nicht, wozu ihn die Leute brauchen. Und vor allem hier!» Semjon Ustinow lächelt und entblößt dabei seine kräftigen weißen Zähne. Die stahlblauen Augen schauen verschmitzt in die Runde. Dann fährt er etwas leiser fort: «Aber ganz im Ernst, im Gegensatz zu anderen will ich von der Taiga nichts. Ich suche nicht nach Bodenschätzen, nach Möglichkeiten, Wege, Straßen, Pipelines oder weiß der Teufel was zu bauen. Ich will nur die Natur sehen, beschreiben, fotografieren. Und dazu beitragen, dass sie bleibt, wie sie ist.»

«Und was bedeutet die Lena für Sie ganz persönlich?»

«Ich assoziiere die Lena mit dem Bild einer Frau. Sie ist streng und zärtlich zugleich, manchmal breit und ausladend, manchmal grazil, sie wechselt von der Quelle bis zur Mündung, also von der Geburt bis zum Ende, immer wieder ihr Erscheinungsbild. Sie kann anziehend sein und abstoßend, gutmütig und bösartig. Und jeder, der behauptet, er kenne sie, wird irgendwann feststellen, dass er sich irrt. Du wirst sie nie ganz kennen und verstehen. Aber faszinieren wird sie dich immer.»

Abends am Lagerfeuer, als wir die nächsten Etappen unserer Expedition besprechen, gibt uns Semjon Ustinow noch einen Rat: «Versucht, jede Stelle der Lena zweimal zu besuchen, im Sommer und im Winter. Ihr werdet feststellen, dass es zwei Flüsse gibt, die diesen Namen tragen. Im Winter werdet ihr die Lena-Quelle zum Beispiel überhaupt nicht finden. Nicht nur wegen des Schnees, sondern auch weil der Fluss auf Hunderte von Kilometern, gerade hier im Gebirge, bis auf den Grund zufriert. Die Lena hört dann gleichsam auf zu fließen, wird Teil der großen weißen Weite Sibiriens, und nichts erinnert mehr an ihre Einzigartigkeit.»

Im Winter, erklären wir ihm, werden wir wohl kaum noch einmal hierher zur Lena-Quelle kommen. Aber weiter im Norden, wo aus der Lena eine gigantische Verkehrsader für Lastwagen,

Pkws, Pferdeschlitten und Rentierherden wird, dort werden wir mit Sicherheit sein.

Dass wir stolz sind, als erstes Kamerateam die Quelle des mächtigsten der sibirischen Ströme gefilmt zu haben, sagen wir Semjon Ustinow zum Abschied.

Die Felsbilder von Schischkino

Katschug hat schon bessere Tage gesehen. Der kleine Ort an einer Furt am rechten Ufer der Lena, etwa 200 Kilometer von der Quelle entfernt, war einst ein weithin bekannter Handelsplatz und eine wichtige Station auf dem Postweg, russisch «trakt», von Irkutsk nach Norden. Zu Sowjetzeiten wurden hier Flussschiffe gebaut und aus dem Holz der nördlich angrenzenden Taiga Möbel gefertigt. In der Steppe am südlichen Ufer weideten riesige Viehherden. Doch von alldem ist wenig geblieben. Die Werft hat mangels Nachfrage ihre Produktion eingestellt, die Möbelfabrik ist ebenfalls pleite, und statt riesiger Viehherden sehen wir nur noch ein paar vereinzelte Kühe, die auf kleinen Sandbänken im hier nur knietiefen Strom in der Sonne liegen. Die fast einen Kilometer lange Brücke, die über die Lena in den Ort führt, ist wegen Baufälligkeit nur einspurig zu befahren. Von den Laternenmasten baumeln Reste der Stromkabel, die vermutlich Schrottsammlern zu einigen Rubeln verholfen haben.

Auf die Idee, heutzutage in den Dreitausend-Seelen-Ort Katschug zu reisen, dürfte kaum jemand kommen, es sei denn, er interessiert sich für ein Heiligtum besonderer Art: die Felsbilder beim Dörfchen Schischkino, etwa zehn Kilometer stromabwärts, am rechten Ufer der Lena. Hier erheben sich auf einer Länge von zweieinhalb Kilometern in einem riesigen Bogen Felsen, die schon die Ureinwohner Sibiriens magisch angezogen haben. Das jedenfalls schließen Archäologen aus Grabungen am Fuß der Steilwände und den mehrere tausend Jahre alten Zeichnungen, mit denen diese übersät sind.

Die erste genauere Beschreibung der Felsbilder stammt von dem deutschen Sibirienforscher Gerhard Friedrich Müller, der 1733 mit der Großen Expedition des Vitus Bering nach Kamtschatka aufgebrochen war. Müller hielt sie allerdings für zeitgenössische Hervorbringungen der damals an den Ufern der Lena siedelnden Burjaten und Tungusen und maß ihnen keine besondere kulturgeschichtliche Bedeutung zu. Die russische Kolonialverwaltung Sibiriens hingegen begriff sehr bald, dass die Felsen von Schischkino mit ihren Zeichnungen für die einheimische Bevölkerung ein kultischer Ort waren, und unternahm wiederholt Versuche, sie zu zerstören, zumindest zu beschädigen. Ein Teil der Felsen wurde im Jahr 1897 gesprengt, andere fielen zu Stalins Zeiten dem Bau einer Straße am Ufer der Lena zum Opfer. Dennoch, die meisten Felszeichnungen von Schischkino sind bis zum heutigen Tag erhalten – und geben der Forschung noch immer Rätsel auf. Einige davon soll uns Nina Petrowna erläutern.

Nina Petrowna trägt einen eng anliegenden, beigen Hosenanzug und hochhackige schwarze Sommerschuhe. Die dunklen Haare sind zum Bubikopf geschnitten, die Augenbrauen und der Mund mit kräftigen Strichen nachgezogen. Sie ist schlank, etwa 50 Jahre alt, spricht mit energischer, heller Stimme und stellt sich als Leiterin des Kulturhauses von Katschug vor. In dieser Funktion ist sie auch zuständig für die Felsbilder von Schischkino. Nicht von ihrer Seite weicht eine etwas jüngere, korpulente Frau in graubraun kariertem Kostüm und braunen Sandalen, die von sich lediglich sagt, sie heiße Irina. Warum sie Nina Petrowna und uns auf Schritt und Tritt begleitet, wissen wir nicht. Sascha hält sie für die Chefin des örtlichen KGB. «Wann kommen schon mal Fremde nach Katschug? Da muss man wachsam sein.»

   Gleich zu Beginn unserer gemeinsamen Fahrt nach Schischkino erklärt uns Nina Petrowna, dass sie keine Spezialistin für Archäologie und Kunstgeschichte sei, sondern nur «Kulturarbeiterin» und für die administrative Organisation des Schutzes der Felsbilder verantwortlich. Aber als gebildete Bürgerin von Katschug wisse sie natürlich um den historischen Wert und die Bedeutung der Zeichnungen. Sie seien «ebenso großartige wie rätselhafte Zeugnisse einer uralten Kultur und einer vorzeitlichen Kunst der Menschheit» und repräsentierten «mehrere geschichtliche Epochen, viele Generationen der Ureinwohner Sibiriens». Und, darauf sei sie als geborene Sibirjakin besonders stolz: «Sie sind ein Beweis dafür, dass die Völker Sibiriens keineswegs geschichtslos waren und ihre kulturelle Entwicklung mitnichten der anderer Regionen und Völker hinterherhinkte.» Vielmehr hätten die Völker Sibiriens «niemals außerhalb der Geschichte gestanden», ja hätten eine «eigene reiche Kultur» gehabt, und ihre Entwicklung habe sich in engem Zusammenhang mit dem Leben der Bevölkerung in den benachbarten Gebieten und Ländern vollzogen.

Immer wieder beruft sich Nina Petrowna bei ihren Ausführungen auf Professor Alexej Okladnikow, der als einer der bedeutendsten russischen Archäologen des 20. Jahrhunderts gilt und sich mehrere Jahrzehnte mit der Erforschung, Dokumentation und kulturgeschichtlichen Interpretation der Felsbilder von Schischkino und anderen Regionen Sibiriens befasst hat. Eine, wie er schrieb, «faszinierende Reise durch die jahrtausendealte Geschichte der Taiga».

Die ältesten Zeichnungen an den Felswänden von Schischkino, hoch über der Lena, stammen aus der Steinzeit, etwa 20 000 bis 15 000 vor Christus. Die jüngsten werden auf 1700 nach Christus datiert. Während die alten Darstellungen mit roter Farbe gemalt oder in den Stein geschlagen wurden, sind die jüngeren Datums meist mit spitzen Gegenständen in den Stein gerieben.

Die Bilder aus der Steinzeit zeigen vor allem Tiere und Jagdszenen, wie sie sich wohl auch am Fuße der Lena-Felsen abgespielt haben. Denn die nichtsesshaften «Jäger des Nordens» errichteten ihre Lager mit Vorliebe auf Plätzen zwischen dem Ufer und den steil aufragenden Felsen. Hier lauerten sie ihrer Beute beim Durchqueren der damals noch wasserreicheren Lena auf oder trieben Herden wilder Pferde, Bisons oder anderer Tiere gegen die Steilwände, an denen es kein Entrinnen mehr gab – Jagdtechniken, wie sie noch im 19. Jahrhundert im äußersten Norden Sibiriens und bei Indianern in Nordamerika beobachtet wurden.

Das am häufigsten dargestellte Motiv ist der Elch, der in Felszeichnungen auf dem gesamten eurasischen Kontinent von Skandinavien bis zum Pazifik immer wieder auftaucht. Für die sibirischen Völker der Taiga und Tundra war er nicht nur eines der wichtigsten und am vielfältigsten nutzbaren Jagdtiere, sondern zugleich eine mythologische Figur, Held vieler Märchen und Legenden. Er ist die zentrale Gestalt des Nationalepos der Jakuten, vieler Erzählungen der nordsibirischen Ewenken, Nenzen und Jukagiren, aber auch ein dominantes Bildmotiv der Totems vieler Indianerstämme Nordamerikas. Die Jäger der Taiga, so beschreibt es Alexej Okladnikow, dachten sich die Sonne als einen gigantischen Elch, der am Tag das Himmelsrund durchläuft und zur Nacht in die Unterwelt hinabsteigt, in das sagenumwobene unterirdische Meer. In sibirischen wie in indianischen Legenden von der Milchstraße, so hat Alexej Okladnikow herausgefunden, kommt der Elch oder zuweilen auch der Hirsch als kosmisches Tier vor, gejagt von einem himmlischen Jäger, meist in Gestalt eines Bären. Die Milchstraße wird für die Spur der Schneeschuhe des himmlischen Jägers gehalten.

Das größte Bild an den Felswänden von Schischkino ist die Darstellung eines Wildpferdes in fast natürlicher Dimension. Sie stammt aus der Jungsteinzeit und ähnelt den Pferdezeichnungen im spanischen Altamira und in den Höhlen des Paläolithikums in Frankreich. Ein zickzackartiger Streifen unterhalb des Pferdes wird von Archäologen als Wasser gedeutet, durch das das Tier läuft oder schwimmt – eine an diesem Fundort, dem Ufer der Lena, durchaus nahe liegende Vermutung. Weit rätselhafter ist ein mandelförmiges Oval unter dem Bauch des Pferdes. Ein ebensolches, auf der Spitze stehendes mandelförmiges Oval findet sich auch bei Tierdarstellungen in den Höhlen des französischen La Ferrassie. Die Wissenschaftler nehmen an, dass dieses Oval das weibliche Geschlecht darstellt und als Symbol der Fruchtbarkeit zu verstehen ist. Und da es sich bei dem Pferd von Schischkino eindeutig um einen Hengst im Zustand geschlechtlicher Erregung handelt, sei die Komposition als Ganze nichts anderes als eine schematisierte Darstellung des Geschlechtsakts.

«Der Mensch der Vorzeit», schreibt Alexej Okladnikow, «zeichnete den für ihn zentralen Akt des realen Lebens auf seine Weise, indem er das Symbol für das weibliche Geschlecht mit der realistisch gesehenen Gestalt des männlichen Tieres verband.»

Für diese frappierende Übereinstimmung in der Kunst der Vorzeit Sibiriens und Frankreichs, die offenkundig kein Zufall ist, hat Alexej Okladnikow zwei Erklärungen. Als erste «die Einheitlichkeit der vorzeitlichen Weltanschauung und des Denkens auf jener fernen kulturhistorischen Entwicklungsstufe der Menschheit». Die zweite, so der Archäologe weiter, klinge vielleicht etwas unerwartet, sei aber nicht weniger wahrscheinlich: «Wer weiß, über welche Räume sich die Wanderungen der frühen Jäger erstreckten, die mit ihren Niederlassungen den Herden der Rentiere, Wildpferde und Bisons folgten, als Mammute und Polarfüchse an den Küsten des Eismeers nach Osten zogen.»

Mit den Jahrtausenden, dem Übergang von der Steinzeit zur Bronze- und Eisenzeit, wandelt sich auch der Stil der Felsbilder von Schischkino, ihr Inhalt, ihre Form. Neue Mythen und Glaubensvorstellungen hinterlassen ihre Spuren. In Fels gehauen oder geritzt künden die Zeichnungen von Veränderungen im geistigen Leben der Urbevölkerung der sibirischen Taiga. Die früher uneingeschränkte Herrschaft der Tiere in der Mythologie und Kunst hat ein Ende; neben dem Tier tauchen nun auch Menschen in den Steinzeichnungen auf, besser: «menschenähnliche Geister» (Alexej Okladnikow).

Der Schamanenkult hält Einzug in Sibirien und findet an den Felswänden von Schischkino seinen bildhaften Niederschlag. Und so entdecken wir in etwa 100 Meter Höhe über dem Flussufer durch das vergrößernde Objektiv unserer Kamera eine Figur, die wir zunächst für eine Mohrrübe halten. Doch die vermeintliche Mohrrübe, klärt uns Nina Petrowna auf, stellt einen tanzenden Schamanen dar, eine schlanke, sich nach unten verjüngende menschenähnliche Gestalt auf zwei dürren, etwas gekrümmten Beinen; vom Kopf ragen strahlenförmig sechs Linien nach oben, die wohl eine Art Schamanenkrone aus Vogelfedern andeuten sollen. Das Bild, so Nina Petrowna, könnte auch ein Hinweis darauf sein, warum die in dieser Region siedelnden sibirischen Ureinwohner, die Burjaten und Tungusen, die Felsen von Schischkino als mythischen Ort, als Kultstätte ansahen – als Sitz von Göttern und Schamanen. Noch heute würden viele Menschen aus Katschug und Umgebung den Felsen mit besonderer Ehrfurcht begegnen. Denn der Glaube an Schamanen als Vermittler zwischen der Welt der Geister und der Welt der Menschen sei immer noch für nicht wenige Bewohner Sibiriens von Bedeutung. Auch wenn sie dies als aufgeklärte «Kulturarbeiterin» eigentlich gar nicht sagen dürfe.

Zu den kulturhistorisch aufschlussreichsten Zeichnungen an den Felswänden von Schischkino gehören Bilder von Reitergruppen. Ihre Pferde unterscheiden sich in der Form auffallend von dem gedrungenen, fast rundlich wirkenden Wildpferd der Jungsteinzeit: Sie haben eine stolz hervorragende, im Gegensatz zum Wildpferd ungewöhnlich breite Brust und einen lang gestreckten, schmalen Leib. Die Reiter sitzen besonders aufrecht und tragen Wimpel und Standarten. Im Vergleich zu den Pferden allerdings wirken die Menschen winzig – für manche Völkerkundler ein Hinweis auf die hervorgehobene Stellung des Pferdes in der Gesellschaft der Urvölker Sibiriens. Diese «Ehrenstellung» (Alexej Okladnikow) des Pferdes ist noch heute in Jakutien zu beobachten, wo am Tag des Sonnenfestes und bei anderen

Gelegenheiten dem Pferd in kultischen Tänzen gehuldigt wird – wie wir es später auf unserer Reise erleben.

Datiert werden die Reiterbilder von Schischkino auf die Zeit um 500 vor Christus. Doch wer waren diese selbstbewussten Reiter? Woher kamen sie? Wie sind sie hierher in die Taiga, ans Ufer der Lena geraten?

Aufschluss darüber geben sowohl die Kleidung als auch die Form und Größe der meist mit ausgestrecktem Arm getragenen Wimpel und Standarten. Die Kleidung ist türkisch, wie sie die Nomadenvölker der mongolischen Steppe trugen, und die überwiegend quadratischen Fahnen ähneln denen der alten Perser, Kirgisen und anderer Turkvölker. Entlang der Lena gefundene Totengedenktafeln mit türkischen Idiomen, die ähnliche Reiterbilder wie die Felswände von Schischkino zeigen, erhärten die These, dass es ein Turkvolk war, das in vorchristlicher Zeit an den Ufern der Lena siedelte. In alten chinesischen Chroniken, berichtet Alexej Okladnikow, findet sich sogar der Name dieses nördlichsten aller Turkvölker: Kurikanen. Die Kurikanen (chinesisch: Chuliganen), so ist da zu lesen, «ziehen am nördlichen Rande des Baikal umher, und ihre Länder ... erstrecken sich nach Norden bis zum Meer». Die Chinesen wussten damals schon, dass sich der Baikal im Winter mit Eis überzieht, und sie glaubten, dass die Bewohner der nördlichsten Gebiete Sibiriens Riesen seien – eine Vorstellung, die auch in unzähligen Legenden der Nordvölker von Finnland bis nach Alaska überliefert ist, in denen von «mythischen Giganten des Eismeeres» berichtet wird.

Zu den bis heute ungelösten Rätseln der Felswände von Schischkino gehören die Darstellungen von Robben. Zwar gibt es Robben im etwa 200 Kilometer entfernten Baikalsee, doch wie diese sonst nur im Salzwasser lebenden Tiere aus dem Polarmeer in den Baikal gelangt sind, ist wissenschaftlich bislang ebenso wenig geklärt wie die Frage, welche – möglicherweise mythische – Bedeutung den Robben auf den Felsen von Schischkino zukommt.

Vergleichsweise leicht zuzuordnen ist dagegen die Abbildung eines großen Bootes. Da darauf nicht nur, wie bei kleineren, älteren Zeichnungen, senkrecht aufgestellte Ruder zu sehen sind, sondern auch ein deutlich herausgearbeiteter Mast, kann die Darstellung, so die einhellige Ansicht der Wissenschaftler, erst nach Ankunft der Russen an der Lena entstanden sein, also frühestens im 17. Jahrhundert. Diese nämlich benutzten bei der Eroberung Sibiriens flache Flussfahrzeuge, die je nach Bedarf gerudert oder eben auch gesegelt werden konnten. Auf einer anderen Felszeichnung an der Lena unweit des Dorfes Karinga ist ein solches Boot zu sehen, das allerdings weder gerudert noch gesegelt wird. Vielmehr wird es von einem Reiter am Ufer mit einem langen Seil flussaufwärts gezogen. Eine frühe Vorwegnahme des legendären Motivs der Wolgaschlepper, so scheint es.

Schwieriger ist die Deutung eines anderen Bildes auf den Felsen von Schischkino, das die kulturellen «Errungenschaften», die die Russen der Urbevölkerung Sibiriens brachten, zum Gegenstand hat. Es ist eine aus dem 17. oder 18. Jahrhundert stammende schematische Darstellung architektonischer Elemente, die Türmen ähneln. Ob diese zu einer russischen Kirche oder zu einem russischen Gefängnis gehören, darüber streiten die Gelehrten bis heute.

Am genauesten ist das Entstehungsjahr einer Zeichnung zu bestimmen, die uns Nina Petrowna, die Kulturarbeiterin, zunächst nicht zeigen will. Es ist ein Stalin-Porträt, unter dem in Stein gehauen die Jahreszahl 1952 steht. Hinterlassen haben es Häftlinge, die als Arbeitssklaven mit bloßen Händen und bei 30 Grad Frost die Uferstraße entlang der Lena bauen mussten. Ein bitter-ironischer Gruß an den Mann, dem sie ihr tragisches Schicksal verdankten. Und eine Erinnerung daran, dass die Dörfer an der Lena auch Verbannungsorte waren, seit die ersten Russen hier auftauchten.

Nur wenige Kilometer flussabwärts von Schischkino, im Dorf Wercholensk zum Beispiel, saßen zur Zarenzeit nicht nur russische Adlige ein, die im Dezember 1825 gegen Nikolaus I. und die Leibeigenschaft in Russland geputscht hatten («Dekabristen»), sondern auch Teilnehmer der polnischen Aufstände gegen die russische Fremdherrschaft und radikalsozialistische russische Revolutionäre des beginnenden 20. Jahrhunderts. Einer von ihnen sollte später unter dem Namen Trotzki weltberühmt werden. Stalin hatte nichts anderes getan, als die Tradition der Zaren fortzuführen; allerdings um ein Vielfaches grausamer, unmenschlicher, mörderischer. Wie ein Menetekel blickt sein Porträt von den Felsen hinab ins Tal der Lena. Den Toten zur Erinnerung, den Lebenden zur Mahnung, wie Nina Petrowna formuliert, nachdem sie uns schließlich doch noch zu diesem Bild geführt hat.

Altertümliche Felszeichnungen wie die von Schischkino finden sich fast an der gesamten Lena bis hoch in den Norden, aber auch an vielen Nebenflüssen wie Aldan, Olenok, Amga, Sinjaja. Für Nina Petrowna sind sie – und sie betont es immer wieder – ein Beweis dafür, dass die häufig als primitiv und rückständig geltenden sibirischen Ureinwohner, die Jäger des Waldes, eine durchaus eigenständige Kultur besaßen. «Für mich geht von den Bildern eine Art geistige Kraft aus. Ich schaue sie mir an und begreife, es war nicht umsonst, was die Menschen gemacht haben. Sie haben uns über Jahrtausende hinweg eine Information zukommen lassen. Es ist doch nicht so, dass ein Künstler nur einfach irgendetwas gezeichnet hat – er hat etwas von seinem Leben an uns weitergegeben.»

Während wir zwischen den Felsbildern herumklettern, was eigentlich streng verboten, aber für gute Kameraaufnahmen unerlässlich ist, gesteht uns Nina Petrowna auch ihren Kummer. Es ist das «Barbarentum» der, wie sie sagt, «kulturlosen Besucher», die die historischen Felswände, jenes einzigartige Zeugnis der alten sibirischen Kultur, verunstalten. In der Tat sind die Felsen übersät mit Schmierereien in weißer, roter oder schwarzer Farbe sowie Kritzeleien, die mit Messern oder Nägeln in den Stein geritzt wurden. Russische Vor- und Nachnamen, Daten – «Hier war Wassja am 15. April 1975» –, Schimpfwörter, Mutterflüche, Namen der Orte, aus denen die «Barbaren» offenbar stammen – «Kujbyschew», «Leningrad», «Saratow» –, Namen von Betrieben, die hierher einen Ausflug gemacht haben – «Kommunistischer Weg», «Roter Stern», «Jakutisches Gold» –, schematisierte Darstellungen weiblicher und männlicher Geschlechtsorgane, alles ist hier zu finden.

Natürlich, so Nina Petrowna, versuche man, solche «Verwüstungen» zu verhindern. Man habe Schilder aufgestellt, dass das Betreten des Areals und das Besteigen der Felswände bei Strafe verboten sei. «Aber man kann doch nicht Tag und Nacht Posten patrouillieren lassen oder die Straße sperren, die am Fuße der Felsen entlangführt und die einzige Verbindung nach Norden ist. Und wie soll man die Übeltäter zur Rechenschaft ziehen, wo sie meist in Gruppen kommen und sich entweder, wenn sie ertappt werden, die Schuld gegenseitig zuschieben oder einander decken?» Natürlich könnte man die Schmierereien mit chemischen Mitteln abwaschen, doch dies sei sehr teuer und aufwendig, und dafür gebe es keinen Etat. Außerdem würde auch das Abwaschen Spuren hinterlassen und das ursprüngliche Aussehen der Wände verfälschen.

Aber Nina Petrowna gibt sich entschlossen: «Ich möchte, dass all diese Zeugnisse aus alter Zeit erhalten bleiben, und ich kämpfe dafür.»

Und wie, fragen wir, ohne Geld und Leute?

«Durch Aufklärung. Im Kulturhaus zum Beispiel. Und in Schulen.» Erste Erfolge gebe es schon. Die Schmierereien seien in den letzten Jahren etwas weniger geworden. Was allerdings auch damit zusammenhängen könne, dass aufgrund der Wirtschaftsmisere in Russland weniger Touristen kommen. Im Übrigen sei es zwar kein Trost, aber eine historische Tatsache: Derartige Verunstaltungen seien keine Erscheinungen unserer Zeit, sondern habe es schon immer gegeben. Und mit einer knappen Geste zeigt sie auf einen weißen Schriftzug unterhalb eines Schamanenbildes: «Wir sind mit dem Bötchen gekommen. A. und P. 25. Mai 1908.»

Aufstieg und Fall von Ust-Kut

Die Dame an der Rezeption des Hotels «Lena» reagiert unwirsch. Sicher, es gebe im Haus kein Wasser und zeitweilig keinen Strom. Woanders bräuchten wir allerdings gar nicht erst zu fragen, denn ihr Hotel sei das einzige im Umkreis von 500 Kilometern, und Wasser habe man in der ganzen Stadt nicht. Wann es wieder fließe, könne sie nicht sagen, die Behörden würden darüber keinerlei Auskünfte erteilen, und auch nicht über die Tage und Zeiten, zu denen der Strom abgeschaltet werde.

Natürlich nehmen wir die Zimmer. Sibirien ist Sibirien. Der Ort heißt Ust-Kut. Er liegt an der Mündung des Flusses Kuta in die Lena, rund 1000 Kilometer von der Lena-Quelle entfernt.

Eigentlich wollten wir mit dem Dampfer von Katschug nach Ust-Kut fahren, denn – so hatten wir in alten Reiseführern gelesen – von Katschug an sei die Lena schiffbar. Und schließlich hat sich dort ja mal eine Werft befunden. Doch seit dem Zusammenbruch der Sowjetunion gibt es kein Geld mehr, um die Fahrrinne im Oberlauf der Lena regelmäßig auszubaggern.

Auch die Flößerei, mittels deren einst Getreide und andere Lebensmittel aus dem Süden Sibiriens über die Lena nach Norden transportiert wurden, ist längst eingestellt. Jene Flößerei, die den Bauern entlang der fruchtbaren Ufer am Oberlauf der Lena einen so guten Gewinn bescherte, dass sich der deutsche Sibirienreisende Johann Georg Gmelin schon 1740 über die «Üppigkeit und Schwelgerei» wunderte, die er an diesem Abschnitt des Flusses antraf. «Ein jedes Bauernweib hat, wenn es in seinem Staat ist, seidene Kleider, und die Männer sauffen bei aller Gelegenheit.»

Der einfachste Weg, heute nach Ust-Kut zu gelangen, ist, von Irkutsk aus das Flugzeug zu nehmen. Wenn man Glück hat, fliegt es einmal in der Woche. Wir hatten Glück und konnten schon aus der Luft einen Ort in Augenschein nehmen, der zu den traditionsreichsten Sibiriens gehört und zugleich wie wenige andere Aufstieg und Niedergang verkörpert. Voller Stolz rühmt sich Ust-Kut, älter als St. Petersburg zu sein und der einst bedeutendste Holzumschlagplatz Russlands.

In der Tat geht die Geschichte des Ortes auf eine 1631 am linken Lena-Ufer errichtete Kosakenfestung zurück, von der aus die weitere Kolonisierung Sibiriens Richtung Norden und Osten vorangetrieben werden sollte. Im Winter 1725 wurden auf der Werft in Ust-Kut 15 Flusskähne gebaut, um die Ausrüstung und Mannschaft der ersten Kamtschatka-Expedition des Vitus Bering nach Jakutsk zu verschiffen. Mehr als zwei Jahrhunderte allerdings galt Ust-Kut dann lediglich als «gottverlassenes Nest», berühmt und berüchtigt vor allem als Verbannungsort. So brachte der junge Trotzki, bevor er nach Wercholensk verlegt wurde, im Jahr 1899 hier einige Monate als Verbannter zu – und nutzte diese Zeit: Er studierte, wie er selbst berichtet, «Das Kapital» von Karl Marx, «dabei die Schaben von den Buchseiten jagend».

Mit der Entdeckung neuer großer Goldvorkommen in Jakutien im Jahr 1923 begann auch für Ust-Kut wieder ein gewaltiger wirtschaftlicher Aufschwung. Der Ort wurde zur wichtigsten Versorgungsbasis für Sibiriens Hohen Norden. Der Güterumschlag und die Passagierzahlen der Flussschifffahrt vervielfachten sich. Vor allem Holz für die Bergwerke Jakutiens und Baumaterial wurde im Hafen von Ust-Kut auf die Lena-Dampfer verladen. Zugleich behielt Ust-Kut seinen Charakter als Verbannungsort. Die Revolutionäre, die einst vom Zaren hierher und in andere Orte entlang der Lena verbannt worden waren, schickten nun ihrerseits ihre vermeintlichen oder tatsächlichen Gegner in dieses Gebiet und errichteten ein dichtes Netz von Straf- und Arbeitslagern – jenen Archipel GULAG, den Alexander Solschenizyn und viele andere russische und ausländische Häftlinge so eindrucksvoll beschrieben haben. Auch der neue Hafen und die meisten Industrieanlagen von Ust-Kut wurden von GULAG-Insassen gebaut.

Seine wirtschaftliche Blüte erreichte Ust-Kut allerdings erst in den siebziger Jahren des vergangenen Jahrhunderts, als mit dem Bau der nördlichen Trasse der Transsibirischen Eisenbahn, der erwähnten Baikal-Amur-Magistrale (BAM), begonnen wurde. Sie führt bei Ust-Kut über die Lena. Ust-Kut wurde Planungszentrum und Materialbasis dieses Prestigeprojekts der Kremlführung, das wirtschaftliche und strategische Bedeutung zugleich haben sollte.

Schon bald nach Baubeginn entwickelte sich Ust-Kut, das sich seit 1954 «Stadt» nennen darf, zum größten Güterumschlagplatz Nordostsibiriens. In den Sommermonaten kamen bis zu 10 000 Studenten aus allen Teilen des Landes, um in Arbeitsbrigaden die Fertigstellung der BAM voranzutreiben. Der Hafen von Ust-Kut wurde ausgebaut, ebenso die Schiffswerft und die Raffinerie, die das in der Nähe gefundene Erdöl verarbeitete. Es entstanden neue Betriebe der Holzindustrie und Betonwerke. Die Lena-Flotte wurde zur größten Flussflotte Russlands; eine eigene Schifffahrtsschule und mehrere technische Lehranstalten sorgten für die Nachwuchsausbildung. Die Stadt erhielt außer der Eisenbahnbrücke noch drei Autobrücken, ein Sportstadion, ein Schwimmbad und einen Sanatoriumskomplex. In der ganzen Sowjetunion, so heißt es in alten Zeitungsberichten, rissen sich Spezialisten um einen Arbeitsplatz in Ust-Kut. Neben doppeltem oder sogar dreifachem Lohn lockten die Aussicht auf eine eigene Wohnung und – nach der Rückkehr aus Sibirien – ein Berechtigungsschein zum Kauf eines Autos.

Doch als die BAM gegen Ende des vergangenen Jahrhunderts fertig war, ging es auch mit dem «Goldgräberboom» in Ust-Kut zu Ende. Stadt und Hafen sind inzwischen, wie die Stadtverwaltung im Sommer 2001 öffentlich erklärte, «bankrott». Die Züge der BAM, die eigentlich, wie es die sozialistischen Planer gedacht hatten, im Fünfzehnminutentakt verkehren sollten, rollen nur zweimal am Tag über die Brücke und durch den Bahnhof von Ust-Kut – einmal von Westen nach Osten und einmal von Osten nach Westen. Das so genannte «Jahrtausendwerk» erwies sich als gigantische Fehlplanung.

Mit unserem Hotel haben wir trotz allem noch Glück, genauer: mit der Jahreszeit, zu der wir hier angereist sind. Wären wir nämlich im Winter gekommen, so jedenfalls erklärt uns Nikolaj, hätte es keine funktionierende Heizung gegeben. Und zwar nicht nur, weil das städtische Heizkraftwerk seine Schulden nicht mehr bezahlen kann; auch das Rohrleitungssystem von Ust-Kut ist zusammengebrochen, und der Verwaltung fehlt das Geld für die Reparaturbrigaden. Nikolaj kennt sich aus, denn er ist Handwerker, Elektriker. Allerdings ist er arbeitslos. «Es wird doch nichts mehr gebaut, keine Wohnungen, nichts. Wer braucht da noch einen Elektromonteur? Offenbar hat niemand damit gerechnet, dass die BAM mal fertig wird.»

Seinen Lebensunterhalt verdient sich Nikolaj, indem er tagsüber mit seinem klapprigen Lada, illegal natürlich, Taxi fährt und anschließend als Nachtwächter in einem der wenigen erhaltenen Betriebe Dienst tut. Nikolaj ist etwa 45 Jahre alt, hat kurz geschnittenes Haar und eine Nickelbrille, wie sie auch in Russland gern von Lehrern und anderen Angehörigen der «Intelligenzija» getragen wird. Er ist vor 20 Jahren aus dem Ural nach Ust-Kut gekommen, eigentlich nur, um seine Schwester zu besuchen, die in einer studentischen Baubrigade arbeitete. Dann blieb er hier, wie er sagt, einfach hängen. «Gute Jobs gab es in Ust-Kut in Hülle und Fülle – und viele junge, attraktive Mädchen.» Zuvor war er drei Jahre als Panzersoldat der Sowjetarmee in der Nähe von Magdeburg stationiert gewesen – «eine gute Zeit», von der er immer noch schwärmt. Besonders angetan haben es ihm die Kleinstädte und Dörfer in Deutschland. «Dort ist alles sauber und ordentlich.» Und in den Geschäften habe es, zu DDR-Zeiten immerhin, «tolle Sachen» zu kaufen gegeben. Bedauerlich nur, so Nikolaj, dass sie als Sowjetsoldaten so wenig Kontakt zu den Menschen in Deutschland hatten. Dabei seien diese bestimmt, daran habe er keinen Zweifel, ganz anders als in den russischen Kriegsfilmen. Nach Ust-Kut im fernen Sibirien verirrten sich leider nur selten Deutsche. Doch manchmal träume er davon, Geld zu haben, nach Deutschland zu reisen und mit möglichst vielen Leuten dort zu sprechen. «Manche von euch können ja Russisch.» Das «Wunderbarste» für ihn aber wäre, ein deutsches Auto zu besitzen. «Bei unseren musst du bei 100 Stundenkilometern das Lenkrad festhalten, damit es nicht wegfliegt. Mit euren Autos kann man so schnell fahren, wie man will, und dabei immer noch in aller Ruhe Tee trinken.»

Nikolaj kennt sich in Ust-Kut bestens aus und fährt uns in jeden Winkel der Stadt. Sie wirkt wie ein überdimensionaler Schrottplatz. Nicht nur die im Hafen bewegungslos vor sich hinrostenden Kräne, die Stahlgerippe eingefallener Fabriken und die – wie überall in Sibirien – oberirdisch verlegten Heizungs- und Wasserrohre, die geborsten sind und deren Isolierung in traurigen Fetzen im Sommerwind schaukelt, vermitteln den Eindruck von Niedergang und Verfall, sondern auch viele der erst unlängst erbauten Wohnviertel und Verwaltungsgebäude. Einige der meist fünfstöckigen Wohnblocks stehen leer, Türen und Fenster sind mit Brettern vernagelt. Bei anderen, die noch bewohnt sind, zeigen die Außenwände dicke Risse, oder die Balkone sind bereits heruntergefallen. Auch ehemalige Schul- und Institutsgebäude sowie Studentenwohnheime sind verlassen und gammeln vor sich hin. Am besten erhalten sind erstaunlicherweise die zweistöckigen Holzbaracken aus der Stalin-Ära und die winzigen Holzhäuschen mit ihren reich verzierten Giebeln und Fenstern im ältesten Teil der Stadt hoch über der Lena. Einen einzigen imposanten Neubau können wir entdecken – das Gebäude der größten örtlichen Bank.

Den Niedergang Ust-Kuts kann Nikolaj mit einigen schlichten Zahlen aus der offiziellen Statistik präzisieren: Der Güterumschlag im Hafen ist um 80 Prozent zurückgegangen, im gleichen Umfang wurde die Kapazität der Lena-Flotte reduziert. Von den zwei Forstkolchosen der Stadt arbeitet nur noch eine, die Holzverarbeitungsbetriebe und die Ziegelei haben Pleite gemacht. Von den zwei Betonwerken ist eins ganz geschlossen worden, das andere produziert nur noch mit zehn Prozent der Belegschaft. Und über die Bahn will er gar nicht reden. Hätte man das Geld, das bei ihrem Bau verpulvert wurde, stattdessen an die Menschen verteilt – die Hälfte der Einwohner Sibiriens hätte sich ein Häuschen am Schwarzen Meer kaufen können. Auch unser Hinweis auf die riesige Erdölraffinerie und die gewaltigen Tanks in der Nähe des Hafens geht ins Leere. Die Raffinerie, so Nikolaj, habe ihren Betrieb längst eingestellt, und in den Tanks lagere nur das Benzin, das im Sommer über die Lena nach Norden transportiert werde.

«Aber dann habt ihr doch wenigstens mit der Benzinversorgung in der Stadt keine Probleme?»

«Ha, ha», lacht Nikolaj bitter, «der Schuster hat selbst die schlechtesten Schuhe.»

Völlig unverständlich sei für ihn im Übrigen, warum man die Erdölvorräte, die in der Nähe von Ust-Kut fast unmittelbar unter der Erdoberfläche lagern, nicht mehr erschließt. Angeblich habe es Verhandlungen mit amerikanischen Konzernen gegeben, aber herausgekommen sei dabei nichts. «Vermutlich konnte man sich nicht einigen, wer den größten Gewinn machen sollte. Die Amerikaner oder die Kaste der neureichen russischen Ölbarone.» Für das Wort «Ölbarone» benutzt er den inzwischen auch im Russischen gebräuchlichen Begriff «Tycoons».

Dass in Ust-Kut allerdings schon einige «Segnungen» des Westens Einzug gehalten haben, wird im Zentrum der Stadt deutlich, auf dem zentralen Platz zwischen der Eisenbahnstation und dem im stalinistischen Zuckerbäckerstil gehaltenen Flussbahnhof. Dort ist ein Coca-Cola-Zelt aufgebaut, in dem Schaschlik, Bier aus russischer und holländischer Produktion, amerikanische Limonade und mehr als ein Dutzend amerikanischer Zigaretten-marken – von Camel bis Marlboro – verkauft werden.

Aus einem gewaltigen Ghettoblaster dröhnen abwechselnd Lieder russischer Barden und Songs von Madonna und Bon Jovi. Während viele der jungen Männer ungepflegt aussehen und apathisch oder resigniert scheinen, sind die Mädchen und jungen Frauen meist modisch gekleidet und auffallend gepflegt. Mit Stöckelschuhen und Miniröcken, oft nicht breiter als ein Gürtel, staksen sie über das unebene Pflaster. Ihre eleganten Kleider und Kostüme würden sie auch auf jedem westlichen Boulevard eine gute Figur machen lassen. Offenbar vermögen sie, anders als die Männer, alle noch vorhandenen materiellen und psychischen Reserven für die Pflege des Äußeren und die Wahrung des Scheins zu mobilisieren. Doch bei näherem Hinschauen wirken ihre Gesichter nicht weniger müde.

Bevor wir Ust-Kut verlassen, lädt uns Nikolaj noch zu einer kurzen Fahrt in die Umgebung der Stadt ein – an die idyllischen, mit Fichten und Birken bewachsenen Uferhänge der Kuta. Dort erstrecken sich zu beiden Seiten des Flusses, vor den Augen Neugieriger gut versteckt, einige Reihen protziger, zuweilen fast palastartiger Datschen, die gerade erst erbaut worden sind. Offensichtlich gibt es auch in Ust-Kut Gewinner der Wende in Russland. «Fast alles Spekulanten, Mafiosi und Angehörige der alten Nomenklatura», wie Nikolaj verächtlich meint.

Genau an der Stelle, an der heute die Prachtbauten der Neu-reichen stehen, erklärt uns Nikolaj, waren früher die Straflager. «Rechts der Kuta die für Männer, auf der gegenüberliegenden Seite des Flusses die Frauenlager.»

Spuren der Lager gibt es in Ust-Kut heute nicht mehr. Und auch keine Gedenktafel, die an sie erinnert.

An Bord der «Morgenröte»

Nun also soll es losgehen. Endlich! Fast 1000 Kilometer von
der Quelle entfernt werden wir erstmals ein Schiff besteigen
können, das uns die Lena abwärts bringt. Drei Tage ist Sascha
in Ust-Kut unterwegs gewesen, um einen geeigneten Dampfer
aufzutreiben, den wir für die Reise chartern können. Einen regelmäßigen Passagierdienst zwischen Ust-Kut und Jakutsk, unserem nächsten Etappenziel, gibt es nämlich nur noch auf dem
am Flussbahnhof aushängenden Fahrplan – einmal die Woche.
In Wirklichkeit weiß niemand so genau, wann ein Schiff von Ust-
Kut nach Norden ablegt. Es kann in dieser Woche sein, hat man
uns am Flussbahnhof erklärt, oder in der nächsten, vielleicht
aber auch erst in der übernächsten. Ein geregelter Post- und Passagierdienst sei zwar schon vor mehr als hundert Jahren eingerichtet worden, nur könne man sich heute – anders als früher –
auf nichts mehr verlassen.

1894 hatte Zar Nikolaus II. per «Ukas» die Gründung eines
Aktienfonds zur Entwicklung der Schifffahrt auf der Lena befoh-
len; der erste Dampfer war dort allerdings schon 1878 gefahren.
Es war ein in Schweden gebautes Schiff, das zur Expedition des
schwedischen Polarforschers Adolf von Nordenskjöld gehörte.
Fast hundert Jahre, bis 1970, tat dieser Dampfer, der auch den
Namen des Flusses trug, auf der Lena Dienst. Heute, im Jahr
2001, ist der Passagierverkehr auf der Lena weniger rege als zur
Zarenzeit. Die Wirtschaftskrise in Russland hat auch voll auf den
Tourismus und den privaten Reiseverkehr durchgeschlagen.

Sascha hat unermüdlich verhandelt: mit der Hafenbehörde
von Ust-Kut, der Stadtverwaltung, dem örtlichen KGB – immerhin geht es um Filmaufnahmen für eine ausländische Fern-
sehanstalt – sowie dem halbstaatlichen Mineralölkonzern, der
für die Zuteilung von Diesel zuständig ist. Schließlich hat Sascha

alle Genehmigungen beisammen und ist sich mit der Hafenbehörde, der die beiden einzigen noch funktionstüchtigen Passagierschiffe gehören, handelseinig. Wir können einen der beiden Flussdampfer, den schöneren, wie man ihm versichert, chartern. Sein Einsatz im regulären Passagierverkehr ist ohnehin nicht mehr rentabel. Er wird nur noch für Hochzeitsfeiern an neureiche russische Geschäftsleute vermietet oder dient der Bewirtung prominenter Gäste der Stadt. Erst vor wenigen Tagen, so erzählt uns ein örtlicher Zeitungsreporter, hat es auf der «Sarja», der «Morgenröte», wie das Boot heißt, ein rauschendes Fest für den Gouverneur von Irkutsk gegeben. Er war eigentlich gekommen, um sich über den Zustand der Strom- und Wasserversorgung von Ust-Kut zu informieren.

Offiziell wird die «Sarja» schon gar nicht mehr im russischen Flussschifffahrtsregister geführt. Denn vor zehn Jahren wurde der Bau solcher Dampfer, die sehr laut sind und mächtig viel Qualm ausstoßen, eingestellt; und damit auch die Ersatzteilproduktion. Ein Maschinenschaden oder eine andere Panne wäre also eine mittlere Katastrophe mit höchst ungewissem Ausgang. Und eine so weite Reise wie von Ust-Kut bis Jakutsk – laut Tarifverzeichnis der Hafenbehörde genau 1967 Kilometer – hat die «Sarja», wie man Sascha erklärt, noch nie gemacht. Doch all das kann uns nicht schrecken. Entscheidend ist, dass wir überhaupt ein Schiff haben. Dazu noch eines mit sehr geringem Tiefgang, das an jedem Dorf, an jeder flachen Uferstelle anlegen kann, wo immer es für unsere Filmaufnahmen erforderlich ist.

Die einem Hamburger Alsterdampfer ähnelnde «Sarja» ist für 60 Passagiere gedacht und vor 20 Jahren auf einer Flusswerft in Moskau gebaut worden. Der einst blauweiße Farbanstrich ist weitgehend abgeblättert, der Innenausstattung haftet der Charme der Sowjetzeit an, Linoleumboden, Resopaltische, Plastikstühle … Das größte Problem wird allerdings die Treibstoffbeschaffung sein. Die gesamte sibirische Flussflotte wird staatlich betrieben und subventioniert. Diesel, in Sibirien ohnehin zwei- bis dreimal so teuer wie in Zentralrussland, wird im Hohen Norden – mithin auch entlang der Lena – nicht frei verkauft, sondern zugeteilt. Da unsere Reise aber eine «spez-rejs» ist, eine private Sonderfahrt, fühlt sich für unsere Treibstoffversorgung niemand zuständig. Das Schiff, bitte schön, sagt man Sascha in Ust-Kut, könnten wir zwar chartern, doch wo wir Diesel herbekämen, sei unsere Sache. Dabei verbraucht die «Sarja» pro Stunde etwa 180 Liter, und die Reise bis Jakutsk, so haben wir errechnet, dauert mindestens eine Woche. Bekümmern kann uns das freilich auch nicht ernsthaft. Irgendwie, hat uns Aleksandr Pawlowitsch, der Kapitän, erklärt, werden wir schon hinkommen. Und er soll Recht behalten.

Wir verlassen Ust-Kut Richtung Norden. Vorbei an unzähligen Frachtschiffen im Hafenbecken und auf Reede liegenden Tankern schiebt sich die «Sarja» ins Flussbett. Viele der Kohle- und Holztransporter, die wir passieren, machen einen maroden Eindruck. Manche sind von Rost so zerfressen, dass man nicht einmal mehr ihren Namen lesen kann. Einige liegen schräg im Wasser, anderen fehlen Teile der Aufbauten. Einem der Tanker ist der Schornstein abhanden gekommen; bei mehreren Containerschiffen sind die Ladebäume geknickt. Einem Kohlefrachter fehlt die hintere Reling, einem anderen die Scheibe der Kapitänsbrücke. Obwohl wir das Gefühl haben, an einem riesigen Schiffsfriedhof vorbeizufahren, sind einige der altersschwachen, verrosteten Pötte noch keineswegs ausgemustert. Sie werden vor allem mit Baumaterial beladen, das für die beim letzten Hochwasser zerstörten Städte und Dörfer am Mittellauf der Lena dringend benötigt wird. Flussabwärts, spottet unser Kapitän, lassen sich diese Rostlauben wahrscheinlich treiben; und zurück, stromaufwärts, werden sie wohl – wie vor 150 Jahren – gezogen. Von «burlaki», Treidlern, mit dem Lied der Wolgaschlepper auf den Lippen.

Früher, so Aleksandr Pawlowitsch, seien in Ust-Kut große Passagierdampfer beheimatet gewesen. Doch die seien inzwischen alle nach Rumänien, Bulgarien oder ins Baltikum verkauft worden, wo sie für Kreuzfahrten eingesetzt würden. Auch er war lange Kapitän auf einem großen Touristendampfer, der die Lena rauf und runter fuhr. Aber nun sei er froh, wenigstens von Zeit zu Zeit unsere kleine Barkasse, wie er die «Sarja» liebevoll nennt, unter seinen Seemannsfüßen zu haben. «Ohne den Fluss würde ich verrückt.»

Eine halbe Stunde von Ust-Kut entfernt passieren wir die Eisenbahnbrücke der BAM. Es ist die letzte Brücke über den Strom, obwohl es bis zur Mündung der Lena ins Polarmeer noch mehr als 3000 Kilometer sind.

Aleksandr Pawlowitsch, das fällt uns bald auf, fährt häufig im Zickzack, wechselt abrupt von einem Ufer zum anderen. Dabei haben wir weder Wodka noch andere alkoholische Getränke an Bord. Und auch sonst machen der Kapitän und seine Mannschaft einen überaus nüchternen Eindruck. Der Grund für das häufige Hin und Her, erklärt Aleksandr Pawlowitsch, sei ganz einfach: «Die Lena ist einer der wenigen Ströme Eurasiens, die noch nicht durch Wasserkraftwerke, Staudämme oder andere hydrotechnische Bauten eingedämmt sind. Im Sommer sinkt der Wasserstand daher oft bis auf weniger als einen Meter. Sandbänke und ständig wechselnde Strömungen bewirken Veränderungen der Fahrrinne und machen die Lena zu einem für die Schifffahrt sehr schwierigen und gefährlichen Gewässer.» Außerdem seien auf der Flusskarte unendlich viele Wracks verzeichnet, die auf dem Grund der Lena von Ust-Kut bis zum Polarmeer liegen. Deshalb herrsche von zehn Uhr nachts bis fünf Uhr früh absolutes Fahrverbot. Es gelte für alle Schiffe, ob groß oder klein und unabhängig davon, ob sie mit Radar oder Echolot ausgerüstet seien. Die «Sarja» hat beides nicht. Sie verfügt nicht einmal über ein Funkgerät, das über größere Strecken reicht.

Die Besatzung besteht neben dem 52-jährigen, hünenhaften Kapitän mit Stoppelhaarschnitt und wettergebräuntem Gesicht aus dem gleichaltrigen, etwas untersetzten Steuermann Mischa und aus Kolja, einem jungen Maschinisten, der aussieht, als bade er jeden Morgen von Kopf bis Fuß in Dieselöl. Normalerweise, erklärt uns Aleksandr Pawlowitsch, gehörten zur «Sarja» noch ein zweiter Maschinist und ein Schiffsjunge. Doch aus Kostengründen seien diese beiden Stellen gestrichen worden. Zwei Mann mehr, argumentiere die Hafenbehörde, würden nur den «Profit» schmälern.

Nicht zur Besatzung zählt Olga, die Köchin. Sascha hat sie dem einzigen Restaurant von Ust-Kut abgeworben. Sie ist, wie sie sagt, zum ersten Mal auf einem Schiff. Olga verdanken wir auch den ersten Halt unserer Schiffsreise – knapp zwei Stunden nach Abfahrt. Da es in Ust-Kut kein Trinkwasser gab, hatte der Kapitän vorgeschlagen, das Wasser zum Kochen wie üblich aus der Lena zu schöpfen. Doch Olga lehnte empört ab. Das wäre vielleicht in Ordnung für abgehärtete sibirische Mägen, nicht aber für uns «zarte Europäer». Kategorisch hatte sie darauf bestanden, an dem ersten in die Lena mündenden Gebirgsbach, der noch nicht ausgetrocknet ist, zu halten und frisches Trinkwasser zu bunkern – in allen vorhandenen Töpfen, Kannen und Eimern. Vor allem der Maschinist Kolja hatte gemault, weil er – nicht zu Unrecht – vermutete, dass er die Hauptlast schleppen müsste, während wir den Stopp zu Landschaftsaufnahmen vom Ufer aus nutzen wollten. Erst Olgas Drohung, keine Suppe auf den Tisch zu bringen, ließ Kolja einlenken.

Die Landschaft, durch die sich die Lena in den ersten 1000 Kilometern von Ust-Kut nach Nordosten wälzt, ist abwechslungsreich. Steile, waldbekränzte Ufer, von denen pittoreske Wildbäche in die Tiefe stürzen, gehen unvermittelt in weite, sattgrüne Wiesenlandschaften über, geben den Blick in die Ferne auf bläulich wie Meereswellen schimmernde Hügelketten frei. Dann wieder erheben sich plötzlich zu beiden Seiten des Flusses bizarre Felswände aus dem Wasser und bilden einen Canyon, durch den die Lena in reißenden Wirbeln und mit gewaltigem Lärm wie ein wilder Gebirgsbach tobt. Einer dieser Felsen, an denen die Lena vorbeidonnert, wird von den Schiffern besonders gefürchtet; er trägt den Namen «betrunkener Stier». Von Zeit zu Zeit drohen ganze Inselgruppen, bewachsen mit mannshohem Gras, Weidengebüsch und vereinzelten Birkenwäldchen, den Schiffen den Weg zu versperren. Und wenn die Ufer weit zurücktreten und sich gegen Abend der Wind legt, scheint auch die Lena zu ruhen – spiegelglatt liegt sie da, als wäre sie kein Fluss, sondern ein stiller, tiefer See.

Wo Felsen die Ufer säumen, macht uns Aleksandr Pawlowitsch immer wieder auf Stellen aufmerksam, an denen salzhaltige Quellen aus dem Gestein treten. Hier befanden sich früher Salzsiedereien. Die älteste soll bereits im Jahr 1639 in Betrieb genommen worden sein, unweit des Städtchens Kirensk, das wir in der Abenddämmerung passieren. Heute ist von dieser Salzsiederei wie auch von allen anderen entlang der Lena nichts mehr zu sehen. Doch die Heilkräfte der Quellen wurden noch bis vor wenigen Jahren genutzt. Zu Sowjetzeiten, so erzählt Aleksandr Pawlowitsch, seien die Kranken sogar aus Moskau hierher gekommen – zuweilen mit eigenen Badewannen, die sie sich auf Booten mitbrachten.

Der Ort Kirensk allerdings ist nicht nur wegen seiner Heilquellen bemerkenswert. Er ist vielmehr – wie fast alle Orte an der Lena – als Verbannungsort berüchtigt; und als Durchgangsstation wissenschaftlicher Expeditionen zur Erforschung Sibiriens und Alaskas berühmt. Auf dem Weg nach Kamtschatka und weiter nach Amerika kam Vitus Bering mit seiner Frau und seinen zwei Kindern durch Kirensk. Die im Auftrag des Zaren reisenden deutschen Forscher Gerhard Friedrich Müller und Johann Georg Gmelin schlugen hier 1736 ihr Winterlager auf. Dabei beobachtete der Arzt und Professor für Chemie und Naturgeschichte Gmelin in der mit «geistlichen und weltlichen Gütern gesegneten Kirengischen Gegend» auch eine «Plage». Er traf Menschen mit Kröpfen, «welche den ansehnlichsten Kröpfen in der Welt nichts nachgeben». Den Grund dafür konnte Gmelin allerdings nicht herausfinden, wie er in aller Offenheit in seinen Reisenotizen vermerkt.

Auf uns macht das Städtchen Kirensk nicht den Eindruck, als sei es reich an «geistlichen und weltlichen Gütern», womit Gmelin vor allem die verschiedenen Kirchen und die damals mit Korn, Trockenfisch und sogar Wein gefüllten Speicher und Lagerhäuser entlang des Ufers gemeint haben dürfte. Von den Kirchen ist nach den Zerstörungen der Sowjetzeit nur eine einzige wieder instand gesetzt worden. Und der Hafen scheint alles andere als ein blühender Handelsplatz zu sein. Die wenigen am Kai liegenden Dampfer jedenfalls lassen nicht erkennen, ob sie zum Beladen oder zum Abwracken vor Anker gegangen sind. Die Kräne stehen still, und auch an der großen Holzverladestelle tut sich nichts. Die riesigen Stapel unbehauener Stämme gammeln offenbar schon längere Zeit vor sich hin. «Es ist hier wie überall», sagt Aleksandr Pawlowitsch und zuckt mit den Schultern.

Aus einem anderen Grund allerdings wird uns die Gegend um Kirensk in Erinnerung bleiben. Nachdem wir in der Nacht vorschriftsmäßig vor Anker gegangen sind, werden wir am frühen Morgen mit einem Mark und Bein durchdringenden Knirschen und einem in kurzen Abständen wiederkehrenden ohrenbetäubenden Aufheulen des Schiffsmotors geweckt. Es ist, als flöge die betagte Maschine jeden Augenblick auseinander. Als wir auf Deck stürzen, herrscht dichter Nebel. Die «Sarja» ist auf eine Sandbank gelaufen; weder mit voller Kraft voraus noch mit voller Kraft zurück lässt sie sich bewegen. Dabei wollte Aleksandr Pawlowitsch uns einen Gefallen tun: Um keine Zeit zu verlieren, hatte er pünktlich um fünf Uhr den Anker gelichtet. Zwar war es dunstig, doch hatte der erfahrene Kapitän eine vorsichtige Fahrt in der Mitte des Stroms für risikolos gehalten. Womit er nicht gerechnet hatte: Seine Navigationskarte zeigte an dieser Stelle die jüngsten Veränderungen der Fahrrinne nicht. Und dann tauchte plötzlich auch noch eine Nebelbank auf.

Zerknirscht glaubt sich Aleksandr Pawlowitsch bei uns entschuldigen zu müssen, dass ihm als «altem Seemann» so etwas passiert sei. «Aber so ist das eben auf der Lena: Ständig verändert sie ihr Bett.» Selbst in besseren Zeiten konnten die Kartographen mit den Launen der Natur nicht Schritt halten. Dabei sei die von ihm benutzte Schifffahrtskarte erst vor wenigen Monaten erschienen. Nun müsse er unter allen Umständen versuchen, aus eigener Kraft freizukommen. Denn ein anderes Schiff zu Hilfe zu rufen, koste viel Geld, und das sei in seinem Etat nicht vorgesehen. Und außerdem sei es eine Frage der Ehre. «Denn wer gibt Kollegen gegenüber schon gern zu, dass ihm ein Missgeschick unterlaufen ist?» Obwohl dies, so der Kapitän, auf der Lena jedem mal passieren könne – manchen sogar öfter.

Um die «Sarja» leichter zu machen, wird das am Heck vertäute große Reservefass mit Diesel über Bord geworfen. Danach wird über zwei zur Rutsche umfunktionierte Bretter per Hand der als Rettungsboot vorgesehene Blechkahn zu Wasser gelassen. Kolja, der Maschinist, montiert daran einen gut 30 Jahre alten Außenbordmotor, der beim fünfzehnten Versuch – Kolja hat laut mitgezählt – auch tatsächlich anspringt. Aleksandr Pawlowitsch, der ebenfalls ins Beiboot umgestiegen ist, taucht nun in kurzen Abständen einen langen, schwarz-weiß gestreiften Holzstab ins Wasser, um die Tiefe zu messen und einen Weg zu finden, auf dem die «Sarja» wieder in sicheres Fahrwasser gelangen könnte. An Steuermann Mischa ergehen kurze, prägnante Kommandos; Aleksandr Pawlowitsch will das Schiff durch erneutes Manövrieren von der Sandbank freibekommen. Und in der Tat, nach einiger Zeit bewegt sich die «Sarja». Das Knirschen wird noch einmal ganz heftig und hört dann urplötzlich auf. Wir haben wieder eine Handbreit Wasser unter dem Kiel.

Doch unsere Hoffnung, die Fahrt stromabwärts fortsetzen zu können, um das strahlende Sonnenlicht, das inzwischen den Nebel vertrieben hat, für Filmaufnahmen zu nutzen, erweist sich als verfrüht. Nachdem wir Beiboot und Dieselfass an Bord geholt haben, lässt Aleksandr Pawlowitsch nämlich noch einmal Anker werfen und gleitet, bekleidet mit Hemd und Unterhose, ins Wasser. Er will feststellen, ob die Schiffsschraube durch die Manöver auf der Sandbank beschädigt wurde. Und tatsächlich ist eines der Schraubenblätter so verzogen, dass an eine Weiterfahrt nicht zu denken ist. Mit einem gewaltigen Hammer versucht Aleksandr Pawlowitsch, immer wieder prustend unter Wasser tauchend, den Schaden zu beheben. Nach einer Stunde gibt er mit resignierendem Kopfschütteln auf und weist Kolja an, die Ersatzschraube klarzumachen.

Zu unserer Überraschung erfahren wir, dass der Kapitän nicht nur eine Reserveschraube an Bord hat, sondern zwei. Woher, so Aleksandr Pawlowitsch, solle er denn im Notfall eine Schraube für die «Sarja» bekommen? «Im Umkreis von 1000 Kilometern gibt es keine einzige mehr!» Und seine Ersatzschrauben seien natürlich auch nicht neu, sondern aus Schwesterschiffen der «Sarja» ausgebaut, die inzwischen nur noch als Ersatzteillager dienten. Wir bewundern die Weitsicht dieses Mannes, seine Energie und Ausdauer, vor allem aber den Einfallsreichtum, mit dem er versucht, unser Schiff wieder flottzukriegen. Seit fünf Uhr früh ist er auf den Beinen. Inzwischen ist es zwölf Uhr mittags. Nicht eine einzige Pause hat er sich gegönnt, nicht einmal ein Glas Tee getrunken. Unermüdlich ist er ins Wasser getaucht, hat mit primitivstem Werkzeug dies und jenes probiert – festgerostete Schrauben gelöst, die Antriebswelle, die ebenfalls einen Knacks bekommen hat, gerichtet – und uns immer wieder mit strahlendem Lächeln versichert, er werde es schon schaffen! Das Leben in Russland lehre das Improvisieren, ja, es zwinge einen dazu – in Sibirien ganz besonders. «Geh davon aus, dass du im Zweifelsfall auf dich allein gestellt bist. Dann kann dir nichts passieren.»

Am Nachmittag schließlich schüttelt sich Aleksandr Pawlowitsch ein letztes Mal das Wasser aus den Stoppelhaaren und meldet mit ironisch angedeutetem militärischem Gruß, die «Sarja» sei wieder einsatzbereit. Wir können unsere Fahrt nach Norden fortsetzen.

Am Morgen des dritten Tages kommt am linken Ufer das Städtchen Lensk in Sicht: ein Ort mit etwa 20 000 Einwohnern, Verwaltungszentrum und Güterumschlagplatz für die großen Diamantengruben in der 200 Kilometer nördlich gelegenen Region um Mirnyj. Traurige Berühmtheit erlangte Lensk durch das Jahrhunderthochwasser im Mai 2001. Die Lena überschwemmte damals den gesamten Ort und zermalmte mit tonnenschweren Treibeisbrocken Hunderte der kleinen Holzhäuschen wie Streichholzschachteln.

Als wir mit der «Sarja» zwei Monate danach am Kai von Lensk festmachen, ist auf den ersten Blick von der Katastrophe nichts mehr zu sehen. Die siebenstöckigen steinernen Wohnhäuser auf dem Steilufer über der Lena haben den Ansturm der Wassermassen und gewaltigen Eisschollen ohne äußerlich erkennbare Schäden überstanden. Die vielen Schiffe im Hafen von Lensk allerdings, aus denen Katastrophenschützer und Soldaten ohne Unterbrechung Baumaterialien, Bagger, Betonmischmaschinen und Ziegel an Land bringen, lassen ahnen, dass dieser erste Eindruck täuscht. Und genau so ist es: Hinter den Wohnhäusern, landeinwärts, bietet sich ein geradezu apokalyptisches Bild. Wo einmal Straßen waren, liegen nun überall Trümmer herum: Balken, Möbel, Teile von Wänden, Türen, Fenstern, Hausrat aller Art. Manche der überwiegend zweistöckigen Holzhäuser sind einfach weggeschwemmt worden und stehen jetzt dort, wo früher Gärten waren, oder mitten auf der Straße. Andere liegen auf dem Dach; von den meisten ragt jedoch nur noch ein Gerippe schräg aus der Erde. Durch fehlende Wände sind Reste von Küchen und Schlafzimmern zu sehen, von den Eismassen zertrümmerte Betten, Schränke, Regale; und überall verstreut Wäschestücke, Schuhe, Kochtöpfe, Konservendosen, zerborstene Fernsehapparate, Lampen.

In einem der Häuser sitzen unter freiem Himmel in zerschlissenen, mit Wasserflecken bedeckten Ohrensesseln zwei Frauen mittleren Alters. Dazwischen brodelt auf einem kleinen eisernen Herd ein Topf Suppe. Als Brennholz dienen Bretter der Zimmerwand. Die Frauen, die unsere Kamera bemerkt haben, bitten uns ins Haus. «Zu Tisch», sagen sie mit gespielter Feierlichkeit. Wir sollen ruhig filmen und der Welt zeigen, wie sie in ihrem Unglück von allen allein gelassen werden. Von der Provinzregierung in Jakutsk, von der Regierung in Moskau, von ihrer Stadtverwaltung und dem Diamantenkonzern. Auch der Tisch ist von den Wassermassen weggespült worden, und so stellen sie die Blechnäpfe – das Geschirr ist kaputt – auf einen umgedrehten Eimer; dann gibt es dampfende Brennnesselsuppe – zubereitet aus den Kräutern der Taiga.

In den Moskauer Zeitungen hatten wir gelesen, dass den Hochwasseropfern «schnell und unbürokratisch» geholfen werde und die Stadt Lensk an einer anderen Stelle wieder aufgebaut werden soll. Doch die Frauen winken ab. Richtig sei, dass Gutscheine ausgegeben worden seien, mit denen man sich in anderen Orten eine Wohnung suchen könne. Aber was, sagen die Frauen, sollen wir an einem anderen Ort, wenn es da keine Arbeit für uns gibt? Und schnelle Hilfe? 30 000 Rubel Soforthilfe seien ihnen versprochen worden. Erhalten hätten sie 1000 Rubel, läppische 80 Mark, und zehn Dosen Büchsenfleisch. Das sei alles.

«Die Einzigen, die uns wirklich geholfen haben, waren die Belgier.» Angehörige einer belgischen Hilfsorganisation, die Kleidung, Seife und Lebensmittel direkt an die Menschen in den Ruinen der Häuser verteilt hätten. Alle anderen Hilfsgüter würden von kommerziellen Händlern und Spekulanten verkauft. Sicher, im Moment werde viel Baumaterial nach Lensk gebracht. Aber damit repariere man vor allem die Straßen, die Verwaltungsgebäude, das Heizkraftwerk und andere kommunale Einrichtungen. Zwar würden auch einige Wohnhäuser gebaut, doch um dort Wohnraum zu bekommen, benötige man «Beziehungen». Der Plan, die gesamte Stadt woanders wieder zu errichten, so die Frauen, sei längst begraben. «Viel zu teuer!» Und außerdem würden die Arbeitskräfte hier am Ort gebraucht: für die Diamantenminen, den Hafen und – wenn er vielleicht mal wieder in Gang käme – den Holzverarbeitungsbetrieb. Zudem habe man in der Nähe Gas und Erdöl gefunden. Auch deshalb müsse die Stadt wieder dort stehen, wo sie war.

Während wir unsere Brennnesselsuppe löffeln und Maxim die traurigen Reste der Wohnungseinrichtung filmt, gesellt sich ein älterer, auffallend gut gekleideter Mann zu uns, der in einem japanischen Kleinbus neuerer Bauart vorgefahren ist – ein Nachbar, wie die Frauen erklären. Sein Haus wurde ebenfalls von der Flut und den Eisschollen zertrümmert. Aber das Schicksal habe ihn, so die Frauen, noch härter getroffen als sie selbst. Er habe nämlich viel mehr besessen und deshalb auch viel mehr verloren. Er sei wahrscheinlich der reichste Mann im Ort gewesen.

Anatolij, wie sich der Mann mit Vornamen vorstellt, hebt abwehrend die Hände. Nun ja, sein Haus sei um einiges größer gewesen, und auf seinem Grundstück hätten auch noch eine Garage, eine Werkstatt und ein Gewächshaus gestanden. Aber Reichtümer seien dies nicht gewesen. Es stellt sich heraus, dass Anatolij früher Chef der Bauverwaltung von Lensk war, sich mit seinen drei Söhnen nach der Wende selbständig gemacht und zum größten privaten Bauunternehmer am Ort gemausert hatte. Zu seinem Fuhrpark gehören, wie er uns stolz erzählt, außer dem Kleinbus noch zwei Lastwagen, ein Bagger und ein Kran. «Sie und einen Teil der Baumaterialien konnte ich rechtzeitig vor den Wassermassen in Sicherheit bringen: auf eine Anhöhe in der Taiga, die unmittelbar am Stadtrand beginnt.»

An der derzeitigen staatlichen Verwaltung lässt Anatolij, ein Ex-Funktionär und zur Clique der einstigen Nomenklatura von Lensk gehörend, kein gutes Haar. Hochwasser, meint er, gebe es an der Lena in jedem Frühsommer. Sein Vater, seine Großväter, alle Generationen seiner schon seit zwei Jahrhunderten an der Lena lebenden Familie hätten diese Erfahrung gemacht. Die staatlichen Stellen hätten also darauf eingestellt sein müssen. Und sie hätten wissen müssen, dass das Hochwasser in diesem Jahr besonders dramatisch ausfallen würde. Der Winter sei – selbst für sibirische Verhältnisse – ungewöhnlich lang und hart gewesen. «Die Lena war tiefer gefroren und produzierte mehr Eis als sonst. Aus der Vergangenheit hätte man wissen müssen, dass sich meterdicke Eisblöcke immer wieder zu regelrechten Staudämmen zusammenschieben. Die vom Schmelzwasser ohnehin schon bis zur Ufermarke gestiegene Lena trat dadurch endgültig und unkontrollierbar aus ihrem Bett. Hätte man die größten Eisbarrieren, etwa 1000 Kilometer stromabwärts bei Jakutsk, rechtzeitig gesprengt oder aus der Luft bombardiert, wäre es nicht zu dieser Jahrhundertkatastrophe gekommen, die Zehntausende Menschen obdachlos gemacht hat. Aber die Kampfjets der russischen Armee, die übrigens ganz in der Nähe von Lensk stationiert sind, begannen mit dem Bombardieren der Eisdämme erst, als Lensk schon unter Wasser stand.» Über die Gründe dafür kann auch Anatolij nur rätseln. Ob es Schlamperei war oder die Flugzeuge keinen Treibstoff hatten oder, wie gemunkelt wird, der Gouverneur von Jakutsk um die Fensterscheiben seiner Stadt fürchtete – alles, so Anatolij, sei denkbar. In einem allerdings ist er sich sicher: Wer auch immer dafür verantwortlich sei, gehöre erschossen.

«Aber», so fragen wir Anatolij, «es gibt doch viele Menschen hier, die in der Katastrophe eine Rache der Natur sehen für all die Sünden, die an ihr begangen werden?»

«Unsinn!», antwortet er. «Die Lena ist weder gut noch böse. Sie ist, wie sie ist: eine Naturgewalt. Der Mensch hat sich nach ihr zu richten – nicht umgekehrt. Das müssen sich alle vor Augen halten, die an ihrem Ufer leben, die aus ihr Nutzen ziehen wollen. Doch die meisten scheinen das zu vergessen.»

Anatolij ist überzeugt, dass er sein Haus bis zum Winter, der schon in wenigen Wochen beginnt, wieder aufbauen kann. Die beiden Frauen allerdings können keine Hoffnung schöpfen. Sie haben kein Geld, weder für Baumaterialien noch für Arbeiter. Und Anatolij hat, wie er sagt, mit dem Wiederaufbau seines eigenen Hauses und des Unternehmens mehr als genug zu tun.

Auf die Frage, was sie denn im Winter machen werden, wenn es hier in Lensk bis zu 45 Grad Frost geben kann, zucken die Frauen mit den Schultern. «Wir werden versuchen, die Banja – das Schwitzbad – instand zu setzen und darin zu überwintern. Brennholz liegt ja genug herum.» Bei dieser Reparatur wenigstens, verspricht Anatolij, will er ihnen helfen. Uns verabschieden die Frauen mit den Worten: «Zeigt aller Welt unser Elend!» Und leise fügen sie hinzu: «Danke, dass ihr da wart.»

Als wir am Abend zum Schiff zurückkehren, begrüßt uns Sascha mit strahlender Miene. Den ganzen Tag ist er mit Aleksandr Pawlowitsch durch Lensk gezogen, um Diesel aufzutreiben. Die Hafenbehörde darf ihm nichts verkaufen, da die «Sarja» nicht in Lensk, sondern in Ust-Kut registriert ist. Die Lastwagenfahrer der Baukolonnen und der Armee – sonst immer sichere Bezugsquellen – haben hier in Lensk Angst. Im Katastrophengebiet, so sagen sie, wimmele es von KGB-Spitzeln – wegen der Plünderer und Spekulanten. Und im Übrigen wären die Mengen, die sie anzubieten hätten, ohnehin nur ein Tropfen auf den heißen Stein. Denn die «Sarja» braucht für die nächsten zwei Tage mindestens 3000 Liter. Schließlich hat Sascha dem Direktor des größten Fuhrparks am Ort, der dem halbstaatlichen Diamantenkonzern gehört, ein Angebot gemacht, das er nicht ablehnen konnte. Die vielen grünen Scheine mit dem Porträt George Washingtons erwiesen sich auch hier als unwiderstehlich. Drei Tonnen Diesel wechseln an einem Tanklager außerhalb des Hafens diskret ihren Besitzer.

Wir können weiterfahren. Und daran, wie es nach zwei Tagen

weitergehen soll, denken wir nicht. «Werden wir es erleben, werden wir es sehen», zitiert Aleksandr Pawlowitsch ein altes russisches Sprichwort. Recht hat er, denke ich. Kommt Zeit, kommt Rat. Auch auf der Lena.

Der Kapitän

Am Morgen des vierten Tages auf der Lena weckt uns strahlender Sonnenschein. Doch eine eigentümliche Wolkenformation am östlichen Himmel lässt Aleksandr Pawlowitsch vermuten: «Es wird bald Regen geben.» Gut wegen der Waldbrände, deren dunkle Rauchsäulen mehr als 100 Kilometer weit über der Taiga zu sehen sind. Gut auch für die Bauern in den wenigen Dörfern am Ufer, deren Kartoffeln zu vertrocknen drohen. Schlecht aber für uns, da die schnell anschwellenden Gebirgsbäche dann viel Schlamm mit sich führen und wir kein Trinkwasser mehr bunkern können. Und besonders schlecht für Maxim. Er bezeichnet Regen als «die schlimmste Folter, die sich Feinde ausdenken können», weil er die schönen Landschaftsbilder verdirbt.

Auch für Aleksandr Pawlowitsch bedeutet der Regen, der nach kurzer Zeit tatsächlich mit großer Heftigkeit einsetzt, eine Art «vorübergehendes Berufsverbot». Die Scheibenwischer der Kapitänsbrücke sind nämlich derart ausgeleiert, dass sie, statt Klarheit zu schaffen, schmieren und die Sicht endgültig nehmen. Es bleibt nichts anderes übrig, als die «Sarja» zum Ufer zu steuern und die Maschine zu stoppen.

Aleksandr Pawlowitsch ist 52 Jahre alt und seit zwei Jahren Rentner. Die Pensionsgrenze für Lena-Kapitäne liegt bei 50. Ihre Tätigkeit gilt als besonders anstrengend und gesundheitsschädigend – nicht zuletzt wegen der andauernden Konzentration, die das Navigieren auf diesem unberechenbaren Strom erfordert. Als Kapitän hat Aleksandr Pawlowitsch im Monat rund 5000 Rubel verdient. Nun bekommt er 763 Rubel Rente, rund 65 Mark – nach 30 Berufsjahren. «Man schämt sich, darüber zu reden.»

Die für uns auffallendste Eigenschaft Aleksandr Pawlowitschs ist seine unerschütterliche Ruhe, die Ausgeglichenheit, mit der er selbst in schwierigsten Situationen die Gewissheit vermittelt, Herr der Lage zu sein. Dabei strahlt er vom frühen Morgen bis zum späten Abend eine gleich bleibende Freundlichkeit aus, die sich auf die gesamte Besatzung und auch auf uns Passagiere überträgt. Für Sascha und die anderen Kollegen des Petersburger Kamerateams bleibt völlig unbegreiflich, dass in den zehn Tagen, die wir an Bord der «Sarja» sind, nicht ein einziger Fluch ertönt.

Aleksandr Pawlowitsch besitzt sämtliche Patente der Flussschifffahrt und hat sein ganzes Berufsleben auf der Lena verbracht. Sein Kummer über den Niedergang der einst so stolzen Lena-Flotte sitzt tief. Er macht auch keinen Hehl daraus. «Früher», sagt er, jedes Wort bedächtig wägend, «früher hat es auf der Lena so gut wie keine Probleme gegeben. Keine Probleme mit dem Treibstoff, mit den Gütern, mit den Passagierzahlen, mit der sozialen Versorgung. In den letzten Jahren ist alles zusammengebrochen.» Was ihn persönlich angehe, so könne er von seiner Rente nicht einmal sich selbst, geschweige denn seine Familie ernähren. Gelegenheitsjobs wie Hochzeitsfeiern oder eine Reise wie die unsrige, für die ihn die Hafenbehörde anheuere, um die Kosten für einen fest angestellten Kapitän zu sparen, seien für ihn die einzige Überlebenschance. Allerdings sei er skeptisch, wie lange er diese Chance noch haben werde. Die Zahl der Schiffe nämlich werde immer kleiner und ihr Zustand immer katastrophaler. Sie würden weder gepflegt noch gründlich repariert, nicht einmal angestrichen. Früher habe man gute Farben und Lacke gehabt, aus Polen etwa oder aus Jugoslawien. «Wenn ich heute zum Natschalnik gehe und sage, mein Schiff muss dringend gestrichen werden, gibt es einen Skandal. Hau ab, sagt der Chef, sieh zu, dass wir Geld verdienen. Wozu brauchst du Farbe?»

«War es für Sie nicht langweilig, das ganze Leben auf der Lena zu fahren – hin und her, her und hin?»

«Nein», antwortet Aleksandr Pawlowitsch und lächelt dabei,

«ich bin es gewohnt. Und im Leben ändert sich doch ohnehin ständig alles. Etwas, das sich nicht verändert, gibt es nicht. So ist es auch hier auf der Lena. Ständig verändert sie ihren Lauf, ihre Uferlinie, ihr Erscheinungsbild. Ständig triffst du neue Menschen, erlebst neue Situationen – das alles ist doch interessant. Nein, eintönig ist es überhaupt nicht auf der Lena.»

Mir fällt der russische Schriftsteller Iwan Gontscharow ein. Er war 1854 entlang der Lena gereist und hatte an einer Stelle in seinem Tagebuch entnervt vermerkt: «Immer noch Einöde, immerzu die Lena!» Natürlich kennt Aleksandr Pawlowitsch dieses in Russland zum geflügelten Wort gewordene Zitat und auch das Buch Gontscharows. Aber, so sagt er mit sanfter Stimme, Gontscharow sei ja nur ein einziges Mal hier gewesen, und das im Winter. Da könne man den Fluss gar nicht kennen lernen. Obwohl gerade die gefrorene Lena mit ihren unzähligen, zu bizarren Skulpturen, Türmen und Barrieren zusammengeschobenen Eisblöcken, in denen sich das Sonnenlicht in allen Farben bricht, eine gewaltige Faszination ausüben könne.

Wenn es um die Schönheit der Lena geht, offenbart Aleksandr Pawlowitsch eine fast poetische Ader. Ansonsten ist sein Verhältnis zu diesem Fluss eher nüchtern und pragmatisch. Zwar benutzt auch er zuweilen den Begriff «Lena-matuschka», «Mütterchen Lena», aber auf unsere Frage, was damit gemeint sei, erklärt er durchaus unromantisch: «Das ist doch ganz einfach – sie ernährt uns. Alle Wege nach Norden führen in dieser Region über die Lena. Alle Güter werden über sie transportiert. Alles Leben hier hängt von ihr ab.»

«Und Ihre persönliche Beziehung zur Lena?»

Aleksandr Pawlowitsch zögert keine Sekunde: «Für mich bedeutet sie vor allem Arbeit. Meine Jugend habe ich auf ihr verbracht, auf ihr bin ich erwachsen geworden.»

Aleksandr Pawlowitsch ist Lena-Kapitän in der dritten Generation. Auch sein Vater und Großvater waren Lena-Kapitäne und haben ihn schon als Säugling mit aufs Schiff genommen. Dort hat er, wie er sagt, laufen gelernt. Und von Kindheit an sei ihm klar gewesen, dass er ebenfalls Lena-Kapitän werden würde. «Die Arbeit bei der Lena-Flotte war früher eine Ehre, ein Prestigeberuf. Das höchste Ansehen hatten die Kapitäne.»

Heute, so Aleksandr Pawlowitsch, und über sein Gesicht huscht ein bitterer Zug, heute sei alles ganz anders. Die Jugend komme nicht mehr zur Flotte. Und die Arbeit des Kapitäns sei viel schwerer als früher. So müsse er nun auch noch einen Teil der Maschinistenarbeit verrichten, weil Stellen eingespart wurden.

«Wir hören», fragen wir, «so viel Widersprüchliches. Die einen behaupten, die Lena sei gutmütig, die anderen halten sie für gefährlich. Wie sehen Sie das?»

Aleksandr Pawlowitsch wirft einen langen Blick über den Fluss. Dann sagt er bedächtig: «Mit dem Wasser treibt man keine Scherze. Das ist das eine. Aber natürlich hängt alles von einem selbst ab. Dem einen gegenüber erweist sich die Lena als gutmütig, dem anderen nicht. Es kommt darauf an, welche Erfahrung man hat, wie man sich ihr gegenüber verhält. Aber unterschätzen darf man sie auf keinen Fall. Schauen Sie sich doch einmal die Schiffskarte an. Wie viele Wracks hier verzeichnet sind! Die sind nicht aus Altersschwäche gesunken.»

«Und was ist für Sie das Gefährlichste auf der Lena? Das größte Problem für die Schifffahrt?»

Fast gleichmütig kommt die Antwort des Kapitäns: «Gefährlich ist nichts, wenn du vorsichtig bist. Aufzupassen, das ist deine normale Arbeit. Tag für Tag, Stunde für Stunde, Minute für Minute.»

Über die Zukunft der Schifffahrt auf der Lena spricht Aleksandr Pawlowitsch eher zögerlich, als wolle er sich selbst Mut machen. «Ich denke, trotz allem, sie wird wieder auf die Beine kommen, eine Renaissance erleben, so wichtig werden wie früher. Russland hat schon viele schwere Zeiten überstanden, und wir in Sibirien hatten noch nie ein leichtes Leben. Aber wir sind starke, zähe Menschen, und die Natur hat uns Ausdauer gelehrt. Das wird uns helfen, auch die heutige Krise in unserem Land zu überwinden.»

«Und Ihre Kinder, wollen die an der Lena bleiben?»

«Mein jüngster Sohn hat gerade seine Steuermannsprüfung gemacht und arbeitet schon gelegentlich als mein Assistent. Er fühlt sich, anders als die meisten anderen jungen Leute, der Familientradition verpflichtet und will jetzt in der vierten Generation Lena-Kapitän werden.»

«Und Sie glauben, dass er in diesem Beruf hier eine Zukunft haben wird?»

«Wir hoffen es», antwortet Aleksandr Pawlowitsch so lakonisch, als sage er die Uhrzeit an.

Inzwischen hat der wolkenbruchartige Regen aufgehört. Aleksandr Pawlowitsch fragt uns scherzhaft, ob wir ihm nicht ein paar Scheibenwischer für sein Schiff besorgen könnten. Wir würden unser Bestes versuchen, antworten wir ebenso scherzhaft. Dabei fällt Sascha plötzlich ein, dass in St. Petersburg ja noch ein paar Schiffe vom Typ «Sarja» herumfahren …

Je weiter wir nach Norden kommen, desto menschenleerer wird die Gegend. Immer seltener tauchen am Ufer kleine Dörfer auf, und die meisten von ihnen wirken verlassen. Zuweilen erblicken wir auf mehreren hundert Kilometern nicht eine einzige Hütte. Zu beiden Seiten des Flusses erstreckt sich allein die Taiga, bis zum Horizont. «Nur die Zugvögel wissen, wo sie endet!», hat Anton Tschechow einmal geschrieben.

Auf der Lena herrscht reger Verkehr. Immer wieder überholen wir mit der schnellen «Sarja» schwer beladene Containerschiffe und Tanker, die von ihrer Last bis an die Reling ins Wasser gedrückt werden. Vier Monate müssen reichen, um die Bevölkerung des Hohen Nordens mit allem Lebensnotwendigen zu versorgen. Ab Oktober beginnt die Lena wieder zuzufrieren. Entgegen kommen uns fast ausschließlich Frachter, die Baumaterial und Maschinen aus der Republikhauptstadt Jakutsk in das vom Hochwasser zerstörte Lensk bringen; das einzige Passagierschiff, das wir treffen, ist ein Raddampfer. «Etwa 80 Jahre alt», erklärt Aleksandr Pawlowitsch. Am Bug des Dampfers weht noch immer die Sowjetflagge mit Hammer und Sichel.

Hinter einer lang gestreckten Biegung der Lena kommt ein Kohlefrachter in Sicht, der unweit des Ufers ankert. In der Nähe gibt es jedoch weder einen Kai noch eine Siedlung oder irgendein anderes Anzeichen menschlichen Lebens – nur Taiga, nichts als Taiga, so weit das Auge reicht.

Ob der Dampfer wohl eine Havarie habe, fragen wir weniger besorgt als neugierig. «Ach was», winkt Aleksandr Pawlowitsch ab, «die Jungs sind beim Angeln. Oder auf der Jagd.» Allerdings, so unser Kapitän, allzu lange dürften sie sich dabei nicht aufhalten. Seit einigen Jahren seien nämlich alle großen Schiffe auf der Lena über Satellit mit ihrer Reederei verbunden, die auf diese Weise natürlich feststellen kann, ob und wo das Schiff gerade fährt. Anfangs hätten sich die Lena-Kapitäne heftig gegen das neue Navigationssystem gewehrt, weil sie nicht kontrolliert werden wollten. Inzwischen hätten viele aber auch die Vorteile erkannt. Die «Sarja» als kleines Schiff profitiert freilich noch nicht von den Segnungen der modernen Technik. Ob Aleksandr Pawlowitsch dies begrüßt oder bedauert, ist seinem unbewegten Gesichtsausdruck nicht zu entnehmen.

Am fünften Tag auf der Lena beginnen wir allmählich unser Zeitgefühl zu verlieren. Ist es Sonntag oder Samstag, oder Montag? Was in der Welt geschieht, erscheint uns zunehmend belanglos. Die Lena und unser Schiff – das ist ein eigener Kosmos, faszinierend, uns völlig in seinen Bann ziehend. Nachrichten von draußen gibt es nicht. Das Funkgerät der «Sarja» reicht gerade mal ein paar Kilometer weit, und selbst mein starkes Kurzwellenradio empfängt nur noch chinesische, japanische oder vietnamesische Sender.

Wenn es einmal nichts zu filmen gibt und wir uns auch an der ewigen Taiga satt gesehen haben, spielen die Jungs vom Kamera-team Preference. Sascha experimentiert mit seinem neuen digitalen Fotoapparat. Und ich blättere in alten Reiseberichten, in denen die Lena und die sibirische Landschaft schon vor 200 Jahren so beschrieben wurden, wie sie uns heute erscheinen. Nur gelegentlich lenkt Aleksandr Pawlowitsch unsere Aufmerksamkeit jäh auf andere Dinge. Nämlich dann, wenn er mit dem Satz in unsere Kajüte kommt: «Freunde, der Treibstoff geht zu Ende.» Dann werden die Flusskarten gewälzt und mit dem Zirkel Entfernungen gemessen, obwohl das Ergebnis meist von vornherein feststeht: Bis zum nächsten Ort, in dem es vielleicht Diesel gibt, sind es noch einige Tagesreisen. «Vor Jakutsk kommt nichts mehr!», sagt Aleksandr Pawlowitsch und schiebt geräuschvoll sein Kartenmaterial zusammen.

In dieser Situation ist das altersschwache, krächzende und zuweilen auch gänzlich seinen Geist aufgebende Funkgerät die letzte Hoffnung. Der Reihe nach spricht unser Kapitän seine Kollegen auf den entgegenkommenden Schiffen an. Doch die Antwort ist immer die gleiche: «Wir fahren schon mit dem letzten Tropfen, jeder Liter ist genau vorausberechnet und zugeteilt. Nein, irgendwelche Reserven haben auch wir nicht.» Selbst ein Kutter des Ministeriums für Katastrophenschutz, auf dem Weg nach Lensk und in der Regel mit Treibstoff gut versorgt, ist in Nöten. Sein Kapitän lässt uns wissen, dass die Dieselzuteilungen fürs Ministerium ausgeblieben seien und er noch nicht wisse, wie er Lensk erreichen solle.

Die rettende Idee kommt Aleksandr Pawlowitsch, als ihm der Kapitän eines riesigen Frachters, voll beladen mit Containern, Lastwagen, Kränen, Betonsäcken und Ziegeln, erklärt, auch er fahre bereits «auf Reserve». «Aber wir haben Ausländer an Bord», funkt ihm Aleksandr Pawlowitsch zurück. Postwendend ertönt aus dem knackenden Lautsprecher die Antwort: «Kommt steuerbord längsseits.»

An der Reling des hoch über uns aufragenden Dampfers erwartet uns der Kapitän persönlich. Über eine Strickleiter klettert Aleksandr Pawlowitsch zu ihm hinauf und verschwindet unverzüglich in der Kapitänskajüte. Nach kurzer Zeit kommen die beiden zufrieden lächelnd wieder heraus. Der Kapitän des Frachters erteilt seiner Mannschaft Befehle. Kolja macht unseren Tankschlauch klar. Doch nun gibt es ein unerwartetes Problem: Der Schlauch, mit dem der Diesel aus dem Tank des Frachters abgezapft werden soll, hat die Dicke eines kräftigen Unterarms, unserer hingegen die eines Gartenschlauchs. Da Russen Weltmeister im Improvisieren sind, wird schließlich auch dafür eine Lösung gefunden – mit Hilfe eines Stücks Draht, einer Zange und eines alten Wollstrumpfes, der als Dichtung dient.

Während Kolja und der Maschinist des Frachters die Schläuche mit dem Draht zusammendrehen und dabei der Treibstoff schon in munterem Strahl auf die Decksplanken fließt, stehen die Kapitäne daneben und zünden sich genüsslich eine Zigarette an. Nach etwa einer Viertelstunde ist die Transaktion beendet – fast. Um sicherzugehen, dass alles seine Richtigkeit hat, kontrollieren die beiden Kapitäne mit einer Messlatte noch einmal die Menge, die soeben den Weg von einem Schiff zum anderen genommen hat. Jeder im Tank des anderen. Dann schütteln sie einander die Hände und klopfen sich gegenseitig auf die Schultern. Mit einem dreifachen Tuten unserer hellen Schiffssirene verabschieden wir uns. Vom Frachter tutet es dreimal dumpf zurück.

Im Dorf Tumul

Das gewaltigste Felsmassiv am Mittellauf der Lena ist zugleich das einzige, das den Namen des Flusses trägt. Etwa 200 Kilometer südlich von Jakutsk bieten die Lena-Felsen ein Naturschauspiel, das für viele Reisende zu den eindrucksvollsten in Sibirien überhaupt gehört. Auf einer Länge von fast 40 Kilometern erhebt sich unmittelbar am rechten Ufer eine mehr als 200 Meter hohe Felsphalanx aus rötlich schimmerndem Kalkstein, aus der die Bildhauer etlicher Millionen Jahre – die Sonne, der Regen, der Wind, die Hitze, der Frost – die wundersamsten Figuren geformt haben: majestätische Steinschlösser, Türme, Säulen, Erker, Minarette, Höhlen, Bögen, Brücken und Treppen. Während die «Sarja» langsam am Fuß des Felsmassivs vorbeifährt, nehmen manche der steinernen Gebilde die Form menschlicher oder tierischer Wesen an. Wir erkennen Furcht erregende Dinosaurier, sich aufbäumende Pferde, ein springendes Reh, einen Drachen. Aber auch menschliche Paare, die sich zärtlich umschlungen halten, Gruppen von Tanzenden, Familien mit Kindern. Einer der Felsen hat das Gesicht eines alten Mannes, ein anderer erinnert an Zwerg Nase. Wir sehen böse blickende Kahlköpfe und anmutige Frauengestalten, einäugige Zyklopen und lächelnde Mädchengesichter. Je häufiger wir mit unserem Dampfer an den Felsen vorbeifahren und je mehr Details wir filmen, umso mehr Gestalten und Gesichter entdecken wir. Keiner spricht ein Wort; Ehrfurcht hat uns ergriffen.

Wir ankern vor einer Insel in der Mitte des Stroms, den Felsen direkt gegenüber, und warten auf den Sonnenuntergang. Er taucht die Mauern, Türme und Zinnen des Massivs in ein rotgoldenes, geradezu unwirkliches Licht, lässt es wie eine sagenumwobene Tempelstätte erscheinen. «Eine Art heiliger Stille», schrieb vor mehr als 150 Jahren der an die Lena verbannte Dekabrist Aleksandr Bestuschew, «liegt über dieser jungfräulichen Schöpfung und lässt die Seele eins werden mit diesem wilden und zugleich erhabenen Wunder der Natur.»

Für die Jakuten beginnt auf den Spitzen des Felsmassivs das Reich der Zauberer, der bösen und guten Geister, die alle Phasen des Lebens bestimmen. Die jakutische Regierung erklärte die Lena-Felsen 1995 zum ersten Nationalpark ihrer Republik.

Auf dem Territorium dieses Nationalparks wurden übrigens 1982 bei Ausgrabungen primitive Werkzeuge und Waffen gefunden, etwa 50 Kilometer stromabwärts. Sie ähneln denen der ältesten afrikanischen Kulturen in Tansania und Kenia. Es ist anzunehmen, so russische Wissenschaftler, dass es sich hierbei um eine der ältesten Spuren des Menschen handelt, der Urmensch also auch an den Ufern der Lena umherstreifte. Seit einigen Jahren jedoch sind die Grabungsstellen in Diring-Jurjach, wie der Ort auf Jakutisch heißt, verlassen. Nicht weil hier nichts geschichtlich Interessantes mehr zu erwarten wäre, sondern weil die russische archäologische Forschung kein Geld mehr hat.

Am nächsten Morgen fahren wir ans andere Ufer, in das Dorf Tumul, unmittelbar gegenüber den Lena-Felsen. Allerdings nicht mit der «Sarja», sondern mit dem kleinen Beiboot, da der Seitenarm zwischen der Lena-Insel und dem Dorf so flach ist, dass nicht einmal die «Sarja» mit ihrem extrem geringen Tiefgang durchkommt.

Das ganze Leben des Dorfes scheint sich am Fluss abzuspielen. Kühe und Pferde stehen im Wasser und saufen, daneben baden Kinder. Etwas abseits haben Angler ihre Köder ausgeworfen, hin und wieder braust ein lärmendes Motorboot mit fröhlich winkenden Jugendlichen vorbei. Ein alter Mann schleppt an einem Trageholz zwei Eimer mit Wasser aus der Lena ins Dorf. Im Ufersand kniet eine Frau, neben sich eine Kinderbadewanne mit nasser Wäsche. Eine andere Frau sitzt auf dem Rand eines an Land gezogenen Bootes und flicht einem kleinen Mädchen Zöpfe. Sie ist etwa 40 Jahre alt, ihr ärmelloses geblümtes Hauskleid lässt eine kräftige Figur erahnen. Das aus dem breiten Gesicht streng zurückgekämmte Haar ist hinten zum Knoten gebunden. Sie spricht Russisch mit stark jakutischem Akzent, bei dem selbst Dima, unser Toningenieur, seine Probleme hat. Das Mädchen, dem sie die Zöpfe flicht, ist ihre kleinere Tochter, fünf Jahre alt; die größere, zwölfjährige tobt mit ihren Freundinnen im Ufersand.

In Tumul, so erfahren wir, leben etwa 400 Menschen, fast ausschließlich Jakuten. Seit die Kolchose aufgelöst wurde, sind beinahe alle im Dorf Privatbauern. Sie pflanzen Kartoffeln an, gerade so viel, dass es für den Eigenbedarf reicht, halten sich ein oder zwei Kühe, dazu ein paar Hühner und Gänse. Wer ein Pferd besitzt oder mehr als zwei Kühe, gilt als reich.

Oloono, wie sich die Frau mit ihrem jakutischen Vornamen vorstellt, arbeitet nicht in der Landwirtschaft, sondern als Laborantin im 20 Kilometer entfernten Nachbardorf. Dort gibt es einen so genannten «Medpunkt», ein medizinisches Zentrum, das aber lediglich aus einem Feldscher und Oloono besteht. Der Weg dorthin ist ein Trampelpfad durch die Taiga, befahrbar nur mit einem leichten Motorrad oder einem geländegängigen Jeep. Früher, erzählt Oloono, habe es auch in ihrem Dorf einen Medpunkt mit einer Krankenschwester gegeben. Doch nun sei die Krankenschwester alt und der Medpunkt geschlossen. «Eine neue Krankenschwester haben sie uns nicht geschickt. Sie haben uns einfach vergessen.»

«Und was ist, wenn im Dorf mal jemand krank wird?»

Oloono zuckt die Schultern. «Zwei- bis dreimal im Monat kommt ein Arzt aus der Kreisstadt vorbei und schaut nach den Kindern. Vor allem wegen der Infektionen.» Und dann erzählt sie uns, was wir zuvor schon in verschiedenen Zeitungsberichten gelesen hatten: dass in Jakutien die Tuberkulose epidemieartig wütet. Auch in Tumul. Aber regelmäßige Untersuchungen der anderen Bewohner von Tumul finden nicht statt. «Für jeden

Arztbesuch musst du heute doch bezahlen, und auch für jede Laboruntersuchung.»

«Und warum», fragen wir, «lässt sich hier keine Krankenschwester oder ein Sanitäter nieder?»

Oloonos Antwort klingt verbittert: «Weil niemand mehr Verantwortung übernehmen will. Jeder will nur bequem leben, möglichst in der Stadt, denkt nur an sich selbst.» Sie jedoch möchte in ihrem Dorf bleiben. Sie sei hier geboren, und hier lebten «anständige Menschen».

Für ihre Kinder wünscht sich Oloono eine andere Zukunft. Sie sollen möglichst viel lernen. Ihr Traum sei es, dass wenigstens eines ihrer Mädchen Ärztin wird. Die Chancen dafür stehen allerdings nicht gut. In Tumul geht die Schule, eine sehr gute, wie Oloono betont, nur bis zur neunten Klasse. Um die Kinder dann auf eine weiterführende Schule in der Kreisstadt zu schicken, müsse man bezahlen oder brauche «Beziehungen». Sie hat nicht einmal das nötige Fahrgeld, und Beziehungen in der Kreisstadt oder in Jakutsk schon gar nicht. Dabei ist, wie sie sagt, ihre ältere Tochter hoch begabt. «Aber», seufzt Oloono, «sie wird wohl im Dorf bleiben und auf einen guten Mann hoffen.» Doch das wird auch nicht so einfach sein. Die meisten der jungen Männer nämlich verlassen das Dorf. «Für sie ist es viel leichter, sich in der Großstadt durchzuschlagen und dabei anständig zu bleiben.»

Uns fällt auf, wie häufig Oloono das Wort «anständig» benutzt. Auf unsere Frage, was sie denn unter «anständig» verstehe, kommt ihre Antwort ohne Zögern: «Männer, die nicht saufen. Leute, die sich um etwas kümmern. Nicht bloß in den Tag hineinleben. An die Zukunft der Kinder denken.»

Und dann empfiehlt uns Oloono, den Lehrer Rodion zu besuchen, der ganz am Ende des Dorfes wohnt. Der sei nicht nur ein anständiger, sondern ein vorbildlicher Mann. Er sorge für Ordnung im Dorf, kämpfe gegen die Sauferei, habe es durchgesetzt, dass die Schule von einer vierstufigen zu einer neunstufigen erweitert wurde. Und sogar eine Turnhalle habe er gebaut. Dabei zeigt sie auf ein neues, hell gestrichenes Holzgebäude gleich hinter uns am Strand.

Die Dorfstraße von Tumul verläuft parallel zum Lena-Ufer. Häuser stehen allerdings nur auf der dem Fluss zugewandten Seite. Am gegenüberliegenden Straßenrand beginnt schon die Taiga. «Straße» ist eigentlich ein etwas euphemistischer Begriff. Es ist vielmehr ein ausgefahrener Sandweg mit Kuhlen und großen Pfützen, durch die ein paar Enten watscheln. Auffallend sind die vielen neu gedeckten Dächer der Holzhäuschen und die aufrecht stehenden, teilweise blau oder weiß gestrichenen Zäune.

Einige Dorfjungen mit Fahrrädern beobachten aufmerksam, wie Maxim mit der Kamera hantiert. Gelegentlich knattert ein Halbwüchsiger auf einem Moped vorbei. Sogar einen Traktor entdecken wir; er kommt vom Fluss und zieht ein Wägelchen mit Wasserkannen.

In einigen der kleinen Gärten stehen winzige, mit Plastikplanen abgedeckte Gewächshäuser. Auf den Zäunen stecken zum Trocknen umgedrehte Töpfe und Einweckgläser. Zwischen den Häusern geht der Blick über die Lena und die in der Flussmitte grün schimmernden Inseln hinüber zu den Lena-Felsen, die wieder in der Abendsonne glänzen, als seien sie mit Gold überzogen.

Bei unserem Gang durch das Dorf begegnen wir Frauen und Kindern, aber kaum Männern. Von den Jungen mit den Fahrrädern erfahren wir, dass sie alle bei der Heuernte auf den Inseln sind. Auch zur Nacht würden sie nicht zurückkommen, da sie nach der Arbeit gleich dort schlafen. Die Nächte sind jetzt im Hochsommer warm, und das Abendessen fischen sich die Männer aus der Lena. Das gemähte Gras würden sie auf den Inseln liegen lassen und erst im Winter ins Dorf holen – mit Schlitten über das Eis. Der Winter, so erzählen die Jungen, sei sowieso die Zeit, in der im Dorf am meisten los sei. Denn Schiffe könnten wegen des flachen Wassers in Tumul nicht anlegen, und eine richtige Straße gebe es auch nicht; nur eben diesen Trampelpfad für Motorräder und Geländewagen durch die Taiga. Bis zur nächsten Schotterpiste seien es 20 Kilometer. Im Winter aber kämen die Nachbarn aus den entfernter gelegenen Dörfern über das Eis zu Besuch, auf Schlitten, mit Skiern, auf Motorrädern und sogar mit Lastwagen. Das sei eine fröhliche Zeit, und die Kälte, die mache ihnen nichts aus, schließlich seien sie Jakuten. Ihre Heimat sei, wie sie in der Schule gelernt hätten, die kälteste Region der Erde.

Rodion ist nicht zu Hause. Seine Frau, eine Jakutin, empfängt uns freundlich und schickt ihren neunjährigen Sohn mit dem Fahrrad los, um den Vater zu holen. Der sei nicht wie die anderen Männer bei der Heuernte auf den Inseln, sondern beim Bruder im Nachbardorf, wo er ein neues Haus bauen helfe.

Nach einiger Zeit erscheint Rodion. Eine zierliche, fast knabenhafte Gestalt auf einem von Lehm und Sand verkrusteten Moped. Er trägt eine modische Sonnenbrille aus Plastik und auf dem Kopf eine umgedrehte Baseballkappe der New York Yankees. Im ersten Moment halten wir ihn für einen der Dorfjugendlichen. Doch als er vor dem Haus vom Moped steigt und zärtlich seine kleine Tochter auf den Arm nimmt, wird uns klar, dass es sich um den von uns gesuchten Lehrer handelt.

Lächelnd und mit starkem jakutischem Akzent entschuldigt sich Rodion, dass er nichts vorbereitet habe, um uns zu bewirten. Aber er habe ja nicht wissen können, dass wir hier auftauchen würden. Er bittet seine Frau, Tee aufzusetzen, und schlägt vor, es uns im Garten mit Blick auf die Lena gemütlich zu machen – auf einigen Holzblöcken, die als Hocker dienen.

Rodion zieht seine Arbeitsjacke aus; das ärmellose Unterhemd gibt den Blick auf erstaunliche Muskelpakete frei. Rodion unterrichtet Sport und Mathematik. Studiert hat er in Jakutsk, zurückgekehrt ist er freiwillig, weil er, wie er sagt, etwas für sein Dorf tun wollte. Jetzt ist er 33 Jahre alt und wohnt in einem Haus, das sein Vater gebaut hat. Die ganze Familie – eine große

Familie, wie er betont – lebt hier in Tumul oder im Nachbardorf. Auch er selbst ist in Tumul geboren.

Rodion redet schnell und mit sichtlichem Stolz über sich, sein Dorf und seine Arbeit. Es stimme, dass er dafür gekämpft habe, neue Unterrichtsräume zu bauen und sogar eine Turnhalle, die von der Dorfjugend zugleich als Diskothek benutzt werden könne.

Bei unserer Frage, wie er das alles denn finanziert habe, nimmt Rodion die Baseballkappe ab und kichert wie ein kleiner Junge, der sich über einen gelungenen Streich freut.

«Es war ein hartes Stück Arbeit. Viele Leute im Dorf haben gesagt, wozu neun Jahre Schule? Wir haben sie auch nur vier Jahre besucht. Und wieso eine Turnhalle? Die Kinder sollen arbeiten, dann haben sie Bewegung.»

Aber, sagt Rodion, schließlich habe er sich doch durchgesetzt. «Du musst die Leute überzeugen, dass sie alle etwas davon haben. Dass es auch den Eltern besser geht, wenn es den Kindern gut geht.»

«Das», so insistieren wir, «ist noch keine Antwort auf die Frage nach der Finanzierung.»

Rodion kichert wieder: «Als die Dorfleute es erst mal begriffen hatten, war es einfach. Das heißt», verbessert er sich, «eigentlich war es verdammt schwer. Denn jede Familie musste für den Schulbau ein Schwein, manche sogar eine Kuh verkaufen. Und was dies bei uns bedeutet, wissen Sie ja.»

Das Bewusstsein der Dorfbevölkerung, da ist sich Rodion sicher, lasse sich nur über die Kinder verändern. Den Kindern müsse beigebracht werden, was es bedeutet, Ordnung zu halten, den Müll nicht einfach auf der Straße oder im Garten herumliegen zu lassen, die Häuser und Zäune nicht erst dann zu reparieren, wenn sie zusammenzufallen drohen. Wenn es die Kinder begriffen hätten, dann würden sie auch die Eltern dazu anhalten, auf diese Dinge zu achten. So habe er mit den Schulkindern freiwillige «Müllbrigaden» gebildet, die all den Unrat, die weggeworfenen Dosen und Flaschen von der Dorfstraße, dem Ufer der Lena und aus der angrenzenden Taiga sammeln. Seitdem würden viele Erwachsene ihren Müll nicht mehr überall hinwerfen. «Irgendwann fangen sie an, sich vor ihren Kindern zu schämen.»

«Und wie haben Sie es geschafft, dass im Dorf weniger Wodka und anderer selbst gebrannter Schnaps getrunken wird?»

Rodion kichert ein weiteres Mal. «Ebenfalls durch Aufklärung. Und durch das eigene Vorbild. Wir haben den Kindern in der Schule immer wieder erklärt, welche Schäden der Wodka anrichtet, nicht nur in ihren eigenen Familien, was sie ja selbst merken, sondern auch im ganzen Land. Aber das kannst du nur, wenn du glaubwürdig bist. Wenn die Kinder sehen, da ist ein Mann, der ist glücklich, obwohl er nicht trinkt, nicht raucht und seine Frau nicht schlägt.»

Manchmal, so Rodion, müsse man beim Kampf gegen den Alkohol zu einer kleinen List greifen. So habe er im vergangenen Jahr am 23. Februar in der neuen Turnhalle einen Sportwettbewerb für alle Kinder und Jugendlichen des Dorfes veranstaltet. Der 23. Februar, der früher der «Tag der Sowjetarmee» war und heute «Tag der Vaterlandsverteidiger» heißt, war bislang, so Rodion, «nichts anderes als ein großes Besäufnis». Dadurch aber, dass Rodion an diesem Tag die Sportwettkämpfe ansetzte, kamen alle Dorfbewohner in die Turnhalle – als Teilnehmer oder Zuschauer. «Und da gibt es keinen Wodka.» Dass der eine oder andere dann am Abend nach der Veranstaltung doch wieder traditionsgemäß zur Flasche gegriffen hat, sieht Rodion gelassen. «Immer noch besser, als wenn er, wie sonst üblich, morgens angefangen hätte.»

Mit den Russen im Dorf hat Rodion keine Schwierigkeiten. Erstens, sagt er, gebe es ohnehin nur drei russische Familien, und das seien anständige Leute, die ihre Kartoffeln anbauten und sich auch sonst unauffällig verhielten. Probleme allerdings hätten die Kinder, denn Unterrichtssprache in der Schule sei – Jakutien ist vor zehn Jahren «autonome Republik» geworden – Jakutisch. Russisch werde nur als Fremdsprache gelehrt, obwohl doch alle im Dorf begriffen hätten, dass man Russisch können muss, wenn man Karriere machen will. Das Sprachproblem, vermutet Rodion, sei im Übrigen auch der Grund dafür, dass einige russische Familien nach der «Unabhängigkeitserklärung» Jakutiens im Jahr 1991 das Dorf verlassen hätten. Inzwischen sei der Abwanderungstrend aber gestoppt. Es gebe sogar erste Anfragen russischer Familien aus Jakutsk, die gerne nach Tumul ziehen würden. «Bei uns auf dem Land ist das Überleben leichter. Alles, was du brauchst, holst du dir aus dem Fluss oder der Taiga.»

Als größtes Problem seines Dorfes bezeichnet Rodion den dramatischen Geburtenrückgang in den letzten Jahren. Die ökonomische und soziale Krisensituation halte immer mehr Familien davon ab, ihre Kinderwünsche zu realisieren. «Dabei lieben wir Jakuten große Familien mit vielen Kindern.» Doch die Tatsache, dass nun im, wie er sagt, «neuen Kapitalismus» das Gesundheitswesen nicht mehr kostenlos ist, für höhere Schulbildung bezahlt werden muss und sogar auf die kleinen Grundstücke der Dorfbewohner vom Staat Pacht erhoben wird, mache Kinder für viele Familien zu einem «unbezahlbaren Luxus».

Verärgert ist Rodion über einen Film, den das zentrale Russische Fernsehen in Moskau unlängst über Jakutien gezeigt hat. «Die haben uns als armes, zurückgebliebenes, bedauernswertes Volk dargestellt.» Dabei würden doch so große Anstrengungen unternommen, Jakutien voranzubringen. «Ich jedenfalls bin stolz darauf, Jakute zu sein.»

Ausdrücklich lobt Rodion in diesem Zusammenhang seinen jakutischen Präsidenten und dessen Bildungspolitik. Er als Lehrer könne dies schließlich beurteilen. Unverständlich aber sei ihm, warum vom Reichtum seines Landes so wenig für die Bevölkerung bleibe. «Jakutien hat doch alles: Erdöl, Kohle, Gold, Diamanten. Wo, bitte schön, geht das denn alles hin? Wir Jakuten haben nichts davon. Wahrscheinlich geht alles wie immer nach Moskau.»

Zum Beweis dafür, wie die Jakuten anpacken können, lädt er

uns ins Nachbardorf ein, wo sein Bruder gerade ein neues Haus baut. Auf dem Anwesen, hoch über dem Ufer der Lena, auf dem bereits ein zweistöckiges Wohnhaus und ein großer Schuppen stehen, wimmelt es von Menschen. Die Bauarbeiter schäkern mit einigen Dorfmädchen, fordern sie auf – wenn auch erfolglos –, zu ihnen hochzuklettern und den schönen Blick über die Lena zu genießen.

Über wackelige Leitern schleppen die jungen Männer die roh behauenen Baumstämme nach oben, rufen sich auf Jakutisch Kommandos zu und balancieren freihändig auf den Oberkanten der Wände und den schmalen Deckenbalken. Ohne Nägel setzen sie die Balken an den Ecken ineinander, die langen Querfugen zwischen den Stämmen verstopfen sie mit Moos. Uns wundert, dass in den Wänden keine Fenster und Türen zu sehen sind. Die, erklärt uns Rodion lächelnd, säge man nach alter Tradition erst zum Schluss hinein.

«Und wie lange», fragen wir, «brauchen die acht Männer, um solch ein Haus zu bauen?»

«Genau acht Tage», antwortet Rodion. Und stolz fügt er hinzu: «So haben schon unsere Vorfahren gebaut.»

Stolz ist Rodion auch auf seinen Neffen Vadim, einen etwa 20-jährigen durchtrainierten Jungen mit nacktem Oberkörper, der ein weißes, hinten zusammengebundenes Kopftuch trägt. Rittlings sitzt er auf dem obersten Balken und schlägt mit der Axt gerade eine Fuge. Vadim, so Rodion, sei der Intelligenteste der ganzen Familie und habe es bis nach Jakutsk auf die Universität geschafft. Im vergangenen Winter sei er einige Monate in Schottland zum Sprachstudium gewesen, seit neuestem lerne er sogar Chinesisch. China liege ja sozusagen gleich um die Ecke.

Rings um die Baustelle scheint Volksfeststimmung zu herrschen. Auf den Stufen vor dem Wohnhaus balgt sich eine Schar Kinder mit zwei Hunden und einer Katze. Die kleinen Mädchen tragen lustig abstehende Zöpfe, die Jungen sind kahl geschoren. In der Nähe stehen ein paar Frauen, sie reden angeregt miteinander und gestikulieren dabei heftig. Gelegentlich rufen sie ein mahnendes Wort zu den spielenden Kindern hinüber oder trösten ein weinendes Mädchen, das sich über die Grobheiten der Jungen beschwert. Zwei der Frauen, erklärt uns Rodion, seien seine Schwestern, eine andere sei die Frau des Bruders, der gerade das Haus baue.

Auf einer Bank vor dem Schuppen sitzen ein alter Mann und eine alte Frau, ein Paar wie Philemon und Baucis. Es sind die Großeltern Rodions, beide 90 Jahre alt. Der Großvater, weißhaarig, das faltige Gesicht sonnengebräunt, hält die Hände vor sich auf einen Krückstock gestützt. Er ist fast taub. Die Großmutter hat sich leicht an die Schulter ihres Mannes gelehnt, den Kopf in Richtung Baustelle und der tobenden Kinder gewandt. Sie ist blind. Beide sitzen unbeweglich, statuengleich. Russisch verstehen sie nicht, nur Jakutisch.

Mit Hilfe Rodions fragt Maxim, ob er die Großeltern filmen dürfe. Der Großvater ist einverstanden, bittet aber, einen Moment zu warten. Er erhebt sich und geht mit langsamen, vorsichtigen Schritten ins Wohnhaus. Als er zurückkommt, hat er ein Hörgerät ins Ohr gesteckt und eine Baseballmütze aufgesetzt, mit dem Schirm nach vorne. Nun, so lässt er Maxim wissen, sei er bereit, fotografiert zu werden. Dabei zeigt er ein strahlendes Lächeln. Das Gesicht der Großmutter bleibt starr. Während Maxim seine Bilder macht, lässt uns der Großvater fragen, woher wir kämen. Dass Maxim, Sascha und Dima aus St. Petersburg sind, scheint ihn wenig zu beeindrucken. Als er aber hört, dass ich aus Deutschland, aus «Germania», komme, stellt er, wie Rodion übersetzt, kurz und bündig fest: «Germania – gutes Land, gute Menschen.» Rodions Versuch, eine Begründung dafür zu erfahren, schlägt allerdings fehl. Der Großvater bleibt stumm und lächelt nur.

Alle Arbeiter, acht kräftige junge Männer, die meisten mit nacktem Oberkörper, gehören, wie Rodion erklärt, zur Familie. «Alles meine Brüder, Cousins, Neffen, alles Sportsleute.» Ohne technische Hilfsmittel, nur mit Äxten und Sägen ziehen sie das neue Wohnhaus hoch, das drei Stockwerke haben wird, das größte im Dorf. Vier Generationen werden hier leben.

Ob denn die Familie besonders gute Beziehungen habe oder so wohlhabend sei, dass sie einen Jungen zum Studium nach Jakutsk und nach Schottland schicken und sich zugleich auch noch ein so prächtiges Haus bauen könne, frage ich Rodion.

«Weder das eine noch das andere», ist dessen Antwort. Studieren und nach Schottland reisen könne der Neffe, weil er ein Stipendium für Hochbegabte habe. Und ein Haus könne heutzutage jeder bauen. «Du brauchst nur eine große Verwandtschaft.»

«Und die Genehmigung für einen derartigen Bau?

Eine Genehmigung, so Rodion, brauche man gar nicht. «Du musst nur zur Gemeindeverwaltung gehen und mitteilen, wo du das Haus bauen willst.»

«Und das Baumaterial?»

«Was heißt hier Baumaterial? Du gehst zur Forstverwaltung und kaufst die Baumstämme. Kein Problem, Holz gibt es mehr als genug in der Taiga. Und bezahlen kannst du notfalls auch mit Kartoffeln oder einem Schwein.»

«Und wie transportierst du die Baumstämme von der Forstverwaltung auf die Baustelle?»

Nun lacht Rodion wieder: «Das wisst ihr doch ganz genau. Für eine Flasche Wodka macht ein Lkw-Fahrer in Sibirien alles.»

An diesem Punkt scheint Rodions Kampf gegen den Alkoholismus zu enden. Wir denken es, sagen aber nichts.

Als wir nach Tumul zurückkehren, fallen uns an einigen der Häuschen entlang der Dorfstraße kleine hölzerne Sowjetsterne auf. Mal ist einer an die Außenwand genagelt, mal sind es zwei, an einem Haus sogar drei. Die Sterne, erklärt uns Rodion, zeigen, dass in diesem Hause ein Veteran des Zweiten Weltkriegs wohnt, der gegen die Deutschen gekämpft hat. Sind es mehrere

Sterne, so bedeutet dies, dass hier gleich mehrere Teilnehmer des «Großen Vaterländischen Krieges» leben, wie die Russen den Zweiten Weltkrieg nennen – jeweils ein Stern für einen Veteranen.

Von sämtlichen sowjetischen Einheiten, erzählt Rodion, leisteten die sibirischen im Zweiten Weltkrieg den höchsten Blutzoll. Da die Männer fast alle Scharfschützen waren – jeder sibirische Mann ist ein Jäger und vertraut im Umgang mit Schnee und bitterster Kälte –, wurden sie im Winterkampf als letzte Reserve überall dort eingesetzt, wo die regulären sowjetischen Truppen schon auf verlorenem Posten standen. «Allein ihrem Einsatz ist die Rettung Moskaus vor der Übermacht der deutschen Wehrmacht im Winter 1941 zu verdanken.»

Von den 62 000 jungen Männern aus Jakutien, die während des Zweiten Weltkriegs zur Roten Armee einberufen wurden, kamen mehr als 39 000 ums Leben. Doch das, so Rodion, waren längst nicht alle Verluste Jakutiens in diesem Krieg. Als Folge der schweren Arbeit in der Heimat, an Hunger und Krankheiten starben zwischen 1941 und 1945 auch fast 60 000 Zivilisten, darunter viele Kinder. «Es war ein hoher Preis, den wir für den Sieg bezahlt haben.»

Am Hoftor eines der Häuser mit einem Stern lehnt eine ältere, grauhaarige Frau mit dicken Augengläsern. Aufmerksam beobachtet sie, wie Maxim die Dorfstraße filmt.

Ich gehe zu ihr, stelle mich vor, sage, dass ich aus Deutschland, Germania, komme, und frage, welches ihrer Familienmitglieder Veteran des «Großen Vaterländischen Krieges» ist.

Ihr Vater sei es gewesen, antwortet die Frau und klingt dabei recht reserviert; er sei schon vor einigen Jahren gestorben.

«Hat er etwas über den Krieg erzählt?», frage ich.

«Nein», antwortet die Frau, «er hat wenig darüber gesprochen. Nur, dass fast alle Kameraden seiner Kompanie vor Moskau umgekommen sind und er während des ganzen Krieges Hunger gehabt hat.»

«Hat er irgendetwas über die Deutschen erzählt?»

«Wenig. Er hat sie doch kaum aus der Nähe gesehen. Aber von den Dörfern hat er erzählt, die die Deutschen angesteckt haben, und von den Zivilisten, auch Frauen, die sie in den Dörfern aufgehängt haben. Doch bis Deutschland ist er gar nicht gekommen. Er wurde bei Minsk verwundet. Sonst wäre er wohl auch nicht zurückgekehrt.»

Die Frau macht eine lange Pause, schaut zu Boden.

«Darf ich fragen, was Sie heute über die Deutschen denken?»

Die Frau hebt den Kopf und fixiert mich durch ihre dicken Augengläser hindurch.

«Was soll ich schon sagen? Gutes bestimmt nicht. Sie interessieren mich nicht.»

Rodion, der dabeigestanden hat, legt die Hand auf den Arm der Frau. «Aber es gibt doch auch bei den Deutschen solche und solche.»

«Mag sein», sagt die Frau, «mag sein.»

Es ist unser letztes Gespräch in Tumul. Die «Sarja» wartet. Wir müssen weiter.

«Der Himmel ist hoch, und der Zar ist weit» – Jakutsk

Es begann – wie fast alle Eroberungen der Kolonialgeschichte – mit der Hoffnung auf ungeahnte Reichtümer und mit unvorstellbaren Verbrechen an der Urbevölkerung. Der erste Sibirier, der russischen Kosaken vom unendlichen «Land östlich der Sonne» erzählte, jenem gewaltigen Gebiet zwischen Lena und Stillem Ozean, war ein Tungusen-Fürst vom Jenissej. Im Jahr 1619, so ist in einer Chronik überliefert, habe er Russen gegenüber den mächtigen Strom «Lin» erwähnt. «Große Schiffe» würden darauf fahren, mit «Kanonen, aus denen geschossen wird», und mit «Glocken, deren Klang weithin zu hören ist».

Bereits ein Jahr später erschienen russische Kosaken, Jäger, Fallensteller und Händler am Mittellauf der Lena. Und schon 25 Jahre später erreichten sie, getrieben von der Gier nach wertvollen Pelzen und der Aussicht auf Tribut, den man der einheimischen Bevölkerung abpressen könnte, die Ufer des Stillen Ozeans. Damit hatten sie dem Zaren ein Territorium hinzugewonnen, das größer war als das europäische Russland.

Wie die spanischen Konquistadoren in Südamerika gingen auch die russischen Eroberer Sibiriens vor: Wer sich nicht unterwarf, wurde umgebracht oder versklavt. Am Mittellauf der Lena, so ist überliefert, wurden die männlichen Ureinwohner «erschlagen» und ihre Frauen und Kinder «in Gefangenschaft genommen». Unweit des heutigen Jakutsk schlossen Kosaken im Jahr 1633 widerspenstige einheimische Jakuten in ihren kleinen hölzernen Siedlungen ein und verbrannten sie.

Obwohl die russischen Kolonisatoren in Sibirien anfangs deutlich in der Unterzahl waren, hatten ihnen die Eingeborenen kaum etwas entgegenzusetzen. Nicht nur, dass die Russen über Feuerwaffen verfügten, während sich die Berichte über Kanonen auf Jakuten-Booten als Märchen erwiesen. Noch schlimmer und für den mangelnden Widerstand ausschlaggebend war die Zerstrittenheit der sibirischen Stämme untereinander. Für die Russen war es ein Leichtes, die in unzähligen Sippen und Familienclans organisierten Ureinwohner gegeneinander auszuspielen. Hinzu kam, wie russische Historiker feststellten, das psychologische Überlegenheitsgefühl des russischen «Herrenvolkes» gegenüber den vermeintlich primitiven Sibiriern – vergleichbar dem der weißen Siedler gegenüber den Indianern Nordamerikas. Gelegentliche Aufstandsversuche, vor allem der jakutischen Fürsten, wurden blutig unterdrückt. Doch auch diejenigen, die sich der russischen Herrschaft widerstandslos fügten, waren als «Wilde» und «Menschen zweiter Klasse» nahezu unbegrenzter Willkür ausgesetzt.

Als besonders unrühmlich ist der 1641 als erster Gouverneur Jakutiens eingesetzte Pjotr Golowin in die Geschichtsbücher eingegangen. Nach Belieben, so wird berichtet, «folterte und röstete» er Jakuten oder ließ sie «länger als einen Monat mit Knüppeln schlagen». Viele Jakuten, darunter Fürsten und andere angesehene Führer, «starben in seinen Gefängnissen an Folter und Hunger». Abgesandte der Clans, die ihren Tribut abliefern wollten, ließ er «zu Eisklumpen gefrieren». Von ihm soll der Satz stammen: «Der Himmel ist hoch, und der Zar ist weit.» Als Zar Alexej Michailowitsch dennoch vom Treiben Golowins in Jakutsk erfuhr, setzte er ihn ab. Golowins Nachfolger sollen allerdings kaum weniger grausam gewesen sein.

Als Gründungsdatum von Jakutsk, der Hauptstadt der heutigen «Autonomen Republik Sacha-Jakutien», die zur Russischen Föderation gehört, gilt das Jahr 1632. Im Herbst jenes Jahres errichtete eine Kosaken-Hundertschaft unter Pjotr Beketow am rechten Ufer der Lena ein hölzernes Fort mit einem hohen Palisadenzaun und fünf Türmen. Wegen des stets wiederkehrenden Hochwassers im Frühjahr wurde das Fort einige Jahre später auf das linke Ufer der Lena verlegt – einer der hölzernen Türme ist bis heute in Jakutsk erhalten.

Ebenso schnell wie die Kosaken, die Händler, Jäger und Fallensteller fassten Bürokratie und Verwaltung des Zaren an der Lena und im «Land östlich der Sonne» Fuß. Penibel registrierte das Zollamt in Jakutsk 150 000 Zobelpelze, die bereits im Sommer 1641 ihren Weg von Ostsibirien nach Westen, in die Metropolen des Russischen Reiches, aber auch anderer europäischer Länder nahmen. Jakutsk wurde zum Handels-, Militär- und Verwaltungszentrum des gesamten Gebietes zwischen Lena und Stillem Ozean.

In einer vor wenigen Jahren erschienenen Werbebroschüre der Stadt Jakutsk wird deren Geschichte wie folgt dargestellt: «1632 ist nicht nur das Jahr der Gründung der Stadt, sondern zugleich der Vereinigung Jakutiens mit Russland. Es bedeutet einen Wendepunkt für die Entwicklung des gesamten Lena-Gebiets. Jakuten, Ewenken, Jukagiren und alle anderen Völker des Nordens begaben sich auf den Weg der wirtschaftlichen, politischen und kulturellen Annäherung an die Völker Russlands und der Freundschaft mit ihnen. Das Analphabetentum wurde zurückgedrängt, Schulen wurden gegründet, russische Bauern brachten den Acker- und Gartenbau sowie ihre Erfahrung bei der Errichtung komfortableren Wohnraums mit. Auch andere Lebensbereiche der eingeborenen Bevölkerung nahmen eine positive Entwicklung.»

Selbst wenn ein Teil dieser Feststellungen den Tatsachen entsprechen mag – es ist die Sicht der Sieger. Die Geschichte der Beziehungen zwischen den Russen und den Völkern des Nordens kann auch ganz anders geschrieben werden. So ist etwa in Albin Kohns 1876 erschienenem und bis heute als Standardwerk geltendem Sibirien-Buch zu lesen: «Der Russe brachte dem Jakuten die zwar schlechte, uns bekannte Kugelbüchse ... zugleich aber Unmoralität und die eigentümlichen Geschlechtskrankheiten, brachte Pocken und Branntwein und legte dem bis jetzt freien Jakuten das Joch des ‹weißen Zaren› auf, dem hinfort ein Jassak, ein Tribut an Fellen, gegeben werden musste und der den

Jakuten, welcher ein ihm unbegreifliches und unverständliches russisches Gesetz übertritt, in eine Tausende von Meilen von der Heimat entlegene europäisch-russische Festung einsperren lässt.»

Doch wie auch immer die Akzente bei der Darstellung des historischen Verhältnisses von Russen und Jakuten gesetzt werden – Tatsache ist, dass Jakutsk für die russischen Eroberer das Tor zum «Land östlich der Sonne» wurde. Von hier aus starteten die russischen Expeditionen die Lena abwärts ins Polarmeer, nach Osten Richtung Kamtschatka, Beringstraße und Alaska sowie nach Süden zum Amur und weiter nach China. Von Jakutsk brach 1639 der Kosakenhauptmann Semjon Deschnjow auf, der als Erster die Nordostspitze Sibiriens umsegelte.

Auf der Suche nach Getreide für die stets hungernde Bevölkerung von Jakutsk machte sich 1649 der Pelzhändler und Abenteurer Jerofej Chabarow auf, die fruchtbaren Felder des Amur-Tales für Russland zu erobern. Und Vitus Bering ließ 1736 in Jakutsk die erste Eisengießerei errichten, in der Anker, Flaschenzüge und Metallbeschläge für seine Schiffe angefertigt wurden, mit denen er von Kamtschatka aus die Küste Amerikas erreichen wollte.

Das Tor zum «Land östlich der Sonne» war Jakutsk allerdings nicht nur für die russischen Eroberer und Erforscher Ostsibiriens, sondern auch für die Heere der Sträflinge und Verbannten, deren Weg meist über Jakutsk in die entlegensten Winkel des Russischen Reiches führte. Von hier aus ging es weiter ans Polarmeer, an die Ufer des Aldan, der Indigirka, der Kolyma, nach Kamtschatka und bis hinauf nach Tschukotka, der Nordostspitze Sibiriens – ein «Eisgefängnis ohne Gitter», wie es die Russen nannten.

Seit 1649 war die Verbannung offizieller Bestandteil des russischen Strafgesetzbuches. Sie sollte der Gesellschaft den Anblick derer ersparen, die von der barbarischen russischen Strafjustiz aufs Grausamste verstümmelt wurden – durch Abhacken von

Händen und Füßen, Armen und Beinen, Ausstechen der Augen, Herausschneiden der Zunge, Versengen mit Brandeisen oder glühenden Kohlen, um nur einige der Strafmethoden der zaristischen Justiz aufzuführen.

Bald jedoch wurde die Verbannung nach Sibirien zu einem gezielten Mittel der Siedlungspolitik. Statt langjähriger Gefängnisstrafen verhängte man nun die «katorga», die Verbannung zur Zwangsarbeit, sogar für geringfügige Vergehen. Selbst Landstreicherei konnte fortan mit Verbannung und Zwangsarbeit bestraft werden – eine Tradition, die sich bis in die letzte Phase der Sowjetzeit fortsetzen sollte.

Seit Beginn des 18. Jahrhunderts wurden zunehmend auch religiöse Widersacher, Kriegsgefangene, Angehörige nationaler Minderheiten, Teilnehmer der verschiedenen Aufstände in Polen, Beamte, Angehörige des Adels und der Intelligenz, die den Zaren in irgendeiner Weise unbequem oder verdächtig waren, in die Verbannung geschickt. Viele der bedeutendsten Schriftsteller, Künstler, Wissenschaftler und andere Vertreter der geistigen Elite Russlands traf es ebenfalls – von Aleksandr Radischtschew, dem ersten «literarischen Revolutionär» in der Geschichte Russlands, über Fjodor Dostojewskij bis zu Andrej Sacharow.

In Jakutsk erinnern einige Straßennamen an prominente Verurteilte aus der Zarenzeit, die das traurige Los der Verbannung in diese Stadt verschlagen hatte: an den Schriftsteller und Gegner der Leibeigenschaft Wladimir Korolenko etwa oder an den Philosophen und Literaturkritiker Nikolaj Tschernyschewskij.

Auch in der deutschen Literatur findet sich ein Denkmal für die Verbannten von Jakutsk. Adelbert von Chamisso erzählt in seinem 1831 geschriebenen Poem «Die Verbannten» von dem Ukrainer Andrej Woinarowski, den Peter der Große 1722 zwangsweise nach Jakutsk geschickt hatte, und dem Dekabristen Aleksandr Bestuschew, den im Jahr 1825 unter Nikolaus I. das gleiche Schicksal ereilte. «Stadt des Schreckens in der Schrecknisse Revier» nennt Chamisso den Ort an der Lena, «einen Kerker, be-

stimmt die Unglückseligen zu hegen, die schon das Leben ausge-
spieen hat».

Eine ausführliche Beschreibung des einstigen Jakutsk verdanken wir Johann Georg Gmelin, der 1736/37 einen langen
und besonders harten Winter in dieser Stadt verbrachte. Neben
den extrem niedrigen Temperaturen beklagt er vor allem den
Mangel an Lebensmitteln und Trinkwasser. Es gibt «wenig oder
gar keine Quellen, vermutlich, weil die Erde schon in einer geringen Tiefe gefroren ist». Auch das Graben von Brunnen sei unmöglich, denn «es würde eine gar zu lange Zeit dauern, bis man
dem Feuer des Mittelpunkts der Erde, welches das gefrorene
Erdreich und Wasser auftauen könnte ..., nahe kommt». Insgesamt, so zählte Gmelin, habe die Stadt «ungefähr fünf- bis sechs-
hundert hölzerne Wohnhäuser, die alle ... keine sonderliche Figur von außen machen, auch inwendig keine ausnehmende
Bequemlichkeit haben». An einem allerdings scheint es den etwa
3000 Einwohnern des alten Jakutsk im Jahre 1737 nicht geman-
gelt zu haben: an «Bier- und Branntweinschenken, an denen es
in keinem Teile der Stadt fehlte».

Mehr als hundert Jahre später machte die jakutische Hauptstadt noch immer einen so «kläglichen und armseligen» Eindruck, dass «einem der Anblick wehtut». Das jedenfalls vermerk-
te Iwan Gontscharow in seinem Reisetagebuch aus dem Jahr
1854.

Heute zählt Jakutsk knapp 200 000 Einwohner. Etwa die
Hälfte von ihnen sind Russen, ein Drittel Jakuten, die übrigen
kommen aus allen Republiken der einstigen Sowjetunion, vor
allem der Ukraine. Der Anteil der Urbevölkerung des Hohen
Nordens, der Ewenen, Ewenken oder Jukagiren, ist so gering,
dass er in der offiziellen Statistik der Stadt nicht einmal auftaucht. Dafür wird mit Stolz auf einen anderen Umstand hingewiesen: Jakutsk zählt mehr Sonnentage im Jahr als Moskau und
St. Petersburg.

Als unsere «Sarja» am späten Vormittag im Hafen von Jakutsk vor Anker geht, herrscht in der Tat strahlender Sonnenschein. Vom Fluss aus macht die Stadt allerdings keinen sonderlich einladenden Eindruck. Die Hafenanlagen wirken verwahrlost, viele Schiffe entlang der Kaimauern sind Wracks. Die meisten Datschen an beiden Ufern der Lena liegen in Trümmern, offenbar eine Folge des Hochwassers im Frühjahr.

Da es am Hafen keine Taxen gibt, kapert Sascha einen Linienbus, der uns – abweichend von seiner üblichen Route – ins Hotel bringen soll. Die Fahrt ins Zentrum geht vorbei an niedrigen, zum Teil schief stehenden oder verfallenden Holzhäuschen und mehrgeschossigen Wohnblocks in Plattenbauweise. Zwischen diesem chaotisch anmutenden Konglomerat erstrecken sich unkrautüberwucherte Ödflächen. Wir passieren die traurigen Reste einstiger Fabriken, nüchterne Zweckbauten für Institute, Schulen und Kindergärten. Am Straßenrand sehen wir auffallend viele Kioske, die Wodka, Zigaretten, Taschenrechner und CDs anbieten; auf kleinen improvisierten Märkten verkaufen zumeist alte Frauen Obst, Kefir, eingelegte Gurken und Pilze; nur gelegentlich entdecken wir eine Art Kaufhaus, russisch «supermarket» genannt. Entlang der Straße verlaufen in Hüfthöhe überall Heizungs- und Wasserrohre, die sich an Kreuzungen und Einfahrten zu triumphbogenartigen Durchlässen wölben. An vielen Stellen hängt die Isolierung herab, schießt in hohem Bogen Wasser auf Fahrbahn und Bürgersteige. Näher zur Innenstadt hin werden die Gebäude massiver, wirken gepflegter. Auch die Straßendecke ist nicht mehr so holprig und von Rissen und Schlaglöchern durchzogen.

Das imposanteste zeitgenössische Bauwerk der Stadt ist die Zentrale der Jakutischen Kreditbank. Mit seinem eleganten, asymmetrischen Grundriss und den hoch aufragenden, leicht geschwungenen Fassaden aus Spiegelglas würde es auch Helsinki oder Hamburg zur Ehre gereichen. Ebenso der Neubau des Jakutischen Theaters, eine gelungene Synthese moderner westlicher Architektur und traditioneller asiatischer Ornamentik.

Mitten im Zentrum von Jakutsk liegt – getreu den Prinzipien der sowjetischen Stadtplaner – ein gewaltiger, vor allem für Aufmärsche gedachter Platz. Auf seiner Stirnseite steht, in Eisen gegossen, noch immer Lenin. Auf dem Regierungsgebäude hinter ihm prangt in Riesenlettern die Losung «Vorwärts ins 21. Jahrhundert». Der ausgestreckte Arm Lenins zeigt auf das Gebäude der größten Bank Jakutiens.

Das Hotel, vor dem uns der Linienbus auf seiner außerplanmäßigen Route absetzt, gehört ebenfalls zu den neuen Prachtbauten der Stadt. Es ist nach dem Helden des jakutischen Nationalepos «Tygyn Darchan» benannt und gilt als Vier-Sterne- Hotel. «Das beste Hotel zwischen Moskau und Tokio», hatte uns ein deutscher Diplomat in Moskau gesagt. Maxim nennt es «Interconti Jakutsk». Eigentümer ist der Diamantenkonzern Alrosa, ein Monopolunternehmen, dessen Aktienmehrheit zu gleichen Teilen von der russischen und der jakutischen Regierung gehalten wird. Obwohl – wie uns die freundliche Jakutin an der Rezeption erklärt – fast alle Zimmer leer stehen, hängt im mit Ledersesseln und Palmen ausgestatteten Foyer eine Tafel: «Keine freien Plätze». Die Erklärung dafür liefert ebenfalls die Dame an der Rezeption. «Wir wollen nur besondere Gäste.» Darunter zu verstehen sind Gäste der jakutischen Regierung, des Diamantenkonzerns und anderer großer Unternehmen, ausländische Geschäftsleute oder hochrangige Wissenschaftsdelegationen. Dem Hotel angegliedert ist ein mehrgeschossiger Bürokomplex, «Business-centr» genannt, in dessen gläserner Wandelhalle sich eine Luxusboutique und ein italienisches Eiscafé – «Vivaldi» – eingemietet haben. Den Eingang dieses «Hauses der Wirtschaft» bewacht ein junger jakutischer Soldat des russischen Innenministeriums, der hinter seinem Pult aber meist Kreuzworträtsel löst oder mit seiner Freundin telefoniert.

Die Zimmer des Hotels entsprechen mittlerem internationalem Standard. Zur Ausstattung gehört neben einem Fernsehapparat, mit dem via Satellit CNN zu empfangen ist, noch ein gewaltiger, laut brummender Kühlschrank. Eine Klimaanlage fehlt, dafür steht auf der Fensterbank ein Ventilator japanischer Produktion. In der Halle sind eine Wechselstube und ein, allerdings geschlossenes, Reisebüro untergebracht. Damit endet das Serviceangebot aber auch schon. Das Hotelrestaurant dient vor allem als gesellschaftlicher Treffpunkt der Nomenklatura von Jakutsk. Abend für Abend werden lange Tische für Bankette reserviert. In großen eisgekühlten Schüsseln wartet roter und schwarzer Kaviar auf die Gäste, der Wodka wird in kristallenen Literkaraffen aufgetragen.

«Jakutien ist ein reiches Land», sagt ein deutscher Banker, der im Hotel wohnt und ungenannt bleiben möchte. Er hat den Auftrag, Investitionsmöglichkeiten für einen großen deutschen Maschinenbaukonzern auszuloten. Und er weiß, wovon er spricht.

Als der liebe Gott nämlich, wie es eine alte sibirische Legende erzählt, einen Engel mit einem Sack seiner Reichtümer um die Erde schickte, froren dem himmlischen Boten über Jakutien, der kältesten Gegend der irdischen Welt, die Hände ab, und alle Schätze des Herrn landeten hier.

In der Tat: Jakutien ist eine der rohstoffreichsten Gegenden der Erde. Gefördert werden Gold, Silber, Zinn, Kohle, Erdöl, Erdgas, vor allem aber Diamanten. Mehr als die Hälfte der Diamantenvorräte der Erde, so schätzen Experten, lagern in Jakutien; sein Anteil an der derzeitigen Weltproduktion beträgt über 25 Prozent. Zu den Erzen und Edelsteinen in Jakutiens Boden kommen noch der Reichtum der Wälder – das Land verfügt über rund ein Sechstel des gesamten russischen Waldbestandes – sowie der klassische Exportartikel Zobelpelze, das «weiche Gold» der Zaren.

Unser deutscher Banker ist besonders an der Diamantenindustrie Jakutiens interessiert. Vor einigen Jahren hat Russland nämlich auch mit dem Untertageabbau von Diamanten begonnen. Bislang wurden die kostbaren Steine direkt aus der Erde geholt, mit mächtigen Baggern, die sich immer tiefer in den Boden fraßen und die Abbaugebiete in Mondlandschaften verwandelten. Für den Untertageabbau hingegen sind neue Technologien nötig – und da könnten deutsche Firmen zum Zuge kommen. Überhaupt, so der Banker, gehöre Jakutien zu den zehn russischen Regionen, deren Wirtschaftsaussichten als besonders günstig gelten. Selbst die Erfahrung, dass die Zahlungsmoral der Jakuten «nicht die beste» sei, könne ausländische Investoren nicht ernsthaft abschrecken. Denn schließlich habe Jakutien Garantien zu bieten: seine Diamanten und auch sein Gold.

Einige Produkte der jakutischen Gold- und Diamantenindustrie können wir gleich gegenüber dem Hotel bewundern. Neben einem Obst- und Gemüseladen bietet ein kleines staatliches Juweliergeschäft goldene Halsketten, Broschen, Ohrringe und andere Schmuckstücke an, einige besetzt mit Brillanten. Seit der Wende in Russland und der «Unabhängigkeitserklärung» Jakutiens im Jahre 1992 ist es den Jakuten erlaubt, ihre Diamanten an Ort und Stelle zu Brillanten zu verarbeiten. Dies geschieht in neu gegründeten Schleifereien in Jakutsk, deren Mitarbeiter zur Ausbildung meist einige Monate nach Israel geschickt werden.

Trotz der natürlichen Reichtümer gilt die «Republik Sacha», wie sich Jakutien offiziell nennt – «sacha» ist das jakutische Wort für «Mensch» –, als Problemregion Russlands. Zwar hat Jakutien sich im April 1992 eine neue Verfassung gegeben und sich als souveräner, demokratischer Rechtsstaat im Verbund der Russischen Föderation definiert, eine eigene Flagge erhalten, ein Wappen, einen Präsidenten, eine Regierung und ein Parlament sowie Jakutisch als Staatssprache gleichberechtigt neben Russisch, doch von den Reichtümern des Landes profitieren die Jakuten nur wenig. Fast 80 Prozent der Steuergewinne aus der Förderung der Bodenschätze, so hat es die Duma, das russische Parlament, unlängst beschlossen, kassiert Moskau. «Unangenehm, aber Tatsache», wie die «Abendzeitung» von Jakutsk lakonisch kommentierte.

Zugleich hat Moskau die Strukturhilfen für die Region gekürzt, sind die großen subventionierten staatlichen Transportunternehmen wie Aeroflot privatisiert worden, haben die Energieunternehmen ihre Preise den marktwirtschaftlichen Bedingungen angepasst. Angesichts der extremen klimatischen Probleme, des Fehlens eines Straßen- und Eisenbahnnetzes und der Tatsache, dass die nächsten attraktiven Absatzmärkte etwa 5000 Kilometer entfernt sind, bedeuten die neuen Verhältnisse für die Mehrzahl der Industriebetriebe Jakutiens den Ruin. Als Folge erhöhte sich das Haushaltsdefizit der Republik bis 2001 auf mehr als 75 Prozent der Ausgaben. Damit sinkt das soziale Niveau, wachsen die gesellschaftlichen Spannungen. Selbst unlängst entstandene Neubauviertel verkommen in beängstigender Geschwindigkeit zu Slums. Mindestens 60 Prozent der Hauptstadtbewohner, so die offizielle Statistik, leben ohne fließendes Wasser, ohne Kanalisation, mit Ofenheizung. Die «Abendzeitung» berichtet in einer einzigen Ausgabe über die Entdeckung einer neuen illegalen Giftmülldeponie auf dem Gelände der Stadt, die Schließung der Badestrände an der Lena wegen Seuchengefahr, den Strafprozess gegen das städtische Elektrizitätswerk wegen betrügerischen Bankrotts und über die Zerschlagung einer Drogenhändlerbande, bei der zwei Kilo Heroin, größere Mengen Marihuana und 210 000 Rubel Schwarzgeld sichergestellt wurden.

Von der vorrevolutionären Bausubstanz der Stadt ist so gut wie nichts geblieben – außer jenem hölzernen Wachturm der ersten Festungsanlage und einem einstöckigen Kanzleigebäude mit reich verzierter Fassade, in dem einst auch über das Schicksal von Verbannten befunden wurde. Der Geschichte der Verbannung in Jakutsk ist zwar ein eigenes Museum gewidmet, die Ausstellung endet jedoch mit der Oktoberrevolution 1917.

Auch Hinweise auf die Verdienste deutscher Forscher, die in Jakutsk lebten und arbeiteten und einen hohen Anteil an der wissenschaftlichen Erschließung Jakutiens sowie der Entwicklung der jakutischen Kultur hatten, finden sich nur spärlich – im Museum der Völker des Nordens. Dabei war sogar der Verfasser der ersten wissenschaftlich fundierten Grammatik der jakutischen Sprache und Schöpfer der zeitgenössischen jakutischen Schrift ein in St. Petersburg geborener Deutscher – Otto Böthlingk. Und auch der Begründer der sibirischen Historiographie stammte aus Deutschland – Gerhard Friedrich Müller aus Herford, der den Winter 1736/37 gemeinsam mit Gmelin in Jakutsk verbrachte und als Erster die wissenschaftliche Auswertung der dortigen Archive vornahm. Doch weder der eine noch der andere wird im Museum von Jakutsk erwähnt.

«Der Nationalismus ist tatsächlich ein Problem», sagt Nadja, als wir sie auf die offenkundigen Lücken in der zeitgenössischen jakutischen Geschichtsdarstellung ansprechen. Nadja, etwa 35 Jahre alt, ist blond, hoch gewachsen, Russin, in Jakutsk geboren. Sie spricht Russisch und Jakutisch, hat Jura studiert und arbeitet im Betriebsbüro des Staatlichen Jakutischen Theaters. Wir haben Nadja kennen gelernt, als wir in der größten Musikalienhandlung von Jakutsk vergeblich nach Schallplatten, Kassetten oder CDs mit jakutischer Volksmusik fragten. Nadja, der das wiederholte Kopfschütteln der jakutischen Verkäuferin offensichtlich peinlich war, versuchte uns mit dem Hinweis zu trösten, dass es derartige Aufnahmen tatsächlich gebe, sie im Moment aber wenig gefragt seien, da sich die Jugend für andere Musik – «Heavy metal und so» – interessiere. Sie wolle uns gern ein paar Kassetten besorgen, schließlich existiere ein Volksmusikensemble an ihrem Theater.

Am nächsten Tag überreicht uns Nadja im Café «Vivaldi» einen ganzen Stapel Kassetten und sogar zwei CDs mit jakutischer Volksmusik. Die meisten Titel sind Soloaufnahmen eines Maultrommelvirtuosen; es gibt aber auch moderne Chorarrangements alter jakutischer Lieder. Nadja liebt, wie sie sagt, diese Musik, obwohl sie Russin ist. Überhaupt, persönlich könne sie sich nicht beklagen, denn schließlich arbeite sie als Russin doch am Jakutischen Theater und habe nicht weniger jakutische Freundinnen als russische. Aber objektiv sei es so, dass viele Russen, besonders Angehörige der technischen Intelligenz und andere Spezialisten, mit ihren Familien aus Jakutien abwandern. «Sie werden schlecht bezahlt und fühlen sich vernachlässigt. Alle guten Posten in Staat und Wirtschaft gehen an Jakuten. Und wenn du kein Jakutisch kannst, hast du sowieso keine Chance.»

«Wir haben gehört, dass der Abwanderungstrend schon wieder etwas nachgelassen hat», wenden wir ein.

«Das ist richtig», antwortet Nadja ohne zu zögern, «anfangs war es aber wirklich schlimm. Nach dem Zusammenbruch der Sowjetunion gab es viele Jakuten, die wollten raus aus der Russischen Föderation. Die wollten am liebsten ein russenfreies Jakutien. Die haben wirklich geglaubt, dass Jakutien als eigenständiger Staat, so wie Finnland oder Georgien, besser leben könne. Zum Glück sind diese extrem nationalistischen Stimmen mittlerweile weniger geworden. Was wäre denn in den vielen gemischten Ehen aus den russischen Partnern geworden? Die hätten doch noch weniger Rechte und Möglichkeiten als jetzt!»

Nadja schaut sich um, als wolle sie sich vergewissern, wer an den Nachbartischen sitzt. Sie sind leer.

«Ich kann nur hoffen», sagt sie dann mit etwas gedämpfter Stimme, «dass sich die gemäßigten Kräfte bei den jakutischen Politikern endgültig durchsetzen. Alles andere wäre doch schrecklich.» Dabei könne sie die Jakuten in gewisser Weise auch verstehen. Jahrhundertelang seien sie von den Russen wirklich nicht allzu gut behandelt worden. «Und nun schlägt das Pendel zur anderen Seite aus. Das habe ich noch auf der Universität gelernt – Hegel, Marx, These, Antithese, Synthese.»

Und im Übrigen, fügt Nadja hinzu, nachdem sie den zweiten Campari bestellt hat, könnten sie doch eigentlich in Jakutien alle bestens zusammenleben. «Unser Land ist reich und Moskau weit.»

«Und der Zar?», fragen wir.

«Welcher?», lacht Nadja. «Der in Moskau oder unser eigener?»

Ob sie mit ihrem eigenen Zaren den Präsidenten Jakutiens oder den Chef des Diamantenkonzerns meint, lässt sie offen.

Die Türken Sibiriens

Als architektonische Perle der ansonsten eher tristen Hauptstadt Jakutiens gilt das im klassizistischen Stil errichtete und erst unlängst aufwendig restaurierte Gebäude der «Akademie der Wissenschaften» auf dem Lenin-Prospekt. Die Mitgliedschaft in der Akademie ist die höchste Ehre, die einem Gelehrten in Russland zuteil werden kann. Professor Anatolij Gogolew gehört zu den wenigen Vertretern seines Faches, die es in den Olymp der russischen Wissenschaften geschafft haben – er ist ein «Akademik», wie der offizielle Ehrentitel lautet; sein Gebiet ist die Historie und Ethnologie Jakutiens. Auf ihn aufmerksam geworden sind wir durch seine im Jahr 2000 in Jakutsk erschienene «Geschichte Jakutiens», ein schmales Bändchen, das in überaus anschaulicher und pointierter Weise den jüngsten Stand der Forschung zur Herkunft und Entwicklung dieses zahlenmäßig größten Volkes Nordsibiriens zusammenfasst.

Die Filmaufnahmen mit Professor Gogolew sollen aber nicht an seinem Arbeitsplatz in der «Akademie der Wissenschaften» stattfinden, sondern auf einem wunderschönen Freiluftgelände am rechten Ufer der Lena, etwa eine halbe Tagesreise nördlich von Jakutsk. Es ist der historisch-ethnologische Museumskomplex Sottinzy, der eindrucksvoll das Zusammentreffen zweier Kulturen im Hohen Norden, unweit des Polarkreises, dokumentiert – der russischen und der jakutischen.

Auf der Fahrt nach Sottinzy – zuerst mit dem von Sascha erneut gecharterten Linienbus und dann mit der Fähre über die an dieser Stelle etwa zehn Kilometer breite Lena – haben wir jedoch Gelegenheit, mit Gogolew zunächst über die aktuellen Probleme der Geschichtsforschung und des Universitätsbetriebs in Jakutsk zu sprechen. Professor Gogolew ist 51 Jahre alt und von kleiner, zierlicher Statur. Sein etwas dunkler jakutischer Teint lässt die schlohweißen Haare fast wie eine gepuderte Perücke erscheinen. Geboren wurde er in einem kleinen Dorf am Ufer des Wilju, eines Nebenflusses der Lena. Er hat in Leningrad studiert, wo er auch seine Habilitation ablegte. Heute ist er Inhaber eines der sechs Lehrstühle der Historischen Fakultät der Universität Jakutsk, arbeitet allerdings, wie er sagt, am liebsten in der archäologischen und ethnologischen Feldforschung. Diese aber, so fügt er mit resignierendem Achselzucken an, sei fast zum Erliegen gekommen.

«Früher hat es nie Probleme mit Geld für Forschungsreisen und Exkursionen gegeben. Heute reicht das Geld nicht einmal mehr für eine Teilnahme an wissenschaftlichen Tagungen.» Selbst eine Reise zu Fachkollegen nach Moskau sei so gut wie unmöglich. «Für das Geld, das man inzwischen für ein Flugticket nach Moskau bezahlt, hätte man früher eine Weltreise machen können – wenn man gedurft hätte.»

Kontakte zu ausländischen Wissenschaftlern, so Gogolew, gebe es noch, vor allem zu Kollegen aus Japan und Alaska, aber auch die seien weniger geworden, ebenfalls aus finanziellen Gründen. Dafür sei das Veröffentlichen wissenschaftlicher Arbeiten heute leichter – im Prinzip. «Früher mussten wir einen ewigen Kampf mit der Zensur führen. Du musstest bestimmte Dinge streichen, oft haben sie dir etwas hineingeschrieben, und manchmal haben sie ein Buch ganz abgelehnt. Oder wenn du schon einen Ruf als Wissenschaftler hattest, wurde das Manuskript einfach unbearbeitet liegen gelassen. Heute gibt es die Zensur nicht mehr, und du kannst schreiben, was du willst. Dafür wird aber der Druck nicht mehr subventioniert. Auch die staatlichen Verlage sollen jetzt Gewinn machen. Und die kommerziellen sowieso. Wir sind bevölkerungsmäßig ein kleines Land, aber geographisch gesehen riesig; da erfolgt der Vertrieb nur per Flugzeug. Wer kann das schon finanzieren?»

Sein jüngstes Buch, die «Geschichte Jakutiens», ist im Verlag der Universität erschienen. Finanziert, so Gogolew, hat er es weitgehend selbst. «Es tut weh, wenn ein Manuskript lange in der Schublade liegt ...»

Um den wissenschaftlichen Nachwuchs steht es, wie er sagt, gar nicht so schlecht. Die Historische Fakultät, zu der auch die Fachbereiche Ethnologie und Politologie gehören, zählt etwa 400 Studenten, die meisten von ihnen wollen Lehrer werden. Besonders gut seien die Berufschancen für Politologen; sie würden vor allem in der Verwaltung und im Staatsapparat gebraucht. Wie zu Sowjetzeiten sei das Studium an der Jakutsker Staatlichen Universität kostenlos. Wer die Aufnahmeprüfung nicht besteht, könne sich aber einen Studienplatz kaufen – für 12 000 Rubel, umgerechnet etwa 1000 Mark im Jahr. «Doch die kommen meist nicht weit und fallen schon bei den ersten Zwischenprüfungen durch. Dann hilft auch kein Geld mehr.»

Auf unsere Frage, ob das Prinzip, sich trotz schlechter Leistungen einen Studienplatz kaufen zu können, nicht unmoralisch sei, blickt uns Professor Gogolew verständnislos an. «Wieso? Das hilft doch der Finanzierung der Universität!»

Zu den aus der Sowjetzeit übernommenen Regelungen gehört auch, dass jeder Studierende verpflichtet ist, nach dem Diplom für drei Jahre den Arbeitsplatz anzunehmen, an den ihn der Staat abkommandiert – egal, wo er sich befindet. Will der Absolvent woandershin, muss ihn das Unternehmen oder die Behörde, die ihn einstellen möchte, freikaufen. Allerdings gibt es, wie uns Gogolew mit feinem Lächeln versichert, von dieser Regelung Ausnahmen. «Sie verstehen! Beziehungen, Geld, kleine Geschenke ... Auch Jakutien ist ein Teil Russlands.»

Im Freilichtmuseum von Sottinzy erläutert uns Professor Gogolew in glühender Mittagshitze – wir messen an diesem Julitag 33 Grad im Schatten – und umschwirrt von Wolken aggressiver Stechmücken zunächst ausführlich die einzelnen hier versammelten Zeugnisse der alten jakutischen und russischen Kultur. Der besondere Stolz des Museums ist eine originalgetreu wieder aufgebaute russisch-orthodoxe Holzkirche, die die russischen Eroberer Sibiriens, die Kosaken, im 17. Jahrhundert in der Nähe des heutigen Jakutsk errichteten. Mit ihren Zwiebeltürmen und mächtigen, kaum behauenen Balken bildet sie einen auffallenden Kontrast zu den in eleganten Linien geschwungenen Sommerbehausungen der Jakuten, Jurten oder Jarangas genannt. Die traditionellen jakutischen Jurten hatten ein transportables, an der Spitze kegelförmig zusammenlaufendes Gerüst aus dünnen Holzstämmen – das Fällen dicker Bäume galt als Sünde – und waren mit Tierhäuten oder Birkenrinde bespannt. Die Eingangsöffnung zeigte, wie bei den meisten nordamerikanischen Indianerstämmen, nach Osten, der aufgehenden Sonne entgegen. Selbst bei größter Sommerhitze blieb sie der Mücken wegen mit Fellen verhängt. In der Mitte der Jurte befand sich die Feuerstelle, der Rauch konnte durch eine Öffnung senkrecht nach oben abziehen. Entlang der Wände waren die Lagerstätten der Clanbeziehungsweise Familienmitglieder, fest zugewiesen nach dem jeweiligen Rang. Die Schlafstätte junger Paare wurde durch einen Schirm abgetrennt. Auch die Sitzordnung in der Jaranga, erklärt uns Professor Gogolew, folgte einem bestimmten Schema, das sich an den Himmelsrichtungen orientierte. So galten die Plätze an der westlichen Seite der Jurte als «heilige Plätze», vorbehalten den Ältesten. Den Kindern gehörten die Sitze an der nördlichen Wand.

Mit unverkennbarem Stolz weist uns Gogolew auf die Vielzahl der Haushalts- und sonstigen Gebrauchsgegenstände im Inneren der Jurte hin – kunstvoll gearbeitete Töpfe aus Birkenrinde oder Pferdehaar, aus Weidenzweigen geflochtene Schachteln und mit eigenwilligen Mustern verzierte Krüge für Kumys, die laut Gogolew «skythischen Krügen ähnlich sind». Daneben Kissen aus Rentierfell und mit kostbaren Pelzmosaiken verzierte Satteldecken sowie Decken für die Lagerstätten.

Eine besondere Bedeutung in der jakutischen Geschichte kommt den schmiedeeisernen Werkzeugen und Waffen zu, die ebenfalls in der Jaranga von Sottinzy zu bewundern sind: Schaufeln, Messer, Speere. «Die Jakuten waren eines der ersten Völker, die die Schmiedekunst beherrschten; in einfachen Erdgruben verhütteten sie Raseneisenerz», erklärt Gogolew. Auch als Silberschmiede besaßen sie einen Ruf weit über ihre Stammesgrenzen hinaus. Beispiele dafür sind allerdings – offenbar aus gutem Grund – nicht im Freilichtmuseum von Sottinzy zu finden, sondern nur in den Vitrinen der Museen von Jakutsk.

Im Gegensatz zu den schon aus der Ferne sichtbaren hohen Jurten ist die zur Hälfte in die Erde eingelassene Winterbehausung der Jakuten, der Balagan, auf den ersten Blick kaum auszumachen. Er ist mit einer dicken Lehmschicht bedeckt, die die gleiche Farbe hat wie das Steppengras. Bei genauerem Hinsehen entdeckt man einen fast höhlenartigen Eingang und ein paar winzige Fensteröffnungen, die heute mit Glas verkleidet sind und früher mit Fischhäuten bespannt wurden. Im Balagan verbrachten Mensch und Tier gemeinsam den Winter, sich gegenseitig wärmend.

Eine Windmühle unweit der jakutischen Sommer- und Winterbehausungen erinnert an Elemente westeuropäischer Kultur, die Peter der Große in Holland kennen lernte und die ihren Weg schließlich auch nach Sibirien fanden. Zu den weiteren Sehenswürdigkeiten des Freilichtmuseums gehören Nachbauten der ersten Holzboote, mit denen die Jakuten und später die Russen die Lena befuhren, kultische Stelen, an denen die Jakuten einst ihre Pferde festbanden, und geheimnisvolle Holzskulpturen, die auf schamanistische Riten verweisen.

Nach dem Rundgang über das ausgedehnte Museumsgelände beginnt Professor Gogolew mit einem langen Vortrag über die Herkunft und Geschichte des jakutischen Volkes, wobei er gleich im ersten Satz betont, dass die Herkunft der Vorfahren der Jakuten letztlich nicht geklärt sei. Es gebe die verschiedensten Theorien, und die Forschungen würden noch andauern. Aber eine Tatsache sei unumstößlich: «Die Jakuten gehören zur Sprachfamilie der Turkvölker. Noch heute lassen sich mehr als 60 Prozent des jakutischen Wortschatzes auf alttürkische Sprachen zurückführen. Etwa 25 Prozent unserer Wörter stammen aus dem Mongolischen, die übrigen aus den Sprachen der sibirischen Urvölker, oder sie sind unbekannter Herkunft.»

In der Tat, auch uns war schon am ersten Tag unseres Aufenthaltes in Jakutien die klangliche Ähnlichkeit des Jakutischen mit dem Türkischen aufgefallen. Allerdings, so hatten wir auf unsere Nachfragen erfahren, können sich Türken und Jakuten in ihren heutigen Sprachen kaum verständigen – ebenso wenig wie ein humanistisch gebildeter deutscher Philologe mit seinem Altgriechisch einen modernen Athener versteht.

Die Jakuten, erklärt Professor Gogolew, seien ein Völkergemisch. Doch wissenschaftlich unumstritten sei, dass der Hauptteil ihrer Vorfahren turkstämmig war und aus dem südlichen Sibirien kam, aus dem Baikal-Gebiet; wahrscheinlich im 5. oder 6. Jahrhundert unserer Zeitrechnung, vertrieben von mongolischen Völkerschaften. Diese These sei bereits von deutschen Sibirienforschern wie Müller, Fischer und Middendorf im 18. und 19. Jahrhundert aufgestellt worden und habe sich seither immer mehr erhärtet. Woher das Turkvolk stammt, das von den Mongolen aus dem Baikal-Gebiet vertrieben wurde und die Lena hinab ins heutige Jakutien zog, sei, so Gogolew, noch nicht endgültig geklärt. Jüngste DNA-Analysen russischer Forscher hätten jedoch zweifelsfrei erwiesen, dass die Jakuten «nicht mongolischer, sondern europäischer Herkunft» seien. Sprachwissenschaftliche und kulturhistorische Untersuchungen deuteten zudem auf «skythisch-arische ethnogenetische Wurzeln» hin, die sich erst später mit mongolischen Einflüssen vermischt haben.

«Und welchen Anteil haben die so genannten Urvölker des sibirischen Nordens an der Entstehung des heutigen jakutischen Volkes?»

«Auch diese Urvölker wie etwa die Ewenen und Ewenken beziehungsweise deren Vorfahren», sagt Professor Gogolew, «siedelten ursprünglich im südlichen Sibirien, wahrscheinlich ebenfalls im Baikal-Gebiet, vielleicht aber auch, wie manche Forscher vermuten, im nördlichen China, der Mandschurei. Sie gehören zur Sprachfamilie der Altaivölker und kamen bereits vor dem Turkvolk der Jakuten nach Nordsibirien – womöglich einige Jahrhunderte oder gar Jahrtausende früher. Teile von ihnen haben sich mit den Jakuten vermischt. Es ist allerdings unbestreitbar, dass das genetische Hauptpotential der heutigen Jakuten ihre turkstämmigen südlichen Vorfahren bilden. Auch in der jakutischen Sprache finden sich nur geringe Spuren der Sprachen der nordsibirischen Urvölker – wie in der jakutischen Kultur insgesamt.»

Das hängt, so Gogolew, nach Ansicht mancher Ethnologen nicht nur mit der zahlenmäßigen Überlegenheit der Jakuten zusammen, sondern auch damit, dass die Jakuten im Gegensatz zu den Ewenen und Ewenken keine Nomaden waren, die ständig mit ihren Rentierherden in der arktischen Tundra umherzogen. Vielmehr ließen sie sich als Vieh- und Pferdezüchter am Mittellauf der Lena nieder und zogen nur zwischen ihren Sommerjurten und Winterhütten hin und her.

«Gibt es Ihrer Meinung nach», fragen wir, «so etwas wie einen besonderen Volkscharakter der Jakuten?»

Es scheint, als lächle Professor Gogolew ein wenig über die Naivität unserer Frage. «Natürlich hat jedes Volk, jede Ethnie einen eigenen Charakter und eine eigene Psychologie, wenn es auch schwierig ist, diesen Charakter zu definieren. Doch so, wie man im Volksmund vom russischen oder vom amerikanischen Charakter spricht, gibt es auch in der Wissenschaft durchaus ernst zu nehmende Versuche der Charakterisierung einzelner Völker. Sowohl in der vorrevolutionären russischen wie in der sowjetischen Wissenschaftsliteratur wird das Volk der Jakuten durchweg als ein bedächtiges Volk beschrieben, nicht impulsiv, in seinen Reaktionen eher etwas langsamer. Die innere Ruhe, die eine Grundlinie unseres nationalen Charakters bildet, steht zweifellos in einem Zusammenhang mit den extrem harten klimatischen Bedingungen in der nördlichen Polarzone. Ohne diese innere Ruhe, diese Bedächtigkeit, die unsere Mentalität prägt, wäre ein Überleben im Hohen Norden überhaupt nicht möglich.»

Professor Gogolew macht eine kurze Pause, um ein paar allzu aufdringliche Mücken von seinem Gesicht zu vertreiben. Dann fährt er fort: «Eine andere Charaktereigenschaft unseres Volkes ist die Naturverbundenheit. Die Jakuten sind in ihrer Geschichte immer sehr behutsam mit der Natur und den Naturgegebenheiten umgegangen. Von der Natur haben sie gelebt, und sie selbst wussten und wissen am besten, wie verletzbar, wie leicht zerstörbar das ökologische Gleichgewicht im Norden ist, wie lange die Heilung einer Wunde braucht, die der Natur zugefügt wurde. Vielleicht ist dieses Wissen in den vergangenen Jahrzehnten ein wenig in den Hintergrund gedrängt worden durch die so genannte Zivilisation, den technischen Fortschritt und die ideologische Anmaßung des Menschen, der sich als Herr der Natur fühlt und ihre Schätze rücksichtslos ausbeutet. Aber heute begreifen wir, dass wir uns wieder stärker auf das Wissen unserer Ahnen und auf einen behutsameren Umgang mit der Natur besinnen müssen.»

An dieser Stelle macht Gogolew eine lange Pause, als wolle er sichergehen, dass wir verstehen, worauf er mit seinen letzten Formulierungen anspielt. Und dann nennt er das Stichwort selbst: die Russen. «Zur Mentalität der Jakuten gehört auch die Fähigkeit, die Einflüsse anderer Kulturen aufzunehmen. In unserer Geschichte waren es seit dem 17. Jahrhundert vor allem die Einflüsse der russischen Kultur, die eine große Rolle spielten. Wir haben vieles von der russischen Kultur übernommen, doch immer gebrochen durch das Prisma unserer eigenen Tradition und Kultur.»

«Wirklich immer?»

«Na ja», meint Gogolew und hebt gleichsam entschuldigend die Hände, «es gibt auch bei uns das Sprichwort: ‹Schlechte Beispiele verderben den Charakter». Der Wodka etwa, den die Russen brachten – wie viele andere Krankheiten –, hat in unserem Volk seine unheilvollen Spuren hinterlassen.»

«Und wie beurteilen Sie die historischen Beziehungen zwischen Russen und Jakuten insgesamt?»

«Im Prinzip waren die Beziehungen eher positiv – was das Verhältnis der Völker angeht. Die russische und die jakutische Mentalität sind ja in manchem gar nicht so gegensätzlich – und da haben wir, Gott sei Dank, seit Jahren ganz gut Seite an Seite gelebt. Sehen Sie nur die vielen gemischten Ehen!»

«Und das Verhältnis zu Russland als Staatsmacht?»

«Das war etwas völlig anderes. Für das russische Imperium war Sibirien und natürlich auch Jakutien in erster Linie Kolonie. Vielleicht nicht ganz in dem Sinne wie die englischen oder französischen Kolonien, aber doch ähnlich. Und daran hat sich auch zur Zeit der Sowjetunion nichts geändert: Wir waren die Schatzkammer der Herrscher in Moskau. Erst unsere Pelze, dann unsere Bodenschätze, Gold, Diamanten, Zinn, Wolfram und was wir sonst noch so alles haben – es diente zum Auffüllen der Staatskasse, bei den Zaren wie bei den Sowjets. Und welche Menschenopfer hat Jakutien bringen müssen! Welche unvorstellbaren Verluste hat es im Zweiten Weltkrieg gehabt – die Hälfte der jungen Männer Jakutiens! Sicher, jeder Verlust ist schmerzhaft. Aber für Jakutien war der Krieg eine bevölkerungspolitische Katastrophe. Ohne den Ural und ohne Sibirien hätte Hitler den Krieg gewonnen. Doch das hat man später in Moskau wohl wieder vergessen ...»

«Und wie sehen Sie die Beziehungen zwischen Jakuten und Russen heute?»

«Die Beziehungen zwischen den Menschen sind eigentlich so wie immer: Wir stören einander nicht, wir haben uns aneinander gewöhnt. Bis jetzt hat es noch keine Explosion gegeben, die ihre Ursache in nationalen Gegensätzen gehabt hätte. Gebe Gott, dass es so bleibt!»

«Und der jakutische Nationalismus, über den in der Moskauer Presse, aber auch den jakutischen Zeitungen so viel geschrieben wird?»

Gogolew denkt lange nach, bevor er antwortet: «Meine ganz persönliche Meinung ist, dass es im Sinne des klassischen Nationalismus heute de facto keinen jakutischen Nationalismus gibt. Dies würde eine Ideologie voraussetzen, und die müsste einen Nährboden haben, einen religiösen etwa wie den Islam oder den Buddhismus. Einen derartigen Nährboden sehe ich aber bei uns nicht. Es gibt ein Nationalbewusstsein, es gibt den starken Drang, sich auf unsere eigene Tradition, unsere eigene Kultur zu besinnen. Es gibt eine Reihe von Gesellschaften und Vereinen, vor allem von Intellektuellen initiiert, die sich zum Ziel gesetzt haben, die Grundlagen des vorchristlichen Glaubens wieder zu beleben. Aber das ist ein schwieriger Prozess. Vieles dabei wirkt künstlich, angestrengt, unecht.»

«Und wie stehen Sie persönlich dazu?»

«Mich interessiert das alles mehr vom betrachtenden Standpunkt aus, als Forscher, nicht als Privatperson.»

«Aber eine Vorstellung, in welche Richtung sich Jakutien in Zukunft entwickeln sollte, haben Sie doch?»

«Die wünschenswerteste Perspektive für Jakutien ist für mich die Fortsetzung der Entwicklung, die 1990, nach der Wende in Russland, begonnen hat – eine Entwicklung hin zu mehr nationaler Souveränität.»

«Heißt dies letztlich nicht auch Unabhängigkeit?»

Gogolew schüttelt den Kopf. «Zurzeit ist das nur schwer vorstellbar. Jakutien allein, ohne Russland, ist nicht lebensfähig. Es wäre auch mit den heutigen sozialökonomischen Strukturen, die ja eng mit Russland verwoben sind, sehr schwierig. Wir haben eine 400-jährige gemeinsame Tradition. Hinzu kommen die extrem harten klimatischen Bedingungen, die ganz besondere Anforderungen stellen und denen wir in der modernen technisierten Welt ohne Unterstützung von außen kaum gewachsen wären.

Was wir brauchen, ist ein höchstmögliches Maß an Autonomie, das Recht auf die Pflege und Fortentwicklung unserer eigenen Kultur und das Recht auf unsere eigenen Bodenschätze.»

«Es heißt, dass sich ein Teil der politischen und intellektuellen Klasse Sibiriens und auch Jakutiens eher nach Osten, also zu den asiatischen Nachbarn orientieren möchte und nicht nach Westen, Richtung Russland und fernes Europa?»

«Diese Beobachtung habe ich hier in Jakutien nicht gemacht. Mir scheint unsere politische und intellektuelle Klasse eher orientierungslos. Man startet mal diese Initiative, mal jene, ohne dass klar wird, wo man insgesamt hinwill. Unser jakutischer Präsident Nikolajew sucht vor allem die Zusammenarbeit mit nordischen Staaten wie Finnland, Kanada, USA – mit Ländern, die ebenfalls am Polarkreis liegen. Unsere Jugend orientiert sich überwiegend an Amerika und Japan. Aber welchen langfristigen Gewinn das alles für Jakutien bringt, wird sich erst zeigen.»

«Und wie sehen Sie die Rolle des russischen Präsidenten Putin im Hinblick auf Jakutien?»

«In jedem großen Imperium und auch in Russland gibt es immer wieder Phasen des Einatmens und des Ausatmens, des Zusammenziehens und des Auseinanderstrebens. Unter Boris Jelzin hatten wir eine starke Dezentralisierung, und davon konnten ja einige Regionen Russlands durchaus profitieren – Baschkirien, Tatarstan. Anderen ist es nicht so gut bekommen, Tschetschenien zum Beispiel. Unter Putin beobachten wir wieder eine stärkere Zentralisierung. Aber vielleicht ist es in einem so riesigen Land wie Russland tatsächlich wichtig, in bestimmten Zeiten die Kräfte zu konzentrieren, zu bündeln. In dieser Hinsicht ist Putins Politik möglicherweise gar nicht schlecht. Für uns kommt es darauf an, dass unsere Autonomie geachtet wird, unsere Kultur, unser Recht auf die Schätze unseres Landes. Und da bin ich mir nicht so sicher, was die Zukunft bringen wird.»

Zum Schluss bitten wir Professor Gogolew, ihm noch eine ganz persönliche Frage stellen zu dürfen – mit der Zusicherung, die Kamera gegebenenfalls auszuschalten. Professor Gogolew denkt einen Moment nach, richtet sich ein wenig auf und bedeutet Maxim mit einer Geste, er könne ruhig weiter filmen.

«Was halten Sie von den Russen?»

«Die Russen sind ein unorganisiertes Volk. Bis die einmal in die Gänge kommen, dauert es ewig. Aber dann sind sie stark.»

Professor Gogolew schlägt sich eine Mücke von der Stirn und lächelt.

Beim Sonnenfest der Jakuten

Der Platz ist sorgfältig gewählt. Kein Toter darf dort begraben sein, kein Kampf auf ihm stattgefunden haben; niemand darf ihn zu seinem Besitz zählen. Es muss ein besonderer, ein, wie die Jakuten sagen, «unbefleckter» Platz sein. Auf ihm soll der höchste jakutische Feiertag zelebriert werden: Ysyach, das Sonnenfest. Früher fand es am 22. Juni statt, dem Tag der Sommersonnenwende. Doch seit dieses Datum als Tag des Überfalls der deutschen Wehrmacht auf die Sowjetunion in das Gedächtnis der Völker Russlands eingegangen ist, beginnen die Jakuten mit dem Sonnenfest, das bis zu neun Tage dauern kann, erst am 23. Juni.

Der erste Tag des Ysyach gilt als Nationalfeiertag und jakutisches Neujahr zugleich. Es ist das Fest der Wiedergeburt von Natur und Mensch sowie des Dankes an die guten Mächte. Nach altem jakutischem Glauben ist die kosmische Welt dreigeteilt: in die Oberwelt, zu der auch der östliche Teil des Himmels gehört, wo die lichten, lebensfördernden Götter und Geister wohnen; in die Unterwelt, den Sitz der dunklen, zerstörenden Mächte; und in die Mittelwelt, in der die Menschen, Tiere und Pflanzen leben. An Ysyach sollen die guten Gottheiten geehrt werden, die Gottheiten der Sonne und der Fruchtbarkeit; außerdem geht es darum, die Harmonie der Geister und Menschen mit der Natur zu beschwören.

Ihren Glauben und das Ysyach-Fest, so vermuten Ethnologen, haben die Vorfahren der Jakuten aus ihrer einstigen Heimat, den zentralasiatischen Steppen, mitgebracht. In der Tat feiern auch andere Turkvölker Asiens wie die Tuwinen, Altaier, Tataren und Baschkiren bis heute das Ysyach-Fest in ähnlicher Weise.

Der Platz, auf dem die zentrale Feier des jakutischen Ysyach-Festes stattfindet, liegt etwa 20 Kilometer südlich der Hauptstadt Jakutsk in einer weiten, mit hartem, dünnem Steppengras bewachsenen Senke am linken Lena-Ufer. Nur in der Ferne sind die dunklen Ränder der Taiga auszumachen.

Schon am frühen Morgen wälzt sich eine unübersehbare Menschenmenge aus Jakutsk und den umliegenden Dörfern zum Festplatz hin. Zu Fuß, auf Lastwagen, in Bussen und Pkws, bisweilen auch zu Pferde. Die meisten Besucher sind festlich gekleidet; manche Männer erscheinen trotz der Sommerhitze in dunklem Anzug, viele der Frauen in farbenprächtigen, reich verzierten Trachten.

Das riesige Halbrund des Festplatzes ist mit einem Weidezaun und jungen Birkenstämmen abgesteckt, an der Stirnseite sind Bänke für Ehrengäste und Veteranen aufgestellt. Seitlich davon packt eine Gruppe junger Musiker Mundorgeln und Trommeln aus, Mikrophone und riesige Lautsprecherboxen werden aufgebaut. Am südlichen Rand des Platzes sind einige kegelförmige Holzgerüste errichtet worden, die die Sommerjurten der Jakuten symbolisieren. Sie sehen aus wie indianische Wigwams; ihre Öffnungen zeigen nach Osten. Entlang des Weidezauns sind braune, schwarze und weiße Fohlen an totemähnliche Pfähle gebunden. Auch im Inneren des Halbrunds findet sich eine Vielzahl derartiger Pfähle. Sie sind in der gleichen Weise geschnitzt, wie wir sie schon in der burjatischen Steppe südlich des Baikalsees gesehen haben – mit drei Ringen zum Festmachen der Pferde. Der obere Ring ist für die Pferde der himmlischen Götter gedacht, der untere für die des Reichs des Bösen. Am mittleren Ring binden die Menschen ihre Pferde an, die Jakuten wie die Burjaten und die anderen Völker Zentralasiens.

Bevor die eigentliche Ysyach-Zeremonie anfängt, eröffnen der Präsident und der Gouverneur Ostsibiriens, die beide mit dem Hubschrauber eingeschwebt sind, die Feierlichkeiten. Der Präsident gibt seiner Freude über die «großartige Sonne», die diesen «heiligen Platz» bestrahlt, Ausdruck, erinnert daran, dass es für alle ein schweres Jahr war, vor allem wegen der Überschwemmungskatastrophe, und ist «glücklich», sagen zu dürfen, dass nun «alles überstanden» sei. Vereinzelt regt sich unter den Zuschauern, fast ausschließlich Jakuten, Beifall: besonders als er seine «feste Überzeugung» kundtut, dass Jakutien in eine «helle und lichte» Zukunft gehen werde. Seine Rede beschließt der aus einer russisch-jakutischen Familie stammende Präsident mit den Sätzen: «Heil den Völkern der Republik Jakutien! Heil dem großen russischen Volk, das unser Land im Krieg gerettet hat!»

Dann treten, von der Mitte des Festplatzes aus, bunt gekleidete Abordnungen aus allen Teilen Jakutiens vor die Ehrentribüne und überreichen dem Präsidenten Gastgeschenke: einen Ring aus den Goldgruben am Aldan, einen Sack Getreide, eine Schüssel Tomaten, ein prächtiges Rentiergeweih, eine Kiste mit getrocknetem Fisch, ein Buch über die Geschichte eines Verbannungsortes, eine Pelzmütze aus Zobelfell, eine Kaffeemaschine. «Es ist alles wie früher», stellt Sascha aus St. Petersburg fachkundig fest. «Die Völkerschaften huldigen dem Zaren und bringen Geschenke.»

Die Ysyach-Zeremonie beginnt mit der Weihung des Platzes. Ein von Kopf bis Fuß in Weiß gekleideter Schamane, begleitet von je neun ebenfalls in Weiß gekleideten Jungen und Mädchen, die «jungfräuliche Jugend» symbolisieren sollen, entzündet in einer Tonschale mit Holz und feuchtem Moos ein Feuer. Mit dem Rauch sollen Menschen und Tiere von allen schlechten Gedanken gereinigt werden, von allem Übel. Anschließend sprüht der Schamane aus einem ledernen Trinkgefäß einige Tropfen Kumys auf die Erde und ins Feuer. Kumys, vergorene und leicht alkoholhaltige Stutenmilch, gilt als «Heldentrank» und Nationalgetränk der Jakuten. Mit dem Versprühen des Kumys zeigt man den guten Göttern, dass man bereit ist, sein Wertvollstes mit ihnen zu teilen. Zugleich gilt der Boden, auf den die Tropfen fallen, als geweiht.

Nach dem Entzünden des Feuers greift der Schamane zu einer ovalen Trommel, die einem Tamburin ähnelt. Mit dumpfen

Schlägen und lang gezogenem Singsang beginnt er, wie in Zeitlupe, sich tanzartig zu bewegen, und seine Begleiterinnen und
Begleiter nehmen diese Bewegungen auf. Auch bei den Jakuten
gilt die Trommel als das wichtigste dingliche Attribut der Scha-
manen. Mit ihr vertreibt er die feindlichen Geister und ruft seine
Hilfsgeister. Auf der Trommel, so heißt es, reitet der Schamane
in den Himmel wie in die Unterwelt. Mit ihr versetzt er sich in
Ekstase und seine Zuhörer in einen tranceartigen Zustand. Die
Trommel ist nicht nur das äußere Zeichen der Schamanenwür-
de, sondern ein Teil seiner selbst. Zerbricht sie bei einer rituellen
Handlung, bedeutet dies Krankheit oder Tod. Gelingt es einem
Feind, sie zu erbeuten oder zu zerstören, muss der Schamane
sterben. So jedenfalls der alte Glaube der Jakuten.

Auf dem Ysyach-Fest allerdings bilden das Schlagen der
Trommel und der langsame Tanz des Schamanen nur den Auf-
takt zu einer Fülle verschiedener Riten, Tänze, Gesänge und kultischer Handlungen. Eine Horde wilder Reiter ohne Sättel
sprengt unter lautem Gejohle auf den Festplatz und simuliert
halsbrecherische Kampfszenen. Dazu tanzt eine Gruppe junger,
durchtrainierter Männer barfuß und mit nacktem Oberkörper
einen kriegerischen Rundtanz, der anfeuernd wirken soll. Der
stampfende Rhythmus erinnert an die Tänze der nordamerikanischen Indianer, mit denen sie sich Mut machten, bevor sie auf
den Kriegspfad gingen. Doch der jakutische Tanz gilt weniger
den Reitern als den Pferden. Denn das Pferd war traditionell
nicht nur der wichtigste Fleisch- und Milchspender der Jakuten
sowie unersetzliches Reit- und Schlittentier, sondern hatte auch
kultische Bedeutung. In jakutischen Heldenliedern wird es als
mit übernatürlichen Gaben ausgestatteter treuester Gefährte des
Menschen dargestellt. Es nimmt an den Heldentaten seines Herren teil, rettet ihn aus der Not, warnt ihn vor Gefahr; ein, wie es
heißt, «tapferer Kamerad in der Schlacht, der dem Helden zeigt,
wie er sich in schwieriger Lage verhalten soll». Über diese Ehrenstellung hinaus kam dem Pferd religiöse Bedeutung zu. Es war

das bevorzugte Opfertier für Gottheiten der oberen Welt. Den Göttern der Unterwelt wurde Hornvieh geopfert.

Einer der Höhepunkte des Ysyach-Festes ist die «Anbetung des weißen Pferdes». Gemessenen Schrittes wird am langen Zügel ein prächtiger Schimmel durch das weite Halbrund geführt, vorbei an verschiedenen Gruppen Tanzender und Singender. Alle Lieder und Tänze sind in diesem Moment dem weißen Pferd gewidmet, das den Jakuten wegen seiner Seltenheit und besonderen Kraft als heilig gilt. Eine Gruppe männlicher Tänzer ahmt eine Herde wild galoppierender Pferde nach. Mädchen schwenken lange bunte Bänder wie Fahnen zur Begrüßung einer hoch gestellten Persönlichkeit. Das weiße Pferd allerdings zeigt sich davon unberührt und zieht gelassen und mit hoch gerecktem Kopf seine Kreise.

Die Zuschauer, die sich in dichten Reihen am Weidezaun drängen, verfolgen die Zeremonie mit lauten Anfeuerungsrufen, aufmunternden Pfiffen, zuweilen aber auch mit andächtigem Schweigen. Manche Lieder werden mitgesungen oder -gesummt. Einige der ordengeschmückten Veteranen haben sich als Schutz gegen die sengende Sonne Taschentücher auf den Kopf gelegt oder eilig gefaltete Papierschiffchen aufgesetzt.

Zum Abschluss der offiziellen Feier werden Männer und Frauen geehrt, die sich, wie es heißt, besondere Verdienste um die Kultur Jakutiens oder bei der Organisation des Ysyach-Festes erworben haben. Als es so weit ist, haben der Präsident und der Gouverneur allerdings die Tribüne bereits verlassen. In einem eigens für sie errichteten Zelt wartet ein festlicher Imbiss.

Während der gesamten Zeremonie dröhnten in wechselndem Rhythmus die Trommeln aus den Lautsprecherboxen, begleitet vom monotonen Klang des jakutischen Nationalinstruments, der Maultrommel. Nach der Ehrung der verdienten «Kulturarbeiter» beginnen sie nun zunächst leise den stampfenden Rhythmus des «osyochaj» zu schlagen, des traditionellen jakutischen Rundtanzes. Schon bei den ersten Takten stürmen die Zuschauer in Scharen auf den Festplatz. Sie fassen die Protagonisten der Zeremonie, die jungen Tänzer, die farbenprächtig gekleideten Sängerinnen, Reiter, Kinder der Ballettgruppen und die ebenfalls auf den Festplatz strömenden Veteranen an den Händen und bilden tanzend unzählige Kreise, die sich in immer schnellerem Tempo drehen. Wem die Luft ausgeht, der bleibt im Inneren des Kreises stehen, hält mit anderen ein Schwätzchen, lacht den Tanzenden zu oder feuert sie an. Dann reiht er sich wieder ein.

Länger als eine Stunde schlagen die Trommeln, die Gesichter vieler Tanzender sehen immer verzückter aus, die Bewegungen werden ekstatischer. Manche scheinen in Trance zu verfallen. Vom ausgetrockneten, mit nur spärlichem Gras bewachsenen Sandboden werden dicke Schwaden feinen Staubs aufgewirbelt. Er legt sich wie Nebel über den ganzen Festplatz.

Am Mittag verwandelt sich die Szenerie in ein überdimensionales Picknick. Überall sitzen und liegen Gruppen mehr oder weniger Erschöpfter auf dem Boden; Brote werden ausgepackt, Wurst, gekochte Eier, eingelegte Tomaten, Gurken und Pilze, getrocknete Fische und gebratene Hühnchenschenkel. Dazu gibt es – aus großen Plastikflaschen – Kumys und für die Kinder Limonade. Wo Russen dabei sind, wird auch Wodka herumgereicht. Es wird gesungen, gelacht, gegessen, getrunken. Manche schlafen danach. Das Ganze ist Volksfest und Familienfeier zugleich.

«Sie müssen verstehen, dass wir heute alle so ausgelassen sind», sagt eine etwa 40-jährige Jakutin mit langen, golden glänzenden Ohrringen und einem riesigen Strohhut auf dem pechschwarzen Haar. «Ysyach ist unser höchster Feiertag – wie für die Russen Neujahr. Ab morgen beginnen für uns die Vorbereitungen für den Winter. Der kommt ja schon in drei Monaten. Der Juni ist unser Frühling, der Juli der Sommer, der August der Herbst. Im September setzt bereits der Frost ein, und es fällt der erste Schnee. Morgen fangen wir mit der Heuernte an, dem

Sammeln und Einwecken von Beeren und Pilzen, bringen unsere Winterkleidung in Ordnung. Doch heute wollen wir nichts anderes als die Sonne genießen und die wohlmeinenden Götter gnädig stimmen. Dass sie uns gutes Wetter geben, eine gute Ernte, und dass unsere Kinder gesund bleiben.» Dabei zeigt die Frau auf zwei kleine Mädchen und einen Jungen in jakutischer Tracht, die neben ihr auf einer Decke sitzen und Hühnerbeine abnagen.

Nur wenige Meter weiter hat sich eine jakutische Großfamilie niedergelassen. Großvater und Großmutter, vier erwachsene Kinder mit Ehegatten und eine ganze Schar quirliger Enkel. Eigentlich, so scheint es, haben sie keine Lust, mit uns ins Gespräch zu kommen. Sie halten uns für Russen und wollen lieber unter sich bleiben. Erst als ich sage, dass ich aus Deutschland bin, ändert sich die Stimmung. «Aus Germania?», fragt der Großvater und hält sich dabei die Hand ans Ohr, «aus Germania, tatsächlich?» Als ich noch einmal bejahe, hellen sich seine Gesichtszüge auf, und sein breites Lächeln gibt eine Reihe blitzender Goldzähne frei. «Über Germania weiß ich viel. Sag ehrlich, seid ihr nicht ein dummes Volk?» Ich blicke ihn etwas ratlos an. Doch der Alte fährt unbeirrt fort. «Wir sind auch ein dummes Volk. Oder warum haben wir sonst gegeneinander Krieg geführt? Es war ein großer Fehler. Dumm waren wir damals, dumm. Wir alle. Aber eigentlich seid ihr doch ein prima Volk. Und wir auch. Heute müssen wir alle auf andere Weise denken. Danke, dass ihr euch für Jakutien interessiert.»

Nun mischt sich auch eine der beiden Töchter, eine kräftige, etwa 40-jährige Frau mit kurz geschnittener Bubikopffrisur, ins Gespräch. Wir müssten verstehen, dass sie auf die Russen nicht allzu gut zu sprechen seien. Schließlich habe man jahrzehntelang gar kein richtiges Ysyach-Fest feiern dürfen. «Sie wollten, dass wir unsere Traditionen vergessen, wollten uns unseren Nationalstolz nehmen. Aber jetzt besinnen wir uns wieder auf unsere Wurzeln, unsere Identität. Die jakutische Kultur erlebt eine Auferstehung. Auch deshalb ist Ysyach für uns so wichtig. Egal, ob wir an die Götter glauben oder nicht.»

Die Frau, die glänzend Russisch spricht, ist, wie sie uns erzählt, Lehrerin für Mathematik und Physik. Sie hat einige Zeit in Nowosibirsk studiert, sich dann aber entschieden, nach Jakutien zurückzukehren. Nein, eine Nationalistin sei sie nicht. «Doch eine jakutische Patriotin dürfen Sie mich nennen. Hier bin ich schließlich geboren, Jakutisch ist meine Muttersprache und die Sprache meiner Vorfahren. Und außerdem ist unser Land zwar kalt, aber wunderschön. Ich möchte nirgendwo sonst leben. Die anderen Nationen, die Russen und so, dürfen nie vergessen, dass wir ein eigenes Volk sind und nach unserer Tradition leben wollen – soweit das in der modernen Welt noch möglich ist.» Bei der Erwähnung der Kälte hat sie einmal kurz und hell aufgelacht und auf die strahlende Sonne am Himmel gezeigt. Nun fügt sie hinzu: «Unsere Winter dauern neun Monate. So lange wie die Schwangerschaft einer Frau. Zufall – oder?»

Der Großvater schlägt vor, dass wir auf das Wohl von Jakuten, Russen und Deutschen trinken, und reicht eine Plastikflasche mit Kumys herüber.

Während sich die meisten Teilnehmer des Ysyach in der strahlenden Mittagssonne von den Strapazen der Zeremonie und des Tanzes erholen, stehen andere in langer Reihe vor einer mit Segeltuch bespannten Jaranga, dem kegelförmigen Sommerzelt. Aus der Öffnung an der Spitze des Zelts dringt bläulicher Rauch. In der Schlange stehen Jakuten aller Altersgruppen, darunter auffallend viele junge Mädchen. Am Eingang der Jaranga hält eine in einen weißen Umhang gehüllte Frau mit spitzer, helmartiger Kopfbedeckung den Wartenden einen Wedel aus weißen Pferdehaaren hin. Jeder Eintretende zupft ein Haar und überreicht es im Inneren der Jaranga der am Feuer sitzenden Schamanin, die auf die gleiche Weise wie die Frau am Eingang gekleidet ist. «Diesem Haar eines weißen Pferdes», so erklärt uns die Schamanin, «vertraut man alle seine Sünden an, von denen man befreit werden möchte, alles Schlechte, was man im vergangenen Jahr getan hat. Aber auch alle Wünsche, auf deren Erfüllung man hofft. Das Haar wird im Feuer verbrannt, und der Rauch ist der direkteste Weg zu den oberen Göttern.»

Die Zeremonie wird schweigend vollzogen. Die hochbetagte Schamanin mustert jeden der Eintretenden lediglich mit einem langen, prüfenden Blick. Während sie das Haar ins Feuer hält, legt sie den Kopf in den Nacken und blickt nach oben, dem Rauch nach. Mit dem Anflug eines Lächelns und einem leichten Kopfnicken entlässt sie ihre Besucher. Wenn diese aus der Jaranga wieder ins Freie treten, wirken sie in sich gekehrt, gesammelt, wie Gläubige nach dem Abendmahl in einer christlichen Kirche.

Die meisten Jakuten, erzählt uns später die Helferin der Schamanin, sind russisch-orthodox. Dennoch erlebe der Schamanismus in Jakutien eine Art Wiedergeburt. Weder den Priestern der russisch-orthodoxen Kirche noch den Funktionären der Sowjetmacht sei es gelungen, den Schamanismus und den Glauben an die alten Götter auszurotten. Heute würden die Schamanen von der Obrigkeit in Ruhe gelassen, ja sogar als zentrales Element der alten jakutischen Kultur in ihrem Wirken bestärkt. Und viele Jakuten sähen keinen Widerspruch darin, sowohl zum russisch-orthodoxen Gottesdienst als auch zu einer Schamanenzeremonie zu gehen. Das Problem sei allerdings, dass es nur noch wenige «echte» Schamanen und Schamaninnen gebe. Die meisten seien Scharlatane und Geschäftemacher, die entweder leichtgläubige Einheimische übers Ohr hauen wollen oder im Dienst von Behörden und Reiseveranstaltern Touristen anlocken sollen. Die Schamanin, die die Haare des weißen Pferdes mit den Wünschen der Gläubigen auf die Reise zu den oberen Göttern schickt, sei natürlich eine «echte».

Am Nachmittag wird das Ysyach-Fest mit einer Vielzahl traditioneller Wettkämpfe und Spiele fortgesetzt – mit Bogenschießen, Pferderennen, Ringkämpfen, Reiterspielen. Und am Rande des Festplatzes hat sich die dürre Steppenwiese in einen gigantischen Jahrmarkt mit einer gewaltigen Besuchermasse verwandelt. Es bietet sich ein buntes Bild: Schaschlikbuden; Getränkestände mit Kumys und jakutischem wie Petersburger Bier; fliegende Händler, die Fladenbrot, aber auch Kaugummi und Snickers anbieten; Melonenverkäufer, die ihre Ware direkt von der Ladefläche des Lastwagens unter das Volk bringen; jakutische Maultrommel- und russische Harmonikaspieler; Kinderkarussells, auf denen sich neben Polizeiautos und Pferden auch Bären und Raketen drehen. Während wir all das betrachten, dröhnt aus unzähligen Kofferradios und Kassettenrecordern Discomusik.

Erst gegen Abend verläuft sich die Menge. Viele kehren allerdings nicht nach Jakutsk oder in die Dörfer zurück, sondern zünden Lagerfeuer an, schlagen improvisierte Zelte auf oder rollen sich einfach unter ihrer Jacke zusammen. Die ganze Nacht hindurch wird gegrillt, getanzt, gesungen. Kurz vor Sonnenaufgang – etliche der Feuer glimmen noch – machen sich wieder Tausende auf den Weg zum Festplatz. Die einen übernächtigt, die anderen verschlafen, manche ausgeruht. Aber alle heiter, und – wie meinen russischen Kollegen auffällt – niemand ist betrunken.

Es gilt, eine weitere Zeremonie zu feiern, die Begrüßung des ersten Sonnenstrahls im neuen Jahr, das «große Wunder des Sonnenaufgangs». Wieder sind rund um den Platz die Pferde angepflockt, entzündet der Schamane das Feuer, dessen Rauch die Menschen und Tiere von allem Übel reinigen soll, weiht er die Erde mit einigen Tropfen Kumys, schlägt er dumpf die Trommel, um die bösen Geister zu vertreiben. Nach Osten hin, an der Stelle, wo der erste Sonnenstrahl erwartet wird, ist ein Holzgerüst errichtet. Seine Spitze krönt ein mit Birkenzweigen geschmücktes Wagenrad. Wenn der erste Sonnenstrahl durch dieses Rad fällt, wird der Höhepunkt der Zeremonie erreicht sein. Mit ihr soll die Göttin Ajyysyt, die jakutische Göttin der Fruchtbarkeit, geehrt werden. Sie wohnt nach jakutischem Glauben in der östlichen Hälfte des Himmels, wo die Sonne aufgeht. Dorthin verbeugt sich der Schamane und erhebt ihr zu Ehren den Krug mit Kumys. In der Vorstellung der Jakuten ist die Göttin prächtig gekleidet; sie trägt einen Zobelpelz über der Brust, Wolfsfelle um die Beine und die traditionelle Kopfbedeckung der jakutischen Frauen, eine hohe Pelzmütze, die am oberen Ende zwei kleine Hörner bildet. Von den Gebärenden angerufen, erscheint sie sieben Tage vor der Geburt und erleichtert den Frauen das Niederkommen, indem sie den Geburtsakt am eigenen Leib mitvollzieht. Drei Tage nach der Geburt fliegt sie wieder davon, nicht ohne einen Teil der Seele, die sie dem neugeborenen Knaben mitgebracht hat, auch noch einem Messer oder Pfeil einzuhauchen. Handelt es sich um ein Mädchen, wird ein Teil der Seele einer Schere anverwandelt.

Sobald der erste Sonnenstrahl mit mystischer Schönheit durch das Wagenrad fällt, beginnt wieder der Rundtanz. Diesmal mit hochgestreckten Armen, die Handflächen der Sonne zugewandt. Auf diese Weise werden die Sonnengöttin und die Göttin der Fruchtbarkeit begrüßt und zugleich alle anderen Abgesandten der lebenspendenden Oberwelt geehrt. Mit offenen Händen wird die Wärme der Sonnenstrahlen aufgenommen, Kraft getankt für den bevorstehenden langen und eisigen Winter. Um ihn nicht zu entweihen, darf während des Sonnenaufgangs nicht gesprochen werden. Nur die Trommeln schlagen dumpf und immer schneller. Es wird getanzt bis zur Erschöpfung. Auch wir tanzen mit.

Flugversuche

Freunde in Moskau hatten nur mitleidig die Achseln gezuckt. Nach Tiksi zu gelangen sei so gut wie unmöglich. Selbst Russen bräuchten dafür eine Sondergenehmigung. Und Ausländer hätten eigentlich gar keine Chance. Es sei denn, sie würden einen Touristendampfer benutzen. Doch die fahren seit vergangenem Jahr nicht mehr dorthin.

Zu Sowjetzeiten war Tiksi eine der vielen so genannten «geschlossenen Städte» Sibiriens. Geheimnisumwittert, für Ausländer tabu und für westliche Journalisten erst recht. Am größten Mündungsarm der Lena ins Nördliche Eismeer gelegen, galt Tiksi als Ort von strategischer Bedeutung – wirtschaftlich wie militärisch. Hier waren sowjetische Interkontinentalraketen stationiert, über den Nordpol direkt auf Amerika gerichtet; von hier wurde der gesamte internationale Flugverkehr in der Arktis überwacht. Von Tiksi aus gingen riesige Schiffskonvois mit Holz und Erdöl über den Nördlichen Seeweg nach Japan und in andere Länder des Fernen Ostens, wurden die Orte an der mittleren und unteren Lena mit Treibstoff, Kohle und Lebensmitteln versorgt.

Um Tiksi und das angrenzende Lena-Delta besuchen zu können, hatte Sascha wochenlang in Moskau und Jakutsk recherchiert und antichambriert. Denn mit einer einzigen Genehmigung, so hatte sich schnell herausgestellt, war es keineswegs getan. Vielmehr musste die Zustimmung von nicht weniger als fünf Institutionen eingeholt werden, bevor wir an die konkrete Planung einer Reise nach Tiksi denken konnten.

Zunächst hatte Sascha das Presseamt des Präsidenten der Republik Jakutien von der journalistischen Lauterkeit unseres Vorhabens zu überzeugen. Dann musste der russische Inlandsgeheimdienst FSB, der Nachfolger des berühmt-berüchtigten

KGB, dazu gebracht werden, in unserem Kamerateam und dem ausländischen Korrespondenten kein Sicherheitsrisiko für die Großmacht Russland zu sehen. Danach begannen die Verhandlungen mit dem Oberkommando der russischen Grenztruppen, deren Kontrolle die Hafenstadt Tiksi untersteht. Und erst als Sascha diese drei Genehmigungen in der Tasche hatte, konnten die Behörden vor Ort kontaktiert werden, die ebenfalls ihre formelle Zustimmung geben mussten – die Stadtverwaltung von Tiksi sowie die Leitung des nationalen Naturreservats «Lena-Delta». Ausgerechnet diese beiden Institutionen bereiteten uns das größte Kopfzerbrechen. Der Direktor des Naturreservats nämlich forderte per Fax allein für seine Unterschrift 3000 Dollar, zu zahlen natürlich bar auf die Hand. Über alles andere, wissenschaftliche Beratung, Führung und Transport, müsse – so der Direktor – gesondert verhandelt werden. Nach langen Telefongesprächen konnte Sascha schließlich einen Kompromiss erzielen, der für unser Budget gerade noch tragbar und für den Direktor immer noch einträglich war.

Ebenso schwierig gestaltete sich der Kampf um die Genehmigung der Stadtverwaltung von Tiksi. In einem Schreiben mit dem Wappen der Republik Jakutien im Briefkopf hatte uns die Abteilung für Kultur, Tourismus und Sport mitgeteilt, dass für eine Einreise nach Tiksi die Vorlage folgender Dokumente erforderlich sei: 1. ein Gesundheitszeugnis über einen Aids-Test; 2. ein Gesundheitszeugnis über einen Wassermann-Test auf Syphilis; 3. ein Verzeichnis aller in den vergangenen Jahren erfolgten Impfungen; 4. eine vom Republik-Zentrum der Staatlichen Akademie der Wissenschaften in Jakutsk bestätigte Reiseroute durch das Gebiet von Tiksi; und als fünften Punkt enthält das Schreiben der Stadtverwaltung noch den Hinweis: «Ausländische Bürger müssen alle medizinischen Zertifikate in einer von einem vereidigten Notar beglaubigten russischen Übersetzung vorlegen.»

Wie Sascha all diese Probleme mit der Stadtverwaltung zu lösen vermochte, sagt er uns nicht. Aber wir können es uns denken. Unsere Dollars dürften auch in diesem Fall ihre Wirkung nicht verfehlt haben.

Die Tatsache, dass wir nun alle erforderlichen Genehmigungen beieinander haben, bedeutet allerdings noch nicht, dass wir uns jetzt wohlgemut auf den Weg machen können. Denn im Hafen von Jakutsk liegt zur Zeit kein Schiff, das sich auf eine planmäßige Reise nach Tiksi vorbereitet. Und auch einen Dampfer zu chartern, der uns die 1800 Kilometer hinab zur Mündung der Lena bringt, ist aussichtslos. Überall, wo Sascha anfragt, erhält er ähnliche Antworten: Entweder ist der Motor kaputt oder die Ruderanlage, oder beides. Oder der Kapitän ist schon beim Vorgespräch so betrunken, dass wir freiwillig verzichten. In ein oder zwei Wochen, so heißt es, sei vielleicht wieder ein intakter Dampfer verfügbar – ein Patrouillenboot der Wasserschutzbehörde von Jakutsk zum Beispiel oder ein kleiner Passagierdampfer, der gerade repariert wird. Doch Genaues kann niemand sagen, und so bleibt uns nur die Hoffnung auf eine Flugmöglichkeit.

Vor dem Zusammenbruch der Sowjetunion flogen von Jakutsk aus zuweilen dreimal täglich Propellermaschinen nach Tiksi. Von Moskau ging einmal am Tag eine dreistrahlige Düsenmaschine vom Typ TU 154 in die Garnisons- und Hafenstadt am Eismeer. Heute ist der reguläre Flugverkehr mit Moskau gänzlich eingestellt, und von Jakutsk aus wird Tiksi auch nur noch zweimal pro Woche angeflogen. Allerdings, so hatte man uns schon beim Kauf der Tickets in Jakutsk erklärt, sei diese Angabe des Flugplans eher ein «Richtwert». In der Praxis nämlich könne niemand genau sagen, wann eine Maschine nach Tiksi startet. Das hänge vom Wetter ab oder vom Treibstoff, von der Zahl der gerade betriebsbereiten Maschinen oder «weiß der Teufel, wovon noch».

Derart vorgewarnt, machen wir uns am Montag, für den unser Ticket ausgestellt ist, mit Sack und Pack und sämtlichem technischen Gerät in aller Herrgottsfrühe auf den Weg zum

Flughafen. Es ist ein modernes Gebäude aus Glas und Beton, das unmittelbar nach der Wende in Russland errichtet wurde, als Jakutien nicht nur den kurzen Traum von Autonomie und Unabhängigkeit träumte, sondern auch die Einnahmen aus der Gold- und Diamantenförderung wenigstens zum Teil behalten durfte.

Unsere Eile ist fehl am Platz – die Türen der Abfertigungshalle werden erst um acht Uhr geöffnet. Das kleine Nebengebäude, das den «Saal der Deputierten» beherbergt und gegen ein paar Dollar auch von «gewöhnlichen» Passagieren benutzt werden kann, ist ebenfalls verschlossen. Als die Türen endlich aufgehen, stellen wir nicht nur mit einiger Verwunderung fest, dass die Abfertigung der Passagiere nach Moskau im «internationalen Sektor» des Flughafens erfolgt, sondern auch, dass unser für 10.20 Uhr vorgesehener Flug nach Tiksi auf keiner der Anzeigetafeln verzeichnet ist. Schließlich wird über Lautsprecher lapidar und kaum verständlich verkündet, dass sich der Flug nach Tiksi verzögere und eine nächste Information in etwa zwei Stunden zu erwarten sei.

Während wir uns in die tiefen Kunstledersessel des Deputiertensaals fallen lassen, sucht Sascha nach dem Direktor des Flughafens. Dabei stößt er auf eine Gruppe von Passagieren – fast ausschließlich Familien mit Kindern –, die ebenfalls nach Tiksi wollen. Sie sitzen, wie sie Sascha erklären, schon seit einer Woche auf dem Flughafen und warten auf eine Maschine, die sie möglichst noch vor Beginn des neuen Schuljahres nach Hause bringt. Die Auskunft, die Sascha endlich vom Flughafendirektor erhält, klingt nicht gerade ermunternd. Die Maschine, die laut Plan nach Tiksi fliegen soll, ist kaputt, eine Ersatzmaschine werde aus der Diamantenstadt Mirnyj erwartet. Doch ob und wann sie komme, könne auch er, der Direktor, der schließlich kein eigenes Flugzeug habe, nicht sagen. Eine ähnliche Auskunft erhält Sascha vom Chef der staatlichen Sacha-Airline, die – ebenfalls laut Flugplan – die Strecke nach Tiksi betreibt. Und so ist es auch keine Überraschung, als gegen Mittag über Lautsprecher durchgesagt wird, der Flug nach Tiksi verzögere sich weiter; mit neuen Informationen sei vielleicht in zwei Stunden zu rechnen.

Die Wartezeit im Deputiertensaal wird uns vorläufig nicht lang. Wir beobachten, wie ein jakutischer Duma-Abgeordneter, der nach Moskau fliegt, von seinen drei Mitarbeitern in der kleinen Bar des Saals verabschiedet wird. Nachdem eine Flasche Kognak in zehn Minuten geleert ist, wird mit einem Gläschen Champagner «auf den Weg» getrunken. An einem anderen Tisch bestellt ein junger Mann mit Sonnenbrille und Goldkettchen an den Handgelenken für sich und seine beiden Begleiterinnen Wodka, Butterbrote mit Kaviar und ein paar Tafeln Schokolade. Doch als die nette, blutjunge Kellnerin die Rechnung bringt, erklärt er lauthals, er sei ein Freund des Flughafendirektors und brauche nicht zu bezahlen; das Mädchen solle seinen Job nicht aufs Spiel setzen und zusehen, wo es sein Geld herbekomme. Nachdem das Trio grußlos den Saal verlassen hat, murmelt die Kellnerin, die vor Schreck verstummt war, halblaut «Hundesohn» und zerrt ein Taschentuch aus dem Ärmel. «Gegen die bist du machtlos», sagt sie uns später, als sie die Wimperntusche erneuert hat. Gegen Mittag beobachten wir eine französische Jagdgesellschaft, die mit ihren Waffen an allen Sicherheitschecks vorbei über das Flugfeld direkt zur Maschine nach Moskau marschiert – und dort, vor allen anderen Passagieren, von der Stewardess in die Kabine geleitet wird.

Um 14.30 Uhr kommt endlich die Nachricht: Abflug der Maschine nach Tiksi um 16 Uhr. Unser Gepäck wird gewogen und anschließend Stück für Stück penibel durchleuchtet, wir erhalten unsere Bordkarten, passieren die Röntgenkontrolle und nehmen im Wartesaal Platz. Eine halbe Stunde vor Abflug jedoch erscheint die Bodenstewardess, die uns eingecheckt hat, und nimmt Sascha zur Seite. Es sei ihr schrecklich peinlich, aber die Maschine nach Tiksi könne uns nicht mitnehmen. Sie sei leider zu schwer, sodass außer den Passagieren, die bereits in Mirnyj eingestiegen seien, niemand mehr mitfliegen könne. Wir sollten aber nicht traurig sein, für 17.30 Uhr werde eine weniger beladene Maschine nach Tiksi erwartet – und dann dürften wir samt unserem schweren Gepäck mit. Wir könnten in aller Ruhe im Warteraum sitzen bleiben, man werde uns rechtzeitig über den weiteren Gang der Dinge informieren.

In der Tat wird über eine neue Lautsprecherdurchsage um 18 Uhr verkündet, dass nun eine weitere Maschine nach Tiksi zum Einsteigen bereit sei. Als Sascha unsere Bordkarten bei der Bodenstewardess abgeben will, schüttelt diese allerdings den Kopf. Nur diejenigen Passagiere dürften mitfliegen, die schon seit einer Woche auf den Flug nach Tiksi warten. Alles Debattieren, Flehen, Beschwören ist vergeblich. Die Dame an der Tür zum Flugfeld lässt sich nicht erweichen. Schließlich macht Sascha auf dem Absatz kehrt und verlässt im Laufschritt den Warteraum und den Saal der Deputierten. Nach etwa 20 Minuten kommt er atemlos zurück, in der Hand vier neue Bordkarten. Er hat dem Flughafendirektor ein Angebot gemacht, das dieser nicht ablehnen konnte. Der Zauber der grünen Scheine hat auch hier gewirkt. Genau fünf Minuten, sagt die verblüffte Stewardess, blieben uns, um mit unserem gesamten Gepäck einschließlich Kameraausrüstung und Tongeräten über das Rollfeld zu spurten – einen Flughafenbus oder einen Gepäckwagen gibt es nicht – und alles auf den ersten beiden Sitzreihen der kleinen Propellermaschine, die als Laderaum dienen, zu verstauen. Die Taschen und Kisten, die dort keinen Platz mehr finden, nehmen wir auf die Knie. Bis zum Abflug aber, so zeigt ein Blick aus dem Fenster, wird es wohl noch einige Zeit dauern. Der Tankwagen kommt gerade erst angerollt.

Auf dem Sitz neben mir schläft ein junger, drahtiger Mann mit wettergegerbtem, scharfkantigem Gesicht. Den Rucksack hat er zwischen die Knie geklemmt, seine leichte Regenjacke wie einen Schal um den Hals gelegt. Ein Geologe, vermute ich, oder ein Techniker, der auf dem Weg zu irgendeiner Erdölbohrung ist.

142

Als der Pilot auf dem Weg vom Cockpit zur Toilette an unserer Sitzreihe vorbeikommt, schreckt mein Nachbar hoch:

«Ist das die Maschine nach Batagaj?»

«Nein», sagt der Pilot ungerührt, «die ist schon abgeflogen.»

«Aha. Und wo geht dieser Flug hin?»

«Nach Tiksi.»

«Auch gut», meint ebenso ungerührt mein Sitznachbar und lehnt sich entspannt zurück. Batagaj liegt 800 Kilometer südöstlich von Tiksi, nach sibirischen Vorstellungen also ganz in der Nähe. Als der Pilot im Weggehen noch einmal den Kopf wendet und halblaut «hoffentlich» murmelt, fährt mein Nachbar allerdings wieder hoch. «Was heißt hier ‹hoffentlich›?»

«Hoffentlich heißt hoffentlich», erwidert der Pilot lakonisch und fügt mit einer resignierenden Handbewegung hinzu: «Mal sehen, wie das Wetter wird. Was weiß ich denn.»

Die übrigen Passagiere haben den Dialog mit unbewegten Mienen und ohne ein erkennbares Zeichen von Verwunderung verfolgt. Im Gegensatz zu uns scheint ihnen so etwas alltäglich.

Nach ungefähr einer Stunde werden die beiden Propeller angelassen, und die 40 Jahre alte AN-24 rumpelt über die holperige Startbahn von Jakutsk mit einem Getöse, dass wir fürchten, sie werde jeden Moment auseinander fallen. Doch dann erhebt sie sich – wenn auch mit einiger Mühe – in den strahlend blauen Abendhimmel und folgt schnurgerade der Lena Richtung Norden. Sie fliegt ruhig und gleichmäßig brummend – der «Traktor der Taiga», wie sie in Sibirien genannt wird.

An der Mündung des Aldan verbreitert sich das Flussbett der Lena auf fast 20 Kilometer. Die vielen Sandbänke wirken aus der Höhe wie Eisschollen oder schneebedeckte Inseln im ansonsten tiefblauen Strom, der in mächtigen Mäandern das satte Grün der unendlichen Taiga durchschneidet. In der Maschine aber scheint sich kaum jemand für das faszinierende Naturschauspiel unter uns zu interessieren. Die meisten Passagiere schlafen, mein Nachbar schnarcht weithin vernehmbar.

Nach etwa einer Stunde erholsamen Fluges wird es in der Kabine plötzlich unruhig. Die AN-24 fliegt eine lange, nicht enden wollende Linkskurve, und die Sonne, die bisher in die linken Kabinenfenster schien, kommt nun von rechts. «Wir fliegen nach Jakutsk zurück», tönt aus dem krächzenden Bordlautsprecher die kaum verständliche Stimme des Piloten, «in Tiksi ist keine Sicht mehr.»

Aus der Sitzreihe hinter mir ertönt eine schrille Frauenstimme: «Betrug!» Andere Stimmen fallen ein: «Schweinerei! Gangster, habt ihr das denn nicht schon vorher gewusst? Wir haben eine Woche auf diesen Flug gewartet. Holt sofort den Piloten her!» Einige der Passagiere sind aufgesprungen, ein korpulenter Mann mit jakutischen Gesichtszügen trommelt mit beiden Fäusten gegen die Tür des Cockpits: «Wir wollen den Piloten sprechen. Das könnt ihr mit uns nicht machen.»

Kurz darauf öffnet sich die Tür, und der Kopilot erscheint. Beschwichtigend hebt er die Arme: «Leute, beruhigt euch doch erst einmal!»

«Wieso beruhigen?», brüllt der dicke Mann. «Wir wollen nach Tiksi!»

Langsam und mit sanfter Stimme, als rede er mit Kindern, beginnt der Kopilot zu erklären, dass in Tiksi wirklich schlechtes Wetter herrsche, die meisten Passagiere den Ort doch kennen und deshalb wissen müssten, dass gerade im Sommer, wenn das Eis des Polarmeeres taut, oft in Minutenschnelle dicker Nebel aufzieht und niemand sagen könne, wann er sich wieder auflöst. Der Flugplatz in Tiksi sei nun mal «so idiotisch» unmittelbar ans Meer gesetzt, da könne man das Wetter nicht genau vorausberechnen. Als wir in Jakutsk abgeflogen seien, habe in Tiksi jedenfalls noch die Sonne geschienen.

Eine Weile wogt die Diskussion zwischen dem Kopiloten und den Passagieren hin und her, der Tonfall wird auf beiden Seiten gereizter. Immer erregter schwirren die Fragen durcheinander: Ob es denn auf dem Flughafen von Jakutsk keinen Wetterdienst mehr gebe und die meteorologische Station in Tiksi auch schon dichtgemacht habe; ob man neue Flugscheine bekomme; wann denn die Maschine Jakutsk wieder verlassen werde, und, und, und. Schließlich schlägt eine ältere Frau mit streng nach hinten gekämmtem und zum Dutt geknotetem Haar vor, man könne doch wenigstens bis zur Siedlung Schigansk an der Lena fliegen, die genau auf halber Strecke am Polarkreis liege und eine Landebahn habe.

«Was wollt ihr denn in Schigansk?», brüllt der nun sichtlich entnervte Kopilot. «In Schigansk gibt es keinen Treibstoff, kein Hotel und vielleicht auch nichts zu fressen. Und wenn wir Pech haben, bleiben wir dort 14 Tage sitzen.»

Allmählich beruhigen sich die Passagiere und fügen sich ins Unabänderliche. Doch nun macht mich mein Sitznachbar auf ein weiteres Problem aufmerksam. Ganz abgesehen davon, dass niemand wisse, wann mal wieder eine Maschine nach Tiksi starte – wo sollen die Passagiere, die jetzt nach Jakutsk zurückfliegen, denn übernachten? Der Flughafen werde um 22 Uhr geschlossen, dann dürfe sich niemand mehr dort aufhalten. Geld für ein Hotel in Jakutsk habe wohl kaum einer der Reisenden übrig. Die meisten kämen aus dem Urlaub zurück und seien die wenigen Rubel, die sie vielleicht noch in der Tasche gehabt hätten, längst in der Woche losgeworden, in der sie vergeblich auf den Flieger nach Jakutsk warteten. Und ein weiteres Problem, so mein Sitznachbar: Wohin mit dem vielen Gepäck, das die meisten der Passagiere bei sich haben? Vorräte für den kommenden Winter, der in Tiksi zehn Monate dauert. «Sobald sich die Leute irgendwo hinsetzen und nur ein Auge zumachen, wird doch gleich alles geklaut. Und auch die Gepäckaufbewahrung auf dem Flughafen von Jakutsk wird längst geschlossen sein, wenn unsere Maschine landet.»

Nach genau drei Stunden sind wir wieder da, wo wir losgeflogen sind. Wir haben Glück, dass wenigstens der Saal der Deputierten noch geöffnet ist. Und auch der Flughafendirektor, so erfahren wir, ist entgegen seiner üblichen Gewohnheit noch im Büro; ebenso die Dienst habende Meteorologin. Also macht sich Sascha erneut auf den Weg, zunächst zur Wetterstation. Die Meteorologin, eine junge, energische Jakutin, zeigt Sascha bereitwillig die letzten Funkbilder des Wettersatelliten und erklärt kurz und bündig: «Sehen Sie, hier ist ein Hochdruckgebiet und hier ein Tiefdruckgebiet. Genau dazwischen liegt Tiksi. Wenn sich das Tiefdruckgebiet nach Osten bewegt, gibt es wieder Flugwetter. Und wenn nicht, dann nicht.»

«Und wann ist damit zu rechnen, dass sich das Tiefdruckgebiet bewegt?», fragt Sascha zögernd.

«Das kann morgen sein, in einer Woche, vielleicht aber auch erst in drei Wochen.»

«Aha», sagt Sascha und bedankt sich.

Der Flughafendirektor gibt sich jovial. Er hatte ja heute schon mehrere Begegnungen mit Sascha und sieht in ihm inzwischen eine Art Vertrauten. Ihm gegenüber muss er aus seinem Herzen keine Mördergrube machen. Eigentlich, erklärt er Sascha, müsste er sich schämen. Da habe er nun einen so schönen, modernen Flughafen, von der Start- und Landebahn abgesehen, und trotzdem funktioniere so gut wie nichts. Es seien kaum Maschinen einsatzbereit, denn weder die staatliche jakutische Fluggesellschaft noch die neu gegründeten privaten Airlines hätten Geld für Ersatzteile. Außerdem gebe es auf vielen der kleinen sibirischen Flughäfen keinen Treibstoff mehr. Und dann herrsche nach wie vor das alte sowjetische Prinzip, dass Bonzen grundsätzlich Vorrang haben. «Wenn also der Minister aus Jakutsk oder der Chef der staatlichen Diamantenmine aus Mirnyj dringend irgendwohin fliegen will, dann bekommt der eben die Maschine, die eigentlich nach Tiksi sollte.» Die Flugpläne für die meisten nordsibirischen Linien seien reinste Augenwischerei. Geflogen werde, wenn einmal eine Maschine da sei. «So einfach ist das.»

Sascha lässt sich nicht beirren. Vorausgesetzt, morgen sei

Flugwetter, insistiert er, gebe es dann eine Chance, nach Tiksi zu kommen?

«Ich habe es dir doch gerade erklärt», sagt der Direktor und fällt dabei in das vertrauliche Du. «Es kann sein. Es kann aber auch nicht sein. Ich würde dir gern helfen. Aber wenn du Pech hast, sitzt du hier noch eine Woche herum. Oder auch zwei.»

«Wir werden morgen wiederkommen», sagt Sascha und setzt sein freundlichstes Lächeln auf.

Tiksi, das Tor zum Eismeer

Endlich sind wir in Tiksi, fast 1000 Kilometer nördlich des Polarkreises. Zwar waren auch der zweite und dritte Flugversuch ohne Erfolg geblieben, aber im vierten Anlauf haben wir es geschafft – mit einer kleinen Maschine der Polar-Air, die in keinem Flugplan verzeichnet ist und nur zur Hälfte besetzt war. Und das, obwohl auf dem Flughafen von Jakutsk noch immer Dutzende von Passagieren auf eine Reisemöglichkeit nach Tiksi warteten. Warum ausgerechnet diese Maschine und dazu halb leer nach Tiksi flog, konnte uns niemand erklären. Die Spekulationen reichten vom Verdacht auf Mafia-Geschäfte bis zu der Vermutung, irgendein wichtiger Militär oder Geheimdienstmensch sei inkognito an Bord. Uns war es egal. Sascha hatte wie üblich dem Direktor der Polar-Air grüne Scheine auf den Tisch geblättert und damit dem Gesetz der sibirischen Marktwirtschaft Genüge getan. Auch die Papiere, die Sascha dann dem streng kontrollierenden Offizier der Grenztruppen in der Flughafenbaracke von Tiksi vorlegte, waren offensichtlich in Ordnung.

Am Rande der Schotterstraße, die vom Flugfeld in die Stadt führt, grüßt am Ortseingang eine große, etwas verwitterte Tafel: «Tiksi – das Meerestor der Republik Sacha». Doch das Meerestor, so scheint es, ist verschlossen. Auf den Straßen ist kaum ein Mensch zu sehen. Viele Häuser und Wohnblocks stehen leer, Fenster und Türen sind mit Brettern vernagelt; die Außenwände der Betonbauten zeigen handbreite Risse. Von den Holzhäusern blättert die Farbe ab, hier und da sind die Balken bereits durchgefault. Einige gut erhaltene und architektonisch ansprechende Häuser mit holzgeschnitzten Dachkanten und bunt bemalten Giebeln und Fensterrahmen scheinen aber noch bewohnt. Das größte und gepflegteste Gebäude der Stadt ist das siebenstöckige

«Haus des Innenministeriums», der Sitz des Kommandos der Grenztruppen und des örtlichen KGB.

Das einzige Hotel am Ort, eine lang gestreckte, dreigeschossige Holzbaracke mit dem Namen «Morjak» (Seemann), ist gut geheizt. Dabei haben wir erst Ende August, also auch für arktische Verhältnisse noch Sommer, und es ist ungewöhnlich mild. Doch laut Plan beginnt die Heizperiode in Tiksi am 15. August, und daran hält sich das örtliche Kraftwerk. Da die Heizkörper nicht abzustellen und die Fenster nicht zu öffnen sind, fühlen wir uns bald wie in einer russischen Banja. Wir beschließen, die Stadt zu Fuß in Augenschein zu nehmen.

Unser erster Eindruck bestätigt sich: eine Geisterstadt! Nicht nur unzählige Wohnblocks stehen leer, sondern auch viele Geschäfte. Zwei der vier Lebensmittelläden sind zugenagelt, das einzige Bekleidungsgeschäft am Ort ist leer geräumt und mit einem Vorhängeschloss verriegelt. Manche der wegen des Permafrostes oberirdisch verlegten Heizungsrohre und Wasserleitungen sind geborsten. Von einigen Telefonmasten baumeln gerissene Drähte.

Vor zehn Jahren, so erzählt Iwan, unser Begleiter vom Naturreservat, lebten in Tiksi etwa 15 000 Menschen. Heute sind es allenfalls noch 5000. Von den Militärs sind nur eine Staffel Transportflieger und die Techniker übrig geblieben, die die große Radaranlage auf dem Hügel über der Stadt betreiben. Von dort aus wird nach wie vor der Flugverkehr über der gesamten Arktis überwacht. Auch die Maschinen der Deutschen Lufthansa, die über die Nordroute nach Japan fliegen, erklärt Iwan, würden von den Kontrollschirmen in Tiksi geleitet. Die einst in Tiksi stationierten Marineeinheiten sind ebenso abgezogen wie die Düsenjägerstaffel. Auch im Norden, so scheint es, ist Russland der Feind abhanden gekommen. Unklar sei nur, meint Iwan, ob die Raketenstellungen noch funktionieren. Doch von ihnen ist ohnehin nichts zu sehen, da sie tief unter der Erde liegen.

Außer den Militärs sind auch die meisten Mitarbeiter der

wissenschaftlichen Institute aus Tiksi verschwunden – die Polarforscher, Biologen, Geologen und alle anderen, die die Schätze der Arktis zum Wohl der großen Sowjetunion nutzbar machen sollten. Es gibt kein Geld mehr für Expeditionen, nicht einmal die Gehälter der Wissenschaftler werden regelmäßig gezahlt. Und wenn doch einmal Forschungsunternehmen von Tiksi aus gestartet werden, so sind sie vom Ausland finanziert, etwa vom «Alfred-Wegener-Institut für Polar- und Meeresforschung» in Potsdam. Die vom Institut entsandten Wissenschaftler haben, erzählt Iwan mit unverhohlener Bewunderung, nicht nur ihre eigenen Schlauchboote dabei und nehmen sie selbst für die kleinste Reparatur wieder mit nach Deutschland. «Sie bringen sogar ihre eigenen Müllsäcke mit und transportieren sie hinterher wieder 10 000 Kilometer zurück in die Heimat. Kein Russe würde auf diese Idee kommen.»

Stolz ist Tiksi auf seine Vergangenheit als Hafenstadt und wichtigster Stützpunkt des so genannten Nördlichen Seewegs. Eine große Tafel im Stadtzentrum erinnert daran, dass 1932 der erste Schiffskonvoi mit dem Eisbrecher «Sibirjakow» an der Spitze auf diesem Nördlichen Seeweg den Ort Tiksi erreichte und im Jahr 1977 von hier aus der Atom-Eisbrecher «Arktika» in See stach, der als erstes Schiff der Welt aus eigener Kraft den Nordpol erreichte.

Schon 300 Jahre bevor der Eisbrecher «Sibirjakow» auf seiner historischen Reise am Kai von Tiksi anlegte, hatten sich Kosaken und Pelzhändler an die Erforschung des Seeweges entlang der sibirischen Nordküste gemacht. Auf kleinen flachen Holzbooten, die ohne Teer und Nägel gezimmert waren und auf denen man bei günstigem Wind Segel aus Leder setzen konnte, waren sie von Jakutsk aus die Lena hinabgefahren. An der fast ganzjährig vereisten Lena-Mündung steuerten sie Richtung Osten und folgten der Küstenlinie von Kap zu Kap und Bucht zu Bucht – auf der Suche nach dem sagenhaften Fluss «Pogytscha», an dessen Ufern Berge von Silber und Walrosselfenbein sowie Scharen pechschwarzer Zobel zu finden sein sollten. Doch der Fluss Pogytscha wurde nie entdeckt, und die meisten der wagemutigen ersten sibirischen Nordmeerfahrer kehrten nicht zurück.

Auch die russischen Zaren hatten schon früh vom Nördlichen Seeweg geträumt. Wenige Wochen vor seinem Tod, im Dezember 1724, hatte Peter der Große dem Generaladmiral seiner Flotte von einer nächtlichen Vision erzählt – der «Auffindung einer Passage nach China und Indien, die durch das Nordmeer führt». Seine Nachfolgerin auf dem Thron, Zarin Anna, griff Peters Idee auf und leitete erste konkrete Schritte zu ihrer Realisierung ein. Sie beauftragte ein halbes Dutzend Expeditionsschiffe, die fast 11 000 Kilometer lange Küstenlinie Sibiriens zu vermessen, von Archangelsk am Weißen Meer im Westen bis zur Beringstraße im Osten und weiter Richtung Süden bis nach Kamtschatka. Doch erst anderthalb Jahrhunderte später gelang es einem Schiff, die Nordostpassage durch das Eis vor der sibirischen Küste in ihrer ganzen Länge zu bewältigen. Es war das Dampfschiff «Wega» unter dem Kommando des Freiherrn Nordenskjöld. Im Juli 1879 passierte die «Wega» die Lena-Mündung in Höhe des heutigen Tiksi.

Für die Sowjetführung war das ganzjährige Offenhalten des Nördlichen Seewegs nicht nur von wirtschaftlicher und militärischer Bedeutung, sondern auch eine Prestigefrage. Aller Welt sollte die Überlegenheit sowjetischer Technik und sowjetischen Pioniergeistes demonstriert werden. Man wollte beweisen, dass es möglich ist, selbst unter widrigsten Umständen das ganze Jahr über Waren und Menschen mit Schiffen durch die Arktis zu transportieren. In unzähligen Büchern, Liedern und Filmen wurden die «Helden des Nördlichen Seewegs» gefeiert, Generationen angehender Forscher, Techniker und Seeleute hat man sie als leuchtende Vorbilder präsentiert. Heute gibt es keinen Nördlichen Seeweg mehr.

Das Hafentor von Tiksi ziert ein riesiges, an den Rändern ausgefranstes Plakat: «Jeder mit Arbeit verbrachte Tag ist ein Erfolg.» Doch weder von Arbeit noch von Erfolg ist etwas zu sehen. Außer einem verrosteten Hafenschlepper und einem abgewrackten Tanker können wir kein einziges Schiff entdecken. Keiner der Kräne, die die Aufschrift «VEB Magdeburg» tragen, bewegt sich. Auch der Schwimmbagger «Bleichert 2» aus Leipzig dümpelt untätig vor sich hin. In einem der Hafenbecken faulen Tausende von geschälten Baumstämmen; ihr Gestank verpestet die Luft in weitem Umkreis. Menschen sehen wir keine. Das einzige Geräusch, das im gesamten Hafengebiet zu vernehmen ist, kommt aus einer knallgelb getünchten Betonhalle. Hier arbeitet mit ohrenbetäubendem Lärm der uralte Dieselgenerator des örtlichen Heizkraftwerks. Doch auch dieser Lärm könnte, wie wir in der Lokalzeitung «Leuchtturm der Arktis» gelesen haben, bald verstummen. Das Heizkraftwerk steht vor der Pleite. Die meisten in Tiksi noch tätigen Betriebe und viele der Haushalte können die Rechnungen für Strom und Heizung nicht mehr zahlen.

Noch vor zehn Jahren, so erzählt unser Begleiter Iwan, wurde Tiksi in der eisfreien Zeit von mehr als hundert Frachtern angelaufen. Dazu kamen im Winter einige von Eisbrechern geleitete Konvois. Im Jahr 2000 passierten nur zwei Schiffe den Nördlichen Seeweg. Im Jahr 2001 ist bis August – außer ein paar Flussdampfern – nicht ein einziges Schiff nach Tiksi gekommen. Und es wird auch keines mehr erwartet. «Der Hafen von Tiksi ist tot», sagt Iwan und zuckt die Schultern. «So wird's dem ganzen Norden ergehen.» Aus seiner Stimme klingt weder Anklage noch Resignation, nicht einmal Bedauern. Sie scheint vielmehr die eines Buchhalters zu sein, der Bilanz zieht, ungerührt und wissend, dass nichts zu ändern ist.

Früher, so Iwan, habe doch niemand genau gerechnet. «Da haben die Kommunisten im Kreml einfach beschlossen: Wir werden es den Amerikanern zeigen! Also wurden riesige Flugplätze für strategische Bomber in die Arktis gebaut, gewaltige Raketensilos und natürlich die dazugehörigen Städte wie Tiksi. Und dann hat man sich gesagt: Großartig, nun können wir ja gleich auch noch die arktischen Häfen ausbauen und mit unseren Atom-Eisbrechern den Nördlichen Seeweg offen halten sowie Institute für die Polarforscher und Geologen ans Eismeer setzen. Milliarden und nochmals Milliarden von Rubeln hat das gekostet.»

Iwan macht eine Pause, denn nun hat er sich doch in Rage geredet. Dann kehrt er zu seinem gleichmütigen Tonfall zurück: «Und heute? Heute braucht man den ganzen Militärkram nicht mehr. Und der Rest rechnet sich ganz einfach nicht – die großen Städte und Siedlungen am Eismeer, die Atom-Eisbrecher und alles. Wir haben Marktwirtschaft. Versteht ihr?» Wir verstehen, verkneifen uns aber jeden Kommentar. Dafür sagt Iwan – gleichsam abschließend und wie zu sich selbst: «Wir in Tiksi haben die Zukunft hinter uns.»

Im Hotel «Morjak» erwartet uns nach der Stadtbesichtigung und dem Hafenrundgang eine angenehme Nachricht. Natürlich, so die freundliche Jakutin, die zuweilen in dem kleinen Glaskasten mit der Aufschrift «Administration» ihren Dienst versieht, natürlich habe das Hotel eine «stolowaja», eine Imbissstube, und natürlich sei diese auch geöffnet – bis 19 Uhr.

In dem kleinen Raum mit nacktem Betonfußboden, ein paar Resopaltischchen und wackeligen, mit rotem Plastik bezogenen Eisenstühlen erwartet uns hinter der Verkaufstheke eine kräftig gebaute Blondine mit grell lila geschminkten Lippen.

«Guten Abend, wir würden gern noch eine Kleinigkeit essen.»
«Bitte schön. Was denn?»
«Haben Sie vielleicht etwas Wurst – oder Würstchen?»
«Nein.»
«Käse?»
«Nein.»
«Butter?»
«Nein.»
«Margarine?»

«Nein.»

«Fisch?»

«Nein.»

«Wieso? Wir sind doch hier direkt am Meer. Wieso gibt es da keinen Fisch?»

«Weil sich für einen Laden Fisch nicht lohnt. Jeder fängt sich das, was er braucht, selbst, oder er kauft es unter der Hand von Freunden oder Bekannten.»

«Aha. Und was können Sie uns zum Abendessen anbieten?»

«Makkaroni, Buchweizengrütze und Dorschleber aus der Dose. Und Brot, frisches von heute.»

Die Dorschleber erweist sich selbst für unsere durch Sozialismus und Sibirien gestählten Geschmacksnerven als ungenießbar. Doch das helle, großporige Brot mit dunkler, knuspriger Rinde ist köstlich. Mit einer Mischung aus Stolz und Bedauern nimmt Jelena unsere Komplimente dafür entgegen. Die Bäckerei, so Jelena, sei fast der letzte Lebensmittelbetrieb in Tiksi. Selbst die einzige Molkerei im Ort sei geschlossen worden. Kühe würden sich nur noch einige Privatleute halten. Früher, da habe man das Heu mit Schiffen die Lena hinab nach Tiksi gebracht. Jeder Betrieb, jede Organisation, die Waren in Jakutsk oder Ust-Kut orderte, habe dafür gesorgt, dass bei ihren Transporten auch immer etwas Viehfutter mitkam. Sogar aus der Tundra habe man, mühselig genug, das Heu herangeschafft. Und auch auf dem Nördlichen Seeweg seien Futter und Lebensmittel nach Tiksi gebracht worden, das ganze Jahr über, aus Archangelsk, Murmansk, ja, sogar aus Wladiwostok und Japan. Doch heute gebe es nur das Flugzeug, und das fliege unregelmäßig und sei so teuer, dass sich der Transport für die Händler kaum lohne. Wer in Tiksi habe denn noch Arbeit?

Jelena ist, wie sie uns erzählt, 28 Jahre alt und stammt aus der Ukraine. Vor zwölf Jahren kam sie mit ihrem Vater, der Mechaniker auf einem Eisbrecher war, nach Tiksi. Der Vater ist längst arbeitslos und in die Ukraine zurückgekehrt. Ihr Mann, den sie in

Tiksi kennen gelernt hatte, kam vor fünf Jahren beim Fischen im Eismeer ums Leben. Als Alleinerziehende versucht sie ihren zehnjährigen Sohn durchzubringen und gleichzeitig ihrer 19-jährigen Schwester unter die Arme zu greifen, die in der Molkerei gearbeitet hat.

Jelena wirkt verbittert, zuweilen gar verzweifelt. Sie will weg, nichts wie weg. «Tiksi ist eine überflüssige Stadt. Und wir sind überflüssige Menschen.» – «Überflüssige Menschen» ist der Titel einer Erzählung von Iwan Turgenjew. Jelena kennt diese Erzählung, wie sie gesteht, nicht. Sie benutzt einfach das geflügelte Wort, das man fast immer hört, wenn die Menschen im Norden Sibiriens heute nach ihrem Leben gefragt werden.

Am meisten bedrückt Jelena, dass sie in Tiksi keine Perspektive für ihren Sohn sieht. «Ich selbst würde schon irgendwie zurechtkommen. Aber er muss doch etwas lernen, einen Beruf ausüben. Sonst fängt er nur an zu saufen, wie die anderen Männer hier.» Während der Sohn Jelenas allerdings noch ein paar Jahre Zeit hat – zumindest, wie sie sagt, solange die bis zur 11. Klasse führende Oberschule in Tiksi «in Betrieb» bleibt –, muss mit ihrer 19-jährigen Schwester bald etwas passieren. «Sie muss als Erste von hier weg. Denn vor Verzweiflung fangen auch immer mehr Frauen mit dem Trinken an.» Der Traum ihrer Schwester sei es, nach St. Petersburg zu ziehen und dort Schönheitschirurgin zu werden. «Ich würde alles geben, ihr dabei helfen zu können.»

Doch die Chancen, den Traum der Schwester Wirklichkeit werden zu lassen, so Jelena, seien gleich null. Fast alles Geld, das sie in der Imbissstube verdiene, gehe für die Heizkostenrechnung drauf. Schließlich dauere der Winter in Tiksi zehn Monate, und für Strom, Wasser und Wärme müsse heute jeder selbst bezahlen. Sogar wenn sie in guten Monaten 3000 Rubel, etwa 250 Mark, verdiene, reiche dies gerade mal für Brot und Tee und gelegentlich ein paar Fische von Freunden oder einen Lippenstift aus alten Beständen. «Wie sollen wir da einen Flug nach St. Petersburg bezahlen?» Zwar habe der Staat allen, die wegfahren wollen, großzügige Hilfe angeboten, sogar von 10 000 Dollar sei die Rede gewesen, doch in der Praxis hätten sie bislang keine Kopeke bekommen. «Wahrscheinlich musst du auch dafür Beziehungen haben. Und wer kümmert sich schon um eine kleine Verkäuferin?»

Am nächsten Abend sind drei der Resopaltische in der Imbissstube zusammengeschoben. In der Mitte stehen einige kleine Vasen mit Plastikblumen, davor eine dichte Reihe von Wodka- und Limonadeflaschen. Aus der Küche riecht es nach Blini und gebratenem Fisch. Es ist die örtliche Nomenklatura, die sich hier zusammenfindet: der Bürgermeister, wie uns Jelena flüsternd erklärt, der Regionalchef eines sibirischen Rohstoffkonzerns, der im Delta der Lena nach Erdgas bohrt, der Kommandeur der Miliz in Zivil, der Direktor des Heizkraftwerks sowie drei andere Herren, die Jelena nicht kennt. Damen sind nicht dabei. Höflich, aber unmissverständlich bedeutet man uns, dass die Herrschaften unter sich sein möchten. «Geschlossene Gesellschaft: Geburtstagsfeier!»

Jelena zuckt bedauernd die Achseln. Offenkundig haben die Herren schon vorher an einem anderen Ort mit dem Feiern begonnen. Während wir hinausgehen, hören wir, wie der Bürgermeister dem Erdgasboss über den ganzen Tisch hinweg dröhnend erklärt: «Die Leute hier werden ausgesiedelt. Wir liquidieren den Ort!» Dann erhebt er sein Wodkaglas und leert es, wie alle anderen, in einem Zug.

Im Lena-Delta

Vitalij sieht aus wie der junge Omar Sharif – dunkler Teint, ebenmäßige, sehr maskulin wirkende Gesichtszüge, schwarzes gelocktes Haar, schwarzer Schnauzbart, sanft blickende dunkle Augen. Die Figur ist drahtig, der Gang lässig. Wenn der Mann lacht, und das tut er oft, zeigen sich kräftige, makellos weiße Zähne. Seine braune Lederjacke ist etwas abgeschabt, bildet jedoch einen telegenen Kontrast zum hellgrauen, fein gemusterten Rollkragenpullover. Würden wir Vitalij in Moskau, St. Petersburg oder Köln auf der Straße begegnen, so meint Sascha, würden wir ihn wohl für einen Dressman – das Wort gibt es auch im Russischen – halten. Doch Vitalij lebt in Tiksi, am Rande des Eismeeres, und könnte dort weder als Filmschauspieler noch als Model seinen Lebensunterhalt verdienen, geschweige denn Karriere machen. Aber Vitalij verdient durchaus seinen Lebensunterhalt, und Karriere gemacht hat er auch, wenngleich eine etwas ungewöhnliche. Er ist Hubschrauberpilot, der einzige und, wie er stolz vermerkt, letzte Polarflieger, den es noch in Tiksi gibt. Seine südländische Erscheinung erklärt Vitalij damit, dass sein Vater Armenier war und er an den Hängen des Kaukasus geboren wurde. Die Liebe zum Hohen Norden hat er, wie er vermutet, von seiner Mutter geerbt, einer Russin aus St. Petersburg.

Vitalij ist seit 25 Jahren Hubschrauberpilot. Er hat mit seiner Staffel in Afghanistan gekämpft, später war er in verschiedenen sibirischen Garnisonen stationiert, zuletzt in Tiksi. Als seine Einheit aus Tiksi abgezogen wurde, ist er geblieben, der Kinder wegen, die hier zur Schule gingen; und weil für ihn das Fliegen in der Arktis, wie er offen bekennt, zur Sucht geworden ist. «Wenn du einmal über das Eis fliegst, willst du nicht wieder weg von hier. In der Arktis bist du als Flieger gefordert wie sonst nirgendwo. Kein Radar, oft auch kein Funk – und wenn etwas passiert, weit und breit keine Hilfe. Dafür das unvergleichliche Schauspiel der Polarsonne über dem Packeis oder der phantastischen Wasserwelt des Lena-Deltas mit seinen Tausenden von Flussarmen, geheimnisvollen Tümpeln und Seen.»

Vitalij hat den Dienst bei der russischen Armee quittiert und ist heute Zivilflieger. Er ist nicht nur der letzte Polarflieger in Tiksi, seine Maschine, die er zusammen mit einigen Kumpels der maroden Armee abgekauft hat, ist auch der einzige noch flugfähige Hubschrauber dort. Es ist ein Militärhubschrauber vom Typ MI 8, etwa 45 Jahre alt, eingesetzt in vielen Krisen- und Kriegsgebieten innerhalb und außerhalb der einstigen Sowjetunion. Zu den Kunden Vitalijs gehören heute vor allem Geologen, die im Auftrag großer russischer Energiekonzerne an der Küste des Polarmeeres und im Lena-Delta nach Erdöl und Erdgas suchen. Gelegentlich wird sein Hubschrauber auch für Krankentransporte von einer Nomadensiedlung in der Tundra oder von in Seenot geratenen Fischern angefordert.

Das größte Problem für ihn sind nicht, wie sonst in Russland, die fehlenden Ersatzteile für seine Maschine, auch nicht die extrem rauen Wetterbedingungen der Arktis – Kälte, Schneestürme, plötzlich auftretende und wochenlang anhaltende Nebelfronten. Auf das Wetter, meint Vitalij, könne man sich einstellen, und Ersatzteile fänden sich vorläufig noch in den vielen Armeehubschraubern, die in Tiksi ausgemustert vor sich hin gammeln. Wirkliches Kopfzerbrechen bereitet ihm vielmehr die Treibstoffversorgung. Benzin und Diesel sind im hohen Norden Sibiriens eine Rarität – und entsprechend sind die Preise: die, welche Vitalij zahlen muss, und erst recht die, die er von seinen Kunden nimmt. Ohne mit der Wimper zu zucken und wohl wissend, dass er das Monopol in Tiksi hat, fordert er von uns 1000 Dollar pro Flugstunde. Nur mit Mühe gelingt es Sascha, ihn ein wenig herunterzuhandeln. Unterm Strich dürfte Vitalij trotzdem nicht schlecht verdienen. Immerhin hat er, wie er uns erzählt, eine Wohnung in St. Petersburg und finanziert seinem Sohn dort ein

Studium an der Elitehochschule für Wirtschaftswissenschaften. Seine 19-jährige Tochter, die in Tiksi gerade das Gymnasium mit Schwerpunktunterricht in den musischen Fächern absolviert hat, möchte er am Konservatorium in St. Petersburg unterbringen.

An dem Morgen, an dem wir mit Vitalij verabredet sind, haben wir Glück. Die Nebelschwaden, die sich am Abend zuvor über die Stadt, den Hafen und das Flugfeld gelegt hatten, haben sich verzogen. Von irgendwoher, vermutlich aus alten Armeebeständen, hat Vitalij ein paar Fässer Treibstoff aufgetrieben. Mit seinem Kopiloten und einem Bordmechaniker, alles Kameraden aus der alten Hubschrauberstaffel, bereitet er die Maschine für den Start vor. Einen allzu vertrauenerweckenden Eindruck macht sie allerdings nicht. Der rote Anstrich ist um das Triebwerk und am Heck von einer dicken Rußschicht überzogen; an einigen Stellen hat sich Rost in das Metall gefressen, auch an den Nieten und Schweißnähten; und die Motorhaube unter den Rotorblättern ziert eine Vielzahl von Blechflicken unterschiedlichster Form und Größe.

Den Check-up vor dem Start führen Vitalij und seine Kameraden mit größter Sorgfalt durch. Lange studieren sie die Flugkarte, denn auf unserer geplanten Route zum äußersten Nordzipfel des Lena-Deltas sind schwierige Windverhältnisse und unvermittelt auftretende Nebelbänke vorausgesagt. Immerhin erfahren wir auf diese Weise, dass die Wetterwarte von Tiksi – zumindest stundenweise – noch funktioniert. Und wir beobachten, wie der Bordingenieur im hinteren Teil der Kabine einige Kisten und Säcke verstaut, die mit Sicherheit nicht zu unserer Kameraausrüstung gehören. Es sind Konservendosen, Wodkaflaschen, Kartoffeln und Graupen. «Für eine Notlandung», meint er augenzwinkernd.

Begleitet werden wir auf unserem Flug von Iwan Fjodorowitsch, dem «Herrn des Deltas», wie er in Tiksi genannt wird. Er ist etwa 45 Jahre alt und von massiger Statur. Das Gesicht wirkt grobschlächtig, über dem Kragen der braun und olivgrün gefleckten Uniformjacke wölbt sich ein mächtiger Stiernacken. Iwan Fjodorowitsch ist Direktor des Lena-Delta-Reservats, eben jener Mann, der von Sascha allein für die Genehmigung, das Gebiet betreten zu dürfen, 3000 Dollar gefordert hatte.

Beim näheren Kennenlernen jedoch erweist sich Iwan Fjodorowitsch als durchaus umgänglich. Wir müssten verstehen, so hat er uns gleich nach der Begrüßung in Tiksi erklärt, dass wir für ihn ein Geschenk des Himmels seien. Seit einigen Jahren nämlich seien die finanziellen Mittel für die Verwaltung des Naturschutzgebietes von der russischen Regierung so stark gekürzt worden, dass es nicht einmal mehr für die regelmäßige Zahlung der Löhne und Gehälter der Mitarbeiter reiche. «Seht zu», habe man ihm in Moskau gesagt, «wo ihr das Geld herbekommt; Möglichkeiten habt ihr doch genug.» Und man habe ihm auch erklärt, wie das ökonomische Prinzip heiße, nach dem er das Naturschutzgebiet nun zu verwalten habe: «wirtschaftliche Eigenverantwortung». Und dies, so Iwan Fjodorowitsch, zwinge ihn geradezu, in jedem Besucher zunächst einmal einen zahlungskräftigen Finanzier zu sehen – besonders natürlich, «wenn es sich um ein Fernsehteam handelt, zumal ein ausländisches».

Zusammen mit den vorgelagerten Neusibirischen Inseln umfasst das Lena-Delta, das größte Naturschutzgebiet Russlands, eine Fläche von 61 300 Quadratkilometern – ist also doppelt so groß wie Belgien. «Wie soll ich mit 20 Männern dieses Gebiet schützen?», hat uns Iwan Fjodorowitsch eher rhetorisch gefragt und dabei die Arme heftig gestikulierend gen Himmel gereckt. Zumal von den 20 Männern, die ihm zur Verfügung stünden, 15 Wissenschaftler seien und nur fünf Ranger, wie auch hier die Parkwächter genannt werden. Raubfischer und Wilddiebe gebe es gerade hier im Hohen Norden viele, so Iwan Fjodorowitsch; genau genommen sei jeder erwachsene Mann in Tiksi ein Raubfischer und Wilddieb. Doch die habe er gar nicht im Visier, denn die müssten schließlich ihre Familien ernähren. Er und seine

Leute wollten vielmehr gegen die gewerbsmäßigen und in kriminellen Banden organisierten Naturfrevler vorgehen. «Doch wie, bitte schön, sollen wir das machen? Wir haben keinen Hubschrauber mehr, und die paar kleinen Boote, die es noch gibt, sind alt und klapperig. Und selbst die nützen uns kaum mehr etwas, weil wir kein Geld für Benzin haben.»

Auch für die wissenschaftliche Arbeit im Naturschutzgebiet, für die Forschungen der Biologen und die Klimabeobachtung der Meteorologen, fehle es an allem – an Geld, Geräten, Ersatzteilen. «Die meisten, die noch hier arbeiten, sind Idealisten. Aber vom Idealismus kann man nicht leben. Versteht ihr?»

Wir verstehen. Und machen keine Anstalten mehr, den Preis für den Flug weiter herunterzuhandeln. Vitalij ist nämlich ein Freund von Iwan Fjodorowitsch. Und im Preis für den Hubschrauber ist sicher eine Provision für Iwan Fjodorowitsch enthalten, der uns den Kontakt zu seinem Freund vermittelt hat.

Nachdem Vitalij seinen Hubschrauber endlich gestartet hat, fliegt er zunächst in einer riesigen Linkskurve über die lang gestreckte Bucht von Tiksi. Aus der Luft machen der tote Hafen und die menschenleere Stadt einen unwirklichen, gespenstischen Eindruck. Es scheint, als habe der Eishauch eines jener gewaltigen arktischen Riesen, die nach dem Glauben der sibirischen Ureinwohner das Polargebiet bevölkern, jegliches Leben hier erstarren lassen. Doch sobald wir den Luftraum über Tiksi verlassen und uns entlang des größten Mündungsarmes der Lena nach Nordwesten bewegen, entdecken wir wieder weithin sichtbare Spuren menschlicher Aktivität. Lastwagen, Panzer und andere Kettenfahrzeuge der russischen Armee haben sie kreuz und quer in den empfindlichen, moosbewachsenen Boden der Tundra gedrückt. Sie werden, erklärt uns Iwan Fjodorowitsch, noch mindestens 20 Jahre zu sehen sein. So lange dauert es, bis sich in der Kälte des Nordens die unendlich langsam wachsende Natur von den Folgen des menschlichen Frevels erholt hat. Dabei sind diese Fahrzeugspuren keineswegs immer das Ergebnis militärischer Übungen. Vielmehr seien zu Sowjetzeiten die Offiziere der Garnison von Tiksi mit ihren Kettenfahrzeugen auch zur Jagd gefahren oder einfach nur zum Picknick, was wohl die eine oder andere Schlangenlinie auf dem Tundraboden erklärt. Heute komme dies zum Glück nur noch ganz selten vor – wegen des Benzinmangels der Armee.

Etwa 40 Kilometer nordwestlich von Tiksi entdecken wir am rechten Ufer des Lena-Mündungsarmes ein lang gestrecktes, flaches Holzgebäude und einige kleinere Holzhütten. Es ist die «Biologische Forschungsstation Lena-Nordenskjöld», die 1995 mit schwedischem Geld vom Weltfonds für Naturschutz WWF, der größten privaten Naturschutzorganisation der Welt, errichtet wurde. Zu ihrer Einweihung war neben dem Präsidenten Jakutiens der Gemahl der britischen Königin, Seine Königliche Hoheit Prinz Philip, erschienen – in seiner Funktion als Präsident des WWF. Die Station soll, wie es bei ihrer Gründung hieß, als Basis für internationale Kooperation auf Gebieten des Naturschutzes, der Wissenschaft und Bildung dienen und dabei helfen, das Lena-Delta zu einem «führenden Beispiel im zirkumpolaren Naturschutz in der Arktis» zu machen.

In der Tat gibt es bis heute eine sehr enge Zusammenarbeit auch mit deutschen Wissenschaftlern und Naturschützern, vor allem der deutschen Sektion des WWF, dem Naturschutzbund NABU und einer Greifswalder Forschergruppe um den Träger des Alternativen Nobelpreises Professor Michael Succow. Nicht zuletzt ihrem Einsatz, so betont Iwan Fjodorowitsch mit Nachdruck, sei es zu verdanken, dass das gesamte Lena-Delta inzwischen von der UNESCO den Status eines «Biosphären-Reservats» erhalten hat und in die Liste des «Welt-Naturerbes» aufgenommen wurde.

Heute wirkt die Nordenskjöld-Station verlassen. Doch Iwan Fjodorowitsch versichert uns, dass sie ihre Arbeit keineswegs eingestellt hat. Allerdings habe sich die Zahl der Forscher, die hier ganzjährig tätig sind, drastisch verringert, und auch ausländische Wissenschaftler kämen längst nicht mehr so häufig wie noch vor einigen Jahren. Der Grund hierfür, so der Direktor des Natur-Reservats, liege nicht nur in der anhaltenden Finanz- und Wirtschaftskrise Russlands, sondern auch in den immer größer werdenden bürokratischen Hürden, die die russischen Behörden gegenüber ausländischen Besuchern aufbauen. Zunehmend bekümmern ihn die Vielzahl der Genehmigungen, die für den Besuch des in der Grenzzone Russlands gelegenen Lena-Deltas erforderlich seien, die Zollschwierigkeiten bei der Ein- und Ausfuhr wissenschaftlicher Geräte. Hinzu komme das grundsätzlich in Russland wieder nachlassende Interesse am Naturschutz. Es sei schließlich kein Zufall, dass eine der ersten Amtshandlungen des neu gewählten Präsidenten Putin die Auflösung des bis dahin durchaus erfolgreichen «Staatskomitees für Umweltschutz» war, das ein direktes Mitspracherecht bei der Umweltgesetzgebung hatte. Die Kompetenzen dieses Umweltkomitees wurden dem «Ministerium für die Ausbeutung der natürlichen Ressourcen» übertragen. «Großartig!», wie Iwan Fjodorowitsch sarkastisch anmerkt.

Nur wenige Flugminuten nördlich der Nordenskjöld-Station kommt das Kerngebiet des Deltas in Sicht. Es ist ein fein gestricktes Netz kleiner Vieleck-Tümpel, das sich wie ein geometrisches Gebilde bis an den Horizont erstreckt. Durchzogen wird es von einer Vielzahl sanft geschwungener Flussarme unterschiedlicher Größe, die an manchen Stellen zu tiefblau schimmernden Seen ausufern. Dazwischen liegen Tundrawiesen, überzogen von hellem Grün, bevorzugte Weideflächen wilder Rentierherden. Die kleinen Vielecke, von den Wissenschaftlern Polygon-Tümpel genannt, sind, wie uns Iwan Fjodorowitsch erklärt, eine einzigartige Naturerscheinung der Tundra-Landschaft. Sie entstehen durch das gewaltige Temperaturgefälle zwischen den Jahreszeiten, das hier am Rande der Arktis bis zu 90 Grad Celsius betragen kann. Durch den starken Frost im Winter – minus 60 Grad sind keine Seltenheit – platzt die Erde an ihrer Oberfläche auf, im Sommer, wenn das Thermometer zuweilen plus 30 Grad zeigt, füllen sich die Ritzen und Krater mit Schmelzwasser. Beim Anbruch des nächsten Winters gefrieren sie und wachsen als ringförmige Eiskeile in die Tiefe. Dabei drücken sie immer neue Erdwälle an die Oberfläche, die Umrandungen der Polygon-Tümpel. Die Erdschicht der Wälle, bewachsen mit Tundramoos, beträgt allerdings nur wenige Zentimeter. Darunter beginnt schon das Eis des Permafrostes. Auch die Tümpel sind nur etwa einen halben Meter tief. Ihren Boden bildet ebenfalls ewiges Eis – spiegelblank und glatt.

Im Lena-Delta, erklärt uns Iwan Fjodorowitsch, vermischt sich das Süßwasser des Flusses mit dem Salz des Polarmeeres. Der Boden ist getränkt mit Nährstoffen, die die Lena mit sich führt – ein «Paradies für Pflanzen und Tiere». Fast 300 verschiedene Pflanzenarten wurden laut Iwan Fjodorowitsch im Delta gezählt: 106 verschiedene Moos- und 74 Flechtenarten, darunter viele vom Aussterben bedrohte. Vor der Küste des Deltas tummeln sich Eisbären, Beluga-Wale, Robben, Meeresenten und Walrosse. In den Kanälen, Seen und Flüssen des Deltas sind rund 40 Fischarten beheimatet, darunter Seltenheiten wie der Sibirische Stör und der Jakutische Saibling.

Von besonderer Bedeutung ist das Lena-Delta als Nist- und Brutplatz – als, wie Iwan Fjodorowitsch formuliert, «eine der wichtigsten Drehscheiben des weltweiten Vogelflugs». Hier kreuzen sich die Zugwege der verschiedensten Vogelarten. Taucher, Schwäne, Ringelgänse, Eisenten, Strandläufer, Schnepfen, Möwen, Seeschwalben, Raubmöwen und Singvögel kommen zur Brutzeit im Juni aus Westen vom Atlantik und von der Nordseeküste oder aus Osten vom Pazifik, manche auch die Lena herab aus dem Süden Asiens. Ende August, wenn der arktische Sommer schon wieder dem ersten Schnee und Frost weichen muss, geht die Reise der Zugvögel vom Lena-Delta aus Richtung Westeuropa, ins Wattenmeer vor der deutschen Nordseeküste oder an die Küsten Englands und Frankreichs, aber auch nach Indochina, Australien und Südafrika. Nur Schneehühner bleiben das ganze Jahr über im Lena-Delta. Für alle jedoch ist eine ungestörte Brutzeit im Reservat, so Iwan Fjodorowitsch, «lebensentscheidend». Mehr als 90 Vogelarten sind bislang im Lena-Delta beobachtet worden; 20 von ihnen stehen heute auf der Liste der vom Aussterben bedrohten Tiere – wie etwa die Rosenmöwe und der Zwergschwan.

Während wir über das Delta fliegen, bekommen wir von der Vogelpracht kaum etwas zu Gesicht. Zum einen, weil sich ein Teil der Vögel schon wieder in wärmere Gefilde aufgemacht hat, zum anderen, weil der Lärm unseres Hubschraubers die empfindlichen und nicht an die Segnungen der Zivilisation gewöhnten Tiere aus unserem Blickfeld vertreibt. Dafür entdecken wir vereinzelt Wölfe und kleinere Rentierherden, die in wildem Lauf durch die knietiefen Tümpel und Wasserarme davonstürmen. Nachdem der Rentierbestand in den vergangenen Jahren aus nicht ganz erforschten Gründen – wahrscheinlich auch durch Wilderei – drastisch zurückgegangen war, hat er sich nun, wie Iwan Fjodorowitsch erklärt, wieder deutlich erholt. Rund 70 000 Tiere sollen es sein, die derzeit das Delta durchziehen.

Der Erhalt des «natürlichen Lebensraumes Lena-Delta», so Iwan Fjodorowitsch, sei auf Dauer nur möglich, wenn sich die russische Regierung und die internationalen Umweltorganisationen fortan stärker finanziell engagieren würden. «Noch zählt die Lena zu den saubersten Flüssen der Welt, noch dringen die Schadstoffe nicht bis ins Delta. Doch mit jedem Tag rückt die Zivilisation näher. Die Nebenflüsse am Mittellauf der Lena werden durch die giftigen Abwässer der Gold- und Diamantengewinnung verseucht, wobei der Rückgang dieser beiden Produktionszweige in den letzten Jahren ein Segen für die Umwelt war. Aber in den Städten und Dörfern entlang des Flusses gibt es nach wie vor keine Kläranlagen; und die wenigen noch produzierenden Industriebetriebe leiten ihren Dreck unmittelbar in die Lena.»

Iwan Fjodorowitsch, der sonst eher bedächtig spricht, redet sich in Rage. Und sobald Kamera und Tongerät ausgeschaltet sind, sagt er auch, was er für die größte Bedrohung der Umwelt in Russland hält: «die Gier der großen Erdöl- und Erdgaskonzerne». Nicht nur der westlichen, der amerikanischen, englischen, französischen und deutschen, sondern «vor allem die Gier unserer eigenen, russischen. Die gehören doch alle einigen wenigen Verbrechern, die sie nach dem Zusammenbruch der Sowjetunion mit Hilfe mächtiger Funktionäre und Politiker aus dem Staatseigentum geklaut haben. Halb Russland gehört ihnen heute, und auch Putin tastet sie nicht an, solange sie ihm politisch nicht in die Quere kommen. Auf der Suche nach immer neuen Quellen für die Vermehrung ihres Reichtums scheren sie sich den Teufel um die Natur, die Umwelt. Sie suchen im Lena-Delta und an den Küsten des Eismeeres nach Erdöl oder Gas. Und was ist, wenn sie etwas finden?»

Iwan Fjodorowitsch macht eine rhetorische Pause, wirft einen Blick aus dem Hubschrauberfenster auf die im Sonnenlicht gleißenden Tümpel und Flussarme und schiebt seine Schirmmütze in den Nacken. «Dann ist es vorbei mit diesem Paradies. Ende, Schluss, aus! Versteht ihr? Und kein Hahn kräht mehr danach. So haben sie es an der Wolga gemacht und im Kaspischen Meer und weiß der Teufel wo. Und niemand hindert sie. Was wir Umweltschützer hier machen, sind nur Rückzugsgefechte. Wenn die Welt nicht aufschreit, werden wir keine Chance haben. Das Lena-Delta als Lebensraum wird sterben.»

Nach etwa zwei Stunden erreicht unser Hubschrauber die nördliche Spitze des Deltas, die Insel Sagastyr. In weitem Bogen fliegt die Maschine über das Ufer des Nördlichen Eismeers hinaus, das hier den Namen des russischen Entdeckers Laptew trägt, und geht dann neben den Resten einer Siedlung nieder, die aus der Luft wie ein einziges Trümmerfeld wirkt. Die meisten der Holzhütten sind zusammengefallen, von einigen stehen noch die

Außenwände. Fast überall sind Türen und Fensterrahmen herausgerissen. Ein verwilderter Friedhof und ein Wald riesiger verrosteter, teils eingeknickter, teils umgefallener Funkmasten lassen darauf schließen, dass hier einmal eine größere Anzahl von Menschen wohnte.

Zur Begrüßung am Hubschrauber erscheinen zwei jüngere, mongolisch aussehende Männer in dicken, braungrün gefleckten Armeejacken und Gummistiefeln. Es sind Ewenken, zwei Brüder, zusammen mit ihrem Vater die letzten Bewohner dieser einst wohl blühenden Siedlung. Die Umarmungen mit dem Piloten, der übrigen Besatzung und Iwan Fjodorowitsch sind stürmisch. Man kennt sich und unterhält, wie wir später feststellen, auch gute geschäftliche Beziehungen.

Die Ankunft des Hubschraubers ist ein Ereignis besonderer Art. Früher kam er einmal in der Woche oder öfter, heute nur noch ein- oder zweimal im Jahr. Die Siedlung ist, wie es im offiziellen russischen Sprachgebrauch heißt, «liquidiert».

Bis vor 15 Jahren, so erfahren wir, lebten hier etwa 400 Menschen – Fischer und Jäger mit ihren Familien, alles Ewenken. Dazu einige russische Lehrer, Funker, Meteorologen, Polarforscher und eine Sanitäterin. Außer der Schule gab es eine Post, zwei Läden mit Lebensmitteln, Haushaltsartikeln und allem, was man zur Jagd und zum Fischfang benötigt. Die Funkstation diente vor allem militärischen Zwecken, aber auch der zivilen Schifffahrt. In einer Pelztierfarm wurden Zobel und Nerze gezüchtet, auf riesigen Holzgestellen Fische getrocknet. Nicht nur mit Hubschraubern wurde regelmäßig das Nötigste herangeschafft, auch kleine Versorgungsboote machten von Zeit zu Zeit am flachen Ufer der Siedlung fest. Alle paar Monate sah ein Arzt vorbei, in dringenden Fällen wurden Kranke oder hochschwangere Frauen in die Klinik nach Tiksi ausgeflogen.

«Heute», so der jüngere Bruder, «kommt niemand mehr. Wir sind von der Außenwelt abgeschnitten.» Die Kolchose, zu der die Siedlung einst gehörte, hat nach der Wende in Russland Pleite gemacht. Die Schule, die Post und die Läden wurden geschlossen, die Funkstation abgebaut. Kein Arzt kommt mehr vorbei, kein Versorgungsschiff. «Man hat uns einfach vergessen.»

Als Erste gingen die Familien mit Kindern weg, dann alle anderen. Es wurde ihnen zu einsam. Nur die Brüder mit ihrem Vater sind geblieben. Warum?

«Unsere Geschwister, die Kinder haben», sagt der ältere der Brüder, «sind auch weggegangen. Aber warum sollen wir weg? Alles, was wir zum Leben brauchen, holen wir uns hier aus der Natur. Fische und Rentierfleisch, manchmal auch Robben und gelegentlich einen Bären. Und was wir sonst noch nötig haben, Netze für den Fischfang, Gewehre, Munition, Petroleum für die Lampen sowie Treibstoff für die Außenbordmotoren und das Schneemobil, all das besorgen wir uns aus der nächsten Siedlung.»

Zu dieser Siedlung, dem Dorf Bykowskij, sei es «nicht weit». Im Sommer mit dem Boot zwölf Stunden und im Winter auf dem Schneemobil neun Stunden. Und zurück nochmal die gleiche Zeit.

«Und womit bezahlt ihr dort?»

Die Brüder lachen. «Wir sind reiche Leute. Wir verkaufen Fische, Rentierfleisch und Felle.» Wobei es sie wurmt, dass sie kräftig übers Ohr gehauen werden. «In Bykowskij bekommen wir für das Kilo Fisch 18 Rubel, in Jakutsk wird es dann für 200 verkauft. Aber was sollen wir machen? Wir haben ja keine Wahl. Zumindest haben wir hier unsere Freiheit, unbezahlbar.»

«Und heiraten?», fragen wir.

«Wozu? Welche Frau will heute schon hier leben?»

An der Außenwand der Hütte, in der die Brüder mit ihrem Vater wohnen, sind Rentier- und Robbenfelle aufgespannt, mit der Innenseite zur Sonne. Sie sollen trocknen, um dann bearbeitet zu werden. Auf einer Wäscheleine schaukelt ein Eisbärenfell, die Pfosten, an denen das Seil befestigt ist, krönen Rentiergeweihe. Über die gesamte Siedlung verstreut, rund um jede Hütte, auf jedem Weg, selbst auf dem Friedhof, liegen unzählige leere

Dieselfässer, verrostet und zerbeult. Zusammen mit den alten Kettentraktoren, Motor- und Hundeschlitten, mit den verfaulenden Holzkähnen, leeren Konservendosen und herumfliegenden Fetzen von Plastiktüten verleihen sie dem Gelände den Charakter eines Schrottplatzes oder einer überdimensionalen Müllkippe. Doch die Brüder ficht das nicht an. Wohl auch deshalb, weil neun Monate im Jahr ohnehin alles unter Schnee und Eis verschwindet.

Uns zu Ehren geht der jüngere Bruder an seinen sibirischen Eisschrank: eine etwa 50 Zentimeter tiefe, meterlange Grube. Hier lagern die Vorräte der Familie – im ewigen Eis des Permafrostes. Er holt einen riesigen, fast bis zur Hüfte reichenden Stör hervor und stellt ihn mit dem Kopf nach unten vor sich auf die Erde. Während er mit der einen Hand das Schwanzende festhält, säbelt er mit einem gewaltigen Messer in der anderen hauchdünne Scheiben vom Körper des tiefgefrorenen Fisches. Es knarzt und sieht aus, als spalte er Holz. Die abgesäbelten Fleischspäne rollen sich wie geschälte Baumrinde. Mit etwas Salz und Pfeffer, aber auch ohne jedes Gewürz gelten diese Späne vom rohen, gefrorenen Fisch, «Stroganina», als sibirische Delikatesse. Und das sind sie auch, wie wir feststellen, für einen europäischen Gaumen.

Nachdem wir unter freiem Himmel mit Stroganina beköstigt wurden, nimmt uns der ältere der Brüder zur Seite. Ihr Vater, so teilt er uns mit gedämpfter Stimme mit, habe ihn wissen lassen, dass er bereit sei, uns zu empfangen. Der Alte sei 85 Jahre alt und verlasse nur mehr selten die Hütte, weshalb wir ihn auch noch nicht zu Gesicht bekommen hätten. Der Wunsch des Vaters, uns zu sehen, sei eine große Ehre und gleichsam ein Befehl.

Das kleine Holzhaus, in dem der Vater mit seinen beiden Söhnen lebt, ist im Vergleich zu den anderen Hütten der Siedlung noch gut erhalten. Das Dach ist an mehreren Stellen mit Spanplatten und Blechstücken ausgebessert, an den Außenwänden sind einige neue Balken eingezogen. Es gibt eine, wenn auch schief in den Angeln hängende, hölzerne Außentür und Glasscheiben in den Fenstern. Durch zwei dunkle kleine Vorräume, in denen Jagd- und Angelgerät, Brennholz und Kisten mit Konservendosen gelagert sind und die wohl zugleich als Windfang und als Schutz gegen die Kälte dienen, gelangen wir ins Innere der Hütte. Sie besteht aus einem großen quadratischen Wohnraum und zwei winzigen Schlafkammern für den Alten und seine beiden Söhne. Auf schmalen, aus rohen Brettern gezimmerten Tischen entlang der Wände herrscht ein buntes Durcheinander: Handwerkszeug, Gläser mit Nägeln, Bindfadenrollen, eine Pappschachtel mit Munition, Teile eines Fischernetzes, angebrochene Tüten mit Salz und Graupen, mehrere Fertigsuppen und schließlich Messer aller Art und Größe.

Die Mitte des Wohnraums nimmt ein eiserner Ofen ein, dessen rot glühendes Blechrohr in Kopfhöhe quer durch den Raum geht. Unmittelbar neben dem Ofen sitzt der Vater der Brüder mit einer gestrickten Pudelmütze auf dem Kopf und einem dicken, buntkarierten Baumwollhemd. Als wir eintreten, wendet er nur leicht den Kopf und verzieht seine Lippen zu einem feinen Lächeln. Er hat nichts dagegen, dass wir unsere Kamera mitbringen, macht aber auch keinerlei Anstalten, sich irgendwie in Positur zu setzen. Seine Körperhaltung strahlt eine ruhige Würde aus, die durch die Bedachtsamkeit seiner Bewegungen noch unterstrichen wird.

Zunächst teilt uns der Alte, wie die Söhne den Vater durchaus respektvoll nennen, mit einem kaum merklichen Anflug von Stolz mit, dass er insgesamt sieben Kinder habe – vier Söhne und drei Töchter. Dazu 20 Enkel und zwei Urenkel. Und alle seien sie am Leben und gesund, Gott sei Dank. Vor 75 Jahren sei er mit seinen Eltern, die getreu der Tradition des ewenkischen Volkes Nomaden waren, in diese Siedlung gekommen. «Wir haben gefischt, gejagt, Pelztiere gefangen. So war das.»

Wir fragen ihn, ob er noch Erinnerungen an seine Kindheit und Jugend habe und an die Erzählungen seiner Eltern?

«Viel weiß ich nicht mehr, aber an manches erinnere ich mich genau. Als wir hierher kamen, gab es keine Schule. Die wurde erst 1935 gebaut, da war ich schon 20 Jahre alt. Es wurden russische Lehrer geholt, und von denen hab ich dann auch noch etwas Lesen und Schreiben gelernt.»

Der Alte macht eine Pause, dann lächelt er und fügt hinzu: «Aber nicht allzu viel.»

«Und wie war das Leben sonst?»

«Bis die Kolchosen kamen, war es ein gutes Leben. Wir hatten Privatwirtschaft, jeder konnte hingehen, wo er wollte, jagen, wo er wollte, fischen, wo er wollte, Pelztiere fangen, wo er wollte. Mal hat man da gelebt und gewirtschaftet, mal dort. Damals, in den zwanziger Jahren, gab es hier im Delta drei oder vier Siedlungen. Wenn man was gefangen oder gejagt hatte, ist man einfach hingegangen und hat es abgeliefert – und hat dafür bekommen, was man brauchte. Ein Fischernetz etwa oder auch ein Gewehr. Und wenn du nichts hattest – oder auch keine Lust hattest –, dann bist du eben nicht hingegangen und hast nichts abgeliefert. So war das.»

«Und als die Kolchosen kamen?»

«Da wurde dann alles zusammengelegt, zu einer Kolchose, die ‹Kommunismus› hieß. Und dann mussten Leute weg in eine andere Siedlung, weil die Kolchose sie dort gebraucht hat. Da wurde es leerer hier. Aber es gab auch viel Gutes – die Schule, die Ärzte, die kamen, und so …»

«Und heute, wollen Sie da nicht weg?»

«Wieso denn? Meine beiden Söhne sind doch noch hier. Und wenn ich die anderen Kinder besuchen will, fahre ich mit dem Boot hin. Es ist nicht weit, zwölf Stunden. Und im Sommer kommen die Kinder und Enkel hierher.»

«Aber ist das Leben hier oben im Norden, in der Arktis, nicht besonders hart, vor allem im Alter?»

Der Alte schüttelt den Kopf, als verstünde er unsere Frage nicht. «Warum denn schwer? Holz zum Heizen ist da, es gibt ja genügend alte Häuser hier. Fische gibt es, so viel du willst. Was willst du denn noch? Wenn wir andere Lebensmittel brauchen, dann holen die Söhne sie mit dem Boot oder dem Schlitten. Und vor allem ist es ruhig, keiner stört dich. Kein Autolärm, keine Flugzeuge, keine Abgase oder wie das heißt ... Ich bleibe hier, und wenn ich der Letzte bin.»

Es scheint keineswegs Altersstarrsinn zu sein, der aus diesen Worten spricht. Vielmehr eine durch nichts zu erschütternde Gewissheit, die aus langem Beobachten und intensivem Nachdenken resultiert. Auch auf unsere Frage, ob es denn in den letzten Jahren irgendwelche Veränderungen beim Wetter, beim Klima hier oben im Hohen Norden gegeben habe, antwortet der Alte mit großer Selbstsicherheit – zunächst.

«Natürlich gibt es im Vergleich zu früher viele Veränderungen. Früher war es im Sommer heiß, darauf konnte man sich verlassen. Heute haben wir sogar im Juli Schnee, nicht selten bis zu fünf Zentimeter. Und in manchen Wintern gibt es kaum noch richtige Kälte oder einen richtigen Schneesturm. Im Herbst dagegen haben wir jetzt manchmal schon minus 50 oder 60 Grad und Schneestürme. Dann kann man nur noch mit Mühe arbeiten.»

«Woher, meinen Sie, kommen diese Veränderungen?»

Der alte Mann schweigt lange, starrt unverwandt auf den Ofen.

«Ich weiß es nicht.»

«Aber was glauben Sie», insistieren wir, «ist der Grund?»

Wieder schweigt der Alte lange. Dann holt er mit dem Arm weit aus und macht eine Bewegung zum Himmel.

«Ich glaube, das alles hängt mit den Raketen zusammen, die sie ins Weltall geschickt haben. Da hat man da oben vieles durcheinander gebracht. So wie hier unten ja auch alles durcheinander ist, Kälte und Wärme und alles ...»

Wieder blickt der alte Mann auf den Ofen, öffnet manchmal den Mund, als wolle er etwas sagen, und schließt ihn wieder.

Dann wendet er plötzlich den Kopf in meine Richtung und fragt mit einem verschmitzten Lächeln: «Und was glaubst du?»

Ich zögere, denke nach, dann sage ich: «Ich weiß es nicht.»

Bekräftigend nickt der Alte den Kopf. «Ich auch nicht.»

Dabei schaut er mich erneut an und lächelt. Beide schweigen wir eine Weile. Dann frage ich: «Was denken Sie? Wird der Mensch die Natur zerstören?»

Diesmal kommt die Antwort ohne Zögern: «Natürlich wird er sie zerstören. Aber», und hier macht der alte Mann eine Pause, in der er wieder auf den Ofen starrt, «es gibt auch Menschen, die versuchen, sie zu bewahren.» Und nach einer Weile fährt er wie im Selbstgespräch fort: «Was weiß ich denn! Ich bin nie aus Jakutien herausgekommen. Ich habe kein Radio, keinen Fernseher. Wenn ich etwas wissen will, über das Wetter oder auch sonst, gehe ich nach draußen und schaue mir den Himmel an.»

«Und wie», frage ich, «wird die Zukunft der Menschen hier im Delta aussehen?»

«Das weiß ich nicht. Ich weiß nur, dass sich alles verändert, dass unsere ganze Ordnung durcheinander ist. Aber ob und wie ich morgen Tee trinken und Brot essen werde, weiß ich nicht.»

In diesem Moment betritt der jüngere Sohn den Wohnraum, nickt dem Vater kurz zu und verschwindet in seiner Kammer.

«Was meinen Sie», frage ich den Alten, «werden Ihre Kinder eine gute Zukunft haben?»

«Ich wünsche es mir, dass sie eine gute Zukunft haben. Sie haben alle Arbeit, die Jungen sind Fischer, die Mädchen verrichten irgendeine andere Arbeit.»

Und dann macht der Alte doch wieder eine Pause, schaut mich nachdenklich an und sagt mit noch leiserer Stimme wie zu sich selbst: «Natürlich wünsche ich mir, dass sie eine gute Zukunft haben. Aber ob es so wird – ich weiß es nicht.»

Bevor wir uns von dem Alten und seinen Söhnen verabschieden, beobachten wir, wie unser Pilot Vitalij und die beiden anderen Besatzungsmitglieder noch eilig die Kartons mit Konservendosen und Wodka sowie die Säcke mit Graupen und Kartoffeln aus dem Hubschrauber laden. Im Gegenzug nehmen sie ein zusammengerolltes Bärenfell, ein offenes Blechfass voller riesiger tiefgefrorener Lachse und Störe sowie zwei prall gefüllte Plastiksäcke entgegen, aus denen die Hinterläufe von Rentieren ragen. Zusammen mit der Kameraausrüstung wird alles im Heck des Armeehubschraubers verstaut. Das Fass mit den Fischen wird nicht einmal festgezurrt, sondern einfach auf den Boden gestellt.

Der Abschied ist herzlich. Der Alte hat es sich nicht nehmen lassen, uns bis zum Hubschrauber zu begleiten. Als wir ihm aus unserer Souvenirkiste eine «Monitor»-Uhr überreichen, fragt er skeptisch: «Geht die auch im Winter?»

Der Hubschrauber hebt ab und dreht noch eine Runde über der verfallenen Siedlung. Die drei Männer am Boden winken uns lange nach.

«Wer weiß», sagt Iwan Fjodorowitsch, «wann sie den nächsten Hubschrauber sehen.»

Die nun tiefer stehende Abendsonne taucht die Tümpel und Seen des Deltas in einen unwirklichen rötlichen Glanz. Mit dem Grün der Wiesen und dem hellen feinen Ufersand der Flussarme ergeben sie ein farbenprächtiges abstraktes Gemälde, dessen kleinteilige Strukturen an Bilder Paul Klees erinnern.

Uns bleibt allerdings nicht viel Zeit für romantische Naturbetrachtungen. Nach einer halben Stunde etwa beginnt unser Hubschrauber seltsam bockige Flugbewegungen zu vollführen. Im ersten Moment glauben wir an heftige Windböen, dann hören wir, wie das traktorähnliche Rumpeln des Rotors immer ungleichmäßiger wird und zuweilen ganz auszusetzen scheint. Und wir sehen, wie Iwan Fjodorowitsch, ein Bär von Mann, der mehr Erfahrung mit Hubschraubern hat als wir alle zusammen, schweißüberströmt auf einer unserer Kamerakisten sitzt, «Notlandung» stammelt und vergeblich nach einer Möglichkeit tastet, sich festzuhalten. Dann geht alles ganz schnell. Der Hubschrauber neigt die Nase steil nach unten, bäumt sich über der Erde kurz auf und geht hart krachend auf einer grasbewachsenen Delta-Insel zu Boden. Niemand sagt etwas. Dann geht die Tür zur Pilotenkanzel auf und Vitalij, die Kopfhörer noch auf den Ohren, beugt sich zu uns hinüber, kreidebleich und ebenfalls schweigend. Er holt ein Taschentuch heraus und wischt sich über Gesicht und Nacken. Nachdem er es wieder in der Hosentasche verstaut hat, sagt er lächelnd und ungewöhnlich laut: «Alles in Ordnung!»

Allmählich weicht die Erstarrung von uns allen, und eine hektische Betriebsamkeit beginnt. Zuerst zwängt sich der Navigator, der zugleich der Mechaniker ist, aus der Kanzel, dann der Kopilot und schließlich Vitalij. Auch wir klettern über die Bordleiter ins Freie. Vitalij und seine Kollegen gehen fast in Zeitlupe, aufmerksam jeden Zentimeter prüfend, um den Hubschrauber herum, immer wieder die Köpfe zusammensteckend und nach einer Weile mit deutlichen Anzeichen erster Erleichterung. Äußerlich scheint der Hubschrauber unbeschädigt. Dann holt der Mechaniker eine lange Leiter und steigt zum Rotor empor. Er öffnet eine Klappe und pfeift weithin vernehmbar durch die Zähne: «Das Öl.» Wortlos klettert der Kopilot in den Hubschrauber und kommt mit einem 20-Liter-Kanister, einem großen Hammer und einer Zange zurück. Nach 15 Minuten, in denen der Mechaniker Öl nachgefüllt und laut klopfend und fluchend mit dem Hammer und der Zange den Rotor bearbeitet hat, meint Vitalij auf unsere besorgten Blicke: «Nichts Besonderes, kommt öfter vor.»

Und als wir es genauer wissen wollen und fragen, ob wir denn wirklich wohlbehalten nach Tiksi zurückkommen, sagt er knapp und voller Ernst: «Wenn Gott will.»

Gott wollte es. Am selben Abend waren wir wieder in Tiksi. Noch nie war uns die Stadt so schön erschienen.

TEIL 2 ANS ENDE DER TAIGA – VON JAKUTSK ZUM STILLEN OZEAN

Straße des Todes

Es ist Winter geworden. Einer unserer Träume ist endgültig geplatzt. Wie einige der ersten Entdecker Sibiriens wollten wir von der Mündung der Lena mit einem Schiff an der sibirischen Küste entlang nach Osten fahren – durch das Polarmeer Richtung Beringstraße und Alaska. Doch was wir schon bei unserem Besuch im Spätsommer 2001 in Tiksi erfahren hatten, sollte sich auch in den folgenden Monaten nicht ändern: Kein Schiff, kein Holzfrachter, kein Tanker, kein Atom-Eisbrecher war auf dem Weg durch die einst so viel befahrene Nordostpassage; kein Dampfer machte im Hafen von Tiksi fest, keiner verließ ihn.

Wochenlang recherchierten wir bei allen russischen und internationalen Schifffahrtslinien und Reedereien, die früher einmal diese Route bedienten. Sascha nahm mit den Oberkommandos der Russischen Kriegsmarine in St. Petersburg und der Nördlichen Eismeerflotte in Murmansk Kontakt auf, doch überall bekam er die gleiche Auskunft: Der Nördliche Seeweg ist tot, wirtschaftlich uninteressant, militärisch bedeutungslos. In den kommenden Wintermonaten, sagte man uns, werde sich ohnehin kein Konvoi auf den Weg machen können, da von den acht russischen Atom-Eisbrechern nur noch zwei in Betrieb seien und diese gegen harte Devisen meist westliche Touristen Richtung Nordpol oder Antarktis transportieren. Im Sommer nächsten Jahres, wenn sich die Wirtschaftssituation in Russland gebessert habe und auch die Marine wieder ausreichend mit Treibstoff, Ersatzteilen und allen anderen «Defiziten» versorgt sei, werde das eine oder andere Schiff Tiksi vielleicht anlaufen. Aber so lange können wir nicht warten. Und außerdem, so Sascha, wer sagt denn, dass sich bis dahin wirklich etwas ändert?

Also sitzen wir wieder in Jakutsk, im Hotel «Tygyn Darchan», dem angeblich komfortabelsten Hotel zwischen Moskau und

Tokio, und beratschlagen, wie wir am besten zum Stillen Ozean kommen. Es ist das gleiche Problem, wie es Vitus Bering hatte, als er 1725 von Zar Peter dem Großen den Auftrag zur ersten Kamtschatka-Expedition erhielt, bei der er feststellen sollte, ob Russland und Amerika durch eine Landbrücke verbunden oder eine Meeresstraße getrennt sind. Der schwierigste Teil dieses Unternehmens, das belegen minutiös die in russischen Archiven aufbewahrten Berichte Berings und seiner Begleiter, war die Strecke von Jakutsk bis zum Stillen Ozean – ein, wie der amerikanische Sibirienforscher Benson Bobrick formuliert, «tödlicher Querfeldeinparcours aus Stromschnellen, Untiefen, Wäldern, Sümpfen, Eisflächen, Schlammlöchern und Klippen». Der größte Teil der Strecke wurde von Bering und seiner Expedition auf Flüssen zurückgelegt: von der Lena über die ostsibirischen Ströme Aldan, Maja und Judoma bis zur Mündung des Flusses Ochota in den Stillen Ozean. Von hier ging es über das Ochotskische Meer nach Bolscheretsk auf Kamtschatka, dem Startpunkt für Berings Amerika-Erkundung.

Für den Weg von Jakutsk bis Ochotsk brauchten Bering und seine Begleiter fast neun Monate, vom August 1726 bis zum April 1727. Bereits Ende Oktober waren von den 660 Packpferden fast 300 verendet. Bald führte der strenge Winter auch zum Verlust der restlichen Pferde, sodass der Transport mit Hunden fortgesetzt werden musste und nicht wenige der Schlitten von den Männern selbst gezogen wurden. Von Hunger und Krankheit geschwächt, ausgelaugt von Kälte und Erschöpfung, starben mehrere Expeditionsmitglieder. Bittere Erfahrungen, aus denen Bering zehn Jahre später bei seiner zweiten Kamtschatka-Expedition, die dieselbe Route nahm, einige Lehren zog. Er erhöhte die Zahl der Expeditionsmitglieder wie der mitgeführten Pferde um ein Vielfaches und legte entlang der gesamten Strecke ein dichtes Netz von Versorgungsdepots an.

Der Weg, der uns 275 Jahre später von Jakutsk an den Stillen Ozean führen soll, verläuft etwas nördlich der Route des Vitus

Bering und endet in der Hafenstadt Magadan, rund 300 Kilometer östlich von Ochotsk. Es ist die einzige auch für modernere Verkehrsmittel passierbare Landverbindung durch Ostsibirien. Sie ist 2200 Kilometer lang, nur einige Monate im Winter auf der ganzen Strecke befahrbar und trägt den offiziellen Namen «Kolyma-Trasse». Die Menschen in Sibirien jedoch nennen sie «Straße des Todes» – aus doppeltem Grund: Sie wurde zu Zeiten Stalins ausschließlich von Häftlingen des GULAG gebaut und kostete Zehntausende, wenn nicht gar Hunderttausende von ihnen das Leben; und sie gilt heute als die gefährlichste Straße Russlands, eine Schnee- und Eispiste durch die winterliche Taiga, über zugefrorene Flüsse, durch enge Schluchten und über gewaltige, kurvenreiche und steile Gebirgspässe ohne Markierungszeichen und Seitenbegrenzungen. Nirgendwo sonst, haben wir in russischen Zeitungsberichten gelesen, kommen so viele Autofahrer zu Tode, rasen ineinander oder gegen Bäume links und rechts der Strecke, stürzen in Schluchten und Flüsse, bleiben mit defektem Motor oder anderen Pannen liegen und erfrieren.

In einem Handbuch für «Tramper auf Extremtouren», das wir in einer Buchhandlung in Jakutsk entdecken, heißt es über die Kolyma-Trasse: «Von allen Autostraßen Russlands, die in herkömmlichen Atlanten verzeichnet sind, ist die Kolyma-Trasse die mit Abstand schwierigste. Steile Gebirgswälle und Serpentinen, von Regengüssen und Schmelzwasser ausgehöhlter oder weggeschwemmter Straßenbelag, der mit nichts und von niemandem ausgebessert wird, tote, zerfallende Siedlungen und ein außergewöhnlich strenges Klima – minus 60 Grad im Winter und plus 30 Grad im Sommer – erwarten jeden, der sich auf diese Strecke begibt, gleichgültig ob als Autofahrer oder Tramper.» Manche Streckenabschnitte, so vermerkt das Handbuch, sind auf Landkarten zwar als Straßen eingezeichnet, können aber nur im Winter befahren werden, da es in Wirklichkeit Flüsse sind. «Im Sommer verkehren dort Fähren, einige Male im Monat, unregelmäßig, ohne Fahrplan.»

Auch viele der in den Atlanten verzeichneten Brücken, so erfahren wir ebenfalls aus dem Handbuch, existieren nicht mehr. «Es sind Holzbrücken, die noch von Häftlingen gebaut wurden und inzwischen fast alle eingefallen sind. Wenn man Glück hat, kann man den Fluss durch eine Furt überqueren. Wenn es regnet, stirbt die Trasse, bis der Wasserstand wieder sinkt ... Eine Brücke über den größten Nebenfluss der Lena, den Aldan, gibt es bis heute nicht. Wenn du dorthin kommst, musst du auf eine Fähre hoffen. Sie verkehrt vielleicht ein- oder zweimal in der Woche.» An manchen Stellen, lesen wir weiter, ist die Trasse in einem «so schrecklichen Zustand, ausgewaschen, weggeschwemmt, ohne Brücken, dass selbst gute Geländewagen nicht einmal 20 Kilometer pro Stunde schaffen». In ihrer ganzen Länge von 2200 Kilometern sei die Kolyma-Trasse, so der Leitfaden für «Tramper auf Extremtouren», nur in den Monaten zwischen Ende November und Anfang April zu bewältigen. «Der genaue Zeitraum ändert sich, abhängig von den Witterungsverhältnissen.»

Einen besonderen Ratschlag hält das Buch noch für all jene bereit, die sich im Winter auf die Trasse begeben, wegen der gefrorenen Flüsse und Sümpfe eigentlich die günstigste Jahreszeit. «Die niedrigen Temperaturen verbieten einen längeren Aufenthalt im Freien. Versucht also immer dort zu stehen und zu winken, wo es Holz in der Nähe gibt und ihr ein Feuer machen könnt. Wenn ihr als Paar oder zu dritt unterwegs seid, seht zu, dass ihr immer in der Nähe einer menschlichen Behausung seid, wo ihr euch reihum wärmen könnt, während einer von euch an der Straße steht und versucht, ein Auto oder einen Lastkraftwagen anzuhalten. Lasst euch im Winter niemals an einer einsamen, menschenleeren Stelle absetzen, es sei denn, ihr habt eine Super-Überlebensausrüstung dabei.»

Ihren Namen hat die Trasse von dem Fluss Kolyma. Hier entdeckten russische Geologen in den zwanziger Jahren des vergangenen Jahrhunderts riesige Goldfelder, aber auch andere wertvolle Bodenschätze wie Zinn, Blei, Wolfram und später dann Uran. Zu Zarenzeiten galt das Kolyma-Becken, das etwa so groß wie Frankreich ist, wegen seines sogar für russische Verhältnisse ungewöhnlich harten Klimas als unbewohnbar. Noch 1925 lebten dort nur etwa 7000 Menschen. Nach den Goldfunden an der Kolyma sowie an den Nachbarflüssen Indigirka und Aldan schickten Stalin und sein Geheimdienst NKWD Hunderttausende von Häftlingen zur Zwangsarbeit dorthin. 1938 war die Häftlingsbevölkerung des Kolyma-Gebiets auf mehr als eine halbe Million angewachsen. Die Sterberate lag bei 25 Prozent, in manchen Goldminen, Blei-, Wolfram- und Urangruben bei fast 100 Prozent. Kolyma wurde, wie Alexander Solschenizyn schreibt, der «Grausamkeitspol» Russlands. Angelegt, um die Bodenschätze der wohl unwirtlichsten Region der nördlichen Halbkugel zum 500 Kilometer entfernten Hafen von Magadan am Stillen Ozean transportieren zu können, wurde die Kolyma-Trasse später nach Westen verlängert, bis nach Jakutsk. Die Häftlinge, die sie bauten, arbeiteten mit bloßen Händen – selbst bei Temperaturen von 45 Grad unter null. Erst ab minus 51 Grad durften sie in ihren Unterkünften bleiben, elenden Holzbaracken, Zelten oder Erdhöhlen.

Unsere Entscheidung, es auf dem Landweg von Jakutsk zum Stillen Ozean zu versuchen und nicht etwa die vergleichsweise bequeme Flugverbindung zu nehmen, fiel schnell und ohne große Diskussion. Zu vielfältig erschienen uns die historischen Bezüge – schließlich waren nicht nur die europäischen Entdecker Sibiriens dieser Route gefolgt, sondern auch die sibirischen Urvölker, die hinter den Mammuts und Bisons nach Osten zogen und weiter über die Bering-Landbrücke nach Amerika. Und zu groß war der Wunsch, dieses riesige «Land östlich der Sonne» mit seinem unvorstellbar grausamen Klima und seiner schrecklichen Geschichte mit eigenen Augen zu sehen und im unmittelbaren Sinne des Wortes zu «erfahren».

Unser erster Gedanke war, es zu dem Zeitpunkt zu versuchen, an dem die klimatischen Bedingungen am härtesten, der Winter am kältesten ist – in den Monaten Dezember, Januar oder Februar. Doch Fernsehkollegen in Jakutsk warnten uns. Zum einen herrsche in diesen Monaten so hoch oben im Norden noch die Polarnacht, und in den wenigen Stunden, in denen es hell genug sei zum Filmen, würden nicht selten riesige Schwaden feinen Kältenebels in der Luft hängen und die Sonne verdecken. Landschaftsaufnahmen wären unter diesen Verhältnissen kaum möglich. Der ideale Zeitpunkt für unser Unternehmen sei Anfang März, wenn die Sonne schon höher stehe, die Tage wieder länger würden, es aber immer noch ziemlich kalt werden könne, so um die minus 50 Grad.

Aus Sicherheitsgründen, das wissen wir, werden wir zwei Autos chartern müssen. Mit einem einzelnen Fahrzeug um diese Jahreszeit im Norden Sibiriens unterwegs zu sein, ist lebensgefährlich. Bleibt man bei Temperaturen um minus 50 Grad irgendwo in der Taiga oder in anderen unbelebten Gegenden liegen, hilft auch die beste Notfallausrüstung, der dickste Schlafsack nichts mehr. Am besten, so unsere Überlegung, wäre es, einen jener großen geländegängigen Lkws zu finden, mit denen man auch bei Schneeverwehungen und im dichten Unterholz der Taiga noch weiterkommt. Auf der Ladefläche ist dort zumeist eine behelfsmäßige Personenkabine montiert, die bei Bedarf zugleich als Küche und Schlafraum dienen kann. Und als kleineres Begleitfahrzeug, so schwebt uns vor, könnte vielleicht einer der vielen winterfesten japanischen Kleinbusse dienen, die inzwischen auch auf den Straßen von Jakutsk immer häufiger anzutreffen sind.

Doch Saschas Suche nach Fahrzeugen für die Reise quer durch das «Land östlich der Sonne» gestaltet sich unerwartet schwierig. Die meisten Lkws vom Typ «Ural», der uns mit seinen riesigen acht Rädern und seiner großen Ladefläche besonders geeignet erscheint, sind zum Transport von Kohle und Heizöl in die umliegenden Siedlungen von Jakutsk eingesetzt. Das einzige

Transportunternehmen, das im Winter die Strecke von Jakutsk nach Magadan mehr oder weniger regelmäßig mit Lkws befährt, steht kurz vor der Pleite und hat die Versicherungsprämien für seine Fahrzeuge nicht bezahlt. Und der einzige private Besitzer eines «Ural» in Jakutsk hat sich gerade bei einem Unfall auf spiegelglattem Eis die Hand gebrochen.

Auch einen Kleinbus für die winterliche Fahrt zum Stillen Ozean aufzutreiben erweist sich als problematisch. Die Besitzer japanischer Modelle fürchten, bei einer Panne auf den – hin und zurück – insgesamt 4400 Kilometern durch fast menschenleeres Gebiet keine Ersatzteile zu finden oder Schwierigkeiten mit der hochkomplizierten Elektronik ihrer Fahrzeuge zu bekommen, die sie beim besten Willen nicht selbst beheben können. Sie raten uns, es mit einem robusten, russischen Wagen zu versuchen. «Die kann jeder mit einem Hammer und einem Lötkolben reparieren, auch allein in der Taiga.»

Doch die Besitzer der hochbeinigen, allradgetriebenen und mit Spezialheizung versehenen russischen Kleinbusse vom Typ «U-AS», die als besonders winterfest und taigatauglich gelten, sind ebenfalls skeptisch. Nein, nicht eventuelle Reparaturen seien das Problem, die könne man in der Tat alle selber machen. Auch die Frage der Übernachtung stelle keine Schwierigkeit dar, man könne auf den Sitzbänken schlafen. Aber wo, zum Teufel, solle man unterwegs Benzin herbekommen, wenn im Umkreis von 500 Kilometern keine Tankstelle vorhanden sei und Benzin ohnehin nur auf Gutschein an staatliche Transportunternehmen oder sonstige offizielle Institutionen abgegeben werde? Dieses Problem allerdings kennen wir schon von unserer Schiffstour auf der Lena. Mit Hinweis auf unsere grünen Scheine, die im Zweifelsfall auch am letzten Zapfhahn der Taiga das Benzinproblem lösen würden, gelingt es Sascha schließlich, zwei private Besitzer russischer Kleinbusse zur Reise nach Magadan zu überreden. Auf dem Dach haben die beiden Fahrzeuge kleine Lampen mit einem roten Kreuz. Es sind Krankenwagen. Aber davon gebe es in Jakutsk inzwischen schon so viele, beruhigt man uns, dass niemand ihr Fehlen bemerken werde.

Nachdem sich Sascha mit den Busbesitzern handelseinig geworden ist, erklärt einer der beiden, warum er diese Fahrt, trotz des guten Geldes, das er mit der Tour verdiene, nur sehr ungern mache. Nein, nicht die Gefahren der verschneiten und vereisten Piste, die ungesicherten Gebirgspässe, die rücksichtslos rasenden Lkws mit ihren meist betrunkenen Fahrern würden ihn schrecken, denn all das seien sie in Sibirien gewohnt. «Aber auf der Kolyma-Trasse fährst du die ganze Zeit über Knochen! Die Häftlinge, die beim Bau starben, haben sie doch einfach ins Straßenbett gelegt. Schotter drauf und fertig! Da kannst du noch so oft drüberfahren, du musst immer daran denken.»

Am übernächsten Morgen, verabreden wir, wollen wir dennoch aufbrechen.

Doch zuvor müssen wir einen lange geplanten Besuch an der Universität von Jakutsk machen. Wir wollen erfahren, was es mit der Theorie auf sich hat, dass die ersten Menschen nicht aus Afrika, sondern von hier, aus Jakutien, von der Lena kamen. Und wir wollen aus dem Munde eines Wissenschaftlers hören, ob die Route, der wir folgen werden, tatsächlich einer der Wege ist, auf denen einst die Vorfahren der nordamerikanischen Indianer bei ihrer Jahrtausende dauernden Wanderung vom Baikal-Gebiet nach Alaska zogen. Die neuesten Erkenntnisse dazu, so hatten wir gehört, gebe es am Archäologischen Institut der Jakutsker Universität.

Wir sind gespannt.

Die Lena – Wiege der Menschheit?

«Der Mann ist ein Kraftwerk», sagt Maxim, als er seine Kamera einpackt und die gerade gedrehten Videokassetten zählt. Zwei Stunden lang hat er nichts anderes gemacht, als dieses Kraftwerk zu filmen, zwei Stunden, in denen wir mit archäologischen, anthropologischen, paläontologischen, biologischen und philosophischen Fachbegriffen bombardiert wurden, dass uns fast schwindelig wurde. Angereichert war das Ganze mit einem Feuerwerk aus Zitaten: von Darwin, Hegel, Friedrich Engels – «er hat viel Unheil angerichtet, aber ich hätte mit ihm gern mal ein Bierchen getrunken» –, Stefan Zweig, Sigmund Freud, Teilhard de Chardin und Norbert Wiener. Zwei Stunden, in denen wir in eine tiefe Verzweiflung über unsere nur allzu offenkundige Unbildung gestürzt wurden.

Der Mann in Cordhosen, offen stehendem Flanellhemd und mit vollem, etwas wirrem grauem Haar hatte uns begrüßt mit einem lauten: «Hallo, ich habe gehört, zwei von euch kommen aus St. Petersburg. Ich bin auch Petersburger.» Er ist 68 Jahre alt, lebt seit 40 Jahren in Jakutsk und gilt als einer der bedeutendsten Archäologen Russlands. Der umstrittenste ist er mit Sicherheit. Seine wichtigste These ist ganz einfach. Sie lautet: «Die ersten Menschen kamen aus Sibirien, von der Lena.»

Professor Dr. Jurij Motschanow, ein Akademik, hat im Jahr 1982 eine Entdeckung gemacht, die wie nur wenige der letzten Jahrzehnte die archäologische Fachwelt in Erstaunen versetzte und polarisierte. Bei Grabungen in der Nähe der Siedlung Diring-Jurjach – von Jakutsk 140 Kilometer stromaufwärts am rechten Ufer der Lena gelegen – stieß er auf Steinwerkzeuge und Waffen, wie man sie zuvor in Tansania, Kenia und Äthiopien gefunden hatte. Diese afrikanischen Artefakte galten bis dahin als die ältesten Spuren der Menschheit. Doch die sibirischen Funde ähneln ihnen «wie ein Tropfen Wasser dem anderen». Nach Überzeugung von Professor Motschanow sind sie 1,8 bis 2,5 Millionen Jahre alt, «mindestens genauso alt wie die ältesten Funde in Afrika».

Das Institut, in dem Professor Motschanow den größten Teil seiner Schätze aufbewahrt, wird gerade umgebaut und von Grund auf renoviert. Es befindet sich in einem alten Gebäude der Universität von Jakutsk und ist eine Art Familienbetrieb. Die Leiterin des Instituts, Professor Swetlana Fedosejewa, ist Motschanows Ehefrau; ebenfalls Archäologin, begleitet sie ihn seit Jahrzehnten auf allen wissenschaftlichen Exkursionen. Die Arbeitsteilung, so Jurij Motschanow, ist ganz klar: «In Jakutsk ist sie der Chef, draußen im Gelände, bei Grabungen, bin ich es.»

Das renovierte Institut wird ein Prachtstück werden. Voller Stolz zeigt uns Motschanow die hohen, hellen Räume, in denen noch Eimer mit Farbe und Leitern der Maler stehen. Als Kernstück ist ein großes, halbrundes Panorama geplant, in dem detail- und maßstabsgetreu die Grabungsstelle von Diring-Jurjach nachgebaut werden soll. Nicht nur einige der, wie Professor Motschanow vermutet, ältesten Werkzeuge der Menschheit sollen hier gezeigt werden, sondern auch Hunderte von Werkzeugen, Waffen und Gefäßen aus anderen Kulturepochen, auf die er bei seinen Grabungen in Diring-Jurjach gestoßen ist. «Ein solches Institut, das zugleich Museum ist, war immer mein Traum», sagt Professor Motschanow. «Dass es ausgerechnet jetzt Wirklichkeit wird, da ich emeritiert bin, ist eine, wenn auch späte, Genugtuung. Sie ist umso wertvoller, wenn man weiß, dass die Wissenschaft in Russland heute kein Geld hat.»

Auf die Frage, wer das denn alles finanziere, antwortet Motschanow eher kryptisch: «Sponsoren.» Wir vermuten, dass es der Präsident Jakutiens mit seinem so genannten «Diamantenfonds» ist, mit dem er sich selbst gelegentlich auch Denkmäler kultureller Art setzt.

Zum Interview bittet uns Motschanow in einen winzigen Verschlag, der ihm im Moment als Arbeitszimmer dient. Seine Frau bringt Tee und Gebäck. Der Raum ist voll gestopft mit Kisten und Kartons, in denen unzählige Steine verschiedenster Größe und Farbe liegen, alle fein säuberlich mit Nummern und bestimmten Buchstabenkombinationen versehen. «Für diese Steine lohnt es sich zu leben», sagt er mit unüberhörbarem Entdeckerstolz. «Alles Funde, alles Werkzeuge, meist aus Quarz, alle von Menschenhand bearbeitet: Faustkeile, Schaber, Dorne, Speerspitzen.»

Als wir ein wenig ungläubig schauen und sagen, die Steine könnten doch auch von der Natur so geformt worden sein, nimmt Professor Motschanow einen ovalen und am Ende spitz zulaufenden Stein aus einem der Kartons und fordert uns auf, ihn in die Hand zu nehmen. «Und nun schließen Sie mal die Hand. Sehen Sie, er schmiegt sich wie angegossen an die Handfläche und die Finger.» Und dann weist uns Professor Motschanow auf die beiden Längsseiten des flachen Steines hin. «Sehen Sie, die Einkerbungen für die Finger finden sich nur auf der einen Seite. Und die Art, wie diese Einkerbungen abgesplittert sind, zeigt eindeutig, dass hier mit einem harten Gegenstand, also einem anderen Stein, einem Tierknochen oder auch einem Stück Geweih, draufgeschlagen wurde. Solche Einkerbungen können nur durch mechanische Einwirkungen entstehen, nicht durch die Natur, durch Erosion, Wind oder Wasser. An manchen Stellen haben wir sogar noch die Stücke gefunden, die beim Bearbeiten aus den Steinen herausgehauen wurden. Hier zum Beispiel.» Professor Motschanow nimmt einen Faustkeil und einen daneben liegenden Steinsplitter und fügt diesen in eine der Kerben. «Schauen Sie, er passt genau!»

Dann beginnt Motschanow, ohne dass wir danach gefragt hätten und ohne Chance, ihn zu unterbrechen, einen temperamentvollen, von lebhaften Gesten begleiteten Exkurs: Er skizziert einige Millionen Jahre Evolutionsgeschichte, diverse Theorien der Entstehung des Universums und des Lebens auf der

Erde sowie die Debatte über die Rolle der menschlichen Vernunft bei der Erforschung entwicklungsgeschichtlicher Prozesse – um schließlich wieder bei seinen Funden von Diring-Jurjach zu landen. «Als wir das erste Mal über diese Funde berichteten und darüber, dass sie so alt sind wie die ältesten bis dahin bekannten Funde in Afrika, sind alle auf die Barrikaden gegangen und haben gemeint, wir hätten den Verstand verloren. Aber wir haben das alles mit eigenen Händen ausgegraben. Haben 150 000 Kubikmeter Erde abgetragen, eine Fläche von mehreren Quadratkilometern archäologisch verortet und abgesammelt. Und wir sind doch keine Anfänger. Ich habe an vielen Orten der Welt wissenschaftlich gearbeitet, Ausgrabungen durchgeführt, geforscht. Von Pamir bis zum Nördlichen Polarmeer, vom Baltikum bis zum Stillen Ozean – und dabei mit den besten Wissenschaftlern zusammengearbeitet.»

«Aber amerikanische Geoarchäologen haben mit modernsten elektronischen Messgeräten in Diring-Jurjach festgestellt, dass die Erdschichten, in denen Sie dort Ihre Funde gemacht haben, nur etwa 300 000 Jahre alt sind.»

«Na und?», erwidert Professor Motschanow ungerührt.

«Unsere Spezialisten haben andere Messergebnisse erarbeitet. Es wird sich erst noch herausstellen, wer Recht hat.»

«Gelegentlich ist der Verdacht geäußert worden, dass Ihre These, wonach der erste Mensch aus Sibirien kam, vielleicht einer Art großrussischem Denken oder jakutischem Nationalstolz entsprungen ist – nach dem Motto: ‹Wir haben alles erfunden, wir waren überall die Ersten.›»

«Das ist doch ausgemachter Unsinn», sagt Professor Motschanow und lacht. «Schon zu Sowjetzeiten sind immer wieder Parteifunktionäre zu mir gekommen und wollten wissen, ob der erste Mensch denn nun ein Russe oder ein Jakute gewesen sei. Und ich habe ihnen immer geantwortet: ‹Damals war eine so göttliche Zeit, in der hat es all diese Unterscheidungen noch nicht gegeben. Es waren Menschen. Allein das ist wichtig.›»

«Ihre These von der außertropischen Herkunft des Menschen», versuche ich einzuwenden, «wird aber nicht nur von ausländischen Wissenschaftlern bestritten, sondern auch von vielen Ihrer russischen Kollegen. Einige weisen darauf hin, dass es in Ihrer These von der sibirischen Herkunft des Menschen eine riesige Lücke von mindestens einer Million Jahre gibt – ein Zeitraum, für den in Sibirien noch keinerlei Beweise menschlicher Existenz vorliegen; dass mit Ihrer These eine ganze Entwicklungsstufe des Menschen, der Australopithecus, übersprungen wird, für den in Sibirien ebenfalls noch keine Belege gefunden wurden; und dass Sie bisher keine Feuerstellen der ersten Menschen in Sibirien entdeckt haben, ohne Feuer in Sibirien aber niemand hätte überleben können.»

«Ich kenne alle diese Vorwürfe», sagt Professor Motschanow und macht eine wegwerfende Handbewegung. «Viele der russischen Kritiker sind oder waren, solange sie lebten, meine persönlichen Freunde, Kameraden. Dass eine große zeitliche Lücke zwischen den Funden menschlicher Existenz in Sibirien klafft, kann doch daran liegen, dass wir ganz einfach noch nicht genug geforscht haben. Dass wir auf keine Feuerstellen gestoßen sind, ist verständlich. Unsere Funde stammen aus Erdschichten, die der Erosion, der Einwirkung von Wind, Wasser und Sand, ausgesetzt waren, in der sich über die Millionen Jahre nichts Organisches erhalten konnte, die Asche buchstäblich vom Winde verweht wurde. Man müsste die sibirischen Höhlen untersuchen, aber dazu hat bislang weder das Geld noch die Zeit gereicht. Und die angeblich fehlende Entwicklungsstufe des Australopithecus … Ja, wissen wir denn, wie die Evolution wirklich verlaufen ist? Vielleicht waren die ältesten Formen des Menschen viel weiter entwickelt, als wir annehmen. Vielleicht hat es sogar einen Evolutionssprung gegeben. Wer sagt denn, dass sich nicht auch die Menschheit nach dem Prinzip der Quantentheorie entwickelt hat? Unsere Archäologie und unsere Paläontologie sind doch noch immer auf dem Niveau von Kolumbus vor der Entdeckung Amerikas. Wir haben Wissenschaftler aus aller Welt nach Diring-Jurjach eingeladen, haben unsere Funde auf internationalen Konferenzen gezeigt, in Kanada, in Berkeley/Kalifornien. Dass sie von Menschen stammen, wird von niemandem mehr bezweifelt. Gestritten wird nur noch über das Alter.»

«Aber es ist doch eine recht kühne These», wende ich zaghaft ein, «dass der erste Mensch ausgerechnet aus der Kälte Sibiriens kam.»

«Warum eigentlich?», poltert Professor Motschanow, und seine Augen blitzen. «Ihr Landsmann, der große bayerische Gelehrte Moritz Wagner, den in Deutschland leider niemand mehr kennt, auf den ich mich aber bei allen meinen Vorträgen beziehe, hat schon 1871 bezweifelt, dass Afrika die Urheimat des Menschen ist. Für ihn kamen die ersten Menschen aus einer europäischen Region nördlich der Alpen.»

In der Tat hat der 1813 in Bayreuth geborene Zoologe und Forschungsreisende Moritz Wagner, wie wir später nachlesen, in mehreren wissenschaftlichen Werken die These Darwins bestritten, der Mensch habe sich zuerst in den Tropen entwickelt. Warum, so Wagners Argumentation, sollte ausgerechnet dort der Affe zum Menschen geworden sein? In der Hitze Afrikas musste er nicht lernen, Feuer zu machen oder Unterkünfte zu bauen – Fähigkeiten, die ihn zum Menschen werden ließen. Viel wahrscheinlicher sei doch, so Wagner, dass sich diese Fähigkeiten zuerst bei Lebewesen entwickelt hätten, die der Kälte trotzen mussten.

Auch für Professor Motschanow ist nur schwer nachzuvollziehen, warum Menschen, die «in Afrika nackt oder nur spärlich mit Fell bekleidet herumliefen», hierher nach Norden hätten kommen sollen, wo sie sich so vieles zum Überleben Notwendiges erst mühsam hätten aneignen müssen. «Umgekehrt ist es doch viel wahrscheinlicher, eher den Gesetzen der Logik entsprechend.»

Für die These, dass die ersten Menschen aus Jakutien stammen, spricht laut Professor Motschanow auch, dass hier nach neuesten Erkenntnissen vor zwei Millionen Jahren das gleiche Klima herrschte wie heute, mit einer jährlichen Durchschnittstemperatur von etwa minus 12 Grad. Das bedeutet, dass es in Jakutien Schnee und Frost gab, das Land aber nicht von einer Eisschicht bedeckt war, was jedes menschliche Leben unmöglich gemacht hätte.

«Und selbst wenn meine Funde nicht so alt sein sollten, wie ich aus gutem Grund annehme, sind sie doch ein Beweis dafür, dass Sibirien keine Wildnis im biblischen Sinne war, sondern die Heimat uralter Kulturen. Selbst meine heftigsten Gegner räumen ein, dass die Funde mindestens 300 000 Jahre alt sind.»

Vielleicht, sinniert Motschanow, ist die Entwicklung des Menschen aber auch parallel verlaufen, zeitgleich in Afrika und Sibirien. «Es ist doch eine faszinierende Vorstellung, dass die Vernunft unabhängig von klimatischen Naturbedingungen entstanden ist: In den tropischen und subtropischen Regionen entwickelt sich der Mensch zur selben Zeit wie hier und erfindet im viel kälteren Klima die gleichen Werkzeuge wie dort. Die ganze Evolutionstheorie müsste man noch einmal überdenken.»

So umstritten die Forschungen und Thesen von Professor Motschanow zur Herkunft der ersten Menschen sind, so wenig Widerspruch gibt es zu anderen Erkenntnissen seiner wissenschaftlichen Arbeit, zum Beispiel über die Vorfahren der nordamerikanischen Indianer. Über dieses Thema hat Motschanow seine Habilitationsschrift verfasst, und das Ergebnis scheint eindeutig: Sie kamen aus Sibirien, aus dem Raum zwischen der Lena und dem Stillen Ozean, dem «Land östlich der Sonne». Das jedenfalls bezeugen, so Motschanow, die Funde aus der Zeit, in der das sibirische Volk der Djugtajer in diesem Raum siedelte – und allmählich den Mammuts nachzog, von Westen nach Nordosten Richtung Beringstraße. Die Periode, in der sich dieser Migrationsprozess vollzog, lag, so Professor Motschanow, etwa 30 000 bis 10 000 Jahre vor unserer Zeitrechnung. Auf die – wissenschaftlich unbestritten – ältesten Spuren der Djugtajer stieß Professor Motschanow im Jahr 2000 bei Grabungen am Wiljui, einem westlichen Nebenfluss der Lena: steinzeitliche Werkzeuge und Waffen, die «in ihrer vollendeten Form und der Technik ihrer Bearbeitung den Funden aus der mittleren Altsteinzeit in Europa in nichts nachstehen. Ein weiterer Beweis», so Motschanow, «dass das Entwicklungstempo der Menschheit im nördlichen Asien, in Sibirien, nicht geringer war als anderswo und gekennzeichnet ist durch eine geradezu ideale Anpassung an die Verhältnisse des ewigen Frostes.»

In unmittelbarer Nähe der am Wiljui gefundenen Werkzeuge und Waffen lagen Knochen von Mammuts, behaarten Nashörnern und anderen eiszeitlichen Tieren. Zeugnisse der Kultur der Djugtajer hat Professor Motschanow jedoch nicht nur an der Lena ausgegraben, sondern in ganz Ostsibirien – an der Indigirka, an der Kolyma und noch weiter im Norden. Sie gleichen, so sagt er und deutet auf den Aschenbecher vor ihm, den ältesten archäologischen Funden in Alaska «wie eine Zigarette der anderen».

Von einem Regal in der Ecke seines kleinen Raumes holt Professor Motschanow einen Glaskasten, in dem mehrere Reihen dunkler, offenkundig bearbeiteter Steine verschiedener Form und Größe liegen. Es handelt sich – auch für uns ohne weiteres erkennbar – um Faustkeile, Speerspitzen, daneben kleine rechteckige, ganz dünne Steinstücke. Es sind doppelseitig bearbeitete Klingen zum Schaben und Schneiden, wie uns Motschanow erklärt. Analoge Steinstücke werden wir Monate später in Alaska finden. Dort werden sie «microblades» genannt. Doch bis dahin ist es für uns noch ein weiter Weg. Und zuvor muss ich Professor Motschanow versprechen, mich in Deutschland mit dem Werk Moritz Wagners vertraut zu machen. «Damit Sie sehen, dass die Idee von der außertropischen Herkunft des Menschen keine Spinnerei ist.»

Ich verspreche es.

Gesandte des Himmels

Der Tag vor der Abfahrt ist mit hektischen Vorbereitungen erfüllt. Proviant wird eingekauft: Fleischkonserven, Hartwurst, geräucherter Speck, Brot, in Scheiben abgepackter Käse, Gebäck, Nudelsuppen und Gulasch in Tüten, Trockenobst, Teebeutel, Kaffeepulver, Würfelzucker, Mineralwasser in großen Plastikflaschen. Ein Spirituskocher wird angeschafft, dazu alles Küchengerät, das man in der Wildnis braucht: Töpfe, eine Pfanne, Blechteller und -tassen, Dosenöffner, Löffel. Messer hat ohnehin jeder im Gepäck, Gabeln sind überflüssig. Maxim besteht darauf, unbedingt schwarzen Pfeffer mitzunehmen; Sascha kauft wie immer eine große Kiste Schokolade und eine Flasche armenischen Kognak als Notration. Dazu kommen das Kameragepäck und unsere Winterausrüstung – Schlafsäcke, Isomatten, Spezialstiefel und -anoraks, Pelzmützen, Gesichtsmasken und dicke, unförmige Handschuhe.

Den größten Raum aber nehmen die unzähligen Benzinkanister ein, die unsere beiden Fahrer heranschleppen und auf die beiden Busse verteilen. «Wenn es weit und breit keine Tankstelle gibt, nützen uns auch eure Dollars nichts», ist die lakonische Erklärung. Im zweiten Fahrzeug verstauen sie zusätzlich noch ein riesiges Fass, aus dem ständig Benzingeruch entweicht. Vorsichtshalber wird Sascha, der Nichtraucher, in diesen Bus gesetzt. Sein Fahrer, Fedja, ist ebenfalls Nichtraucher und, wie er mit Nachdruck erklärt, auch «Nichttrinker».

Schon aufgrund seines südlichen Dialekts hatten wir vermutet, dass Fedja kein Russe ist. Nun stellt sich heraus, dass er eigentlich Mohammed heißt und aus Aserbaidschan im Kaukasus kommt. Sein Leben in Jakutsk, erzählt er, habe er beim Würfeln gewonnen. Irgendwann habe er mit seinen Kumpels in Baku zusammengesessen, vor sich auf dem Boden eine große Landkarte der Sowjetunion. Da sie alle ohne richtige Arbeit gewesen seien und aus Baku weg wollten, hätten sie die Regionen der Sowjetunion, in denen Arbeitskräfte gesucht wurden und wo man den «langen Rubel», also das schnelle Geld, machen konnte, mit Zahlen versehen. Die meisten Zahlen standen natürlich neben sibirischen Städten. Die «Sechs», die Fedja würfelte, gehörte zu Magadan, dem entferntesten Ort in Sibirien, wo die höchsten Löhne gezahlt wurden. Also machte sich Fedja «als Ehrenmann» auf nach Magadan, wo aber leider schon Zuzugsverbot herrschte. «Deshalb ging ich in die letzte Stadt vor Magadan, nach Jakutsk.» Hier ist Fedja, wie er sagt, «hängen geblieben»; er heiratete eine Jakutin und gab den Gedanken an eine Rückkehr in seine südliche Heimat bald auf. Obwohl das Thermometer heute 30 Grad unter null zeigt, läuft er nur im blauweiß gestreiften Matrosenhemd ohne Kragen, in dünnen langen Hosen und ausgetretenen Filzpantoffeln herum, selbst im dicksten Schnee. 30 Grad unter null, erklärt er mit seinem schönen südländischen Akzent, seien doch keine Kälte, nicht in Sibirien.

Der andere Bus gehört Aljoscha. Wie Fedja ist er etwa 40 Jahre alt, aber Russe, geboren in Jakutsk. Er ist gelernter Automechaniker und hat sich vor einigen Jahren selbständig gemacht. Nun träumt er davon, sein Unternehmen zu vergrößern, bezweifelt aber, dass sich die Wirtschaftslage im russischen Norden demnächst wieder bessern werde. Auf unsere Frage, warum er denn so pessimistisch sei, antwortet er: «Ach, einfach nur so.»

Im Gegensatz zum untersetzten, kräftigen und überaus redseligen Fedja ist Aljoscha hoch aufgeschossen, hager und wortkarg. Sie wirken, meint Maxim, unser belesener St. Petersburger, wie die sibirische Variante von Don Quichotte und Sancho Pansa.

Unsere Fahrt geht zunächst über die zugefrorene und tief verschneite Lena ans östliche Ufer. Das Eis, erklärt Fedja, sei an dieser Stelle mindestens anderthalb Meter dick. Die Trasse über den Fluss ist vom Schnee geräumt, der Verkehr durch eine Fülle von Straßenschildern geregelt, die man einfach ins Eis gesteckt hat. Das zulässige Höchstgewicht für Lastwagen, besagt eines der Schilder, beträgt 45 Tonnen. Obwohl die Trasse zweispurig ist, gilt Überholverbot, die zulässige Höchstgeschwindigkeit ist 30 Kilometer pro Stunde. Doch daran hält sich niemand.

In beiden Richtungen herrscht lebhafter Verkehr. Personenwagen, Kleinbusse, Traktoren, Tieflader mit Baukränen und mächtigen Betonteilen, altersschwache, mit Kohle, Zementsäcken, Gasflaschen oder rostigen Containern beladene Lkws, Langholzfuhren und Tanklaster mit Anhängern donnern uns entgegen, als führen sie im Sommer auf deutschen oder italienischen Autobahnen. Auch Fedja und Aljoscha scheinen dem Rausch der weißen Weite zu erliegen. Die russische Variante des deutschen Sprichwortes «Fahr langsam, wenn du vorwärts willst!» lautet: «Je langsamer du fährst, umso weiter kommst du!» Es wird von den Hinterbänken der Busse zum Schlachtruf unserer Reise. Doch die Reaktion von Fedja und Aljoscha bleibt immer die gleiche: Sie nicken mit dem Kopf und sagen: «Wir fahren doch nicht schnell. Wenn wir noch langsamer fahren, geht der Motor kaputt.»

Nachdem wir die Lena verlassen haben, führt die Trasse durch das von lang gestreckten, bewaldeten Hügeln und großen, ebenen Weideflächen durchzogene jakutische Zweistromland, das Gebiet zwischen den Flüssen Lena und Aldan, das «Herz Jakutiens», wie der Kaukasier Fedja erklärt. Zuweilen tauchen links und rechts der Trasse kleine, tief im Schnee versunkene Dörfer auf, die nur aus wenigen Holzhäuschen bestehen, umgeben von schiefen oder zusammengebrochenen Bretterzäunen. In der Nähe der Dörfer ziehen Gruppen von Kühen die Straße entlang, mitunter auch kleine, gedrungene Jakuten-Pferde mit dickem Winterfell und buschigem, fast bis in den Schnee reichendem Schwanz.

Lange rätseln wir, warum die Kühe, die sich im Gegensatz zu

den jakutischen Pferden im Winter ihre Nahrung nicht selbst suchen können, trotz Schnee und Frost im Freien herumlaufen – bis wir in der Mitte eines kleinen, zugefrorenen und mit Schnee bedeckten Sees unweit eines Dorfes mehrere Kühe entdecken, die sich auf engstem Raum zusammendrängen. Im Näherkommen sehen wir, dass sie sich um einen Platz an zwei kreisrunden Löchern im Eis streiten, deren Durchmesser jeweils nicht viel größer ist als der eines Wassereimers. Es ist eine Wintertränke. Hierher ziehen die Kühe mittags und abends, zuweilen begleitet von einem vermummten älteren Dorfbewohner, meist aber ohne jede Aufsicht. Sie kennen den Weg.

Während wir filmen, kommt mit hoher Geschwindigkeit, doch fast unhörbar, ein Schlitten herangeflogen, gezogen von einem Jakuten-Pferd, das in kurzen Abständen Wolken hellen Dampfes aus den Nüstern stößt. Unmittelbar neben unserer Kamera zügelt der Kutscher mit einer kurzen, ruckartigen Bewegung und einem uns unverständlichen Ruf das heftig schnaubende Pferd. Unter der dunklen Pelzmütze mit den herunterhängenden Ohrenklappen erkennen wir das verwitterte Gesicht eines alten, mongolisch aussehenden Mannes. Nicht unfreundlich, aber ohne jeglichen Gruß, ohne Anrede und in kaum verständlichem Russisch fragt er, was wir hier machen. Routinemäßig antwortet Maxim mit einem Wort: «Kino!» Wobei die Betonung im Russischen auf der zweiten Silbe liegt. Diese Auskunft stellt den alten Mann, wie die meisten Neugierigen auf unserer Reise durch Sibirien, zufrieden. So jedenfalls scheint es. Dann jedoch nimmt er die Füße vom Schlitten und wendet sich uns mit dem ganzen Oberkörper zu. Warum wir jetzt einen Film drehen, will er wissen, wo es doch schon so warm sei, 30 Grad. Im Winter hätten wir kommen sollen, da seien es minus 50 Grad gewesen. Und überhaupt, minus 40 Grad seien normal. Ab minus 30 Grad beginne der Frühling.

Der Mann ist, wie sich herausstellt, kein Jakute, sondern Ewenke, wie fast alle Bewohner der umliegenden Dörfer. Früher hat er als Viehwirt auf der Kolchose gearbeitet, doch die gebe es ja nun nicht mehr. Und unvermittelt fügt er hinzu: «Heute ist alles viel besser.»

Auf unsere erstaunte Feststellung, dass wir in den meisten sibirischen Dörfern bisher das Gegenteil gehört hätten, und unsere Frage, warum es ihm denn jetzt besser gehe, antwortet er knapp, aber bestimmt: «Das Land gehört uns. Jeder hat ein Stück von der alten Kolchose bekommen und ist nun sein eigener Herr.» Und da auch seine Rente pünktlich ausgezahlt werde, habe er heute ein sorgenfreies Leben. Er halte sich drei Kühe und ein Pferd, und weil er selbst sein Stück Land nicht mehr bewirtschaften könne, helfe ihm im Sommer beim Heumachen die Genossenschaft, zu der sich die ehemaligen Kolchosbauern zusammengetan hätten. «Alles geht gerecht zu.»

Ob denn nicht, wie in anderen Dörfern, die Jugend weggehe, fragen wir.

«Natürlich», antwortet der Alte und schiebt sich die Pelzmütze, unter der es ihm offensichtlich warm geworden ist, aus der Stirn. «Natürlich gehen viele junge Leute weg. Die haben im Fernsehen, das es im Dorf gibt, wenn wir Strom haben, gesehen, wie die Leute in der Stadt leben. Und so wollen sie auch leben. Mit Kino, Restaurants und Möglichkeiten zum Tanzen. Doch die meisten kommen wieder zurück, weil sie in der Stadt nämlich vergeblich Arbeit suchen. So ist das.»

«Und wovon leben die Jugendlichen hier im Dorf?»

«Von dem, wovon wir alle leben. Von dem, was die Natur für uns bereithält. Und wenn sie Geld für irgendetwas brauchen, finden sie schon Wege. Bei uns gibt es doch Pelztiere, die man schießen, und Fische, die man fangen kann. Davon kaufen sich manche sogar ein Motorrad. Aber ich bin dafür schon zu alt. Mir reicht mein Pferd.»

Spricht's, legt die Beine auf den Schlitten, sagt: «Macht's gut, Jungs!», ruft seinem Pferd etwas Unverständliches zu und braust davon, dass hinter ihm der Schnee stiebt. Die meisten Kühe haben inzwischen getrunken und machen sich ebenfalls auf, zurück ins Dorf.

Wo die Menschen hier im Winter ihr Trinkwasser herbekommen, lernen wir nur einige Kilometer weiter, am Ende des Sees. Schon aus der Ferne haben wir eine Ansammlung säulenartiger Gebilde bemerkt, die wie Scherben eines zerbrochenen Spiegels in der Sonne glitzern. Es sind aus der Eisdecke des Sees herausgesägte oder -gehauene rechteckige Blöcke, manche bis zu einem Meter hoch. Zuweilen – je nach Blickwinkel – sehen sie aus wie ein lichtdurchfluteter, zauberhafter Märchenwald oder, so der eher pragmatische Sascha, wie das Modell einer futuristischen gläsernen Hochhaus-City. Meist im Spätherbst, wenn das Eis noch frisch und nicht allzu dick ist, machen sich die Dorfbewohner mit Kettensägen, Äxten oder scharf geschliffenen Spaten auf zum See, um das Trinkwasser für den Winter und den Eisvorrat für den kommenden Sommer sicherzustellen. Es ist eine Art Zeremonie, an der nach Möglichkeit die ganze Familie teilnimmt. Abtransportiert werden die Blöcke, die bis zu 100 Kilogramm wiegen, aber nur nach Bedarf – die letzten bei Einsetzen des Tauwetters im Frühjahr.

Gefragt, warum sie nicht den ganzen Winter Eislöcher offen halten und das frische Wasser nicht wie im Sommer in Milchkannen oder Bottichen aus dem See holen, schauen uns einige der Dorfbewohner, die gerade ein paar Eisblöcke auf ihre Schlitten laden, amüsiert an. Zum einen, sagen sie, wäre dies viel zu mühsam, jeden Tag zum Wasserloch hin und zurück. Und zum anderen wäre es auch sinnlos. Der Weg zum Dorf sei so weit, dass bei großer Kälte das Wasser in den Kannen und Bottichen gefrieren würde, bevor man wieder zu Hause sei. «Und wie kriegen wir dann das Eis raus?» Im Übrigen ließen sich die Eisblöcke sowieso viel besser transportieren und zu Hause stapeln. Und außerdem brauchte man für die Speisekammern im Sommer Eis – und kein Wasser.

Je weiter wir auf der Kolyma-Trasse nach Osten fahren, umso häufiger treffen wir auf kleine oder größere Gruppen frei laufender Pferde. Nicht selten stehen sie bis zum Bauch im Schnee und kratzen unablässig mit einem der Vorderhufe – auf der Suche nach unter der Schneedecke verborgenem Moos und Steppengras. Und das offenbar nicht ohne Erfolg: Alle machen, nicht nur aufgrund ihres dicken flauschigen Fells, einen wohlgenährten Eindruck. Sie gehören zur einzigartigen Rasse der Jakuten-Pferde, die sich wie keine andere im Laufe der Jahrhunderte an die harten Bedingungen des sibirischen Nordens angepasst hat. Als einzige Pferderasse der Welt können sie bei Temperaturen von 60 Grad unter null in freier Natur allein zurechtkommen – ohne Hirten oder sonstige menschliche Betreuung. Selbst gegen Wölfe wissen sie sich zu wehren. Ihr ausgeprägter Orientierungssinn lässt sie auch aus der tiefsten Taiga stets den Weg zurück zu ihrem Dorf oder den Zelten und Hütten ihrer Besitzer finden. Obwohl sie als halb wild gelten, zeigen sie Menschen gegenüber keine Scheu. Im Gegenteil: Wo immer wir anhalten, um sie zu filmen, kommen sie neugierig näher, beschnuppern uns und unsere Kamera, lassen sich nicht einmal von lauten Zurufen beeindrucken. Gelegentlich aber fallen einige von ihnen aus für uns unerfindlichem Grund in wilden Galopp, wie wir es sonst nur von Mustangherden im Wilden Westen kennen – ein Bild, das nicht nur den Kameramann Maxim in Entzücken versetzt.

Unter allen Tieren nimmt das Pferd in der Geschichte der Jakuten eine Sonderrolle ein. Sie haben es einst aus den Steppen südlich des Baikalsees in den Norden Sibiriens mitgebracht – nicht nur als Last- und Reittier, sondern auch als wichtigstes Nahrungsmittel und Ausgangsmaterial jeglicher Kleidung. In einigen Legenden der Jakuten gilt das Pferd als Abgesandter des Himmels, dem Menschen zur Seite gestellt als bester Freund und Ernährer. In anderen, mündlich von Generation zu Generation überlieferten Darstellungen erscheint es als erster Bewohner der Erde, als Vorfahre der Menschen.

Das ganz besondere, fast innige Verhältnis der Jakuten zu ihren Pferden muss bereits den ersten Russen, die als Eroberer nach Sibirien kamen, aufgefallen sein. Sie nannten die Jakuten «Pferdemenschen». Und noch heute, so haben wir auf dem Sonnenfest der Jakuten beobachtet, umgibt die jakutischen Pferde etwas Mystisches.

Pferdezüchter werden in Jakutien hoch geachtet. Einer von ihnen ist Wladimir Makarow, dessen Herde sich irgendwo nördlich von Kilometer 500 der Kolyma-Trasse befinden soll. Im Dorf Sylan, unweit des Kilometers 500, kennt offenbar jeder den Weg zu Makarow. «Ganz einfach», hatte uns eine junge Frau in einem langen, bis auf den Boden reichenden dunklen Pelzmantel erklärt, die wir als Erste fragten, «immer der Traktorspur entlang, etwa zwei Stunden.»

In der Tat, im tiefen Schnee links und rechts der Kolyma-Trasse ist die Spur nach Norden nicht zu übersehen. Sie führt zunächst schnurgerade durch die hier mit hohen und weit auseinander stehenden Fichten bewachsene Taiga, über mehrere unter der dichten Schneedecke kaum zu erkennende Flussläufe und schließlich über eine weite, baumlose Ebene zu einer Holzhütte, aus der heller Rauch aufsteigt. Neben der Hütte erkennen wir einen Heuschober, einige größere, längliche Baracken und mit Gattern abgetrennte Koppeln, auf denen kleine, auffallend rundliche Jakuten-Pferde gemächlich mit den Vorderhufen im Schnee scharren. Es sind, wie uns Wladimir Makarow erklärt, trächtige Stuten kurz vor der Niederkunft. Da die Gefahr besteht, dass die Fohlen draußen in der Taiga bei der Geburt in den tiefen Schnee fallen und ersticken, sind die Stuten rechtzeitig zum Lager und in die Koppeln geholt worden. Auf diese Weise, so Makarow, habe man auch die Möglichkeit, den Gesundheitszustand der Stuten und Fohlen zu überprüfen und gegebenenfalls mit Medikamenten oder Zusatzfutter helfend einzugreifen.

Das Aufspüren der weit verstreut in der Taiga umherziehenden trächtigen Stuten und das Zurücktreiben in die Koppeln, erklärt Makarow, sei eine der schwierigsten Arbeiten der Pferde-hirten. Ebenso wie das Heranschaffen von Futter und Wasser für die Zeit, in der sich die Tiere nicht selbst in freier Wildbahn er-nähren. Für die 60 Stuten, die in diesem Jahr fohlen werden, brauchen Wladimir Makarow und seine drei Helfer 250 bis 300 Tonnen Heu, geerntet auf den Lichtungen der Taiga – während eines Sommers, der gerade mal zwei Monate dauert. Ohne Trak-tor, und dabei zeigt Makarow auf ein Modell mit Frontlader, das offenbar aus uralten Armeebeständen stammt, sei dies über-haupt nicht zu schaffen. Doch auch das «Futter für den Traktor» sei ein Problem. Die Preise für Diesel seien in den letzten Jahren nämlich dramatisch gestiegen, und trotz der Verteuerung kämen die Lieferungen nicht mehr regelmäßig.

Wladimir Makarow ist etwa 50 Jahre alt und von kräftiger Statur. Wenn er auf einem seiner kleinen Pferde sitzt, hat man Angst, es könne erdrückt werden. Er ist der private Besitzer einer Herde, die einst zu einer Kolchose gehörte, und zugleich, wie er halb stolz, halb ironisch erklärt, der «Direktor, Oberhirte, Chef-veterinär». Er entstammt einer alten, wie er es nennt, jakutischen «Pferdefamilie». Sein Vater war Pferdezüchter, sein Großvater und dessen Vater ebenfalls. Und natürlich erzählt auch er uns gleich zu Beginn, was ihm sein Großvater und seine Großmutter erzählt haben: dass die Pferde wie die Recken der jakutischen Sagen im Himmel geboren wurden, der Schöpfer der Pferde der Gott Etygej ist und die Menschen Kinder der Pferde sind – ur-sprünglich. Auch wenn man heute vielleicht nicht mehr alles glaube, was die Alten erzählt haben, eines stehe für ihn, Wladimir Makarow, fest, und er sagt es im Brustton tiefster Überzeugung: «Ohne Pferd ist der Jakute kein Jakute.»

Aufgrund seiner Ausbildung als Veterinärmediziner kann Makarow eine ganze Reihe, wie er meint, «rationaler Gründe» anführen, warum dem Pferd in Jakutien eine so ungeheure Ach-tung zukommt. Nicht nur dass das Pferd, wie man wisse, immer der Freund und Begleiter der Helden gewesen sei, der Ernährer der Jakuten und Lieferant ihrer Kleidung – auch für den heutigen Menschen sei es von besonderer Bedeutung. Das Fleisch der jakutischen Pferde nämlich sei ökologisch einwandfrei. «Auf den Lichtungen der Taiga fressen sie nur absolut sauberes Gras. Ihr Fleisch ist das beste aller Pferderassen. Deshalb werden bei uns auch viele Menschen so alt – weil sie sich stets von Pferdefleisch ernährt haben.»

Laut Wladimir Makarow soll es sogar wissenschaftliche Untersuchungen geben, die zeigen, dass das Fleisch der jakutischen Pferde gegen radioaktive Verseuchung hilft. Zweifelsfrei erwiesen aber sei, so meint er, die positive medizinische Wirkung von Kumys; die vergorene Stutenmilch, traditionelles Nationalgetränk der Jakuten, sei ein Heiltrunk, der nicht nur die jakutischen Helden stark gemacht, sondern auch die übrige Bevölkerung Jakutiens geschützt habe, etwa vor Tuberkulose. «Früher, als noch alle Kumys getrunken haben, kannte man in Jakutien keine Tuberkulose. Aber als im vergangenen Jahrhundert der Pferdebestand stark zurückgegangen ist und es viel weniger Kumys gab, ist sofort Tuberkulose aufgetreten. Inzwischen hat die Zahl der Erkrankungen in beängstigender Weise zugenommen.»

«Und wann genau war das?»

«Es ging los in den dreißiger Jahren, als die Kolchosen gegründet wurden. Jeder Bauer musste in die Kolchose, durfte nicht mal ein Pferd behalten. Dann kam der Krieg gegen die Deutschen, und alle Pferde, die noch übrig waren, mussten an die Front. Und später kam dann diese Ideologie, die besagte, dass man Pferde überhaupt nicht mehr brauche; die moderne Technik sei effektiver und kostengünstiger. Alles könne mit Maschinen gemacht werden, das würde dem Menschen die Arbeit und das Leben erleichtern. Es wurden doch sogar Lieder auf die Traktoren gedichtet.»

«Aber ist es nicht wirklich so, dass die technische Entwicklung über das Pferd hinweggegangen ist, die Zeit für Pferde, außer vielleicht als Freizeitvergnügen, vorbei ist?»

Wladimir Makarow schüttelt heftig den Kopf. «Nein, die Zeit des Pferdes ist nicht vorbei. Solange es hier Menschen gibt, wird es Pferde geben, wird das Pferd der Freund des Menschen sein. Das Pferd ist das Sinnbild der Schönheit, der Kraft und der Männlichkeit. Und in unserem grausamen Klima gibt es keine bessere Überlebenshilfe. Unsere Pferde können mehr ertragen als irgendeine andere Pferderasse auf der Welt. Dabei sind sie anspruchslos. Und sie zu pflegen ist, gemessen an ihrem Nutzen, nicht schwer.»

Der größte Nutzen, den Wladimir Makarow aus der Pferdezucht zieht, ist der Verkauf des Fleisches. Regelmäßig suchen ihn private Händler auf und exportieren sein Pferdefleisch, wie er nicht ohne Stolz vermerkt, sogar bis nach Italien. In Russland sei die Nachfrage eher gering, «die Menschen haben kein Geld dafür».

In letzter Zeit allerdings, so Makarow, kämen auch immer mehr Leute, die Pferde zur Zucht oder als Reitpferde, vor allem für Kinder, kaufen wollten. Manche dieser Käufer seien so genannte «neue Russen», Geschäftsleute, die oft auf zweifelhafte Weise zu riesigen Vermögen gekommen seien. «Die finden es schick, sich ein jakutisches Pferd zu kaufen, das selbst im strengsten Winter noch draußen im Garten herumlaufen kann.»

Pläne, seine Herde zu vergrößern, hat Makarow im Augenblick dennoch nicht. «Wir haben schon jetzt Schwierigkeiten, genug Heu zu bekommen. Unser Traktor ist so gut wie hinüber, für einen neuen reicht das Geld nicht, und auch mit dem Treibstoff gibt es zunehmend Probleme. Außerdem werden uns freien Unternehmern immer neue Steuern und Abgaben auferlegt. Wieso eigentlich? Wir fallen dem Staat doch durch nichts zur Last!» Das, was er verdiene, reiche ihm völlig, und mehr Pferde bedeuteten automatisch mehr Arbeit und mehr Personal, das er einstellen müsste. Doch viele der jungen Leute im Dorf, so Makarow, wollten gar nicht mehr arbeiten. «Sie halten mehr vom Nichtstun. Sie wollen lieber rumsitzen, saufen und nach den

Mädels schauen. Und all das ist hier draußen in der Taiga nicht möglich.»

Nachdem Maxim die Prachtexemplare der Herde ausgiebig gefilmt hat und Wladimir Makarow und die drei «Cowboys ohne Kühe», wie sich seine jungen Mitarbeiter nennen, ein paar zirkusreife Reiterkunststücke vorgeführt haben, laden uns die Pferdehirten zum Tee in ihre Hütte ein. Sie ist aus rohen Stämmen gezimmert, die Ritzen zwischen den Balken sind mit Rentiermoos zugestopft. In der Mitte des Raumes befindet sich ein großer eiserner Kanonenofen, und es herrscht eine fast saunaartige Hitze. Entlang der Wände stehen vier Holzbänke mit Decken und Kissen aus Rentierfell, die zugleich als Schlafstätte dienen. An der Innenseite der Tür baumelt ein großes Bärenfell als Windfang. Durch die winzigen Fenster scheint die tief stehende Abendsonne, in deren Strahlen dicke Staubwolken tanzen. An mächtigen Nägeln hängen die abgewetzten Schafpelze der Hirten, Satteldecken, Zaumzeug, Lederriemen aller Art. Einige zerlesene Bücher liegen herum, russische Krimis und Historienromane. Das verstaubte Kofferradio hat offenbar längst seinen Geist aufgegeben. Ein abgegriffenes Kartenspiel scheint der beliebteste Zeitvertreib. Auf einem schmalen Regal haben die Küchenvorräte Platz – kleine Blechdosen mit Tee, Pulverkaffee, Salz und Zucker, dazu eine Schachtel «Rama»-Margarine aus russischer Produktion, ein Päckchen Suppenwürfel und einige kleine Gewürztüten. Die Petroleumlampe, die über dem Regal hängt, wird nur in den Wintermonaten gebraucht. Im Sommer ist es auch um Mitternacht noch so hell, dass man selbst im Inneren der Hütte bequem lesen kann.

Aus einem Sack, der unter dem Dach an der Außenwand der Hütte aufgehängt ist, holt einer der Hirten tiefgefrorenes rohes Pferdefleisch. Es ist in Streifen geschnitten und gilt, bestreut mit Salz und Pfeffer, als das Leibgericht der Jakuten. Wir kauen lange darauf herum und versuchen es dann diskret zu entsorgen. Hinterher sind wir uns einig: Es schmeckt wie Leder. Ganz anders jedoch das uns schon bekannte Stroganina, der in hauchdünne Scheiben geschnittene, ebenfalls rohe und tiefgefrorene Fisch, den der Pferdehirte aus einem anderen Sack von draußen geholt hat.

Verwundert sind wir über das vergleichsweise frische helle Brot, das uns unsere Gastgeber reichen. Es stammt, wie Wladimir Makarow erklärt, aus dem Dorf und wird zweimal in der Woche gebracht – wenn es das Wetter erlaubt. Und das ist im Winter manchmal einen Monat lang nicht der Fall.

Die jungen Männer, die bei Makarow als Pferdehirten arbeiten, sind während der ganzen Zeit unseres Besuches auffallend wortkarg. Schweigend hocken sie auf ihren Bänken, schweigend kauen sie das Pferdefleisch und den Fisch, schweigend schlürfen sie den heißen, stark gezuckerten Tee. Doch das liegt nicht nur an der Einsamkeit, in der sie Tag für Tag hier draußen in der Taiga ihrer Arbeit nachgehen. Es hat seinen Grund vielmehr darin, dass sie, wie wir erst allmählich bemerken, nur Jakutisch sprechen und offenbar Russisch so gut wie nicht verstehen. Wenn wir uns verständigen wollen, muss Wladimir Makarow als Dolmetscher dienen. Nein, so lassen sie uns wissen, sie seien nicht des Geldes wegen hier draußen, sondern aus Liebe zu den Pferden und der Natur. «Im Dorf ist es mir einfach zu hektisch», sagt einer der jungen Männer. «Hier habe ich alles, was ich brauche.»

«Und wie ist es mit den Mädchen?», frage ich.

Der Junge lächelt verschämt. «Das ist eine andere Sache. Wenn ich eins finden würde, würde ich wohl ins Dorf zurückgehen. Aber das ist gar nicht so einfach. Viele jakutische Mädchen heiraten lieber russische Männer. Sie glauben, dass es ihnen dann besser geht. Ob das stimmt, weiß ich nicht. Auf jeden Fall, wenn du nur Jakutisch sprichst, hast du's schwer. Hier draußen ist das egal.»

Kummer mit einem Mädchen hat auch Wladimir Makarow: mit seiner fast erwachsenen Tochter. Auf keinen Fall wolle sie Pferdezüchterin werden, auf keinen Fall in der Taiga leben. Musikerin wolle sie werden, am liebsten in Jakutsk. «Und ich weiß nicht, wie ich ihr diese Flausen austreiben soll.»

Als wir uns bei unseren Kleinbussen, die wir in der Nähe des Heuschobers geparkt haben, verabschieden, fragt mich Wladimir Makarow: «Habt ihr in Deutschland eigentlich noch Pferde?»

«Ein paar», sage ich, «aber die Arbeit wird von Maschinen gemacht.»

«Ein Jammer», murmelt er und schüttelt den Kopf. «Es sind doch Geschöpfe Gottes, Gesandte des Himmels.»

Er umarmt uns wortlos und geht mit schweren Schritten zur Hütte zurück. Von der Koppel erklingt helles Wiehern.

Rentier-Nomaden

Nein, wo wir die Herde finden würden, konnte uns niemand genau sagen. Im Norden, irgendwo oben in den Bergen, vielleicht zwei oder drei Tagesreisen von der Kolyma-Trasse entfernt.

In der Siedlung, zu der die Herde gehört, leben überwiegend Ewenken. Im Gegensatz zu ihren im Lena-Delta ansässig gewordenen Stammesbrüdern, den Fischern, sind viele von ihnen noch immer Nomaden, die den Großteil des Jahres in der Taiga und Tundra herumziehen. Sie nennen sich in ihrer Sprache «Rentier-Menschen». Die Herde, hatte uns der Dorfchef gesagt, sei ständig unterwegs in einem Gebiet von rund 100 000 Quadratkilometern, einer Fläche also fast doppelt so groß wie Holland. Die Weideplätze, zu denen die Herde im Sommer zieht, seien etwa 18 Tagesreisen entfernt, aber jetzt, Anfang März, sei sie noch in der Nähe. Mit unseren Kleinbussen allerdings hätten wir keine Chance, dorthin zu gelangen. Wenn wir es nicht zu Fuß und auf Skiern versuchen wollten, bräuchten wir einen «Ural», jenes gewaltige Ungetüm mit acht Rädern, das sich selbst bei höherem Schnee noch einen Weg durch die Taiga zu bahnen vermag. Gegen ein paar Dollar würde er uns gern den einzigen «Ural» der Siedlung samt Fahrer für einige Tage überlassen; auch empfehle er uns, die Zootechnikerin der Siedlung mitzunehmen, die ohnehin nach den Tieren schauen müsse und als «Kind der Taiga» am ehesten wisse, wo die Herde zu finden sei.

Nachdem sich der «Ural» mit seiner auf die Ladefläche montierten Personenkabine zwei Tage – meist bergauf – nach Norden gequält hat, entdeckt Marfa, wie die junge Zootechnikerin heißt, auf einer Lichtung tatsächlich die ersten Spuren von Rentieren. Bis zur Herde ist es nicht mehr weit, nur noch ein paar Stunden.

Von den drei Hirten wird Marfa herzlich begrüßt. Sie ist, wie die Männer, vom Stamm der Ewenken und gehört offenbar zur Familie. Alle vier jedenfalls sind, wie sie uns erklärt, irgendwie miteinander verwandt. Ihre Kindheit und einen Teil ihrer Jugend hat Marfa in der Taiga und Tundra verbracht, in der ihre Eltern als Rentier-Nomaden umherzogen. In den Wintermonaten hat sie die Schule in der Siedlung besucht, anschließend ein Studium an der zootechnischen Fachhochschule in Jakutsk absolviert. Nun ist sie, wie ihr offizieller Titel lautet, «Leitender Veterinär» der Siedlung und zuständig für einige tausend Rentiere.

Nachdem wir die mitgebrachten Vorräte für die Hirten ausgeladen haben – Mehl, Tee, Zucker, Salz, Streichhölzer, Petroleum, Munition für die Jagdgewehre, eine Axt und anderes Gerät zum Überleben in der Taiga –, zeigen uns Marfa und Wasilij, der älteste der Hirten, die Herde. Es sind etwa 900 Tiere, zusammengetrieben in einem großen, mit Seilen umspannten Areal. Aber dies, so Marfa, sei nur ein Teil der Herde. Die trächtigen Kühe, die im April kalben werden, hielten sich in einer anderen Gegend auf, etwa zwei Tagesreisen entfernt. Erst im Juni würden sie wieder zu einer Herde vereint.

Früher, erzählt Marfa, hätten zur Siedlung etwa 22 000 Rentiere gehört. Im Verlauf der letzten zehn Jahre habe sich der Bestand aber fast halbiert und betrage heute nur noch knapp 12 000 Tiere. Der Grund? Marfa stößt mit der Stiefelspitze in den Schnee. «Der Grund ist der freie Markt. Er hat die Menschen verdorben. Sie haben ihr Verantwortungsgefühl verloren.»

Fragend schauen wir Marfa an. Sie stößt ein weiteres Mal mit dem Stiefel in den Schnee.

«Früher, im Kommunismus, fühlten sich die Menschen für jedes einzelne Rentier verantwortlich. Der Brigadier musste für jedes kranke, abhanden gekommene oder gestohlene Tier Rechenschaft ablegen, Rede und Antwort stehen. Und jetzt läuft alles so, wie es eben läuft. Es gibt keine klaren Strukturen mehr, keine Brigadiers, die noch Autorität haben, keine Planziele und auch keine Unterstützung von den Behörden. Früher zum Beispiel existierte ein Komitee für den Schutz der Natur. Eine seiner Aufgaben war es, die Zahl der Wölfe unter Kontrolle zu halten. Mit Hubschraubern haben sie aus der Luft die Wölfe beobachtet; die überzähligen Tiere wurden gejagt und geschossen. Heute haben wir kein Komitee mehr und auch keine Hubschrauber. Also hat die Zahl der Wölfe dramatisch zugenommen. Allein in diesem Winter hat die Herde hier rund 180 Rentiere durch Wölfe verloren. Und wenn die Wölfe mal keine Tiere reißen, jagen sie die Herde auseinander, sodass die Hirten oft mehrere Tage in der verschneiten Taiga suchen müssen.»

Als wir später mit Marfa allein sind, nennt sie uns noch einen anderen Grund, warum es ihrer Meinung nach mit der Rentierzucht in den vergangenen Jahren so rapide bergab gegangen ist: Nachdem die Kolchosen aufgelöst wurden, hat jeder Clan versucht, aus der großen Kolchosherde einen Teil für sich abzuzweigen und gleichsam als kleiner Familienbetrieb mit den Rentieren herumzuziehen. Und das sei auch ein gutes Konzept gewesen, nach dem die Ewenken seit Jahrhunderten gelebt hätten, meint Marfa. Doch dem habe zunächst die alte Nomenklatura der Kolchose entgegengestanden, die sich selbst so viel wie möglich von der Herde unter die Nagel reißen wollte und natürlich immer noch über die besten Beziehungen zu den Aufkäufern und den staatlichen Behörden verfüge. Und die seien für die Benzinzuteilung, die Steuern, den Wohnraum in der Siedlung und vieles mehr zuständig. «Die Familien, die wie die Hirten, bei denen wir gerade sind, versuchen, auf eigene Faust zu wirtschaften, haben», fürchtet Marfa, «auf Dauer wohl kaum eine Chance.»

Der Schnee auf dem Platz, auf dem die Rentiere zusammengetrieben sind, ist festgetreten. Mit den Hufen scharren die Tiere nach Resten von Rentiermoos und Flechten, doch groß scheint die Ausbeute nicht mehr zu sein. Morgen, so Wasilij, wird das Lager abgebrochen und auf Schlitten verladen, dann wird man weiterziehen. Nur drei bis vier Tage bleiben sie mit ihrer Herde an einem Ort, dann werden die nächsten Futterplätze gesucht. Im Sommer, wenn die Hitze groß und die Mückenplage heftig wird, wandern sie hinauf in den Norden, in die baumlose Tundra, manchmal 500 Kilometer weit. Am Tag legt die Herde etwa 15 bis 20 Kilometer zurück, man muss aufpassen, dass die Tiere nicht allzu sehr ermüden. Für das Lager, so erklärt Wasilij, sucht man nach Möglichkeit einen Platz, der im Windschatten eines Berghanges liegt und in dessen Nähe man Holz findet. Am besten abgestorbene, noch nicht umgestürzte Bäume; die heizen besonders gut. Im Sommer, in der Tundra, gibt es kein Holz, aber da braucht man ja auch kein Feuer, das Tag und Nacht wärmt.

Die Rentiere, mit denen sie umherziehen, teilen die Hirten in drei Kategorien: die Schlachttiere; die Transporthirsche, die den Schlitten ziehen; und die Reittiere, die gesattelt und geritten werden wie Pferde.

Für die Hirten ist das Fleisch ihrer Tiere das wichtigste Nahrungsmittel. In schlechten Zeiten ernähren sie sich fast ausschließlich davon. «Und die jetzige Zeit», sagt Wasilij, «ist nicht nur schlecht, sondern elend. Wir verarmen zusehends. Die Preise für das Fleisch sind so niedrig, dass wir verhungern würden, wenn wir nicht unsere eigenen Tiere hätten. Dabei ist Rentierfleisch eine der besten Fleischsorten überhaupt. Es ist sauber, nahrhaft, schmeckt hervorragend und stärkt die Gesundheit.» Aber die Händler, die sich ein- oder zweimal im Monat zu ihnen durchschlagen und für ihre Waren von den Hirten Fleisch, Felle und Geweihe bekommen, fordern jedes Mal mehr. Es sei eben alles teurer geworden, heiße es, vor allem Benzin, aber auch Mehl, Zucker und alle anderen Lebensmittel. «Was sollen wir denn machen?», meint Wasilij und zuckt die Schultern. «Wir sind doch auf sie angewiesen. Zumindest was Medikamente für die Tiere angeht sowie Munition, Messer, Äxte und Ähnliches. Oder sollen wir uns gegen die Wölfe etwa mit bloßen Händen verteidigen?» Ohnehin, so Wasilij, hätten sie schon dazu übergehen müssen, selber Fallen für die Wölfe zu basteln; wie sie sich ja auch ihre Schlitten selber bauen würden und die breiten Taiga-Schneeschuhe aus Birkenholz und mit Riemen aus Elchleder.

Uns zu Ehren, darauf besteht Wasilij, soll ein Rentier geschlachtet werden. Er pfeift einem halbwüchsigen Jungen, der sich in der Nähe an einem Transportschlitten zu schaffen gemacht hat. Dima, wie der Junge heißt, ist ein Neffe Wasilijs und zieht mit dem Onkel schon seit einigen Jahren als Nomade durch die Taiga. An seinem Gürtel baumelt ein Lasso, sein Gang ähnelt dem des jungen John Wayne. Wasilij berät sich kurz mit ihm, zeigt auf eines der offenbar älteren Rentiere mit einem mächtigen Geweih. Dima nickt, schwingt das Lasso zweimal kurz über dem Kopf und stemmt sich mit beiden Füßen fest gegen die Erde. Der Hirsch, der in wilden Sprüngen und mit heftigen Kopfbewegungen versucht, das Lasso, das sich um die Enden seines Geweihs gewickelt hat, abzuschütteln, ist ohne Chance. Dima steht wie angewachsen, nur manchmal gibt er dem immer heftiger werdenden Zerren des gefangenen Tieres ein wenig nach. Schließlich schlingt er das Ende des Lassos um einen Baum, der Widerstand des Rentiers erlahmt, und Wasilij holt aus dem Zelt einen Karabiner. Nach dem ersten Schuss bricht das Tier zuckend zusammen, aus dem Hals strömt Blut.

Vor ein paar Jahren hatten wir bei Dreharbeiten Nomaden in einer anderen Gegend Sibiriens besucht. Dort wurde das uns zu Ehren geschlachtete Rentier mit einem einzigen Messerstich in die Nackenwirbelsäule getötet. Als wir Wasilij darauf ansprechen, brummt er nur: «Vielleicht hatten sie keine Munition.»

Der erschossene Hirsch wird an Ort und Stelle von Dima ausgeweidet, die Innereien in einem Eimer ins Zelt gebracht, wo sie Marfa in einem riesigen Topf aufs Feuer stellt. Es wird Suppe geben – Tschalmy, ein ewenkisches Nationalgericht.

Das niedrige, verräucherte Zelt, in dessen Mitte der Herd steht, ist mit Ästen von Laubbäumen ausgelegt. Sie sollen gegen die Kälte des Bodens schützen. An den Wänden liegen Felle, die

Schlafplätze der Hirten. Eine Petroleumlampe, die von der Decke des Zeltes baumelt, verbreitet schummeriges Licht. Die einzige Verbindung zur Außenwelt ist ein uraltes, dynamobetriebenes Funkgerät, das auf einem niedrigen Hocker in der Nähe des Ofens steht. Es wird mit einer Kurbel angeworfen, doch meistens, so erklärt Wasilij, ist es sowieso kaputt.

Marfa fühlt sich unter den Hirten und im Zelt offenbar wie zu Hause. Von Zeit zu Zeit spricht sie mit den Männern Ewenkisch, dann lachen sie wie die Kinder und amüsieren sich darüber, dass wir nichts verstehen.

«Man muss diese Menschen, die in der Taiga leben, einfach lieben», sagt Marfa. «Sie sind ein Schatz für uns urbanisierte Leute. Von ihnen kann man lernen, wie man leben muss. In der Taiga zeigen sich die Eigenschaften eines Menschen in der reinsten Form.»

«Können Sie ein wenig genauer erklären, was Sie meinen?», fragen wir.

«Natürlich», sagt Marfa und legt ein paar neue Holzscheite ins Feuer. «Das erste Gesetz der Taiga lautet: Man muss ehrlich sein. Man darf nicht betrügen. Natürlich gibt es auch unter uns Ausnahmen, aber der Ewenke ist von Natur aus sehr gesellig, sehr gutmütig. Er lebt allein in der Taiga, und wenn er einen Menschen trifft, freut er sich, will ihm alles erzählen, was er im letzten Jahr erlebt hat. Er kann nichts verschweigen, er ist offenherzig und betrügt nicht. Das ist der Grundcharakter des Ewenken. Wir versuchen, unseren alten Wurzeln treu zu bleiben, unsere Eigenschaften zu bewahren. Auch ich versuche es, denn ich bin ja selber Ewenkin.»

Die Männer, die auf ihren Schlafstellen hocken, haben aufmerksam zugehört, an einigen Stellen haben sie lebhaft genickt.

«Und was hat die so genannte Zivilisation den Ewenken gebracht – mehr Positives oder Negatives?»

Marfa denkt lange nach und blickt dabei in den Topf, in dem sie mit einem langen Holzstück rührt. Dann sagt sie: «Das ist eine schwierige Frage, und es gibt darauf keine eindeutige Antwort. Auf bestimmten Gebieten, etwa im Bereich der Kunst und Kultur, hat sie etwas Positives bewirkt; hat unserem Volk oder zumindest Einzelnen von uns die Möglichkeit gegeben, sich weiterzuentwickeln, zu zeigen, welch schöpferisches Potential in uns steckt. Auf der anderen Seite, aus der Sicht von uns Ureinwohnern, hat die Zivilisation viel Schaden angerichtet, viel Unheil gebracht, wie allen kleinen Völkern. Alkohol, Krankheiten, die wir vorher nicht kannten, und vieles mehr. Sie hat unsere Gesundheit zerstört, unsere Gene beschädigt, uns schutzlos gemacht gegen viele Einwirkungen von außen. Dennoch versuchen wir zu überleben. Und dazu brauchen wir die Taiga. Das ist unser Land. Und wir brauchen die Rentiere. Wenn es keine Rentiere mehr gibt, wird es auch uns nicht mehr geben. Das muss man begreifen.»

In der Nacht gehen wir noch einmal mit den Hirten vor das Zelt. Die Rentierherde ist ruhig, nur hin und wieder durchdringt ein kurzes Blöken die Stille.

«Die Taiga», sagt Wasilij unvermittelt, «ist mein Freund. Ich rede mit ihr, wie mit einem Menschen.» Er bricht ab, dann senkt er die Stimme und flüstert: «Aber du musst vorsichtig sein. In der Taiga lebt der Geist Bajanaj. Er bestraft jeden, der etwas Falsches tut.»

Wasilij legt die Finger auf die Lippen und schaut zum Himmel. In dieser Nacht sehen wir keine Polarlichter.

Streckenposten

Wieder auf der Kolyma-Trasse, weiter Richtung Osten. Wir haben den Aldan überquert, vorbei am Heimathafen der einst so stolzen Flotte, die den Namen dieses Flusses trägt. Der Hafen ist heute ein Schiffsfriedhof.

Mit seinen 2273 Kilometern ist der Aldan fast doppelt so lang wie der Rhein, doch im vergangenen Sommer, so haben wir in Jakutsk erfahren, fuhren auf ihm nur noch zwei Passagierdampfer. Einen davon hat das letzte Hochwasser auf Land gesetzt. Nun liegt er, genau an der Stelle, an der die Kolyma-Trasse auf das Eis des Aldan führt, hoch oben in der Taiga, umgeben von Fichten, Lärchen und Krüppelkiefern.

An dem anderen Dampfer, der festgefroren im Eis auf das Frühjahr wartet, machen sich drei Arbeiter in ölverschmierten Wattejacken und Filzstiefeln zu schaffen. Mit einem Lötkolben versuchen sie, eine festgefrorene Pumpe in Gang zu setzen. Dazu schöpfen sie aus einem Eisloch immer wieder Wasser über die Pumpe – mit bloßen Händen. Einer der Arbeiter hält, ebenfalls mit nackten Händen, den vereisten Metallfuß der Pumpe. Wenn wir, so haben wir festgestellt, bei minus 30 Grad mit nackten Händen Metall berühren, bleibt die Haut kleben, reißt schmerzhaft in Fetzen ab. Doch als wir die Arbeiter danach fragen, lachen sie nur. Ihre Hände seien das gewohnt, und im Übrigen seien minus 30 Grad keine Kälte. «Mein Gott», stöhnt Maxim, «wie oft werden wir diesen Satz noch hören!»

Die Arbeiter sind, wie sie uns erzählen, die Einzigen, die den Winter über im Hafen beschäftigt sind. Und das sei ein Glück für sie, auch wenn sie seit einem halben Jahr keinen Lohn mehr bekommen haben. «Es sind doch alle pleite. Die Aldan-Flotte, das Reparaturunternehmen, die Hafenverwaltung.» Die meisten der am Ufer festgefrorenen oder in der Taiga herumliegenden

Schiffe seien nur noch Schrott. Aber den einen Dampfer, an dem sie gerade herumwerkeln, den wollen sie im Frühjahr wieder in Gang bringen. «Dann wird es auch wieder Geld geben. Auf irgendwas muss man ja hoffen.» Schließlich bitten sie uns noch, nicht «diesen ganzen Zerfall» zu filmen. «Es müssen doch nicht alle unser Elend sehen. Sonst glaubt niemand, dass wir da je wieder rauskommen.» Der Dampfer, den sie gerade zu reparieren versuchen, trägt – wie unser Lena-Dampfer – den Namen «Sarja», Morgenröte.

Unser nächstes Ziel auf der Fahrt Richtung Osten ist der Ort Ojmjakon, der sich selbst «kältestes Dorf der Erde» nennt. Hier wurde mit minus 71,2 Grad die tiefste Temperatur gemessen, die je an einem bewohnten Punkt der Erde registriert wurde. Und hier soll sich der Kältepol der nördlichen Hemisphäre befinden. Doch um den Ruf, «kältester Punkt der Erde» zu sein, muss sich Ojmjakon mit der etwa 800 Kilometer nordwestlich gelegenen Siedlung Werchojansk streiten, in der eine ähnlich tiefe Temperatur gemessen wurde. Der Streit geht um einige Zehntel Grad und um die Methode der Temperaturmessung. Tatsache dürfte sein, so die Meteorologen, dass der Kältepol irgendwo in dem Dreieck zwischen Ojmjakon, Werchojansk und dem Dorf Syrjanka an der Kolyma liegt, etwa 500 Kilometer nordöstlich von Ojmjakon. Ein Territorium ungefähr von der Größe Deutschlands, das seiner genaueren meteorologischen Erforschung noch harrt.

Bis Ojmjakon allerdings, so stellen wir bald fest, werden wir es an diesem Tag – und auch am nächsten – mit Sicherheit nicht schaffen. Es sind zwar auf unserer Karte nur etwas mehr als 400 Kilometer, doch die Kolyma-Trasse, die bis zum Aldan bereits vereist und streckenweise verschneit war, wird nun immer schwieriger passierbar.

Wir haben das flache jakutische Zweistromland verlassen und nähern uns dem ersten höheren Gebirgszug, dem bis auf 3000

Meter aufragenden Suntar-Massiv. Die Kolyma-Trasse wird von hier an enger und kurvenreicher, die vereisten, spiegelglatten Serpentinen – einen Streudienst gibt es nicht – sind so spitz, dass entgegenkommende Fahrzeuge erst wenige Meter vor der eigenen Windschutzscheibe wie aus dem Nichts ins Blickfeld geraten. Fahrbahnbegrenzungen oder gar Leitplanken sind selbst in den engsten Kurven nicht vorhanden; der Blick aus dem Seitenfenster geht in bis zu 1000 Meter tiefe, senkrecht abfallende Schluchten, an deren Grund sich zugefrorene Flussläufe schlängeln. Während sich unsere beiden Busse im Schneckentempo die Pässe emporquälen, Fedja und Aljoscha mit zusammengekniffenen Augen und schweißnassen Händen das Lenkrad umklammern und zu erraten versuchen, was sich hinter der nächsten Kurve verbirgt – und wir tunlichst vermeiden, aus dem Seitenfenster zu schauen –, kommen uns voll beladene, zuweilen bedrohlich schleudernde Lastwagen entgegen, die frontal auf uns zuzudonnern scheinen. Erst in letzter Sekunde geben sie die Straßenmitte frei und rasen an uns vorbei, oft so nah, dass keine Streichholzschachtel dazwischenpasst. Ihre Chauffeure, klärt uns Fedja auf, folgen dem Motto: «In Sibirien gibt es keine Miliz. Warum sollen wir nüchtern fahren?»

Doch nicht allein die Gebirgspässe und die, wie Aljoscha meint, «verfluchten» Straßenverhältnisse lassen uns nur äußerst langsam vorankommen, immer wieder verlieren wir auch Zeit bei der mühseligen Suche nach einer Tankmöglichkeit. In der Siedlung Tjoplyj Kljutsch, auf Deutsch «Warme Quelle», muss Sascha länger als einen halben Tag mit dem Bürgermeister verhandeln, bevor dieser endlich 150 Liter Benzin herausrückt. Wir bekommen es an der Pumpe des vor ein paar Jahren stillgelegten Feldflughafens von Tjoplyj Kljutsch. «Manchmal», so Sascha verbittert, «wirken selbst unsere grünen Scheine nicht gleich. Einige Leute haben offenbar Angst.» Wovor, lässt er offen. Vielleicht vor Putin, der erklärt hat, er wolle die Korruption bekämpfen, mutmaße ich. Wohl kaum, meint kopfschüttelnd Fedja, der zugehört hat. «Putin ist weit weg. Sie haben Angst vor ihren eigenen Leuten im Dorf, die solche Geschäfte natürlich mitbekommen und neidisch sind, wenn sie nicht daran beteiligt werden.»

Die Wracks der von der Trasse abgekommenen, umgestürzten und ausgebrannten Pkws und Lkws, die wir nun immer häufiger links und rechts im Schnee liegen sehen, tragen nicht gerade zur Aufmunterung bei. Wobei uns Aljoscha, der die Strecke früher schon einmal gefahren ist, darauf aufmerksam macht, dass nicht alle ausgebrannten Fahrzeuge Opfer von Unfällen sein müssen. Sie könnten vielmehr von ihren Besitzern selbst angezündet worden sein, dann nämlich, wenn diese allein, ohne Begleitfahrzeug unterwegs waren und eine Panne hatten. «Wenn du hier bei minus 50 Grad mit deinem Auto liegen bleibst, hast du nur eine Chance zu überleben – ein Feuer zu machen, das dich wärmt. Und darauf zu hoffen, dass vielleicht ein anderes Auto kommt, das dir hilft. Aber das kann Stunden dauern, manchmal Tage.»

Erfahrene Taigamenschen, so Aljoscha, wissen auch ganz genau, wie das Feuer zu entzünden und möglichst lange am Brennen zu halten ist: Bei Lastwagen werden zuerst die Reifen angesteckt, dann die Holzbretter der Ladefläche. Bei einem Pkw sind nach den Reifen die stoffbezogenen und gepolsterten Sitze dran. «Und wenn das alles vorbei und immer noch niemand gekommen ist, kannst du dir nur ein Loch in den Schnee graben und beten.»

Je weiter wir auf der Kolyma-Trasse nach Osten gelangen, umso häufiger begegnen wir auch Mahnmalen, die an Unfallopfer erinnern. Es sind meist schlichte Holzkreuze oder zu kleinen Pyramiden aufgeschichtete unbehauene Steine, deren Spitzen aus dem Schnee ragen. Vor der Holzbrücke über die Kjuente, einen Nebenfluss der Indigirka, wurde ein großer, aus Beton gegossener und mit einem Sowjetstern verzierter Obelisk errichtet, in den elf Namen sowie das Datum 13. 2. 1990 gemeißelt sind. An diesem Tag, erzählt Aljoscha, ist ein voll besetzter Kleinbus auf der spiegelglatten Trasse vor der Brücke ins Schleudern geraten und direkt auf das Eis des Flusses gestürzt. Überlebt hat niemand.

Gegen zwei Uhr in der Nacht erblicken wir am Ende einer schmalen Holperstrecke, die sich zwischen Baumstümpfen und umgestürzten Stämmen über einen gefrorenen Sumpf windet, einen fahlen Lichtschein. Er kommt von einem windschiefen Laternenmast neben einer Zapfsäule. An der Zapfsäule klebt ein handgeschriebener Zettel, auf dem steht, dass der Tankwart «im Metallfass nebenan» zu finden sei.

Das «Metallfass» ist eine Art Nissenhütte, ein der Länge nach durchgeschnittener ehemaliger Treibstofftank, in dessen Stirnseite eine Tür mit einem kleinen Fenster gesägt wurde. Der Tankwart ist eine etwa 40-jährige Frau; sie trägt eine gesteppte Wattejacke, einen langen, bunt bedruckten Rock aus seidenähnlichem Material, der bei jedem Schritt weit ausschwingt und den Blick auf hochhackige Lederstiefel freigibt, und zu ihren blonden, die ebenmäßigen Gesichtszüge in leicht gewellten Strähnen einrahmenden Haaren eine Fuchspelzmütze wie einst Julie Christie in «Dr. Schiwago».

In der Hand hält sie nicht etwa einen Schlüssel, um die Zapfsäule in Gang zu setzen, sondern einen Keilriemen. Auf unsere Frage, wo es an der Kolyma-Trasse die nächste Übernachtungsmöglichkeit gebe, antwortet sie lakonisch: «Bei mir.» Dabei weist sie auf eine Ansammlung etwas abseits der Trasse gelegener und von uns in der Dunkelheit zunächst nicht bemerkter niedriger Holzbaracken, zwischen denen unzählige Antennenmasten in die Höhe ragen. Es ist eine – eigentlich – höchst geheime Funkstation der russischen Regierung. Den Eingang zur Station versperrt ein Schlagbaum, daneben steht ein etwas verwittertes Schild «Halt! Es wird geschossen.» Doch Ljuda, wie die Tankwartin heißt, ermuntert uns, den Schlagbaum einfach hochzuheben und durchzufahren. «Hier schießt schon längst niemand mehr.»

Vor einem zweistöckigen Holzhaus, in dem elektrisches Licht brennt, machen wir Halt. «Wie viele Wohnungen wollt ihr?», fragt Ljuda geschäftsmäßig. Verblüfft schauen wir sie an und erklären, dass uns eine reichen würde, aber zwei natürlich besser wären. Schließlich sind wir zusammen mit unseren Fahrern sechs Mann, und dazu noch das Gepäck, die Kameraausrüstung und so weiter. «Kein Problem», meint Ljuda, «ihr könnt meine Wohnung haben und die des Nachbarn. Ich muss sowieso die ganze Nacht an der Zapfsäule Dienst machen.»

«Und der Nachbar?»

«Den gibt es nicht mehr. Er ist abgereist.»

Es stellt sich heraus, dass die Funkstation zwar noch in Betrieb ist, von den etwa 200 Menschen, die einst hier lebten, aber nur 25 übrig sind. Alle anderen haben im Laufe der letzten Jahre ihre Sachen gepackt und die Siedlung verlassen. Der Grund: Das Personal der Funkstation wurde drastisch verkleinert, die Schule geschlossen, die regelmäßige Versorgung mit Lebensmitteln durch staatseigene Transportunternehmen eingestellt. Ebenso die Autobuslinie, die früher einmal pro Woche zur 500 Kilometer entfernten nächsten größeren Siedlung verkehrte.

Ljuda ist vor 23 Jahren aus Südrussland hierher gekommen. Ihr Mann arbeitete als Tankwart, sie leitete die Kantine der Funkstation. «Es war ein gutes Leben», sagt Ljuda, «und niemand dachte ans Weggehen.» Aber 1990, mit der Wende, habe das Unglück seinen Lauf genommen. Die Tankstelle wurde privatisiert, und ihr Mann wurde der erste Pächter. Beide hätten die Zapfsäule rund um die Uhr in Betrieb gehalten und so gut verdient, dass sie sich sogar einen eigenen Lastwagen kaufen konnten, mit dem sie Lebensmittel und alles andere heranschafften, was sich in der Siedlung und an der Zapfsäule mit gutem Gewinn weiterverkaufen ließ. Doch dann sei ihr Mann dem Wodka verfallen und habe innerhalb von fünf Jahren das gesamte Vermögen vertrunken, einschließlich des Lastwagens. Irgendwann hat Ljuda ihn aus der gemeinsamen Wohnung geworfen, die halb erwachsenen Töchter zur Großmutter nach Südrussland geschickt und die Tankstelle als Pächterin übernommen. Auf der Kommode in ihrem Wohnzimmer liegt neben zerlesenen Liebesromanen ein schmales Heftchen mit einem russisch-orthodoxen Kreuz und dem Bildnis des Patriarchen von Moskau. Es trägt den Titel: «Gebete gegen die schreckliche Sünde des Saufens.»

Finanziell, sagt Ljuda, gehe es ihr heute wieder ganz gut. Neben ihrer Arbeit an der Zapfsäule führt sie immer noch die Kantine der Funkstation. «Die paar Portionen Essen für die wenigen Leute, die noch hier sind, bereite ich nebenher zu.»

Die wichtigste Einnahmequelle Ljudas, so stellt sich bei einem längeren nächtlichen Gespräch am Küchentisch heraus, ist aber nicht der Benzinverkauf und die Arbeit in der Kantine. Es sind vielmehr die Nebengeschäfte. Durchreisenden wie uns vermietet sie für eine Nacht oder auch länger die leer stehenden, aber nach wie vor an die Stromversorgung der Funkstation angeschlossenen Wohnungen ihrer einstigen Nachbarn. Für durstige Lastwagenfahrer und andere Reisende ist sie im Umkreis von 500 Kilometern die einzige Adresse, an der Tag und Nacht der gewünschte Nachschub zu beziehen ist. Hinter einem Vorhang im Flur ihrer Wohnung stehen sechs große Kisten mit Wodka, Marke «Sibirskaja».

Als wir uns am nächsten Morgen von Ljuda verabschieden, hat es heftig zu schneien begonnen. Zeitweilig fallen die Flocken so dicht, dass es die ausgeleierten Scheibenwischer unserer Kleinbusse nicht mehr schaffen. Immer wieder müssen wir am Straßenrand anhalten und warten, bis sich die wütenden Böen des Schneesturms, der «Purga», wie er in Sibirien genannt wird, etwas beruhigt haben. Die uns entgegenkommenden Lastwagen allerdings scheint er nicht zu beeindrucken. Mit der gleichen atemberaubenden Geschwindigkeit wie immer rasen sie an uns vorbei, eine gewaltige Wolke aus Schnee und Eisbrocken aufwirbelnd, die krachend gegen die Windschutzscheiben und Seitenfenster unserer Busse knallen. Sich in diesen Momenten im Freien aufzuhalten wäre, wie Fedja meint, lebensgefährlich.

Nachdem sich der Schneesturm etwas gelegt hat und wir im Schritttempo auf der vereisten Piste einige Kilometer weiter gefahren sind, erblicken wir hinter einer engen Straßenbiegung einen Tanklastwagen mit Anhänger, den es aus der Kurve getragen hat. Er liegt schräg auf der Seite und steckt bis zum Führerhaus im Schnee. Ein junger Mann mit Pudelmütze und blauem Overall steht, auf eine Schaufel gestützt, gedankenversunken daneben. Er hat den Versuch, seinen Lkw freizuschaufeln, offenbar aufgegeben.

«Ohne schweres Gerät», sagt er achselzuckend, «kannst du hier nichts ausrichten.»

Ob er denn nicht versucht habe, Hilfe zu holen, fragen wir.

«Natürlich», antwortet der junge Mann. Von einem Pkw habe er sich mitnehmen lassen, etwa 70 Kilometer weit, bis zum nächsten Streckenposten. Dort hätten die Männer vom Straßendienst in einer Baracke gesessen und Karten gespielt. «Auf dem Hof standen Traktoren und Schaufelbagger zum Schneeräumen, doch obwohl die Purga tobte und der Straßenzustand immer bedrohlicher wurde, haben sie keines der Fahrzeuge in Bewegung gesetzt.» Als der junge Mann die Straßendienstleute schließlich bat, ihn mit einem ihrer Traktoren oder Bagger aus dem Schnee neben der Trasse zu ziehen, hätten sie nur höhnisch gelacht: «Seit zwei Jahren hat man uns keinen Lohn gezahlt. Weshalb sollen wir jetzt einen Finger krumm machen?» Auch sein Hinweis, er würde doch regelmäßig Steuern zahlen und habe deshalb ein Recht darauf, dass der Staat die Straßen in Ordnung halte, sei nur mit Lachen quittiert worden: «Dann erzähl das doch dem Staat.»

«Und wie», fragen wir den jungen Mann, «geht's jetzt weiter?»

«Ich weiß nicht», sagt er und zuckt wieder die Achseln. «Man muss warten. Vielleicht kommt ja jemand und hilft. Ein anderer Lkw vielleicht. Sprit habe ich genug. Damit kann ich auch bezahlen.»

Wir wünschen dem jungen Mann, der sich, wie er versichert, beim besten Willen nicht erklären kann, wieso er mit seinem Tanklaster von der Straße gerutscht ist, Glück und fahren, immer noch im Schritttempo, weiter.

Früher, so erzählt Aljoscha, der in Jakutsk geboren ist und sich offenkundig auch für die Geschichte seiner Region interessiert, habe es entlang der Kolyma-Trasse alle 10 bis 20 Kilometer Streckenposten gegeben. Es seien Häftlinge gewesen, die die Aufgabe hatten, die Trasse in Ordnung zu halten, Schnee zu räumen, zu streuen, Schäden auszubessern. Und das alles mit primitivstem Gerät – einer Schaufel, einer Spitzhacke und einer Schubkarre. Unterernährt, in abgerissener Kleidung, bei jedem Wetter und jeder Temperatur. «Und wehe», so Aljoscha, «sie haben es nicht geschafft. Man hat für sie nicht mal ein Kreuz aufgestellt ...»

Heute, meint Aljoscha, gebe es keine Häftlinge mehr und keine Lager, und das sei auch gut so. Aber die Folge sei, dass es kaum noch Streckenposten gebe, vielleicht alle 200 Kilometer einen. Und wie die arbeiten, habe uns der junge Mann mit dem Tanklastzug ja erzählt.

Gegen Abend scheint es für den Bruchteil einer Sekunde, als nehme unsere Reise ein vorzeitiges Ende. Der Schneefall hat nachgelassen, doch unter dem Schnee, der den trügerischen Eindruck vermittelt, dass die Räder in ihm ein wenig Halt finden können, liegt die spiegelblanke Eisdecke. An einer der vielen Steigungen gerät ein uns entgegenkommender, mit Eisenträgern beladener Sattelschlepper ins Schleudern. Während das gewaltige Fahrzeug, von einer Straßenseite zur anderen rutschend, auf uns zurast, schiebt sich der Aufleger des Sattelzugs an der Fahrerkabine vorbei und drückt diese seitlich von der Trasse in den

Tiefschnee. Eine Möglichkeit, auf der vereisten Steigung auszuweichen oder sofort zu bremsen, hat unser Fedja, der mit seinem voll beladenen Bus, dem Benzinfass und den unzähligen Kanistern vornweg fährt, nicht. Etwa anderthalb Meter vor der Windschutzscheibe Fedjas kommt der Sattelschlepper, gebremst offenbar durch den Tiefschnee, zum Stehen. Sascha, der neben Fedja sitzt und als Kriegsreporter in Afghanistan, Tschetschenien und Jugoslawien gearbeitet hat, hockt eine halbe Stunde in sich zusammengesunken auf seinem Platz, stumm und unbeweglich. Dann sagt er einen einzigen Satz: «Es war das erste Mal, dass ich Angst gehabt habe.» Er steigt in unseren Bus, legt sich auf die Krankenpritsche und zieht den Reißverschluss seines Schlafsacks bis über den Kopf zu.

Nur einmal auf der Etappe überholen unsere beiden Busse ein anderes Fahrzeug – einen mächtigen Lkw mit vier Achsen, der einen hoch beladenen Kohlelaster über eine Passstraße zieht. «Wenn das mal gut geht», murmelt Aljoscha und pfeift kopfschüttelnd durch die Zähne.

Unser Ziel Ojmjakon erreichen wir auch an diesem Tag nicht. Kurz nach Mitternacht machen wir in einer Siedlung mit Namen Tomtor Halt, in der es ein Gästehaus der Gemeindeverwaltung geben soll. Nach einigem Suchen finden wir es tatsächlich – eine lang gestreckte Holzbaracke, in der noch einige Bettgestelle frei sind. Obwohl es draußen inzwischen fast 40 Grad unter null hat, ist die Heizung kalt. Das örtliche Kraftwerk hat keine Kohlen mehr. Doch das interessiert uns nicht. Hauptsache, es gibt Strom, damit wir die Akkus für unsere Kamera und das Tongerät aufladen können. Fast als Luxus empfinden wir, dass trotz der Kälte die Wasserleitung funktioniert, ein Hahn für die gesamte Baracke.

Am frühen Morgen weckt uns ein Milizionär in Uniform. Ob wir in der Nacht einen Lkw gesehen hätten, der einen anderen abgeschleppt habe, will er wissen. Wir bejahen und fragen, warum ihn das interessiere. «Weil die Lastwagen hinter dem Pass in eine Schlucht gestürzt sind, 500 Meter tief. Der hintere hat den vorderen über den Straßenrand geschoben. Beide Fahrer sind tot.» Wir rechnen nach: Es muss eine halbe Stunde, nachdem wir die beiden überholt hatten, passiert sein.

Am kältesten Punkt der Erde

Endlich sind wir in Ojmjakon. Es ist ein strahlender Sonnentag, in der Nacht hatte das Thermometer 42 Grad unter null gezeigt. Der Weg hierhin führte von der Kolyma-Trasse etwa 40 Kilometer nach Norden, ein schmaler, vereister Feldweg, für den wir mehr als zwei Stunden brauchten. Gelegentlich trafen wir auf kleine Gruppen frei laufender Jakuten-Pferde. Das einzige Fahrzeug, dem wir begegneten, war ein russischer Lada, der von der Straße gerutscht war und den wir mit vereinten Kräften aus dem Schnee zogen.

Während der Fahrt hatte uns Sascha noch ein paar statistische Daten aus einem sibirischen Heimatkundebuch vorgelesen. Dass Ojmjakon als Kältepol der nördlichen Halbkugel gilt, wussten wir schon; aber dass es keinen Ort auf der Erde gibt, der im Verlauf eines Jahres größere Temperaturschwankungen aufzuweisen hat, war uns neu – bis zu 110 Grad Celsius. Im Winter fällt das Thermometer bis auf 71 Grad unter null, im Sommer hingegen klettert es zuweilen auf plus 39 Grad im Schatten. Rund 210 Tage im Jahr herrscht in Ojmjakon Frost, die durchschnittliche Jahrestemperatur beträgt 16 Grad unter null. Die einzige frostfreie Periode zählt gerade mal 30 Tage. Im Juni und Juli scheint die Sonne ununterbrochen, 16 bis 18 Stunden am Tag; in der Winterzeit erhebt sie sich nur gegen Mittag kurz über den Horizont.

Als Erklärung für diese extremen Temperaturschwankungen verweisen die Meteorologen neben vielen anderen Faktoren auf die kontinentale Lage Ojmjakons. Die gewaltige sibirische Landmasse nördlich des Polarkreises speichert die Kälte sehr viel intensiver als die eisbedeckten Meere. Überdies liegt Ojmjakon im Zentrum einer ausgedehnten, flachen Senke, die von Gebirgszügen bis zu 3000 Meter Höhe umgeben ist. In dieser Senke, deren Form einer riesigen Tasse ähnelt, sammeln und verstärken sich Kälte wie Hitze in andernorts kaum gekannter Dimension.

Als wir in Ojmjakon gegen Mittag aus unseren Bussen steigen, sind wir enttäuscht. «Nur» 35 Grad unter null zeigt unser digitales Thermometer, und einige der Bewohner scheinen sich in ihrer Kleidung schon auf den Sommer umgestellt zu haben. Sie laufen ohne Kopfbedeckung herum, mit offener Jacke und in dünnen Lederschuhen. Die meisten allerdings sind noch immer winterlich angezogen: dicke Pelzmützen mit Ohrenklappen, gesteppte Wattejacken, traditionelle, aus Filz gewirkte Stiefel, Walenki genannt. Dazu auffallend viele Frauen in langen, bis zu den Knöcheln reichenden Pelzmänteln aus Kaninchenfell, Fuchs oder Nerz – alles, wie man uns versichert, in Heimarbeit hergestellt und aus heimischen Wäldern. Jeder Mann in Ojmjakon ist ein Jäger.

Das Dorf besteht aus einer einzigen breiten Straße, an der entlang sich links und rechts kleine, in verschiedenen Farben gestrichene Holzhäuser in den Schnee ducken. Aus einem Lautsprecher in der Mitte des Dorfplatzes dröhnt scheppernd und ohne Unterlass das Programm des staatlichen Moskauer Radiosenders Majak, Leuchtturm. Gelegentlich knattert ein Motorrad mit Beiwagen vorüber, sogar ein Schneemobil taucht auf und manchmal eine Kuh. Vor dem einzigen Lebensmittelladen drängt sich eine Traube junger und alter Männer, Wodka und Bierbüchsen machen die Runde. Dick vermummte Kinder, die mit ihren um den Hals geknoteten Schals, unförmigen Mänteln und zierlichen Filzstiefelchen aussehen wie bunte Knallbonbons, balgen sich im Schnee mit Hunden undefinierbarer Rasse. Ein alter Mann zieht in gebückter Haltung einen Schlitten mit einer großen Milchkanne voll Wasser über den Platz.

400 Menschen, so haben wir gelesen, leben in Ojmjakon, fast ausschließlich Jakuten. Die Kinder auf der Straße haben nicht etwa kältefrei, sondern Frühjahrsferien. Schulfrei, erzählen sie uns, gibt es erst ab minus 55 Grad. Besser haben es nur die ganz

Kleinen in der ersten und zweiten Klasse. Sie dürfen schon bei 51 Grad unter null zu Hause bleiben.

Unser erster Gang führt uns zur Dorfverwaltung, einem kleinen, blau gestrichenen Holzhaus, zu dem ein paar Stufen hinaufführen und auf dessen Dach die jakutische Fahne weht. Vor dem Eingang parkt ein älterer Armeejeep, offenbar der Fuhrpark des Dorfes, wie Fedja spitzzüngig feststellt.

Wir sind angemeldet und werden erwartet. Allerdings empfängt uns nicht der Bürgermeister, der, wie man uns sagt, zur Vorbereitung des Frühlingsfestes in der Kreisstadt ist, sondern seine Stellvertreterin, eine zierliche, energische Jakutin mit kurz geschnittenem dunklem Haar und tiefrot geschminkten Lippen.

Als erstes erklärt uns Swetlana Timofejewna, wir dürften nicht vergessen, uns bei der Buchhalterin zu melden. 100 Dollar müssten wir zahlen für jeden Tag, an dem wir uns in Ojmjakon aufhalten. Das sei so üblich bei Fernsehteams, schließlich sei Ojmjakon eine besondere Sehenswürdigkeit, der Kältepol der Erde. Auch in anderen Ländern müsse man für Sehenswürdigkeiten Eintritt bezahlen. Das Geld könne man gut gebrauchen, denn wie es um die Finanzen der Städte und Dörfer in Russland und besonders in Sibirien stehe, dürfte uns ja nicht unbekannt sein. Wir nicken und versichern, dass wir natürlich sofort die Buchhalterin aufsuchen werden. Schließlich haben wir schon ganz andere Forderungen erlebt, aber das sagen wir nicht.

Im Gespräch zeigt sich Swetlana Timofejewna unerwartet offen, auch in persönlichen Dingen. Sie sei, erzählt sie freimütig, 55 Jahre alt, habe vier Kinder und fünf Enkel – bislang. Sie sei in einem kleinen Dorf an der Lena geboren, habe in Jakutsk «Kulturadministration» studiert und sei vor zwei Jahren nach Ojmjakon gekommen, «der Liebe wegen». Inzwischen sei sie Witwe und stecke ihre ganze Energie in die Arbeit bei der Dorfverwaltung.

«Auch wenn alle glauben, wir leben noch in der Steinzeit – wir sind viel weiter, als die meisten denken. Bei uns gibt es Fernsehen, seit einigen Jahren haben wir eine große Satellitenschüssel. Und wir haben eine sehr gute Schule, deren Abgänger manchmal auch die Aufnahmeprüfungen an Universitäten in Jakutsk, Magadan oder sogar in Moskau schaffen. Die Renten für die Alten werden pünktlich ausgezahlt, und der Kindergarten ist noch in Betrieb. Einmal in der Woche gibt es in der Schule eine Diskothek für die Jugend, und im Kulturhaus arbeitet ein Tanz- und Gesangsensemble.»

Zurückhaltender zeigt sich Swetlana Timofejewna bei einigen kommunalpolitischen Problemen. Sicher, die Arbeitslosigkeit sei hoch. Seit die Kolchose in eine Kooperative umgewandelt wurde, seien viele der früheren Kolchosarbeiter ohne feste Anstellung und die Einkommen der Mitglieder der Kooperative großen Schwankungen ausgesetzt. Natürlich sei es nicht ihre Aufgabe, sich als stellvertretende Dorfchefin darum zu kümmern, schließlich habe man jetzt «freie Marktwirtschaft», doch es tue schon weh, zu sehen, wie sich die Leute mit den neuen Verhältnissen plagten. «Andauernd werden neue Systeme ausprobiert, neue Methoden, da kommen viele nicht mehr mit.» Und einiges sei ja auch objektiv schwierig geworden. Früher konnten die Kolchosarbeiter alle drei Jahre irgendwohin nach Russland in Urlaub fliegen, auf Staatskosten; davon könne heute keine Rede mehr sein. Nicht einmal nach Jakutsk gebe es noch eine regelmäßige Busverbindung.

«Und wovon leben die Leute?»

«Viele junge Menschen versuchen wegzugehen», gibt Swetlana Timofejewna unumwunden zu. «Und die Alten haben ihre Rente. Ansonsten lebt man von dem, was die Natur bietet. Man geht jagen, fischen, Beeren sammeln, und die meisten halten sich ein oder zwei Kühe.»

Die Tatsache, dass Ojmjakon als das kälteste Dorf der Erde gilt und die Temperaturen für jemanden, der außerhalb Sibiriens lebt, geradezu unerträglich erscheinen, ist in den Augen der Dorfchefin kein besonderes Problem. «Die Menschen hier», so argumentiert sie, «haben sich über Jahrhunderte an die Kälte gewöhnt, sich den klimatischen Bedingungen angepasst. Sie wissen, wie man sich anziehen muss, wie man sich bei großer Kälte im Freien verhält und was man tun muss, damit das Vieh und die Haustiere unbeschadet durch den Winter kommen.»

«Dennoch», wenden wir ein, «die meisten Menschen hier leben ja nicht mehr wie früher in Lehmhütten halb unter der Erde, sondern in Holzhäusern, die zu Sowjetzeiten alle an das örtliche Heizkraftwerk angeschlossen waren.»

«Die Heizung ist ein Problem», stimmt Swetlana Timofejewna zu. «Das ganze Jahr über ist unsere größte Sorge: Wo bekommen wir genügend Kohle her, und wie können wir sie bezahlen?» Dieses Problem sei umso komplizierter, als die Leute im Dorf nicht gewohnt seien, für Heizung und Strom zu bezahlen. «Das war ja zu Sowjetzeiten alles kostenlos.» Heutzutage würden viele nicht einsehen, warum nun Geld kosten soll, was früher umsonst war. «Die haben das Prinzip der freien Marktwirtschaft noch nicht begriffen.» Und das bringe die Gemeinde natürlich in eine schwierige Situation. Wenn sie das Geld für die Kohle mal nicht mehr habe, werde man wohl das Kraftwerk schließen müssen. Was aber in Ojmjakon längst nicht so dramatisch wäre wie in den großen Wohnblocks der Städte. «Bei uns hat doch jeder noch irgendwo einen alten Ofen.»

Viel schlimmer als mit der Heizung, so erfahren wir, ist es in Ojmjakon mit dem Strom. Ein uraltes Dieselaggregat versorgt das Dorf mit Elektrizität, doch die Preise für Diesel seien inzwischen so hoch und die Lieferungen kämen so unregelmäßig, dass nicht selten für einige Stunden der Strom im Dorf abgeschaltet werden müsse. Das sei zwar im Prinzip nicht schlimm, weil man sich mit Petroleumlampen helfen könne und einen Kühlschrank in Ojmjakon ohnehin niemand brauche. «Aber wenn die Leute kein Fernsehen gucken können, werden sie böse.»

«Und sie trinken noch mehr», ergänzen wir. Swetlana Timofejewna zeigt sich weder überrascht noch ungehalten. «Natürlich, der Alkoholismus in Russland und vor allem hier in Sibirien ist doch ein offenes Geheimnis. Wir kämpfen dagegen, aber es ist schwierig. Da sind die alten Traditionen, die Gewohnheiten, die langen dunklen und kalten Winter und dazu die Probleme, die die Menschen mit den neuen Verhältnissen haben, die Arbeitslosigkeit und all das.»

Die Dorfchefin macht zum ersten Mal eine längere Pause und schaut wie gedankenverloren durch das Fenster auf die Straße hinüber zu den Männern vor dem kleinen Laden. Und dann sagt sie mit betont sachlicher Stimme: «Im Übrigen gibt es wissenschaftliche Untersuchungen, die festgestellt haben, dass die Jakuten und andere einheimische Völker Sibiriens Alkohol viel schlechter vertragen als etwa Europäer. Mit den Japanern soll es ähnlich sein.»

«Und welches sind die Maßnahmen der Verwaltung in Ojmjakon im Kampf gegen den Alkoholismus?», fragen wir.

«Wir erlauben den Verkauf von Alkohol im Dorfladen nur noch an drei Tagen in der Woche: Dienstag, Mittwoch und Donnerstag.»

Bevor wir uns von Swetlana Timofejewna verabschieden und uns zur Buchhalterin begeben, wollen wir noch wissen, warum aus dem Lautsprecher in der Mitte des Dorfplatzes von früh bis spät Musik und Nachrichten dröhnen.

«Das stammt noch aus Sowjetzeiten.»

«Aber die sind doch schon seit zwölf Jahren vorbei.»

Die Dorfchefin wird ein wenig ungehalten. «Das stimmt; wir können trotzdem nichts machen. Das Programm wird aus der Kreisstadt Tomtor zu uns übertragen.»

«Das verstehen wir nicht», beharren wir. «Wir waren gerade in Tomtor, und da sind die Lautsprecher alle abgestellt.»

«Uns hat man vergessen abzuschalten.»

«Und die Leute hier im Dorf? Rebellieren die nicht gegen das Gedröhne von morgens bis abends?»

«Die haben sich daran gewöhnt. Und im Übrigen bekommen

wir in zwei Jahren unser eigenes Radionetz und machen dann unser eigenes Programm.»

«Auch über den Dorflautsprecher?»

«Natürlich.»

Nachdem wir bei der Buchhalterin im Nebenzimmer unseren Obolus entrichtet haben, machen wir noch eine Runde durchs Dorf, zunächst in den Laden gegenüber. Er ist erstaunlich gut sortiert: Brot, Mehl, Zucker, Hartwurst, Trockenfisch, Schnittkäse, Quark, Nudeln aller Art, Graupen, Kekse, Schokolade mit dem in lateinischen Buchstaben geschriebenen Namen «Alpengold» sowie ebenfalls lateinisch beschriftetes «Holsten-Bier». Daneben sechs andere, russische Marken Dosenbier und elf verschiedene Sorten Wodka. Uns fällt auf, dass viele ältere Frauen größere Mengen Bier und Wodka kaufen. Auf unsere diskrete Frage erklärt uns die Leiterin des Dorfladens: «Heute ist doch Donnerstag. Das ist der Vorrat fürs Wochenende, wenn die Männer wieder Durst haben. Ein gutes Geschäft für die Mütterchen. Und für uns natürlich auch.»

Etwas abseits des Dorfplatzes steht, umgeben von einer Art Weidezaun, ein Eisengestell, dessen Spitze Hammer und Sichel krönen; darunter eine stilisierte Weltkugel und in gewaltigen schmiedeeisernen Lettern der Schriftzug «Ojmjakon – Kältepol». Eine Schrifttafel und das Porträt eines energisch blickenden Mannes mit asketischen Gesichtszügen erinnern an den sibirischen Geologen, Geographen und Forschungsreisenden Sergej Obrutschew, der in der ersten Hälfte des vergangenen Jahrhunderts in Ojmjakon wiederholt Wetterbeobachtungen und Untersuchungen der mineralischen Ressourcen durchgeführt hat. Bei einem seiner Aufenthalte soll hier auch die legendäre Temperatur von minus 71,2 Grad Celsius gemessen worden sein. Das eiserne Thermometer des Denkmals allerdings zeigt aus irgendeinem Grund die Zahl 72.

Neben dem Denkmal scharren auf einer Koppel ein paar

kleine Jakuten-Pferde im Schnee. Aus einer mit Lehm verkleideten Stallung ist das heisere Gebrüll von Kühen zu hören. Auf dem Hof neben dem Stall versucht ein alter Mann mit Pelzmütze und Sonnenbrille einen offenbar störrischen Ochsen vor einen Schlitten zu spannen. Als es ihm schließlich gelungen ist, wuchtet er ein leeres Fass auf den Schlitten und zuckelt gemächlich an uns vorbei. Die Fahrt geht am Dorfrand entlang und dann durch die Taiga hinab zum Ufer eines kleinen Flusses, eines Nebenarmes der Indigirka. Mit der Kamera folgen wir dem Mann und stellen fest, dass das Ufer des Flüsschens eisfrei ist. Der Mann lässt den Ochsen saufen, dann schöpft er mit einem Eimer sein Fass voll. Bevor er wieder zurückfährt, sprechen wir ihn an.

Natürlich hat er die ganze Zeit gesehen, dass wir ihn filmen, und uns dabei gelegentlich zugelächelt. Nun gibt er bereitwillig Auskunft. Jeden Tag, sagt er, komme er hierher. «Ich brauche das Wasser für meine Frau und das Vieh.» Genauso sagt er es, und als er mein etwas verwundertes Gesicht sieht, fügt er verschmitzt hinzu: «Für meine Frau zum Kochen.»

Wir haben den Mann für mindestens 70 Jahre alt gehalten, doch nun sagt er, er sei 63, habe früher als Brigadier in der Kolchose gearbeitet und betreibe heute als Pensionär mit seiner Frau einen kleinen Bauernhof. Drei Jakuten-Pferde, vier Kühe, der Ochse und etwas Kleinvieh, das sei sein Besitz.

Und warum, fragen wir, holt er selbst das Wasser vom Fluss, wo doch ein Tankwagen die Einwohner kostenlos damit versorgt?

«Erstens», antwortet der Mann, «kommt der Tankwagen viel zu selten, und zweitens reicht das, was er bringt, nicht für mein Vieh.» Und im Übrigen habe er, vor allem im Winter, viel Zeit, da sei die Fahrt mit dem Ochsen zum Fluss eine schöne Abwechslung.

Ob er denn jeden Tag hierher fahre, auch wenn es richtig kalt sei, bei 50 oder 60 Grad unter Null?

«Natürlich. Der Fluss friert hier nie ganz zu. Selbst bei minus 70 Grad nicht.»

Dann lädt er uns ein auf seinen Hof, wir sollen auch seine Frau kennen lernen. Sie trägt ein rotes Kopftuch, Filzstiefel wie ihr Mann und eine Wattejacke, die am Hals offen steht. Als Erstes fragen wir nach dem Leben in dieser Kälte, in diesen langen, dunklen Wintern, in denen der Schnee bis zum Dach reicht, sodass man nicht zur Tür hinaus kann.

«Leben kann man hier», sagt die Frau und schaut dabei ihren Mann an, der zustimmend nickt. «Für uns ist es nicht schrecklich. Wir sind beide hier geboren, und der Mensch ist ein Kind der Natur. Er gewöhnt sich an alles.»

«War früher das Leben besser?» Die Frau schaut wieder ihren Mann an, der aber diesmal nicht reagiert. Dann sagt sie: «Anders war es. Aber ob besser? Ich weiß es nicht.»

«Doch», sagt der Mann, «es war besser. Du musstest nicht darüber nachdenken, was morgen wird. Alles war geregelt, dir konnte nichts passieren. Uns geht es ja heute gut, wir haben unsere Rente, unser Vieh, das wir versorgen können, solange wir gesund sind. Aber unsere Kinder, die in der Stadt leben, haben Probleme. Da ist alles teuer, wir müssen sie von unserer Rente unterstützen. Und wenn sie heute mal krank werden, dann weiß ich nicht, was passiert. Man muss ja inzwischen für alles bezahlen.»

Die Frau widerspricht ihm. «Überleg doch mal, was wir heute haben: Fernsehen, Elektrizität, Heizung.»

«Ja», sagt der Mann brummig, «und für alles musst du zahlen.»

Die Frau lässt sich nicht beirren. «Eigentlich geht es uns gut. Wir sollten zufrieden sein.»

«Und was erwarten Sie von der Zukunft?», fragen wir.

«Ich glaube», sagt die Frau und schaut dabei wieder auf ihren Mann, «alles wird gut werden. Angst habe ich nur vor Krieg und Terroristen.»

«Vor Terroristen?»

«Ja, davon sieht man doch jetzt so viel im Fernsehen.»

Auf der Rückfahrt von Ojmjakon zur Kolyma-Trasse zieht Sascha im Bus noch einmal das Heimatkundebuch aus dem Rucksack. Wir wollen feststellen, ob dort irgendetwas darüber steht, dass der Fluss bei Ojmjakon nie zufriert.

Zunächst findet Sascha einen Absatz über den Namen Ojmjakon. Je nachdem, ob man ihn aus dem Jakutischen oder Ewenischen ableite, worüber die Gelehrten bis heute streiten, habe er die Bedeutung «sauberes Wasser» oder «nicht zufrierendes Flüsschen». Und ein paar Seiten weiter erfahren wir tatsächlich: «In der Umgebung von Ojmjakon gibt es unterirdische warme Quellen, auch in der Indigirka.» Der erste, der sie wissenschaftlich beschrieben hat, war jener Professor Sergej Obrutschew, dem in Ojmjakon ein Denkmal gesetzt ist. Im Jahr 1926 hat er festgestellt, dass eine dieser Quellen eine konstante Temperatur von 26 Grad hat und ihr pro Sekunde zehn Liter entströmen. Im Jahr 1961, so erfahren wir weiter, hat der Direktor der Kolchose von Ojmjakon ein Gutachten über die Quellen erarbeiten lassen. Dabei haben Wissenschaftler aus Moskau festgestellt, dass das Wasser und der Schlamm der Quellen Heilkraft besitzen. Besonders wirkungsvoll könnten sie zur Bekämpfung von Radikulitis und Rheumatismus eingesetzt werden. Und sie empfahlen, in Ojmjakon ein Heilbad zu bauen. «Leider», so die Feststellung im Heimatkundebuch, «ging das Gutachten der Wissenschaftler im Archiv der Kolchose verloren.»

«Mein Gott», stöhnt Maxim auf, «ein Sanatorium am kältesten Punkt der Erde! Und bei 70 Grad unter null schwimmst du im Freien und schaust dir den Polarhimmel an.»

Und Sascha ergänzt: «Da sage noch einer, der Tourismus in Sibirien habe keine Zukunft.»

Doch zunächst sind wir alle froh, dass die Wasserleitung unserer Baracke in Tomtor nicht eingefroren ist. In unserem Zimmer hat es einige Grad unter Null.

«Sei verflucht, Kolyma!»

Die Betonung liegt auf der letzten Silbe: Kolymá. Wie «Auschwitz» in Deutschland gilt «Kolyma» in Russland als Synonym für die schrecklichste Epoche in der Geschichte des Landes, für ein in seinem Charakter und seinen Dimensionen einzigartiges Verbrechen.

Kolyma ist der Name des östlichsten der großen sibirischen Ströme, der unweit von Magadan am Stillen Ozean entspringt und nach mehr als 2000 Kilometern ins Nördliche Eismeer mündet. Doch steht der Name zugleich für das Zentrum eines ganzen Kontinents, der, so Alexander Solschenizyn, «größten und berühmtesten Insel» des Archipel GULAG. «Verflucht seist du, Kolyma, du schwarzer Planet», heißt es in dem wohl bekanntesten russischen Häftlingslied, das zur Melodie eines langsamen Walzers gesungen wird. «Wer dorthin gerät, kommt um oder verliert den Verstand. Eine Wiederkehr gibt es nicht.»

Das Territorium des «schwarzen Planeten Kolyma» hat die mehrfache Größe Westeuropas. Es erstreckt sich von Jakutsk bis Tschukotka, der äußersten nordöstlichen Spitze Sibiriens, die nahe an Alaska heranreicht. Gemessen an seinen Bodenschätzen, vor allem Gold, gilt Kolyma als eine der reichsten Gegenden der Erde.

Herzstück des «schwarzen Planeten» waren die Bergwerke und Minen, die zu Beginn der dreißiger Jahre des vergangenen Jahrhunderts am Mittellauf der Kolyma angelegt wurden. Mit riesigen Frachtschiffen, auf denen bereits Tausende an Kälte, Hunger, Durst und Krankheiten starben, wurden die Häftlinge, die zur Sklavenarbeit an der Kolyma bestimmt waren, von Wladiwostok über das Meer nach Magadan gebracht. Von dort ging es in langen Marschkolonnen, von Angehörigen der Geheimpolizei NKWD mit aufgepflanztem Bajonett und Hunden bewacht, zu den Bergwerken entlang der Kolyma und ihrer Nebenflüsse. Später erfolgte der Transport von Magadan aus auf Lastwagen über die inzwischen von Häftlingen erbaute Kolyma-Trasse.

All dies ist nachzulesen in den gedruckten Erinnerungen der wenigen, die Kolyma, den «Ankerplatz der Hölle», wie ihn der Schriftsteller Warlam Schalamow nannte, überlebten.

Was die Häftlinge bei ihrer Ankunft an der Kolyma erwartete, hat Michael Solomon, der nach zehn Jahren aus dem GULAG freikam, festgehalten: «Wenn eine Gruppe Sträflinge in der schneebedeckten Taiga ankam, drückte man ihnen Schaufeln, Äxte und Brechstangen in die Hand, damit sie Bäume fällen und ihre eigenen Unterkünfte bauen konnten. Wer starb, wurde ersetzt. Wer die Norm nicht erfüllte, wurde erschossen, und die Arbeit ging weiter.»

Drei Wochen Holzfällen, so berichtet Alexander Solschenizyn, bezeichnete man im Häftlingsjargon als «kühle Hinrichtung».

Gefangenen, die Erfrierungen erlitten, wurden die erfrorenen Zehen und Finger reihenweise mit einer Zange abgezwickt, wie die Literaturdozentin Jewgenija Ginsburg beobachtete, die 18 Jahre in Gefängnissen und Lagern des GULAG saß. «Dies galt als leichte ambulante Behandlung.»

Wie es denen erging, die bei der Arbeit entkräftet zusammenbrachen oder in den Baracken der Lager starben, schildert der Arzt Janusz Bardach, der wie durch ein Wunder nach fünf Jahren der Hölle von Kolyma entkam: «Tote wurden sofort von anderen Gefangenen ausgezogen. Einmal fiel ein Gefangener während des Anwesenheitsappells am Ende des Tages zu Boden und stand nicht mehr auf ... ‹Ich kriege die Mütze›, sagte ein Mann. Andere packten die Stiefel des Opfers, seine Fußlappen, seine Jacke und Hose. Eine Schlägerei brach wegen seiner Unterwäsche aus.»

Wie viele Menschen im Stalin'schen GULAG insgesamt ums Leben kamen, ist bis heute nicht genau bekannt. Schätzungen russischer wie ausländischer Historiker gehen von 12 bis 15 Millionen aus. Auch die genaue Zahl der Opfer des «schwarzen Planeten» Kolyma kennt niemand. Doch als sicher gilt, dass es mindestens drei Millionen Menschen waren, die hier in den Jahren zwischen 1932 und 1954 ihr Leben ließen – verhungert, erfroren, erschossen, zu Tode geprügelt, an Erschöpfung und Krankheiten zugrunde gegangen.

Bis 1935, so besagen neuere Forschungen, waren noch mehr als die Hälfte der Gefangenen in den Arbeitslagern von Kolyma rechtskräftig verurteilte Kriminelle. Doch schon wenige Jahre später, nach Einsetzen der großen Stalin'schen Terrorwelle im Jahr 1937, machten die politischen Gefangenen mehr als 90 Prozent der Lagerinsassen aus. «Volksfeinde», lautete die generelle Anschuldigung. Verurteilungen zu 10 oder 15 Jahren Zwangsarbeit galten als «milde», das Strafmaß von 25 Jahren Lager als «normal».

Herr des «schwarzen Planeten» war der 1931 vom Politbüro der Kommunistischen Partei in Moskau ins Leben gerufene Staatskonzern Dalstroj, die Bauverwaltung Fernost. Seine Aufgabe war die industrielle Erschließung Nordost-Sibiriens, speziell die Steigerung der Goldgewinnung durch den Arbeitseinsatz von Häftlingen. Er unterstand dem Geheimdienst NKWD, hatte eine eigene Armee, eine eigene Gerichtsbarkeit, de facto die Befehlsgewalt über Arbeit, Leben und Tod von Millionen unschuldiger Menschen. Die Telegrammadresse von Dalstroj, dessen Verwaltungssitz Magadan war, lautete «Planeta».

Gegen Ende der dreißiger Jahre gehörten zu Dalstroj allein im Bereich des Kolyma-Beckens etwa 150 Lager; mehr als 60 von ihnen waren Bergwerke, in denen nicht nur Gold, sondern auch Zinn, Wolfram, Kobalt, Kohle und später Uran abgebaut wurden. Daneben gab es Lager für den Bau von Straßen und Brücken, Wohnungen und Verwaltungsgebäuden, von Hafenanlagen und Staudämmen, Flughäfen, Fabriken, Ziegeleien, Sägewerken und Molkereien, für den Bau von Schiffen, für das Holzfällen in der Taiga sowie das Urbarmachen und Bearbeiten landwirtschaftlicher Flächen. Sogar die Dampferflotte auf der Kolyma wurde von Häftlingen betrieben. Wie ein Krake dehnte sich Dalstroj im Laufe der Jahre über den gesamten Nordosten Sibiriens aus. 1951 umfasste das Herrschaftsgebiet von Dalstroj eine Fläche von mehr als drei Millionen Quadratkilometer und war damit fast zehnmal so groß wie das heutige Deutschland.

Als wichtigster Produktivitätsanreiz in den Lagern wurde der Hunger genutzt. Das Maß aller Dinge war die Norm, von deren Erfüllung die Zuteilung der Nahrung abhing. Kranke und Schwache erhielten nicht etwa mehr zu essen, sondern immer weniger. Sie waren überflüssig geworden und mussten schnellstens durch neue, «frische» Häftlinge ersetzt werden. So brauchten das System GULAG und der «schwarze Planet» Kolyma stets Nachschub an Opfern, ein Perpetuum mobile des Todes, in Gang gehalten von wirtschaftlichen Zielen ebenso wie vom Vernichtungswillen seiner Betreiber. Noch 1949 erklärte ein Lagerarzt des NKWD, so berichtet Jewgenija Ginsburg, gegenüber seinem Opfer: «Sie sind nicht hergebracht worden, um zu leben, sondern um zu leiden und zu sterben. Wenn Sie leben, kann das nur heißen, dass Sie eines von zwei Dingen verbrochen haben: entweder weniger gearbeitet, als es Ihre Pflicht gewesen wäre, oder mehr gegessen, als Ihnen zustand.»

Aus Anlass des siebzigsten Gründungstages von Dalstroj wurden im Jahr 2001 Dokumente aus den Archiven Magadans veröffentlicht, die verdeutlichen, wie die Vernichtungsmaschinerie innerhalb der offiziellen Strukturen dieses «Baukonzerns» funktionierte. Im Zuge einer Kampagne gegen ein angebliches «trotzkistisch-konterrevolutionäres Zentrum» in Kolyma setzte Dalstroj im September 1937 eine Troika von NKWD-Richtern ein, der innerhalb von drei Monaten fast 3000 Häftlinge vorgeführt wurden. 2428 von ihnen wurden zum Tod durch Erschießen verurteilt. Rechnet man – nach sowjetischem Gesetz – sechs Arbeitstage pro Woche und eine tägliche Sitzungsdauer des Gerichts von acht Stunden, so ergibt sich eine Zahl von vier Todesurteilen pro

Stunde. Die Leichen der Hingerichteten wurden, nach Aussagen von Augenzeugen, in einer Grube in einem Wald bei Magadan verscharrt.

Bei einem Rundgang durch die Siedlung Tomtor, das Verwaltungszentrum des Rayons Ojmjakon, in dem wir für einige Nächte Station gemacht haben, entdecken wir in einer Seitenstraße unweit der Kolyma-Trasse ein auffallend gepflegtes kleines Holzhaus mit dem Schild «Heimatmuseum». Obwohl es Samstagnachmittag ist, steht die Tür offen. Nina Iwanowna, eine junge Jakutin, die sich als Dorfbibliothekarin vorstellt, hat, wie sie sagt, heute Museumsdienst und freut sich, an einem so schönen Sonnentag – wir haben nur noch minus 25 Grad – Besucher begrüßen zu können. Sie trägt ein knielanges rotes Jackenkleid, dazu einen schwarzen Rollkragenpullover und hochhackige schwarze Stiefel. Die goldfarbenen Metallohrringe haben die Form traditioneller jakutischer Geschmeide.

Das Museum besteht aus vier kleinen, niedrigen Räumen, deren Holzbohlen bei jedem Schritt anheimelnd knarren. Die ersten beiden Räume sind der heimatlichen Tier- und Pflanzenwelt gewidmet. Sorgfältig aufgereiht stehen da präparierte Zobel, Hermeline, Füchse, Eichhörnchen, Schneegänse, Eulen und Rebhühner sowie ein ausgestopfter Wolf; an den Wänden hängen Fotos von Bären, Jakuten-Pferden, Rentieren und Elchen. Im dritten Raum erfahren wir alles über die vorrevolutionäre Geschichte der Region – schließlich tauchten die ersten russischen Kosaken schon 1640 an der Indigirka auf. Der letzte Raum schließlich ist der Sowjetzeit gewidmet. Doch anders als etwa die Museen in Jakutsk, die diese Epoche bis auf den heutigen Tag unverblümt heroisieren, überrascht das Heimatmuseum Ojmjakon mit einer ungewohnt realistischen Präsentation.

Zunächst erfährt der verblüffte auswärtige Besucher, dass Ojmjakon im Zweiten Weltkrieg eine «kriegswichtige, wenn nicht gar kriegsentscheidende» Funktion hatte. Nicht weniger als 8000 amerikanische Flugzeuge landeten in den Jahren von 1942 bis 1945 in Ojmjakon – auf dem Weg von Alaska nach Moskau. Transportmaschinen, die Kriegsgerät und Lebensmittel nach Moskau brachten, aber auch Jagdflugzeuge vom Typ «Aerocobra» und «Kittyhawk» sowie schwere «Boston»-Bomber. Gestartet waren die Flugzeuge in Fairbanks/Alaska, mit diversen Zwischenlandungen führte die Route über Tschukotka, Ojmjakon, Jakutsk, Krasnojarsk, Omsk und Swerdlowsk in die sowjetische Hauptstadt. Auf nicht weniger als drei Rollfeldern, gebaut von Häftlingen, landeten und starteten die amerikanischen Flieger in Ojmjakon, wurden die Maschinen selbst bei Temperaturen von 50 Grad unter Null gewartet und aufgetankt. Spezialisten aus der ganzen Sowjetunion, Fluglotsen, Funker, Meteorologen, Mechaniker, waren hierher abkommandiert. Für die einfachen Arbeiten wie Schneeräumen und Proviantbeschaffung wurde die Dorfbevölkerung herangezogen. Die Männer in Ojmjakon waren ohnehin nicht zum Kriegsdienst einberufen, da sie als Jäger mit den von ihnen erlegten Zobeln und Hermelinen unschätzbare Devisen brachten.

Eine große Schautafel im Heimatmuseum zeigt auf der linken Seite Fotos der amerikanischen Piloten, die bei Start oder Landung in Ojmjakon mit ihren Maschinen verunglückten und dabei ums Leben kamen. Auf der rechten Seite sind ordengeschmückte jakutische und russische Frauen und Männer zu sehen, Helden des Großen Vaterländischen Krieges an der Heimatfront Ojmjakon.

Heute ist der Flughafen, der noch bis vor einigen Jahren als Dorfflugplatz diente, verwaist. Die Türen der zweigeschossigen Flughafenbaracke sind vernagelt, die Fenster eingeschlagen. Durch den Beton der Rollbahnen wachsen Büsche.

An der Wand gegenüber der heroischen Vergangenheit Ojmjakons wird der dunkelsten Zeit in der Geschichte des Dorfes gedacht – Ojmjakon als eines der Zentren des GULAG. Wie auf einer Perlenschnur sind auf einer Karte des Rayons Ojmjakon mehr als 30 Punkte markiert, an denen sich Arbeitslager befanden, die meisten entlang der Kolyma-Trasse. Eingerahmt von einem Stück Stacheldraht und dem Pfosten eines Lagerzauns finden sich mit Kohle gezeichnete Darstellungen des Lageralltags, eindrucksvolle Gesichter von Häftlingen und ihren Bewachern, Liedtexte und Gedichte aus dem GULAG sowie allerlei Originalgegenstände des Häftlingslebens: Essgeschirre, gefertigt aus Konservendosen, Näpfe und Schüsseln, holzgeschnitzte Löffel, Nähnadeln aus Fischgräten, Stiefel mit selbstgefertigten Sohlen aus Autoreifen.

«Alle diese Gegenstände», sagte Nina Iwanowna, «haben wir selbst zusammengetragen. Die ganze Gegend hier ist voll davon. Vor allem die Kinder finden beim Spielen immer wieder etwas, häufig sogar Knochen von Menschen. Besonders entlang der Kolyma-Trasse liegen sie noch überall. Im Sommer, wenn der Schnee schmilzt, kommen sie aus der Erde nach oben.»

«Wissen denn die Menschen im Ort, was damals hier geschehen ist?»

«Natürlich wissen sie es. Und sie sind stolz darauf, dass sie heute das Andenken der Opfer ehren können. Was haben wir denn sonst schon? Wodurch sonst ist unsere Region denn bekannt geworden? Doch nur dadurch, dass hier die Kolyma-Trasse entlangführt!»

Nina Iwanowna spricht mit sehr ruhiger, sachlicher Stimme. Aber ihr persönliches Engagement ist unüberhörbar. Bei unserer Frage, ob denn auch die Kinder wissen, was damals hier geschah, fällt sie uns fast ins Wort:

«Selbstverständlich! Wir machen Exkursionen im ganzen Gebiet, erzählen ihnen, wie die Trasse gebaut wurde, und alles andere. Und die Großmütter und Großväter der Kinder haben doch hier gelebt, sie haben alles gesehen. Sie waren Augenzeugen! Sie haben gesehen, was mit den Häftlingen passiert ist, wie sie gearbeitet haben, wie sie bestraft wurden. So etwas kann man nicht vergessen. Die Vergangenheit ist physisch und psychisch anwesend. Wir reden darüber, wir schreiben darüber, versuchen, alles im Gedächtnis zu bewahren – auch für die kommenden Generationen.»

Nina Iwanowna hat keinerlei Scheu, über dieses Thema, das in Russland jahrzehntelang tabu war, offen zu sprechen. Und so macht sie auch keinen Hehl aus ihrer Verbitterung darüber, dass es an der gesamten Trasse nicht ein einziges Denkmal gibt, das an die Vergangenheit erinnert. «Nicht einmal irgendwo ein Hinweisschild, dass sich an dieser oder einer anderen Stelle ein Lager befand. Nichts, gar nichts.»

«Gibt es denn keine Pläne, derartige Schilder aufzustellen?»

«Natürlich haben wir Pläne. Wir würden gern ein Mahnmal bauen, Hinweisschilder aufstellen. Aber dafür gibt es keinerlei Mittel. Wir können nicht einmal Broschüren für Touristen drucken, in denen wir über unsere Vergangenheit informieren.»

Besonders am Herzen liegt Nina Iwanowna die Erinnerung an einen Häftling, der in einem Lager in der Nähe von Ojmjakon saß und so eindrucksvoll und erschütternd wie wohl kein anderer das Leben und Sterben auf dem «schwarzen Planeten» Kolyma beschrieben hat, Warlam Schalamow. Nach seiner Freilassung im Jahr 1951 lebte und schrieb er noch einige Zeit in Ojmjakon, unterhielt Briefwechsel mit Boris Pasternak und anderen Schriftstellerkollegen. Das Postamt, in dem er die Briefe aufgab, ist aus dem Fenster des Heimatmuseums zu sehen, ein kleines, weiß und blau gestrichenes Häuschen, an dessen Wänden Brennholz gestapelt ist und vor dem einige Kühe herumspazieren. Im Museum gibt es nur ein Foto von Schalamow, einige Zitate aus seinen Büchern und eine kurze, aber einfühlsam formulierte Beschreibung seines tragischen Schicksals. Er starb, nachdem er 17 Jahre im GULAG überlebt hatte, verfemt, verbittert und völlig verarmt in einem Heim für Geisteskranke in Moskau. Seine «Geschichten aus Kolyma» sind in viele Sprachen übersetzt worden. In Deutschland erschienen zuletzt Erzählungen und Gedichte Schalamows unter dem Titel «Ankerplatz der

Hölle». Doch im Museum von Ojmjakon findet sich kein Buch von ihm. «Es gibt kein Geld dafür», sagt Nina Iwanowna bedauernd. «Nur in der Dorfbibliothek haben wir eins.»

Zum Schluss weist uns Nina Iwanowna noch ausdrücklich auf die Schrifttafel hin, die wie ein Motto über der Wand mit den Ausstellungsstücken aus dem GULAG hängt. Dort lesen wir: «In den Jahren der Stalin'schen Repression zog sich durch den Rayon Ojmjakon eine dichte Kette von Lagern. Es waren mehr als 30. In der mörderischen Kälte des Nordens bauten die Häftlinge die Kolyma-Trasse, legten Bergwerke an, trieben mit bloßen Händen Stollen in das ewige Eis. Es ist keine Übertreibung zu sagen, dass unsere Trasse auf Menschenknochen gebaut ist.»

«Haben Sie einmal nachgerechnet», fragt uns Nina Iwanowna, «wie vielen Menschen der Bau der Trasse das Leben gekostet hat?»

Wir schütteln den Kopf.

«Gehen Sie davon aus, dass pro Kilometer, vorsichtig geschätzt, 100 Häftlinge ums Leben kamen. Von Magadan bis Jakutsk ist die Trasse etwa 2000 Kilometer lang. Den Rest können Sie sich selbst ausrechnen.»

Wir tun es und verabschieden uns schweigend. Morgen werden wir auf der Trasse weiter nach Osten fahren.

Der Traum vom Gold

Das Klondike Russlands sollte es werden – Kolyma. Das war der Traum Moskauer Politiker. Für Millionen Menschen wurde er zum Fluch.

Vor unserer Weiterreise hatte uns ein alter Mann in Ojmjakon gesagt, wir sollten nach etwa 70 Kilometern auf einen kleinen See achten, gleich links neben der Kolyma-Trasse. «See der Toten» werde er von den Einheimischen genannt oder auch «Toter See». Nichts wachse in ihm, niemand angele dort, niemand betrete im Winter sein Eis. Er sei das Grab von 150 Häftlingen. Sie waren eingesetzt beim Bau der Trasse. Ihr Lager auf einer Anhöhe grenzte unmittelbar an den See. Als in einem besonders strengen Winter Anfang der vierziger Jahre die Lebensmittelvorräte knapp wurden, befahl der Lagerkommandant, so berichtet der Alte, 150 der Häftlinge zu erschießen. «Sie wurden einfach abgezählt und fertig.» Die Leichen wurden über das Steilufer in den See geworfen.

Als wir an die Stelle kommen, die der Alte beschrieben hat, herrscht strahlender Sonnenschein, der Himmel ist wolkenlos blau. Wir sehen einen von Lärchen und Fichten umgebenen Bergsee inmitten einer wie mit Puderzucker bestreuten Schneelandschaft. Kein Laut ist zu hören, nur das gelegentliche Krächzen eines Raben und das Krachen eines Zweiges. Das Steilufer auf der anderen Seite liegt im Schatten. Auf dem schneebedeckten Eis des Sees gibt es keine Spur. Nicht einmal – wie sonst auf den gefrorenen Gewässern Sibiriens – die Spur eines Tieres.

Wir sind auf dem Weg nach Ust-Nera, einst ein Zentrum der Goldgewinnung in Kolyma. Etwa 80 Prozent der Häftlinge auf dem «schwarzen Planeten», so die Schätzungen, waren im Goldbergbau eingesetzt. An einigen Orten wurde das Gold aus den Flüssen gewaschen oder über Tage geschürft, anderswo mussten bis zu 50 Meter tiefe Stollen in den Fels oder den vom Permafrost steinhart gefrorenen Boden getrieben werden. Die Goldgewinnung über Tage fand während der wenigen Monate des Sommers statt, in denen das Eis der Flüsse und die oberste Schicht des Bodens getaut waren. Goldklumpen bis zu 150 Gramm waren keine Seltenheit, doch wurden zuweilen auch, wie der ehemalige Zwangsarbeiter Wladimir Petrow in seinen Lebenserinnerungen berichtet, Goldklumpen gefunden, die fast zwei Kilogramm wogen.

Wenn die Arbeit über Tage, gemessen an der unmenschlichen Schinderei in den Stollen, auch leichter schien – die miserable Versorgung, die Schläge der ständig antreibenden und brüllenden Aufseher, das Fehlen jeglichen technischen Geräts und die Myriaden von Stechmücken, die sogar durch Pferdeleder drangen und schmerzende, pflaumengroße Schwellungen verursachten, forderten eine Vielzahl von Opfern unter den Häftlingen. «Oft trat der Tod ganz plötzlich ein, während der Arbeit», so Wladimir Petrow. «Ein Mann belud, von dem Geschrei eines Vormannes oder Wächters angetrieben, einen Karren, sank plötzlich zu Boden, Blut schoss ihm aus dem Mund – und alles war vorüber.» Gleiches berichtet Janusz Bardach, der ebenfalls als Häftling zur Zwangsarbeit auf den Goldfeldern von Kolyma verurteilt war.

Noch höher als im Tagebau war jedoch die Todesrate bei der Goldgewinnung in den Bergwerken. Dort gab es keinerlei Lüftungssystem, keine Sicherheitsvorkehrungen, nur selten waren die Stollen abgestützt. Warlam Schalamow sah einen Häftling in einer Goldmine, dem «so viel Blut und Eiter in seine Gummigaloschen geflossen waren, dass jeder Schritt schmatzende Geräusche verursachte, als wate er durch eine Pfütze». Die Häftlinge, so Schalamow, mussten als Erstes lernen, «das Leben nicht weiter als einen Tag vorauszuplanen». Genaue Zahlen über die Opfer in den Goldminen gibt es nicht, nur Einzelberichte. Etwa den über die Goldgrube «Maxim Gorkij», in der im Jahr 1944 mehr als 3000 Häftlinge eingesetzt waren. Nur 500 haben überlebt. Jedes Kilogramm Kolyma-Gold, so schätzt man, wurde mit einem Menschenleben bezahlt.

Ust-Nera liegt in einem lang gezogenen Talkessel an der Mündung des Flusses Nera in die Indigirka. Der Weg dorthin führt über mehrere bis zu 3000 Meter aufragende Bergketten, deren Kuppen kahl und abgeflacht sind. Links und rechts der Kolyma-Trasse, des einzigen Weges nach Ust-Nera, tauchen kleine Waldstücke mit dürren, wie gerupft aussehenden Zirbelkiefern, Fichten und Zedern auf. An den engsten Stellen einiger Serpentinen entdecken wir zum ersten Mal auf unserer Fahrt Seitenmarkierungen und zuweilen auch eine Leitplanke. Auf mehreren Passhöhen scheint sogar feiner dunkler Split gestreut. Doch Fedja vermutet, dass es von Lastwagen gefallene Kohlebrocken sind, die von den Reifen nachfolgender Fahrzeuge zerrieben wurden.

Ust-Nera ist die Hauptstadt eines Gebiets, das fast so groß ist wie einst die DDR. Vor fünf Jahren zählte sie noch 16 000 Einwohner; heute, im März 2002, leben hier nicht einmal mehr 8000 Menschen. Die Straßen sind schachbrettartig angelegt, zwischen kleinen Holzhäusern erheben sich fünfgeschossige gemauerte Wohnblocks. In vielen Gebäuden sind die Fenster eingeschlagen oder mit Brettern vernagelt, und die Türen stehen offen – ein sicheres Zeichen, dass sie von ihren Bewohnern verlassen wurden. Entlang der Bürgersteige laufen mächtige Heizungsrohre, deren Isolierung völlig verrottet ist. Aus dem Kraftwerk, das umgeben von großen Kohlehalden direkt neben der Trasse liegt, quillt ungefiltert dicker Ruß, der sich als dunkler Schmierfilm über den ganzen Ort legt.

Der Bürgermeister, der uns im massiven Verwaltungsgebäude mit säulengeschmücktem Portal empfängt, hat eine schlechte Nachricht für uns: Dem einzigen Hotel in der Stadt sei heute Mittag der Strom abgestellt worden; es habe seit Monaten die Rechnung nicht mehr bezahlt. Das sei eigentlich ein ganz normaler Vorgang und würde bei einzelnen Behörden und Institutionen, aber auch mit ganzen Wohnvierteln immer wieder passieren. Schließlich arbeite das Kraftwerk nach «marktwirtschaftlichen Prinzipien», und da herrsche nun mal das Gesetz: Ohne Geld keine Ware. Erst nach einem langen Telefonat mit dem Direktor des Kraftwerks und dem wiederholten Hinweis, dass «Fernsehleute aus Europa» gekommen seien, kann uns der Bürgermeister erleichtert verkünden, dass das Hotel wieder Strom bekommen werde: für die beiden Tage, in denen wir in Ust-Nera blieben.

Als wir am «Hotel zur Sonne» vorfahren, liegt alles im Dunkeln. Der Eingang, alle fünf Etagen. An der Rezeption brennen zwei Kerzen, eine Frau in Pelzmütze und dickem Wollschal kramt mit klammen Fingern Anmeldeformulare aus einer Schublade. Nein, der Strom sei noch nicht wieder da, aber sie habe die Nachricht erhalten, dass er in zwei oder drei Stunden wieder eingeschaltet werde. Wir könnten unsere Zimmer ja schon mal beziehen, ein paar Kerzen habe sie noch vorrätig.

Auf der ersten Etage, wo wir uns einquartieren, huschen hin und wieder Gestalten in Trainingsanzügen oder Pelzmänteln über den dunklen Flur, offenbar sind wir nicht die einzigen Gäste. Als um 23 Uhr plötzlich das Licht angeht, bricht auf dem ganzen Stockwerk ein Freudenfest aus. Im Zimmer neben mir hämmert Heavy-metal-Musik und lässt die Glaskaraffe auf meinem Nachttisch klirren; vom Flur höre ich, wie Sektkorken knallen. Es muss sich herumgesprochen haben, warum es plötzlich wieder hell geworden ist, und wir werden gefeiert, als seien wir, wie Sascha formuliert, gerade Olympiasieger geworden.

Am nächsten Morgen bin ich mit dem Direktor des Heimatmuseums von Ust-Nera verabredet, einem älteren, blassen und ein wenig verdrossen wirkenden Mann, dem anzusehen ist, dass das Leben hier in diesem abgeschiedenen, unwirtlichen Teil der Erde nicht spurlos an ihm vorübergegangen ist. Und auch nicht die Geschichte seiner Stadt. Das Haus, in dem das Museum untergebracht ist, macht einen ausgesprochen soliden Eindruck. Es ist ein etwas verwinkeltes, aber großes Gebäude, gezimmert aus massiven Balken. Mit einer kunstvoll gedrechselten Treppe, die in den ersten Stock führt, einem bis zum Boden reichenden Spiegel in goldfarbenem Rahmen und roten, etwas abgetretenen Plüschteppichen verbreitet es sogar einen Hauch von provinziellem Luxus. Es war früher, wie der Direktor erklärt, das vornehmste Haus am Ort, der Sitz der örtlichen Verwaltung von Dalstroj. «Sie waren hier die Könige, die Götter. Sie entschieden über Leben und Tod.»

Als Erste, so erzählt der Direktor, kamen Geologen nach Ust-Nera. Das war 1937, damals war das ganze Gebiet «eine einzige Wildnis». Nachdem sie Gold entdeckt hatten, kamen die Häftlinge. Sie bauten diese Stadt. «Alles, was Sie hier sehen, jedes Haus, jede Straße, jede Fabrik, jedes Kraftwerk, ist von Häftlingen gebaut, jeder Stein, jeder Sack Zement, jeder Eimer Sand, der hier bewegt wurde, wurde von Häftlingen bewegt.» Das gesamte riesige Gebiet von Ust-Nera war «zona», Sperrgebiet, das von niemandem außer den Häftlingen und ihren Bewachern betreten werden durfte. «Das vielleicht größte Freiluftgefängnis der Welt», wie der Direktor sarkastisch feststellt. Dann zeigt er uns eine große Karte gesprenkelt mit roten Punkten, wie Windpocken auf der Haut eines Kindes. «Das waren die Lager im Gebiet von Ust-Nera. Die meisten gehörten zu Goldminen, manche aber auch zu Wolframgruben. Die waren die schlimmsten. Der Staub zerfraß die Lungen. Ich kenne niemanden, der überlebt hat.» Die Häftlinge, die zur Zwangsarbeit in die Wolframgruben mussten, wurden im Lagerjargon «smertniki» genannt, was im Deutschen wechselweise mit «Todeskandidaten» oder «Krepierer» übersetzt wird. Wolframgruben, so der Direktor des Museums, gibt es im Gebiet von Ust-Nera schon lange nicht mehr. Und auch die meisten Goldgruben seien in den letzten Jahren geschlossen worden. Die größte von ihnen beziehungsweise das, was von ihr übrig sei, sollten wir uns unbedingt anschauen, etwa 50 Kilometer süd-

westlich von Ust-Nera, zu erreichen über einen in den Fels gehauenen Weg von der Kolyma-Trasse aus.

Die «Straße» zur Goldgräbersiedlung schlängelt sich in etwa
1000 Meter Höhe am linken Ufer der Indigirka entlang und ist
so schmal, dass kaum ein Kleinbus auf ihr Platz hat. Käme uns
ein Auto entgegen, hätten wir ein Problem – rechts die Felswand,
links die fast senkrecht zur Indigirka abfallende Schlucht. Auf
dem Eis des Flusses haben sich Hügel gebildet, die aussehen wie
große Iglus. Sie entstehen, wenn der Fluss bis auf den Grund
zufriert und dabei das restliche Wasser durch die bereits beste-
hende Eisschicht nach oben drückt. Ein Naturschauspiel, wie es
selbst in Sibirien selten ist und das wir andächtig bestaunen. Zumal wir Muße haben und nur im Schneckentempo über die vereiste Piste kriechen – und uns an diesem Tag auch kein Fahrzeug
entgegenkommt.

Nach rund zwei Stunden führt der Weg hinab in einen von
Fichten und Zedern spärlich bewachsenen Talkessel, an dessen
Ende sich ein 3003 Meter hoher, kahler Berg erhebt. Er trägt den
stolzen Namen «Berg des Sieges». Und das, wenn auch in ande-
rem Sinne als von seinen Namensgebern gedacht, durchaus zu
Recht. Er hat über die Menschen, die ihn sich untertan machen,
ihn erobern wollten, gesiegt. Er hat sie abgeschüttelt wie lästige
Ameisen. An seinem Fuß haben sie nur noch eine Wüste aus
Schrott und Trümmern hinterlassen.

Schon von weitem sind die Eingänge der Stollen zu erkennen,
die ins Innere des Berges führten, sowie Reste einer primitiven
Drahtseilbahn, mit der das Erz zu Tal befördert wurde. Am Ortseingang grüßt den Besucher eine Plastik aus Eisen – ein Bergar-
beiter, der mit ausgestrecktem Arm einen Goldklumpen dar-
reicht. Angesichts des Bildes, das der Ort heute bietet, könnte
man ihn aber auch für einen Bettler am Wegesrand halten.

Einst zählte Sarylach rund 4000 Einwohner. Natürlich wurden auch die Häuser dieser Siedlung von Häftlingen gebaut, die

ersten Stollen von Häftlingen in den Berg getrieben. Doch diejenigen, die später kamen, nach 1956 etwa, waren freiwillig hier und blieben, manche 40 Jahre lang, bis die Goldmine geschlossen und der Ort «liquidiert» wurde. Sie verdienten mehr als doppelt so viel wie im «Mutterland», wie der nichtsibirische Teil Russlands von den Bewohnern des Hohen Nordens genannt wird. Sie wurden mit Lebensmitteln und Konsumgütern versorgt, von denen die Menschen in Moskau und Leningrad nur träumen konnten.

Die einzigen Lebewesen, denen wir bei unserer Ankunft in Sarylach begegnen, sind ein paar Hunde, die zwischen den Gerippen zertrümmerter Gewächshäuser herumstreunen. Die Fensterhöhlen der Wohnblocks starren wie tote Augen, die Eingangstüren sind eingetreten oder aus den Angeln gerissen, manche Dächer sind eingestürzt. Bei einigen Häusern fehlen die Außenwände, sodass der Blick direkt in die leer geräumten Zimmer geht. An einem der Wohnblocks hängt ein Plakat. Es zeigt, leicht verwittert, aber immer noch gut erkennbar, die markanten Köpfe von Marx und Lenin. Darunter steht in großen Lettern die Verheißung: «Der Sieg des Kommunismus ist unausweichlich.» Die ausgestreckten Arme der beiden weisen auf das Haus nebenan. Es ist eingestürzt.

An vielen Stellen ragen aus dem Schnee verrostete Eisenteile: Baggerschaufeln, riesige zerbrochene Zahnräder und die Fahrerkabinen einiger Lastwagen, deren Fenster eingeschlagen und Sitze herausgerissen sind.

Während wir, ständig umtobt von der Meute kläffender Hunde, die zertrümmerten Regale eines Geschäfts filmen, an dessen Wänden noch immer für Kristall, Haushaltsgeräte und Küchenmöbel geworben wird, kommt eine ältere Frau keifend und mit den Armen fuchtelnd auf unsere Kamera zu. Was wir hier täten, will sie wissen, ob wir eine offizielle Genehmigung hätten, wer unser offizieller Begleiter sei und wie wir überhaupt hierher gekommen seien. Sie sei die «Wächterin» hier im Ort und «für alles verantwortlich».

Als sich die Frau etwas beruhigt hat, stellt sich heraus, dass sie, ihr Mann und ein weiteres Ehepaar als, wie sie sagt, «Nachhut» hier geblieben sind, um auf die Reste des Maschinenparks aufzupassen, die demnächst abtransportiert werden sollen. Dabei zeigt sie auf den überall herumliegenden Schrott. Außer den beiden Ehepaaren gebe es in der Siedlung noch zwei allein stehende Männer, aber die hätten nichts mehr zu tun. Sie seien nur hier, weil sie «alles versoffen» hätten und jetzt nicht wüssten, wie sie ins «Mutterland» kommen sollten.

Ein «kleines Paradies» sei Sarylach gewesen, gelebt hätten sie besser als in den großen Städten. Sie hätten gut verdient, erzählt die alte Frau, seien regelmäßig auf Staatskosten zum Urlaub auf die Krim geflogen; im Kulturhaus der Stadt hätten berühmte Künstler gastiert, regelmäßig habe es Konzerte und Theateraufführungen gegeben und natürlich auch ein großes Kino. Die Schule mit Schwerpunkt Musikunterricht sei weit über die Region hinaus bekannt gewesen – «sie war, neben dem Gold, der Stolz von Sarylach» –, und alle Kinder hätten den Sprung auf weiterführende Schulen geschafft. Doch dann sei die Wende gekommen und die Goldgrube privatisiert worden; als Mitte der neunziger Jahre der Goldpreis auf dem Weltmarkt zusammenbrach, habe man die Minen im «Berg des Sieges» und den dazugehörenden Ort «liquidiert». Zuerst sei die Musikschule geschlossen worden, dann die Sparkasse. Als Nächstes, so die alte Frau weiter, hätten die Kindergärten geschlossen, danach ein Geschäft nach dem anderen: der Haushaltswarenladen, dann das Lebensmittelgeschäft mit der Wodkaabteilung und schließlich die Bäckerei. Wer sich trotzdem geweigert habe wegzuziehen, dem seien Strom und Wasser abgestellt worden.

«Haben Sie denn keine Abfindung bekommen, keine Wohnungen in anderen Städten Russlands?», fragen wir.

«Doch», versichert die Frau, «man hat uns Wohnungen im Mutterland angeboten und gesagt, man werde die Hälfte der Umzugskosten bezahlen.» Aber für die Frau und ihren Mann war das Angebot uninteressant. Sie wollten ohnehin in Ust-Nera bleiben, wo ihre Tochter lebt und wo sie auch mit Sicherheit wieder Arbeit bekommen würden. «Wir haben als Kohleschipper im Heizkraftwerk gearbeitet. Und Heizer werden immer gebraucht, auch in Ust-Nera.»

Nein, unglücklich ist die Frau nicht, sagt sie jedenfalls, auch wenn es natürlich schade sei um ihr «kleines Paradies». Aber leben könne man in Sarylach durchaus noch. Schön ruhig sei es hier. Lebensmittel bringe der Schwiegersohn aus Ust-Nera mit dem Motorrad, und gelegentlich komme ein Tankwagen mit Wasser vorbei. Jede Familie habe jetzt – und dabei zeigt sie auf den Wohnblock hinter sich – ihr eigenes «kleines Heizkraftwerk», einen Ofen mit dem Rohr zum Fenster hinaus. «Holz zum Verfeuern gibt es ja mehr als genug, die Fenster, Türen, Dielenbretter, Hauswände – das alles braucht doch niemand mehr.»

Unbemerkt hat sich eine andere, etwas jüngere Frau mit grauem, ausgefranstem Kopftuch und offen stehender Wattejacke zu uns gesellt. Sie hat gehört, was die Alte erzählt hat, und mischt sich nun heftig in das Gespräch. Allerdings besteht sie darauf, nicht gefilmt zu werden. «Man weiß ja nie, was danach kommt!» Verzweifelt sei sie, sagt sie, und sie verstehe überhaupt nicht, wie man das Leben hier so «rosarot lackieren» könne. «Es stimmt, sie haben uns gesagt, wir bekommen von der Regierung eine neue Wohnung und die Hälfte der Umzugskosten. Aber das war doch alles Betrug.» Versprochen habe man ihnen Dreizimmerwohnungen im «Mutterland». Angeboten habe man ihr und ihrem Mann aber nur eine Einzimmerwohnung. «Die Dreizimmerwohnungen haben die Chefs bekommen. Die fuhren auch als Erste weg.» Für den Zuschuss zu den Umzugskosten habe man «Berge von Formularen» ausfüllen und Papiere beibringen müssen, die viele Familien schon gar nicht mehr gehabt hätten. Das alles hätten sie und ihr Mann noch erledigt. Auch einen Container für den Hausrat und die Möbel hätten sie gekauft und sogar den Transport bis zur nächsten Bahnstation bezahlt, bis Berkakit, knapp 2000 Kilometer entfernt. Genau 45 000 Rubel hätten sie dafür hingelegt, etwa 4000 Mark, ihre gesamten Ersparnisse. Aber dann habe sich herausgestellt, dass der Container nicht den «offiziellen Transportnormen» entsprach. Und es habe niemanden gegeben, der sich noch irgendwie zuständig fühlte, und auch die Containerfirma habe sich «in Luft» aufgelöst. «Das, was ich am Leibe trage», und dabei zerrt sie an ihrer Wattejacke, «ist alles, was mir nach 32 Jahren Arbeit geblieben ist.»

Die Frau spuckt kräftig in den Schnee, holt ein Taschentuch aus der zerbeulten Trainingshose, schnäuzt sich geräuschvoll und wischt sich über die Augen. Dann zeigt sie mit einer weit ausholenden Armbewegung über die leer stehenden Wohnblocks ringsum. «Und das mit der Ruhe hier stimmt auch nicht. Sobald die Leute abreisten, kamen schon in der nächsten Nacht die Plünderer und haben aus den verlassenen Wohnungen alles abtransportiert, was noch übrig war. Selbst die Wasserhähne und Kabel haben sie aus den Wänden gerissen. Buntmetall! Und heute sind wir hier, um die Reste des Maschinenparks zu bewachen. Wenn man keine Angst mehr vor Plünderern hätte, würde man uns doch dafür nicht bezahlen!»

Am Abend sitzen wir in der kleinen Teestube unseres Hotels in Ust-Nera. Es gibt noch Strom, und die Pächterin, eine Chinesin, die es vor 50 Jahren nach Sibirien verschlagen hat, taut für uns ein paar Hühnerbeine auf. Am Nachbartisch bestellt sich ein junger Mann in dunklem Anzug, Schlips und Kragen die zweite Karaffe Wodka. Er hat mitbekommen, dass wir uns über den Drehtag in Sarylach unterhalten, und mischt sich höflich, aber nachdrücklich in unser Gespräch. Es stellt sich heraus, dass er von der Steuerbehörde aus Chabarowsk geschickt wurde, um die Bücher der Stadt Ust-Nera zu prüfen. Es sei völlig richtig, sagt er, dass man Orte wie Sarylach «liquidiert». Das sei auch schon mit zehn anderen Siedlungen im Gebiet von Ust-Nera passiert.

Zu Sowjetzeiten habe niemand nachgerechnet, was es eigentlich kostete, wenn eine Goldmine nicht nur die Arbeiter bezahlen musste, sondern zugleich eine ganze Stadt unterhielt – die Schulen, die Kindergärten, die Krankenhäuser, die Kinos, die Kulturclubs. «Das war doch alles kostenlos und hat mehr verschlungen, als die Goldmine eingebracht hat. Es war marktwirtschaftlich unrentabel.» Nach der Wende, unter Boris Jelzin, seien die Goldminen privatisiert worden, einige habe man geschlossen, andere zu Genossenschaften, «artels», umstrukturiert. Im Gebiet von Ust-Nera, so der Steuerbeamte, der uns inzwischen aus der zweiten Karaffe Wodka eingeschenkt hat, sei die Goldproduktion seither von 15 auf 3 Tonnen jährlich zurückgegangen. Die Genossenschaften, die heute noch Goldminen betrieben, würden aber, wie der Steuerbeamte erklärt, im Moment «durchaus rentabel» arbeiten. Der Grund sei ein neues Produktionsprinzip, der Saisonbetrieb, «wachta».

Von September bis März sind die Minen geschlossen, im April werden Tausende von Arbeitern für vier Monate aus allen Teilen Russlands eingeflogen. Sie beziehen Quartier in den leer stehenden Wohnungen der einstigen Goldgräbersiedlungen, brauchen weder Heizung noch Strom, arbeiten bis August, machen die Gruben winterfest und werden wieder zurück ins «Mutterland» geflogen. Soziale Verpflichtungen für die Minengenossenschaften gibt es nicht, allenfalls für die Dauer der «wachta» eine Unfallversicherung der Arbeiter. Niemand hat das Recht, auch in der nächsten Saison beschäftigt zu werden oder Lohn zu beziehen, wenn er während der «wachta» erkrankt.

Und dennoch, so der Steuerbeamte, liege die Zukunft selbst dieser Goldminen «im Nebel». Die Goldvorräte im Raum Ust-Nera würden noch etwa sieben Jahre reichen, für die Erforschung neuer Lagerstätten hätten die Genossenschaften kein Geld. «Und alles hängt natürlich vom Goldpreis auf dem Weltmarkt ab.» Über die Zukunft von Ust-Nera, so der Beamte der Steuerbehörde, sei jedenfalls längst entschieden; offiziell werde darüber noch Stillschweigen bewahrt, um die Menschen nicht vorzeitig zu beunruhigen, doch aus vertraulichen Gesprächen mit der Stadtverwaltung wisse er, dass auch dieser Ort in drei Jahren «liquidiert» werde.

«Und wo sollen die Leute hin?», fragen wir.

«Keine Ahnung», sagt er achselzuckend und schenkt eine letzte Runde Wodka ein.

Magadan

Ust-Nera liegt genau auf der Hälfte der Strecke von Jakutsk nach Magadan. Von hier zur Hafenstadt am Stillen Ozean, dem «Einfallstor zum schwarzen Planeten», sind es noch etwa 1100 Kilometer. Es ist der erste Streckenabschnitt der Kolyma-Trasse, an dem fast 20 Jahre gebaut wurde. Er führt über nicht weniger als zehn Gebirgspässe, unzählige Flüsse und Bäche, durch weit verzweigte Sümpfe und große Abschnitte dichter, nahezu undurchdringlicher Taiga. Bis heute gibt es keine offiziellen Angaben darüber, wie viele Häftlinge beim Bau der Trasse eingesetzt wurden, wie hoch die Zahl derer ist, die dabei ums Leben kamen. Doch ein Blick auf die Straßenkarte zeigt: Alle 10 bis 15 Kilometer war dort ein Lager. Jeder Ort, jede Siedlung, jedes Dorf in Kolyma ist aus einem ehemaligen Lager entstanden. Und zu jedem Lager gehörte ein Friedhof.

Wir fahren das Tal der Nera entlang, Richtung Südosten. Die Ufer links und rechts des Flusses gleichen einer Landschaft nach dem Krieg. Riesige Bombenkrater, daneben flache runde Hügel, Spitzkegel, pyramidenartig aufragende Abraumhalden. Bisweilen das Wrack eines Baggers, ein umgeknickter Förderturm, rostzerfressene Wellblechbaracken. Und immer wieder Ruinen – ehemalige Lager, Dörfer und Siedlungen, verlassen, dem Verfall preisgegeben. Jeder Zentimeter Erde hier ist auf der Suche nach dem ebenso begehrten wie verfluchten Gold umgewühlt worden, die Spuren werden noch in Jahrzehnten sichtbar sein. Auch unter der dicken Decke glitzernden Schnees, der die Landschaft wie ein riesiges, makellos weißes Leichentuch überzieht.

Nach dem Verlassen des Tals der Nera ändert sich der Charakter der Landschaft zunächst kaum. Immer wieder sehen wir Verwüstungen, die der Mensch bei seinem Versuch, der Erde ihre Schätze zu entreißen, angerichtet hat. Nur an wenigen Stellen aber entdecken wir Zeichen heutiger menschlicher Aktivität. Hier und da taucht unmittelbar neben der Trasse ein Kohletagebau auf, gelegentlich weist ein frisch gemaltes Straßenschild auf einen Steinbruch oder ein Zementwerk.

Anfangs, so haben wir gelesen, wurden die Lager einfach nummeriert. Später, als sie sich immer weiter ausdehnten und zu den Baracken und Zelten der Häftlinge die Wohnblocks der Aufseher, Werkstätten und Schuppen für Vorräte, Baumaterial und anderes kamen, erhielten sie Namen, die die Orte bis heute tragen: etwa «Bolschewik», «Fünfjahrplan», «Komsomolze», «Stoßarbeiter», «Erfolg» und «Sieg»; aber auch «Stille» und «Tod». Manche sind nach Flüssen und Bächen benannt, andere nach Bäumen und Früchten der Taiga. Manchmal haben sie alte jakutische oder ewenkische Namen, deren Bedeutung aber kaum noch jemand kennt.

Immer wieder stoßen wir auf Orte, die uns auf beklemmende Weise aus den Schilderungen überlebender Häftlinge vertraut sind: Taskan, Elgen, Schturmowoj, Atka und Jagodnoje, alles Namen ehemaliger Lager, in denen Jewgenija Ginsburg die schrecklichsten Jahre ihres Lebens verbrachte. Wir sehen einen Wegweiser nach Serpantinka, jenem Taiga-Gefängnis, «von dem niemand etwas wusste, weil von dort noch nie ein Mensch zurückgekehrt war» (Ginsburg). Wir kommen am Goldbergwerk Dschelgala vorbei, in dem Warlam Schalamow Zwangsarbeit leistete, und an der Wegkreuzung zum Lager Maldjak, wo der Hunger, wie Janusz Bardach berichtet, Häftlinge zu Kannibalen werden ließ.

Von den meisten Lagern ist auf den ersten Blick kaum etwas übrig geblieben. Die Baracken sind bis auf wenige, die noch als Lagerhallen dienen, abgerissen worden oder eingestürzt, der Stacheldraht wurde vorher schon von Schrottsammlern demontiert und verhökert. Die Reste der Fundamente sind im Winter vom Schnee verdeckt, auch Wachtürme können wir unmittelbar an der Kolyma-Trasse nicht mehr entdecken. Sie wurden zu Brennholz gemacht oder auf Befehl der Behörden abgetragen. Allzu augenfällig erinnerten sie wohl die Nachgeborenen an die schreckliche Vergangenheit des «schwarzen Planeten».

Etwas abseits der Trasse allerdings finden sich noch weithin sichtbare Spuren einstiger Lager und Bergwerke. Die Wege dorthin sind im Winter jedoch kaum passierbar, wenn es überhaupt Wege gibt. Eines der berüchtigtsten Lager, in dem schätzungsweise einige zehntausend Häftlinge ums Leben kamen, befindet sich etwa 15 Kilometer südlich der Kolyma-Trasse an den Hängen einer kahlen Hügelkette. Hier schürften Häftlinge im Bergwerk «Dnjeprowskij» bis in die fünfziger Jahre des vergangenen Jahrhunderts Zinn. Auf einer 2001 erschienenen topographischen Karte von Kolyma sind das Bergwerk «Dnjeprowskij» und das Lager noch verzeichnet, ebenso ein Weg, der von der Kolyma-Trasse dorthin führt. Als wir Männer vom Straßendienst danach fragen, winken sie allerdings ab. Dieser Weg, sagen sie, sei ein von den Häftlingen angelegter Knüppeldamm gewesen, der längst im weichen Untergrund der Taiga versunken ist. Es gebe nur noch einen alten Jäger in der Gegend, der uns nach «Dnjeprowskij» führen könne, doch dies sei im Winter so gut wie unmöglich; da käme man nur auf extrabreiten Taiga-Skiern hin. Der Schnee liege meterhoch, und es seien viele Anhöhen zu überwinden. Unsere Kameraausrüstung müsste auf Schlitten transportiert werden, was mehrere Tage erfordern würde, wenn man nicht gar in einem Schneesturm stecken bleibe …

Nach einigem Hin und Her machen die Männer vom Straßendienst einen Vorschlag: Gegen eine entsprechende Anzahl grüner Scheine würden sie versuchen, uns mit einem «Ural» nach Dnjeprowskij zu bringen. Mit ihm allein allerdings käme man nicht durch; ein Schneepflug auf Ketten müsste voranfahren und eine Schneise bahnen. Mit dem Kettenfahrzeug durch die Taiga – das ist in unseren Augen nicht gerade die ökologisch ideale Art der Fortbewegung. Doch wir haben keine Wahl, wenn wir das Lager mit der Kamera dokumentieren wollen.

Für die läppischen 15 Kilometer von der Trasse bis zum Fuß des Berges, an dem sich das Lager befindet, benötigen wir fast 20 Stunden. Immer wieder fährt sich der «Ural» trotz seines Allradantriebs, seiner vier Achsen und der vom Schneepflug gebahnten Schneise fest, muss er vom Kettenfahrzeug die Anhöhen hinaufgeschleppt werden, muss der Jäger mit Schneeschuhen vorneweg stapfen, um nach einem Weg zu suchen, der für die mächtigen Fahrzeuge passierbar ist. Bis unmittelbar zum Lager können wir dennoch nicht fahren. Der Schneepflug hat weit mehr Diesel verbraucht als vorausberechnet. Wenn wir jetzt nicht umkehren, erklärt der Mechaniker, der den Bulldozer fährt, kommen wir nicht mehr zurück zur Trasse. Nach zwei Tagen würde die Straßenverwaltung eine große Suchaktion auslösen, «mit Hubschraubern, wenn es das Wetter erlaubt». Und überhaupt sei es kein Kinderspiel, im Winter ohne Sprit in der Taiga liegen zu bleiben.

Auch zu Fuß können wir die letzten Kilometer bis zum Lager nicht schaffen. Bei jedem Schritt versinken wir bis zur Hüfte, an manchen Stellen sogar bis zu den Schultern im Schnee. Für Maxim und seine Kamera allerdings sind wir nahe genug herangekommen. Deutlich heben sich die Reste der Wachtürme auf der Kuppe des Berges gegen den blauen Winterhimmel ab. Wir erkennen die verfallenen Baracken und die Pfosten des Lagerzaunes. Am Hang des verschneiten Berges sind als dunkle Punkte die Eingänge der Stollen auszumachen.

«Es ist ein schrecklicher Ort», sagt einer der Straßendienstmänner, «niemand von uns kommt gern hierher. Und es gibt so viele davon …»

Je mehr wir uns Magadan nähern, desto dichter wird das Netz der Siedlungen, der ehemaligen Lager. Einige dieser Orte erinnern heute, wie Sascha formuliert, an Grosny nach einem Fliegerangriff. Keines der verlassenen Häuser ist unbeschädigt, von manchen ragen nur noch die nackten Kamine in die Luft. Betriebe, die vielleicht einmal landwirtschaftliche Kolchosen,

Ziegeleien oder Zementfabriken waren, sehen aus wie gigantische Schrottplätze. Selbst fünfstöckigen massiven Verwaltungsgebäuden aus Stein fehlt das Dach oder ein Teil der Außenmauern. Seit es keine Häftlinge als billige Arbeitssklaven mehr gibt und das Gesetz der freien Marktwirtschaft auch in Sibirien gilt, ist Kolyma für Moskau weitgehend uninteressant geworden, erklärt Aljoscha, unser in Jakutsk geborener russischer Fahrer. «Jeder hier versucht bloß noch wegzukommen, so schnell wie möglich. Und sei es erst mal nur bis Magadan. Dort gibt es wenigstens Schulen und Krankenhäuser. Hier ist bald nur mehr weiße Wüste.»

Etwa 500 Kilometer vor Magadan überqueren wir den Fluss, der dem «schwarzen Planeten» seinen Namen gegeben hat. Obwohl die Temperaturen noch bei 30 Grad unter null liegen, ist die Kolyma an dieser Stelle nicht zugefroren. Ein 50 Kilometer oberhalb befindliches Wasserkraftwerk heizt den Fluss so stark auf, dass er selbst bei minus 60 Grad auf einer größeren Strecke nicht mehr zufriert.

Die Brücke über die Kolyma, eine schmale, etwa 900 Meter lange Eisenkonstruktion, galt früher als eines der am schärfsten bewachten strategischen Objekte Sibiriens. Wer hier versucht hätte zu fotografieren, erzählt Aljoscha, wäre auf der Stelle erschossen worden. Als wir uns der Brücke nähern, steht die Ampel, die den Verkehr auf der einspurigen Fahrbahn regelt, auf Grün. Im Postenhäuschen nicken uns zwei Frauen mit Ferngläsern freundlich zu; im Häuschen am anderen Ende der Brücke sitzen ebenfalls zwei Frauen, schauen aber nicht einmal auf. Spontan besteht Maxim zu meinem Schrecken darauf, die Brücke zu filmen. In Gedanken sehe ich uns schon, wie früher so häufig, auf einer Milizwache landen, einen zähen Kampf gegen die Beschlagnahme der Filmkassetten führen und Stunden oder gar Tage in irgendwelchen vergitterten Räumen zubringen – so lange, bis sich die örtliche Staatsmacht endlich davon überzeugt hat, dass wir doch keine westlichen Spione sind. Aber Maxim baut in aller Seelenruhe die Kamera auf und filmt die Brücke aus sämtlichen nur erdenklichen Perspektiven, einschließlich der Postenhäuschen und der Bewacherinnen des militärischen Objekts. Nichts geschieht. Lediglich eine der Frauen tritt gemächlich aus der Tür und richtet ihr Fernglas auf uns. Dann dreht sie sich um, nimmt wieder hinter der Scheibe Platz und vertieft sich erneut in ein Buch oder eine Zeitung. Weil alles so unproblematisch ist, besteht Maxim nun auch noch darauf, unter die Brücke zu klettern. Der Dampf, der vom aufgeheizten Wasser aufsteigt, verleiht dem Fluss und der Landschaft eine besonders unheimliche Atmosphäre. Die Frauen in den Postenhäuschen rühren sich nicht. Als Maxim zurückkommt, erklärt er triumphierend: «Ich hätte da unten sogar eine Bombe anbringen können. Das nennt man wirklich eine neue Epoche.»

Am Ortseingang von Magadan scheint unsere Reise dennoch vorzeitig zu enden. Zwei mächtige Betonklötze liegen quer über der Straße, in der schmalen Lücke dazwischen steht ein Soldat im Kampfanzug, mit Maschinenpistole. Magadan ist Grenzgebiet, Sperrzone, nur mit besonderer Genehmigung zu betreten. Zwar hat Sascha alle möglichen Dokumente griffbereit, aber ob es in den Augen der bewaffneten Posten die richtigen sind, ist eine immer wieder nervenaufreibende Frage. Doch auch diesmal scheinen unsere Papiere in Ordnung. Dafür beginnen ein anderer Soldat und zwei Männer in Zivil mit äußerster Akribie das Innere unserer Kleinbusse zu durchsuchen – unser Kameragepäck, unsere persönlichen Sachen, unseren Proviant. Um sie nicht zu provozieren und die Aktion unerträglich zu verlängern, verkneifen wir uns jede Frage. Später erfahren wir, dass man nach Waffen und Rauschgift gesucht hat. Die Hafenstadt Magadan gilt als besonders kriminelles Pflaster.

Die Kolyma-Trasse ist die einzige Straße, die nach Magadan hineinführt. Wenige Kilometer nach dem Kontrollposten tauchen die ersten Häuser auf, die ersten Straßenlaternen. Ab hier trägt die Kolyma-Trasse den Namen Lenins. Früher hieß sie Stalin-Straße. Es ist ein breiter, mehrspuriger Boulevard mit einigen Prototypen stalinistischer Architektur. Wegen des Permafrostes sind diese Prachtbauten zwar nicht so hoch wie die Zuckerbäckertürme in Moskau, aber sie fallen durch ihre mächtigen Säulenportale, Marmorstufen, hohen Fenster, Balkone, Erker und Türmchen ins Auge. Sie waren Sitz der Hauptverwaltung von Dalstroj, der Geheimpolizei NKWD, des Parteikomitees und des staatlichen Goldkonzerns. In einigen von ihnen residieren heute der Gouverneur von Magadan und die Stadtverwaltung, andere sind zu Hotels oder Filialen großer russischer Banken umfunktioniert.

Manche Straßenzüge erinnern in ihrer Bauweise an St. Petersburg. Sie wurden von Leningrader Architekten entworfen, die es in den dreißiger und vierziger Jahren nach Magadan verschlagen hatte, freiwillig und unfreiwillig. Das dominierende architektonische Element der Stadt jedoch sind die fünfgeschossigen, teils gemauerten, teils in Plattenbauweise errichteten Wohnblocks, die aussehen wie überall im einstigen Herrschaftsbereich der Sowjetmacht. Doch gleichgültig, ob stalinistische Paläste oder Wohnblocks in trister Einheitsarchitektur, ob Straßen, Hafen- oder Industrieanlagen – in Magadan wurde fast alles von Häftlingen erbaut oder von japanischen Kriegsgefangenen, die nach dem Zweiten Weltkrieg hier interniert waren.

Zu den Ersten, die auf Schiffen von Wladiwostok in die Bucht von Magadan gebracht wurden, um die Stadt und die Kolyma-Trasse zu bauen, gehörte der 1937 wegen «konterrevolutionärer Propaganda» zu zehn Jahren Zwangsarbeit verurteilte Panzerleutnant Wadim Starodubzew. In seinen 2001 in Magadan erschienenen Erinnerungen «Menschen, Jahre, Kolyma» berichtet er von seiner Ankunft: «Das Erste, was wir sahen, war der zum Pier abfallende Hügel, von dem in dünnen Rinnsalen Wasser rann. Und am Fuße des Hügels unzählige Menschen, die auf dem Bauch lagen und Wasser aus Pfützen und Gräben tranken.

Drei Tage und Nächte hatten sie auf ihrem Dampfer weder zu essen noch zu trinken bekommen. Alle Versuche der Wachmannschaften, die Gefangenen zum Konvoi auf die Beine zu stellen, waren vergeblich – trotz der gebrüllten Befehle, der Schüsse, des Gebells von scharfen Hunden und trotz Gewehrkolben und Knüppeln, mit denen auf die am Boden liegenden, das schmutzige Wasser schlürfenden Gefangenen eingeschlagen wurde. Erst als der größte Durst gestillt war, erhoben sich die Menschen allmählich von der Erde und formierten sich zu Kolonnen.»

Und Jewgenija Ginsburg, deren Häftlingstransport das erste steinerne Gebäude der Stadt errichtete, «gefrorene Ziegel über schwankende Stege balancierend», schreibt noch viele Jahre später: «Aus tiefster Seele verfluche ich den, der auf den Gedanken kam, hier eine Stadt errichten zu lassen, auf diesem ewig gefrorenen Boden, den erst das Blut und später die Tränen völlig schuldloser Menschen ein wenig tauen ließen.»

Heute zählt Magadan, die «Hauptstadt von Kolyma», wie es sich stolz nennt, etwa 100 000 Einwohner. Vor zehn Jahren waren es mehr als doppelt so viel. Mit der Wende in Russland und der Einführung der Marktwirtschaft begann der beispiellose Niedergang der Stadt. Ein Betrieb nach dem anderen wurde stillgelegt, ein wissenschaftliches Institut nach dem anderen geschlossen. Die bis dahin – wie die meisten anderen Unternehmen – staatlich subventionierte Fischereiwirtschaft war nun nicht mehr konkurrenzfähig, der Hafen für ausländische Schifffahrtslinien uninteressant. Die Goldproduktion, der wichtigste Pfeiler der Wirtschaft im Gebiet Magadan, wurde privatisiert, zerfiel in über 200 Kleinbetriebe und erlitt nicht zuletzt als Folge der sinkenden Weltmarktpreise einen dramatischen Einbruch. Aus Magadan, wo die Menschen in der Ära nach Stalin – dank unzähliger sozialer Vergünstigungen und staatlicher Subventionen – besser verdienten und besser versorgt waren als in Moskau und Leningrad, wurde eine der ärmsten Regionen Russlands. Zugleich stiegen die Preise für Lebensmittel und Konsumgüter so stark wie nirgendwo sonst im Land. Die Arbeitslosenquote erreichte ein in der nachrevolutionären Geschichte Russlands unbekanntes Ausmaß. Der Zerfall der sozialen und gesellschaftlichen Strukturen erfasste sämtliche Bevölkerungsschichten. Auf sechs Eheschließungen kamen zehn Scheidungen. Krankheiten wie Tuberkulose breiteten sich epidemieartig aus, die Kindersterblichkeit stieg auf ein Niveau weit über dem russischen Durchschnitt. Wer konnte, versuchte, aus Magadan wegzukommen, ins «Mutterland». Für einen Umzugscontainer musste man seine Wohnung verkaufen. Und dennoch beträgt die Wartezeit auf einen Container noch immer zwei bis drei Jahre.

Erst seit dem Jahr 2000 hat sich laut Statistik die wirtschaftliche und soziale Situation in Magadan etwas stabilisiert. Die Goldförderung konnte wieder gesteigert werden, auch wenn sich das Gesamtvolumen vergleichsweise bescheiden ausnimmt: Während in den Goldgruben der westlichen Länder jeder Arbeiter im Jahr etwa 30 Kilogramm des wertvollen Materials schürft, ist es im Gebiet Magadan gerade mal ein Kilo. Auch die Fischereiwirtschaft scheint sich nach einem dramatischen Einbruch allmählich zu erholen. Der Abwanderungsprozess hat sich seitdem etwas verlangsamt.

Auf den ersten Blick ist von der miserablen wirtschaftlichen und sozialen Situation der Stadt kaum etwas zu bemerken. In vielen Geschäften werden neben den Grundnahrungsmitteln auch Obst und Südfrüchte angeboten. Grell erleuchtete Reklametafeln werben für elektronische Produkte aus Japan und Amerika, elegante italienische Küchenmöbel warten ebenso auf Käufer wie modische Damenbekleidung und Schuhe aus Europa. Rechtsanwälte und Notare haben, oft in Hinterhöfen versteckt, kleine Kanzleien aufgemacht; private Taxiunternehmen, aber auch Ärzte und Sprachlehrer für Englisch und Japanisch bieten in Zeitungsanzeigen ihre Dienste an. Bei genauem Hinsehen entdeckt man jedoch viele Menschen, die, ihrem Äußeren nach zu schließen, schon einmal bessere Zeiten erlebt haben und nun in

Mülltonnen nach Essensresten suchen. Man bemerkt die vielen leer stehenden Wohnblocks und die Investitionsruinen, die über das gesamte Stadtgebiet verstreut sind; Fabriken, die nicht zu Ende gebaut wurden und nun als Steinbruch und Buntmetallreservoir dienen; Häuser, die nur zur Hälfte fertig gestellt sind und in deren oberstem Stockwerk meterhoch Schnee liegt. Dazu gehören auch das höchste Gebäude der Stadt, die vor zwölf Jahren mitten im Bau aufgegebene Ruine des Kommunistischen Parteikomitees, und das architektonisch bemerkenswerteste Bauwerk Magadans, ein riesiger, futuristisch anmutender Betonkegel ohne Fenster. Das sollte das neue Telegraphenamt werden. Es ist nie bezogen worden.

Im zugefrorenen Hafen liegt weit draußen ein einziger altersschwacher, verrosteter Dampfer auf Reede. Irgendwann einmal hat er offenbar Kohle gebracht. Neben dem Pier, an dem einst die «Todesschiffe» mit Häftlingen aus Wladiwostok anlegten, leitet ein dickes Betonrohr die Abwässer der Stadt über die Uferböschung in die Bucht. Es stinkt bestialisch.

Auf dem Hang, der von der Stadt hinunter in den Hafen führt, stehen neben einer Reihe neuerer Wohnblocks noch Zeugnisse der Besiedlung Magadans aus der Stalinzeit: schiefe, halb in die Erde versunkene Hütten aus Holz und Wellblech, die jeden Moment auseinander zu brechen drohen – und trotzdem immer noch bewohnt sind. Ansonsten wurden die äußeren Spuren der dunklen Vergangenheit weitgehend verwischt. Die Wachtürme der Lager und Gefängnisse, die über das gesamte Stadtgebiet verstreut waren, wurden abgetragen, die Stacheldrahtzäune demontiert. Nur ein einziger Barackenkomplex am Ortseingang, der einst zu einem Lager gehörte, ist noch erhalten. Er dient der Straßenreinigung als Depot.

Fast 80 Prozent der heutigen Bevölkerung Magadans, so heißt es, sind Nachfahren von Häftlingen. Doch die Zahl der einstigen Lagerinsassen wird von Jahr zu Jahr kleiner. Etwa 1000 mögen es sein, schätzt Tamara Sergejewa, die noch in Magadan wohnen. Sie ist die Vorsitzende des «Komitees zur Unterstützung der Opfer der politischen Repression», wie die ehemaligen Häftlinge bis heute im offiziellen russischen Sprachgebrauch schamhaft genannt werden. Vor 35 Jahren kam die inzwischen pensionierte Lehrerin für Geschichte und Literatur nach Magadan. Sie suchte dort nach ihrem verschollenen Onkel, der 1937 in ihrer Heimatstadt Ussurijsk, unweit von Wladiwostok, verhaftet worden war. Seitdem gab es nie wieder ein Lebenszeichen von ihm. Man hatte der Familie lediglich mitgeteilt, dass er nach Kolyma geschickt worden sei. Die Nachforschungen in Magadan verliefen allerdings ergebnislos. Weder beim KGB noch bei irgendwelchen anderen Behörden war angeblich irgendeine Spur des Onkels auszumachen. Erst im Jahr 1989, nachdem Michail Gorbatschow einige Archive des KGB hatte öffnen lassen, fand Tamara Sergejewa die Akte ihres Onkels und erkämpfte dessen Rehabilitierung. Er war noch am Tag seiner Verhaftung in Ussurijsk erschossen worden.

Auch Tamaras Großvater wurde 1937 verhaftet. Doch er hatte Glück. Als guter Schneider nähte er für die Aufseher und Kommandanten Hosen und Jacken. Er musste nur 25 Jahre Lager absitzen.

Die Maske des Leids

Tamara Sergejewa begleitet uns zu einem ihrer Schützlinge, dem 79-jährigen ehemaligen Lagerhäftling Wladimir Iwanowitsch. Er wohnt in einem Plattenbau am Stadtrand von Magadan, in einer winzigen Wohnung im vierten Stock. Im dunklen Treppenhaus baumeln von der Decke die Reste einer Glühbirne. Einige der Briefkästen sind herausgerissen, die Wände mit männlichen und weiblichen Vornamen, obszönen Zeichnungen und Texten beschmiert. Es riecht nach Urin und Küchenabfällen.

Wladimir Iwanowitsch lebt allein, seine Wohnung ist karg möbliert und penibel aufgeräumt. Auf dem mit einer weißen Plastikdecke überzogenen Küchentisch stehen eine Teekanne und eine Schale mit kleinen, würfelartig geschnittenen und getrockneten Brotstücken, «suchariki». Noch heute, sagt der hoch aufgeschossene, hagere Mann mit den zerfurchten Gesichtszügen und den hellen blauen Augen, die wach und melancholisch zugleich blicken, noch heute gehe er jeden Tag zur Arbeit, in einen Reparaturbetrieb der Stadt. Schließlich sei er Schlosser, und Schlosser würden immer gebraucht. Und solange er arbeite, fühle er sich auch nicht alt. Zum Sterben sei es einfach noch zu früh.

Das Schicksal von Wladimir Iwanowitsch ist eines von Hunderttausenden, wenn nicht gar Millionen Menschen in Russland. Als 19-jähriger Soldat geriet er in deutsche Kriegsgefangenschaft. Nach einer Odyssee durch mehrere Lager wurde er schließlich 1945 von amerikanischen Truppen befreit, an die Rote Armee überstellt und in die Sowjetunion zurückgeschickt. Dort wurde er als «Volksverräter» vor Gericht gebracht und zu zehn Jahren Zwangsarbeit und anschließender Verbannung verurteilt. Seine Schuld bestand darin, dass er in Hitlers Lagern nicht umgekommen war – wie die meisten der russischen Kriegsgefangenen.

Im Sommer 1946 war er nach Kolyma gekommen, in das berüchtigte Lager Sejmtschan, 400 Kilometer nördlich von Magadan. Mehrere tausend Häftlinge arbeiteten dort unter Tage in einer Goldgrube sowie in Steinbrüchen unmittelbar am Ufer der Kolyma. Wladimir Iwanowitsch ist der einzige Überlebende seines Lagers, den es in Magadan noch gibt.

«Die meisten Häftlinge sind an Skorbut gestorben», erzählt Wladimir Iwanowitsch mit leiser Stimme. «Der Skorbut hat richtig gewütet. Der Mensch hat noch ganz normal gearbeitet, und dann ist er plötzlich tot umgefallen. Die Leute waren doch völlig ausgehungert. 600 Gramm Brot am Tag, eine Schale dünne Suppe oder auch nur heißes Wasser und manchmal ein Stück Trockenfisch. Gearbeitet wurde 12 bis 14 Stunden am Tag. Und die Schubkarren im Steinbruch oder in der Mine, im Winter die Schlitten, wogen 300 Kilo, die musste ein einzelner Mann schieben oder ziehen.»

«Und woran starben die Menschen noch?»

«Natürlich an Misshandlungen. Besonders gequält wurden die religiösen Gefangenen. Sie weigerten sich einfach, bestimmte Dinge zu tun, zum Beispiel Häftlingskluft anzuziehen. Dann wurden sie in den Karzer geschickt. Wer lebend aus dem Karzer herauskam, dem hat man die Kluft mit Gewalt überzuziehen versucht. Wer sich dagegen wehrte, wurde erschlagen. Von den religiösen Häftlingen bei uns hat, glaube ich, nur einer überlebt.»

«Sie waren ja ein politischer Gefangener, wurden Sie anders behandelt?»

«Keineswegs. Auch wir wurden ständig geschlagen, zur Arbeit angetrieben. Wenn wir von den Wachkommandos in die Mine oder die Steinbrüche gescheucht wurden und nicht schnell genug liefen, stachen uns die Soldaten mit Bajonetten in die Schenkel. Aber wir haben dazugelernt. Ich habe mir die Hosen immer mit Papier und Pappe voll gestopft, da konnten sie dann ruhig zustechen. Und es gab auch richtige Sadisten in den Wachmannschaften. Wenn wir in Fünferreihen zur Arbeit oder zurück ins Lager marschierten und durch eine Pfütze wateten, in der das Wasser bis zum Knie stand, kam mittendrin das Kommando ‹Hinlegen!› Weigerte sich ein Häftling, holten sie ihn aus der Reihe und schlugen ihn tot.»

«Gab es unter den Aufsehern auch anständige oder zumindest korrekte Menschen?»

«Selten, aber es kam vor. Einer unserer Lagerkommandanten war ein Jude mit Namen Israel, ein baumlanger Kerl. Der baute sich vor uns auf und erklärte: ‹Ich habe keine Häftlinge, ich habe Arbeitskräfte. Wenn ihr gut arbeitet, werdet ihr auch freikommen.› Aber er war der Einzige, der versuchte, uns zu verteidigen. Und sobald er außer Sichtweite war, haben die Aufseher und Wachkommandos mit uns gemacht, was sie wollten.»

Wladimir Iwanowitsch erhebt sich etwas mühsam und nimmt einen Topf mit kochendem Wasser vom Herd. Das Erzählen, scheint es, strengt den alten Mann an, und gelegentlich überwältigt ihn auch die Erinnerung. Dann unterbricht er sogar mitten im Satz, zieht ein Taschentuch aus der Hose und wischt sich schwer atmend über die Augen. Nachdem er den Teekessel auf den Tisch gestellt und uns die getrockneten Brotstückchen herübergeschoben hat, sagt er: «Es geht schon wieder. Fragen Sie weiter, es ist wichtig, dass das alles erzählt wird.»

Wir gießen uns Tee ein und rühren eine Weile gedankenverloren in der Tasse. Schließlich frage ich: «Hat eigentlich niemand versucht, aus dem Lager zu fliehen?»

Wladimir Iwanowitsch schüttelt den Kopf: «Zu Fluchtversuchen kam es kaum. Und wenn, dann wurden die Entflohenen schnell wieder gefunden. Es gab dafür spezielle Suchkommandos mit Hunden, die brachten den Entflohenen zurück, aber nie lebend. Meistens hatten ihn die Hunde totgebissen. Den zerfleischten, halb nackten Körper warf man dann auf einen Karren neben dem Lagereingang. Drei bis fünf Tage blieb er dort, je nach Jahreszeit. Im Winter auch länger, manchmal über eine Woche. Und auf dem Weg zur Arbeit und zurück in die Baracken musste man daran vorbei. Danach war einem nicht mehr nach Flucht.»

«Und wie konnten Sie das Lager überleben?»

«Gerettet hat mich, dass ich Schlosser war und die meiste Zeit in der Werkstatt gearbeitet habe. Da war es verhältnismäßig warm, wärmer jedenfalls als draußen, wo wir manchmal 60 Grad unter null hatten. Und die Arbeit war natürlich nicht so schwer wie im Bergwerk oder im Steinbruch. Auch war man näher an der Küche und den Küchenabfällen …»

Wladimir Iwanowitsch macht eine Pause, hängt seinen Gedanken nach. Und dann sagt er unvermittelt: «Das Wichtigste aber, was mich am Leben gehalten hat, war, dass ich unschuldig war. Ich habe mich nie schuldig gefühlt. Ich war nicht schuldig.»

Wladimir Iwanowitsch macht wieder eine Pause. Dann schaut er mir direkt in die Augen: «Wissen Sie, worunter ich am meisten gelitten habe, was für mich moralisch das Schwerste war? In Deutschland, in der Kriegsgefangenschaft, war klar, dass ich ein Feind war. Und die Deutschen waren meine Feinde. So war das im Krieg. Da wird man nun mal in Haft gehalten oder auch gequält. Aber hier waren es doch meine eigenen Leute, die das taten. Ich sage Ihnen ganz offen: In deutscher Kriegsgefangenschaft war es besser als hier im Lager. Ob Kommunisten oder Faschisten – das war alles das Gleiche. Nur die Uniformen waren verschieden.»

Im Jahr 1953, nach Stalins Tod, wurde Wladimir Iwanowitsch aus dem Lager entlassen, musste aber in Kolyma bleiben. 1956 jedoch wurde er offiziell rehabilitiert und war nun ein freier Mann, der gehen konnte, wohin er wollte. Doch er blieb in Magadan. Warum?

«Wo hätte ich denn hingehen sollen? Als ich an die Front kam, war ich 18. Und jetzt, nach Krieg, Kriegsgefangenschaft in Deutschland und Lager in Kolyma, war ich 33. Ich hatte doch weder Haus noch Hof. Mein Vater war gefallen, meine Mutter irgendwo nach Kasachstan evakuiert. Also, wohin denn? In Magadan hatte ich wenigstens Arbeit, und an die Kälte hatte ich mich gewöhnt.»

«Nach Ihrer Freilassung und der Auflösung der Lager 1956 lebten hier doch noch viele ehemalige Aufseher und Kommandanten, NKWD-Leute. Wie war Ihre Beziehung zu ihnen?»

«Wie soll sie schon gewesen sein? Natürlich liefen hier viele rum, die uns im Lager gequält hatten, auch ein ganz besonders schlimmer Kommandant. Und eines Tages kommt ein Kumpel zu mir und sagt: ‹Wolodja, lass uns diesen Typ töten.› Und ich sage zu ihm: ‹Wir sind schon in der Freiheit. Wozu ihn anrühren? Soll er doch am Leben bleiben!› Einen anderen ehemaligen Aufseher habe ich aber verprügelt. Der hatte mich im Lager ganz besonders gedemütigt und mich wegen meiner Kriegsgefangenschaft in Deutschland einen Doppelagenten genannt. Leider habe ich in all den Jahren den NKWD-Offizier nicht wieder getroffen, der mir beim Verhör die Hoden zerquetscht hat. Ich weiß nicht einmal mehr seinen Namen. Ich weiß nur, dass er aus Leningrad war. Ich würde zu gern erleben, wie er mir in die Augen schaut.»

«Ist denn irgendeiner von den Lagerkommandanten, den Aufsehern, den NKWD-Leuten später vor Gericht gestellt worden?»

Wladimir Iwanowitsch versteht offenbar die Frage nicht, wendet sich an Tamara Sergejewa, die neben ihm sitzt, tuschelt mit ihr einige Zeit und schaut mich dann an, als sei ich von einem anderen Stern.

«Wie kommen Sie denn darauf? Natürlich nicht. Die meisten Natschalniks sind doch, als die Lager aufgelöst wurden, gleich weggefahren, und zwar prompt, sofort. Nicht einem ist der Prozess gemacht worden.»

«Wie beurteilen Sie denn heute das Sowjetregime, dieses Regime, unter dem Sie so viel gelitten haben?»

«Das ist eine schwierige Frage. Vor allem: Sie fragen nach dem Regime von damals, ich aber frage nach dem Regime von heute.

Was hat es uns denn gebracht? Nichts! Und bei der Jugend von heute traust du dich nicht mehr auf die Straße. Ich wurde so erzogen: Die Helden der Revolution und des Bürgerkriegs waren diejenigen, an denen wir uns ein Beispiel nehmen sollten, unsere Vorbilder. Meine Mutter war eine Revolutionärin, mein Vater ein einfacher Arbeiter. Es gibt Fotos von der Erstürmung des Kreml durch die Roten. Da ist meine Mutter drauf, und man sieht, wie sie Verwundete versorgt. Es hat mich tief getroffen, dass ich hier in Kolyma schlimmer gequält wurde als in der Kriegsgefangenschaft in Deutschland. Aber verstehen Sie mich, man kann seine Erziehung nicht vergessen und die Ideale auch nicht.»

An einem Nagel im Wohnzimmer hängt, fein säuberlich auf einem Bügel, ein schwarzer, etwas abgetragener Anzug – die linke Brustseite von einer Unzahl von Orden geschmückt. Manche zeigen Hammer und Sichel, andere den Roten Stern, einige auch Porträts Lenins oder Stalins. Sie alle wurden Wladimir Iwanowitsch, wie er uns erzählt, nach seiner Rehabilitierung verliehen. Mit Blick auf den Anzug frage ich: «Stalin war doch derjenige, der dem ganzen System des Terrors seinen Namen gegeben hat, der Hauptverantwortliche, auch für Ihr Leid! Warum tragen Sie ausgerechnet einen Orden mit dem Bild Stalins?»

«Was soll man denn machen? Er war unser Führer beim Sieg über Deutschland und Japan. Ich trage ihn als Siegesorden. Ich habe ihn bekommen für den Sieg im Krieg gegen Deutschland, an dem ich teilgenommen habe. Natürlich wäre es mir lieber, wenn ein anderes Bild drauf wäre. Aber das ändert doch nichts am Sinn des Ordens! Beim Zaren hat man als Kriegsorden das Georgskreuz getragen, dann wurde es verboten, jetzt ist es wieder erlaubt. Es ist ganz egal, was für ein Bild drauf ist. Wichtig ist, wofür man ihn bekommen hat!»

«Wie verhält sich denn die Regierung heute gegenüber den ehemaligen politischen Gefangenen, den Opfern des Stalin-Terrors?»

«Wenn ich ehrlich bin», lacht Wladimir Iwanowitsch höhnisch

auf, «wenn ich ehrlich bin: Sie tut überhaupt nichts. Und wenn, dann allenfalls auf dem Papier. Die meisten Opfer gehen heute auf die 90 zu. Die sterben sowieso bald, die sind denen da oben doch ganz egal. Mir kann unsere Regierung gestohlen bleiben. Jelzin, Putin, für uns ist das alles das Gleiche …»

An dieser Stelle schaltet sich Tamara Sergejewa in das Gespräch. «Es ist in der Tat eine Tragödie. Viele der Opfer leben auch heute einfach im Elend. Die Renten sind so niedrig, dass sie nicht einmal für das Allernötigste reichen. Vielen sind die Lagerjahre gar nicht angerechnet worden, da die Papiere vom NKWD und später vom KGB vernichtet wurden. Noch 1991 haben sie hier in Magadan sackweise Akten verbrannt. Die Opfer des Terrors sind den Kriegsveteranen immer noch nicht gleichgestellt, haben immer noch nicht die gleichen Rechte und Privilegien. Die Menschen, die die Lager von Kolyma überlebt haben, leiden unter schweren Krankheiten: Diabetes, Hypertonie, an Erkrankungen der inneren Organe, chronischen Knochenleiden und vielem mehr. Für all dies braucht man Geld, viel Geld, um die Gesundheit wenigstens einigermaßen stabil zu halten. Doch das, was der Staat übernimmt, reicht nicht einmal für die wichtigsten Medikamente. Und es gibt Menschen, die selbst heute noch nicht rehabilitiert sind, obwohl sie zweifellos unschuldig waren. Unser Komitee versucht, all diesen Menschen zu helfen. Wenigstens durch moralische Unterstützung. Aber wir haben nicht einmal einen Raum, wo wir uns treffen können.»

Als die Kamera abgeschaltet ist, sitzen wir noch lange zusammen, trinken unseren Tee, reden aber kaum etwas.

Dann bittet uns Wladimir Iwanowitsch, ihn hinaus zum Hügel, zum Denkmal zu fahren. Zu seinen Kameraden. Das mache er jeden Sonntag, wenn es das Wetter erlaube. Und heute sei der 1. April, der erste wärmere Sonnentag nach Monaten, und die Gelegenheit sei günstig, da wir doch ein Auto hätten.

Das Denkmal auf einem Hügel am westlichen Stadtrand von Magadan trägt den Namen «Maske des Leids». Es ist das erste und bislang einzige Mahnmal in Kolyma, das an die Opfer des stalinistischen Terrors in Russland erinnert, ein 15 Meter hoher Kopf aus Beton. Aus seinem linken Auge fließen Tränen in Form von Köpfen – Frauenköpfen, Männerköpfen, Kinderköpfen. Das rechte Auge ist von Gitterstäben durchzogen. Darunter, in Beton gegossen, die Nummer I-O-937. Es ist die Häftlingsnummer des Bildhauers Ernst Neiswestnij, eines Überlebenden der Lager von Kolyma. Er hat das Denkmal entworfen und seinen Bau mit Unterstützung Boris Jelzins gegen den heftigen Widerstand der alten sowjetischen Nomenklatura in Magadan, aber auch der örtlichen Vertreter der russisch-orthodoxen Kirche durchgesetzt. 1996 wurde es eingeweiht.

Auf dem Parkplatz unterhalb des Hügels, auf dem sich die «Maske des Leids» erhebt, zieht Wladimir Iwanowitsch aus einer Plastiktüte einen frisch gewaschenen und akkurat zusammengefalteten Häftlingsanzug. Er ist aus grobem blauem Drillich und trägt ebenfalls eine Nummer – MI 241. Wladimir Iwanowitsch zieht ihn über und setzt dazu seine blaue, runde Häftlingsmütze auf, mit der gleichen Nummer auf dem Stirnband.

«Das bin ich meinen Kameraden schuldig», sagt er, bevor er sich mühsam die mit hohem Schnee bedeckte Treppe zum Denkmal hinaufquält. Am Fuß der Betonskulptur ragen mehrere Reihen großer, unbehauener Findlinge wie Grabsteine aus dem Schnee. Auf einigen sind Symbole zu erkennen: Hammer und Sichel, ein russisch-orthodoxes Kreuz, ein Judenstern. Die anderen tragen Namen: Elgen, Dnjeprowskij, Dschelgala, Serpantinka, Taskan, Atka, Schturmowoj, Jagodnoje, Maldjak, Magadan und viele mehr. Wladimir Iwanowitsch rupft ein paar Grashalme aus dem Schnee und legt sie auf einige der Steine. Dann geht er zu dem Findling, auf dem der Name Sejmtschan steht. Er zieht die Häftlingsmütze vom Kopf und verneigt sich. Und dann sagt er, zwischen den Sätzen lange Pausen machend, und mit halblauter, aber fester Stimme: «Jungs, jetzt bin ich wieder hier. Es ist schönes Wetter und Sonntag, der 1. April. Entschuldigt, dass ich seit Oktober nicht mehr bei euch war. Es war ständig Schneesturm und starker Frost, ich konnte nicht aus dem Haus. Ich bin ohne Blumen gekommen. Es ist schwer, zu leben. In unserem Land kümmert sich niemand um uns. Seien wir dankbar, dass hin und wieder Ausländer herkommen. Heute sind sogar unsere ehemaligen Feinde hier, aus Deutschland. Doch was heißt schon Feinde? Uns alle hat es getroffen, sie und uns. Alle haben wir unserer Heimat gedient, sie und wir. Alle haben an irgendetwas geglaubt; haben geglaubt, dass sie Recht haben. Aber heute ist bei uns so vieles durcheinander. Niemand versteht mehr, wofür wir gekämpft haben. Und wir selbst verstehen es auch nicht mehr. So leben wir. Ihr seid glücklich. Ihr habt schon alles hinter euch. Aber wir quälen uns noch. Macht's gut, Jungs.»

Der alte Mann verbeugt sich noch einmal tief, setzt die Häftlingsmütze mit der Nummer MI 241 auf den Kopf und stapft durch den hohen Schnee davon, hinunter Richtung Magadan.

TEIL 3 DER WEG ÜBERS MEER –
LINKS UND RECHTS DER BERINGSTRASSE

Grenze zweier Kontinente

Die Beringstraße trägt ihren Namen zu Unrecht. Weder war Vitus Bering der Entdecker der nach ihm benannten Meerenge, noch hat er sie jemals in ihrer ganzen Länge, um die Tschuktschen-Halbinsel herum, durchsegelt. Der Ruhm, als erster Europäer die äußerste Spitze Nordost-Sibiriens, das «Kap Hoorn Asiens», umsegelt und damit den Beweis erbracht zu haben, dass Asien und Amerika durch eine Wasserstraße getrennt sind, gebührt vielmehr einem ebenso draufgängerischen wie ehrgeizigen russischen Kosakenführer: Semjon Deschnjow. Im Auftrag des Zaren war er mit seinem Trupp um 1635 nach Jakutsk geschickt worden, zur Festigung und Ausweitung der russischen Herrschaft im «Land östlich der Sonne» sowie zum Eintreiben des Tributs in Form von Zobelpelzen. Er heiratete ein Jakutenmädchen, das sich zuvor von einem russisch-orthodoxen Missionar hatte taufen lassen, und zog bald darauf weiter nach Osten, auf der Suche nach neuen Jagdgründen und Eingeborenen, die den russischen Eroberern noch immer keinen «Jassak» entrichteten. Seiner Frau gab er das Versprechen, in einem Jahr zurück zu sein. Es sollte 20 Jahre dauern, bis er sie und Jakutsk wiedersah.

In Ojmjakon wurde Deschnjow 1642 bei einem Gemetzel mit Ewenken verwundet, der Kosakentrupp verlor all seine Pferde. Da es ohne Pferde aber kein Weiterkommen in der Taiga gab, beschlossen Deschnjow und seine Männer, Boote zu bauen und von Ojmjakon aus die Indigirka hinab nach Norden, Richtung Eismeer, zu segeln. Von dort nahmen sie wieder Kurs nach Osten bis zur Mündung der Kolyma, wo sie einige Zeit in einem kleinen Kosakenfort verbrachten und mehrfach in blutige Händel mit Eingeborenen verwickelt wurden. Berichte über ein Volk noch weiter im Nordosten Sibiriens, das außer Zobelfellen auch andere phantastische Reichtümer wie Gold und Walrosselfenbein besitzen sollte, veranlassten Deschnjow, sich der Expedition eines reichen Kaufmanns zu jenen geheimnisvollen Tschuktschen anzuschließen. Ziel war der Fluss Anadyr, an dessen Ufern man all die sagenhaften Reichtümer vermutete.

Von der Kolyma aus stachen im Juni 1648 sechs Boote mit 90 Mann Besatzung in See. Doch schon vor der sibirischen Nordküste gingen drei der Schiffe in den Stürmen des Eismeeres verloren – lange bevor die Tschuktschen-Halbinsel erreicht war. Ein viertes zerschellte bei der Umrundung der Nordostspitze Sibiriens. Ein weiteres wurde bei der Einfahrt in den Stillen Ozean von einer Strömung erfasst und verschwand, wie es heißt, «ohne jede Spur». Einzig Semjon Deschnjow und seine 25 Mann Besatzung überlebten und wurden mit ihrem inzwischen manövrierunfähigen Boot am 1. Oktober 1648 weit südlich der Mündung des Anadyr an die Küste geworfen.

Auf ihrer hunderttägigen Entdeckungsreise hatten Deschnjow und seine Begleiter über 3000 Kilometer auf einem der schwierigsten und als besonders heimtückisch geltenden Seewege zurückgelegt. Als Erste hatten sie das sibirische Nordost-Kap umschifft und die Diomede-Inseln vor der Küste Alaskas entdeckt – 80 Jahre vor Vitus Bering. Dem Kosakenführer selbst blieb die historische Bedeutung seiner Reise verborgen. Ihm ging es um Zobel, Walrosselfenbein und Gold. Doch das begehrte Edelmetall brachte er nicht mit zurück nach Jakutsk. Und am Zarenhof geriet seine Entdeckung bald in Vergessenheit, oder sie wurde, wie andere meinen, in ihrer Tragweite nicht erkannt. Der Bericht Deschnjows jedenfalls verstaubte im staatlichen Archiv von Jakutsk. Erst die Nachwelt wand dem wackeren Kosaken Kränze. Die Nordostspitze Sibiriens erhielt den Namen «Kap Deschnjow», und in der Geschichte der Seefahrt wird er von Fachleuten in einem Atemzug genannt mit Kolumbus, dem Entdecker der Neuen Welt, Vasco da Gama, der als Erster die Südspitze Afrikas umsegelte, und Magellan, der den Seeweg nach Südamerika fand.

Die Entdeckung der Meeresstraße zwischen Asien und Amerika blieb fast unbeachtet, weil die Frage, ob eine Landbrücke zwischen diesen Kontinenten existierte, zu Lebzeiten Deschnjows in Russland noch von niemandem ernsthaft gestellt wurde. Erst Zar Peter der Große begann sich für Amerika zu interessieren. Nach dem «Fenster zum Westen» wollte er nun das «Fenster zum Osten» aufstoßen, zumal er sich dort neue Einnahmequellen für seine Staatskasse erhoffte. Spanier und Briten waren damals bereits in Kalifornien und Kanada als Pelztierjäger erfolgreich unterwegs. Warum sollte sich das noch unerforschte amerikanische Territorium gegenüber der sibirischen Ostküste nicht auch für Russen als Schatztruhe erweisen? Nicht unwesentlich beeinflusst wurde Peter der Große in seinen Überlegungen durch Gottfried Wilhelm Leibniz, den – wie andere europäische Gelehrte – schon seit längerem die Frage bewegte, ob Asien und Amerika durch eine arktische Landbrücke verbunden oder durch eine Meeresstraße getrennt sind. Bei einem Treffen im Jahr 1716 in Bad Pyrmont drängte Leibniz den tatendurstigen Zaren zu einer systematischen Erkundung des asiatischen Teils seines Reiches und vor allem zu einer Klärung der geographischen Verhältnisse zwischen Asien und Amerika. Per Zarenerlass, Ukas genannt, beauftragte Peter der Große im Januar 1725 den in russischen Diensten stehenden dänischen Kapitän Vitus Bering nicht nur damit, die vermutete Landbrücke zwischen Asien und Amerika zu suchen, sondern auch herauszufinden, «ob man bis zu einer Stadt in den europäischen Besitzungen fahren kann».

In zwei großen Expeditionen, der «Ersten Kamtschatka-Expedition» (1725–1730) und der «Zweiten Kamtschatka-Expedition» (1733–1743), auch «Große Nordische» genannt, sollten zugleich die russischen Handelsmöglichkeiten mit Amerika und Japan erkundet werden. Bei der ersten Expedition kehrte Bering in Nebel und Sturm unmittelbar vor der amerikanischen Küste um, ohne das Festland gesehen zu haben. Erst während der zweiten Kamtschatka-Expedition bekamen Bering und seine

Leute den amerikanischen Kontinent zu Gesicht, hatten sie Kontakt mit amerikanischen Eingeborenen – aleutischen Eskimos, die von der indianischen Tlingit-Kultur beeinflusst waren.

Der erste Expeditionsteilnehmer, der amerikanischen Boden betrat, war Georg Wilhelm Steller. Er tat dies gegen den erklärten Willen Berings, der eigentlich nur Trinkwasser aufnehmen und sofort wieder zurückfahren wollte. Bering sei es, wie der ebenso hitzige wie fanatische Naturforscher Steller später in seinem Reisetagebuch höhnte, wohl nur darum gegangen, «amerikanisches Wasser nach Asien zu bringen». Erst Stellers Drohung, nach der Rückkehr an höherer Stelle in St. Petersburg über die Behinderung seiner wissenschaftlichen Arbeit zu berichten, zeigte Wirkung. Bering ließ sich «erweichen» und gestattete ihm, mit den Wasserholern der Besatzung einige Stunden an Land zu gehen. Am 20. Juli 1741 betrat Steller die der südöstlichen Küste Alaskas vorgelagerte «St.-Elias-Insel», die heute als Kayak-Insel in den Atlanten verzeichnet ist.

Schon beim ersten Gang ins Innere der Insel stieß Steller auf eine mit Gras und Steinen bedeckte unterirdische Vorratskammer, einen «zwei Faden tief gegrabenen Keller». Einiges von dem, was Steller in diesem Keller fand, kannte er schon aus Sibirien: Gefäße aus Birkenrinde, die mit geräuchertem Lachs angefüllt waren, Süßkraut, «aus dem in Kamtschatka Branntwein gebraut wird», Nesseln, die «wie in Kamtschatka zu Fischnetzen verwandt werden» – und in Rollen gewickelter, getrockneter Fichten- und Lärchenbast, der «in ganz Sibirien, ja bis nach Russland hinein in Hungersnot genossen wird». Außerdem entdeckte Steller in der Vorratskammer einige Pfeile, die «den Pfeilen der Tungusen und Tataren ähnelten und so glatt und schwarz angestrichen waren, dass man fast eiserne Werkzeuge und Messer bei den Amerikanern vermuten sollte».

Die Matrosen Berings, die zur selben Zeit auf der Suche nach Frischwasser die Insel durchstreiften, stießen auf eine aus Holz erbaute Hütte, «deren Wände so glatt waren, als wären sie mit schneidenden Werkzeugen gehobelt worden». Im Inneren der Hütte fand sich eine Reihe von Gegenständen, die Steller ebenfalls sofort an Sibirien erinnerten, darunter ein Holzgeschirr, «wie es in Russland aus Lindenrinde verfertigt und als Kasten gebraucht wird», sowie einen Wetzstein, «auf dem Kupferstreifen zu sehen waren, als ob diese Wilden, wie die alten sibirischen Völker, Schneidewerkzeuge aus Kupfer gehabt hätten». Eine Vermutung, die sich später als richtig erweisen sollte, denn die Tlingit-Indianer Alaskas, in deren Siedlungsgebiet Bering gelandet war, benutzten tatsächlich Waffenspitzen und Werkzeuge aus gediegenem Kupfer.

Auf der St.-Elias-Insel bekamen Steller und die anderen Expeditionsmitglieder keine Eingeboren zu Gesicht. Nur zu gern hätte Steller den Fuß auch auf das amerikanische Festland gesetzt, doch Bering war strikt dagegen. Der einzige Grund dafür, so mutmaßte der verbitterte Steller, war «träger Eigensinn, eine kaltsinnige Furcht vor einer Hand voll unbewehrter und noch furchtsamerer Wilder sowie ein feiges Heimweh». Mag man dies auch als polemisch zugespitzte Unterstellung eines vom Forscherdrang beseelten Gelehrten gegenüber dem für die gesamte Mannschaft verantwortlichen Kapitän ansehen, unbestreitbar ist die Schlussfolgerung, die Steller zog: «Die Zeit, welche hier zu Untersuchungen verwandt wurde, stand zu den Vorbereitungen im umgekehrten Verhältnis: Zehn Jahre währte die Vorbereitung, und zehn Stunden wurden der Sache selbst gewidmet. Vom Festland haben wir eine Ansicht auf Papier, vom Land selbst … nur eine auf Mutmaßungen gegründete Vorstellung.»

Die erste Begegnung mit Eingeborenen Alaskas fand Anfang September 1741 statt, vor der Küste des zur Inselkette der Aleuten gehörenden Schumagin-Archipels. Das Schiff Berings traf auf zwei «kleine Kähne» mit je einem bleifarbig bemalten Insulaner, «in deren Nasenflügeln dünne Knochenstückchen» steckten. Beide «Amerikaner» hielten eine lange Willkommensrede, von der Berings sibirischer Dolmetscher zwar nicht ein einziges Wort verstand, deren begleitende Gesten aber eindeutig waren: «Sie wiesen mit der Hand nach dem Lande ... Dabei zeigten sie auf den Mund und schöpften mit der Hand Seewasser, gleichsam um zu zeigen, dass wir Speise und Trank bei ihnen haben könnten», berichtet Steller. Sehr schnell entdeckte Steller auch auf der Schumagin-Insel eine Reihe von Gemeinsamkeiten mit den Bewohnern auf der russischen Seite der Beringstraße. Man bewirtete ihn wie auf Kamtschatka mit Walfleisch, und die «amerikanischen Kähne» waren, wie Steller bemerkte, «kaum von denen zu unterscheiden», die er in Nordsibirien gesehen hatte. Die Tatsache, dass die Inselbewohner auf Schumagin die gleichen, aus Holz gefertigten Helme mit langem Schirm und einer Federkrone trugen wie die sibirischen Kamtschadalen und Korjaken, war für Steller «ein weiterer Grund anzunehmen, dass die Amerikaner aus Asien stammen».

Was das Klima und die Natur zu beiden Seiten der Beringstraße angeht, so fielen Steller – obwohl die Kontinente an der engsten Stelle nur etwa 80 Kilometer voneinander entfernt sind – gravierende Unterschiede auf: Das amerikanische Land sei «merklich begünstigter als der äußerste nordöstliche Teil von Asien. Denn wenn es auch überall an der Küste erstaunlich hohe Gebirge aufweist, deren Gipfel meist mit ewigem Schnee bedeckt sind, so sind diese Berge im Vergleich zu den asiatischen doch von einer viel besseren Natur und Eigenart. Während die asiatischen Gebirge durchweg zerklüftete Berge zeigen, sind die amerikanischen hingegen fest, überall mit guter schwarzer Erde bedeckt, daher auch nicht wie jene kümmerlich zwischen der Felstrümmern mit krüppelhaftem Gehölz, sondern bis auf die höchsten Gipfel mit den schönsten Bäumen dicht bewachsen.»

Auf der amerikanischen Seite, in Alaska, so Steller, sehe man «unmittelbar am Meeresstrand die schönsten Waldungen auf einer Breite von 60 Grad». Auf der gegenüberliegenden russischen Seite jedoch, «von Anadyr ab, ist auf drei- bis vierhundert Kilometer von der See landwärts kein Baum mehr anzutreffen». Dies könnte, so Steller weiter, darauf zurückzuführen sein, dass die Ostküste Sibiriens den Nordwinden weit ungeschützter ausgesetzt ist als große Teile der Küsten Alaskas.

Wenn Steller aufgrund der Gemeinsamkeiten der materiellen Kultur auch davon ausging, dass zwischen den «Amerikanern» und den sibirischen Völkern verwandtschaftliche Beziehungen bestanden, musste er doch schon in den wenigen Stunden seines Aufenthalts in Alaska erleben, wie Brutalität, Ignoranz und Rücksichtslosigkeit der Eroberer und Kolonisatoren die Beziehungen zu den Eingeborenen unwiederbringlich zerstören konnten. Nachdem er auf der St.-Elias-Insel einige Gegenstände aus der versteckten Vorratskammer der Tlingit-Indianer an sich genommen und auf das Schiff gebracht hatte, bat er Bering, als Gegenleistung einige Geschenke im Vorratskeller der Eingeborenen zu deponieren. Die Reaktion darauf schildert er in seinem Reisetagebuch: «Man schickte einen eisernen Kessel, ein Pfund Tabak, eine chinesische Pfeife, ein Stück chinesischen Seidenzeugs zu dem Keller, plünderte dafür diesen aber dergestalt, dass die Wilden, wenn wieder jemand in diese Gegend kommen sollte, gewiss noch viel schneller fliehen oder sich ebenso feindlich zeigen würden, wie man ihnen begegnet war, zumal sie den Tabak vielleicht gegessen oder getrunken haben sollten, da ihnen dessen richtiger Gebrauch wie auch der von Pfeifen kaum bekannt gewesen sein dürfte.» Aus einer «falschen Verwendung des Tabaks», so Steller weiter, hätten die «Wilden» schließen müssen, «dass man sie vergiften wollte».

Berings Expedition hat nicht nur zur Entdeckung der Nordwestküste Amerikas durch die Europäer und zur ersten kartographisch exakten Vermessung des nordpazifischen Raumes zwischen Sibirien, Japan und Amerika geführt, sondern zugleich die russische Kolonisierung Alaskas in Gang gesetzt. Auslöser waren die 800 Seeotterpelze, die die Überlebenden der Expedition – Bering war auf dem Rückweg an Skorbut und Wundbrand gestorben – in den russischen Heimathafen nach Kamtschatka mitbrachten. Der hohe Wert dieser Pelze, die vor allem am Zarenhof in St. Petersburg sowie in China begehrt waren und pro Stück den dreifachen Jahreslohn eines russischen Seemanns einbrachten, verursachten einen regelrechten «Pelzrausch», vergleichbar nur dem «Goldrausch», der 150 Jahre später im kanadischen Klondike und in Alaska ausbrach. In den ersten 20 Jahren nach Berings Expedition starteten von Kamtschatka aus nicht weniger als 42 Jagd- und Handelsexpeditionen Richtung Alaska. Die Gründung der Kolonie «Russisch-Amerika» war, wie Benson Bobrick formuliert, «eine direkte Fortsetzung der Eroberung Sibiriens und eine natürliche Folge des russischen Ausgreifens nach Osten – der Sonne entgegen».

Erste Informationen über das «große Land» jenseits der Meerenge, die später «Beringstraße» genannt wurde, hatte Steller von Tschuktschen erhalten, Angehörigen jenes «geheimnisvollen Volkes», das zusammen mit Eskimos den äußersten Nordost-Zipfel Sibiriens bewohnte – ein Territorium, größer als Frankreich, Belgien, Holland und Österreich zusammen. Sie unterhielten einen lebhaften Handel mit den Küstenbewohnern auf der anderen Seite der Wasserstraße, waren in vielen Fällen sogar stammesverwandt mit ihnen. Im Tausch gegen Pelze bezogen sie aus Alaska vor allem Messer, Beile, Lanzen und Pfeilspitzen.

Wie die benachbarten Jukagiren, Korjaken und asiatischen Eskimos gehören die Tschuktschen zur mongolisch geprägten Gruppe der paläosibirischen Völker. Sie sind vor ungefähr 7000 Jahren aus Zentralsibirien in den äußersten Nordosten des Landes, an die Küsten des Polarmeeres und der Beringstraße gewandert und leben dort bis auf den heutigen Tag als nomadisierende Rentierzüchter, die mit ihren Herden durch die Tundra ziehen, oder als sesshafte Fischer und Meeresjäger, die entlang der Küstenstreifen siedeln. Die Ernährungsgrundlage der sesshaften Tschuktschen war, wie schon Steller feststellte, die Jagd auf große Meerestiere – Wale, Walrosse und Robben. Wobei sie, wie Steller beobachtete, dieselben Jagdtechniken anwandten wie die

Eingeborenen auf den Inseln vor Alaska: Sie benutzen fellbespannte Boote und Harpunen, an denen eine Leine samt einer «aufgeblasenen Blase oder ein Walfischdarm befestigt ist, an der sie allzeit auf See erkennen, wo der Walfisch hingeht».

Von allen sibirischen Völkern haben sich die Tschuktschen am längsten gegen die Übermacht der russischen Kolonisatoren gewehrt. Als 1642 die erste Kosakeneinheit in ihrem Siedlungsgebiet auftauchte, waren sie noch der zahlenmäßig größte Stamm Nordost-Sibiriens, dessen Territorium sich wie ein gewaltiger Keil vom Unterlauf der Kolyma bis zur Beringsee erstreckte. Die Tschuktschen brachten den Russen Niederlagen bei wie später die Indianer dem amerikanischen Kavalleriegeneral Custer. Sie weigerten sich, den russisch-orthodoxen Glauben anzunehmen, und verpflichteten sich erst 1822, den Russen Tribut zu zahlen: in einer Höhe, die sie «nach ihrem eigenen Willen» bestimmen konnten. Dies galt, bis mit brutaler Gewalt die Sowjetherrschaft auch auf Tschukotka errichtet wurde. Das «unbezähmbare Volk», wie russische Historiker die Tschuktschen nannten, erlitt nun das gleiche Schicksal wie viele andere kleine Völker des Sowjetimperiums – die Zerstörung seiner traditionellen Lebensformen, seiner nationalen Identität, seiner kulturellen, gesellschaftlichen und sozialen Strukturen.

Der so unwirtliche arktische Lebensraum der Tschuktschen mit seinen wilden Stürmen und Temperaturen bis 60 Grad unter null, der kargen, baumlosen Tundra und den rauen, zerklüfteten und steil ins Meer abfallenden Felslandschaften spielte schon in historischer Vorzeit eine Schlüsselrolle in der Entwicklungsgeschichte der benachbarten Kontinente Asien und Amerika. Bereits 1590 hatte der spanische Jesuit José de Acosta vermutet, dass es irgendwo weit im Norden Amerikas eine Verbindung nach Asien geben müsse, über die «Tiere gegangen» sind. Heute steht fest: Diese Landbrücke hat tatsächlich existiert – während der letzten Eiszeit. Durch die riesigen, bis zu 3000 Meter dicken

Gletscher auf dem Festland waren so gewaltige Wassermassen gebunden, dass der Meeresspiegel um bis zu 150 Meter tiefer lag als heute und als Folge der Meeresboden der Beringstraße, einer der flachsten und ebensten der Welt, trocken lag. Auf diese Weise entstand nicht nur eine schmale Brücke, sondern ein ganzer Subkontinent zwischen Asien und Amerika, zwischen Tschukotka und Alaska. Er erstreckte sich weit über das Gebiet der Beringstraße hinaus – von Norden nach Süden über mehr als 1600 Kilometer bis nach Kamtschatka – und wird heute im wissenschaftlichen Sprachgebrauch «Beringia» genannt. Diese Landbrücke, die bis zum Ende der Eiszeit vor etwa 10 000 Jahren existierte, war keineswegs eine lebensfeindliche weiße Wüste, sondern, wie neuere Forschungen ergeben haben, eine baumlose, leicht gewellte Ebene, bedeckt von reichem Grasland mit niedrigen Sträuchern. Über sie zogen von Sibirien nach Amerika riesige Herden von Mammuts und Bisons, aber auch Bären, Wölfe, Säbelzahntiger, Moschusochsen und Rentiere. Ihnen folgten eiszeitliche asiatische Jäger. Zu den Tieren, die in umgekehrter Richtung nach Asien wanderten, gehörten unter anderem Kamele, Pferde und Riesenelche.

Auch heute ist die Beringstraße nicht nur Lebensraum für Tschuktschen und Eskimos, sondern ein einzigartiges Naturparadies, eine, wie sie amerikanische Umweltschützer nennen, «subarktische Serengeti». Hier tummeln sich im Sommer Grönland-, Grau- und Buckelwale, Belugas, Zwergwale, Killerwale. Zu ihnen gesellen sich Hunderttausende von Walrossen, Robben und Seehunden. Riesige Fischschwärme durchziehen Jahr für Jahr die Beringstraße und das angrenzende Beringmeer – Heringe, Lachse, Störe. Mehr als 200 Vogelarten haben hier ihre Rast- und Nistplätze – Schneegänse, arktische Küstenschwalben, Eiderenten, Kormorane, Papageitaucher; von hier aus fliegen sie weiter bis nach Westeuropa, Afrika, Kalifornien oder Australien. Die Pflanzenwelt auf Tschukotka ist zu einem großen Teil identisch mit der Alaskas, ebenso die Tierwelt. Polarbären, Braunbären, Wölfe, Elche und Rentiere sind auf beiden Seiten der Beringstraße zu Hause.

Zum Schutz dieses einzigartigen Ökosystems haben die Präsidenten der USA und Russlands im Jahr 1991 feierlich die Errichtung des ersten amerikanisch-russischen Naturreservats verkündet, des «Beringian Heritage International Park». In der von Michail Gorbatschow und George Bush unterzeichneten Erklärung heißt es unter anderem: «Die beiden Staatsoberhäupter stimmen darin überein, dass das Natur- und Kulturerbe der Bering-Region zum gemeinsamen Erbe der sowjetischen und amerikanischen Menschen gehört. Vor Tausenden von Jahren kamen über diese Landbrücke, die den asiatischen und amerikanischen Kontinent verband, die ersten Menschen nach Nordamerika. Später teilte der Ozean die beiden Kontinente, doch er konnte nicht die ökologische, kulturelle und geistige Gemeinschaft der Menschen von Beringia zerstören. Die beiden Staatsoberhäupter stimmen darin überein, dass die Einrichtung des Naturparks auf dauerhafte Weise die Gemeinsamkeit dieses Erbes anerkennt und die Basis schafft für das beiderseitige Bemühen um seine Bewahrung.»

Das beabsichtigte Gesetz zur Errichtung des russisch-amerikanischen Beringia-Naturreservats ist bislang weder vom amerikanischen Repräsentantenhaus noch von der russischen Duma verabschiedet worden.

Armes reiches Tschukotka

Professor Müller-Beck ist sich sicher: Das «Troja der Arktis» liegt auf Tschukotka, unmittelbar am Ufer der Beringstraße. Gemeinsam mit russischen Archäologen hat der renommierte Direktor des Instituts für Ur- und Frühgeschichte der Universität Tübingen dort 1991 Reste unterirdischer Behausungen, Werkzeuge, Waffen und Schmuckgegenstände ausgegraben, deren Alter er auf 3000 Jahre schätzt. Es sind, so ist er überzeugt, Relikte einer einzigartigen arktischen Zivilisation, hinterlassen von einem hoch entwickelten Eskimovolk, das vor allem Meerestiere jagte – Wale, Walrosse und Robben. Ekven heißt der Ort, an dem Professor Müller-Beck seinen sensationellen Fund machte; auf der Landkarte liegt er nicht einmal einen Fingerbreit entfernt von Alaska. Doch dorthin zu gelangen, hatten uns russische Kollegen gesagt, sei heute, zehn Jahre nach Professor Müller-Beck, so gut wie unmöglich.

Wie viele andere Gebiete Russlands hat sich auch Tschukotka nach der Wende 1991 zum «autonomen Gebiet» erklärt. Selbst Russen dürfen nach Tschukotka nur mit einer besonderen Genehmigung reisen. Noch schwieriger ist es für Ausländer und ganz besonders für ausländische Journalisten. Selbst wenn sie beim Moskauer Außenministerium als Korrespondenten akkreditiert sind und ein Dauervisum für Russland haben, benötigen sie für Tschukotka noch eine spezielle Einreisegenehmigung. Voraussetzung dafür wiederum ist eine Einladung der Regierung von Tschukotka.

Auch die Verkehrsverbindungen in den äußersten Nordost-Zipfel des russischen Riesenreiches sind auf ein Minimum reduziert. Von Magadan aus gibt es heute – im Gegensatz zur Sowjetzeit – weder eine Flugverbindung noch eine Schifffahrtslinie dorthin. Eine Straße ohnehin nicht. Lediglich von Moskau aus startet dreimal in der Woche ein Flugzeug in die Hauptstadt Tschukotkas, Anadyr.

Will man bis zum Ufer der Beringstraße, zu den Ausgrabungen von Ekven etwa und weiter nach Uelen, dem letzten Dorf Russlands vor der Grenze zu Amerika, muss man schon viel Glück und noch mehr Geduld haben. Lawrentija, der einzige Flughafen auf der russischen Seite der Beringstraße, wird von Anadyr aus einmal die Woche mit einer zweimotorigen, ungefähr 40 Jahre alten Propellermaschine angeflogen. Vorausgesetzt, sie ist nicht gerade wieder kaputt, es gibt Benzin und das Wetter ist gut. Hat man aber tatsächlich Glück und lange genug gewartet und ist endlich in Lawrentija angekommen, ist hier erst einmal Endstation. Noch weiter nach Norden, die letzten 100 Kilometer nach Uelen und zum benachbarten Ekven, geht es nur mit einem geländegängigen Kettenfahrzeug quer durch die Tundra, über Stock und Stein, durch Flussläufe und Sümpfe, über felsige Berghänge und weite, scharfkantige Geröllfelder. Oder im offenen Fischerboot mit Außenbordmotor um Kap Deschnjow herum, das genauso von Stürmen umtost ist wie Kap Hoorn und mit seinem sommerlichen Eisgang noch gefährlicher. Als letzte Möglichkeit bleibt der Versuch, mit dem einzigen in Lawrentija verbliebenen Hubschrauber weiterzukommen. Als Kollegen vor zwei Jahren Lawrentija besuchten, waren dort noch drei Helikopter im Einsatz. Zwei von ihnen sind kurz darauf abgestürzt.

Der Name Lawrentija geht zurück auf James Cook, der im Jahr 1778 mit einem Schiff hier vor Anker ging, am Tag des heiligen Laurentius. Zu Sowjetzeiten zählte Lawrentija mehr als 4000 Einwohner. Die 1927 als so genannte «Kult-Basa» (Kulturbasis) gegründete Siedlung sollte eine sozialistische Musterstadt für die Nomaden und Meeresjäger Tschukotkas werden. Ein Krankenhaus wurde gebaut, eine Schule mit Internat, eine Veterinärstation, Werkstätten, Lagerhäuser, Wohnhäuser. Zunächst mit sanftem Druck, später mit nackter Gewalt wurden die Familien der umherziehenden Rentierhirten, aber auch viele Bewohner der Küstendörfer, Tschuktschen wie Eskimos, gezwungen, aus ihren Zelten oder in Fels gehauenen Behausungen in die Plattenbauten von Lawrentija zu ziehen.

Im Zweiten Weltkrieg war Lawrentija ein wichtiger Zwischenlandeplatz für die amerikanischen Versorgungsflugzeuge auf ihrem Weg von Alaska nach Moskau. In den darauf folgenden Jahren der verschärften Ost-West-Konfrontation wurde der nur 100 Kilometer von der amerikanischen Grenze entfernte Küstenort zu einem der bedeutendsten sowjetischen Militärstützpunkte der Region ausgebaut.

Als wir nach einem lang gezogenen Anflug über die Bucht von Lawrentija auf der holprigen Sand- und Schotterpiste landen, die den Ort genau in der Mitte teilt, erblicken wir auf der linken Seite ein riesiges Ruinenfeld, das sich bis zum Meer hinab zieht: zerfallene zweigeschossige Steinbauten, eingestürzte Baracken, wirr durcheinander liegende, verrostete Teile von Traktoren, Raupenfahrzeugen, Lkws und Kränen, Schiffsrümpfe und auf der Seite liegende kleine Dampfer. Das ist der ehemalige Hafen und das Kasernengelände von Lawrentija.

Auf der anderen Seite der Landebahn steht einsam die verwitterte Flughafenbaracke. Dahinter erheben sich einige fünfstöckige Plattenbauten. Das imposanteste Gebäude ist das der Bezirksverwaltung – einst residierte hier das Parteikomitee –, ein dunkelgrauer, schmuddeliger Betonklotz, auf dem heute statt der roten Fahne mit Hammer und Sichel die des Gouverneurs weht. Sie zeigt einen weißen Keil, der – wie Tschukotka – den Pazifik vom Eismeer trennt. Auf dem Platz vor der Bezirksverwaltung blickt noch immer eine kleine Lenin-Statue nach Osten, Richtung Amerika. Das Postamt daneben trägt in lateinischen Buchstaben die Aufschrift «Post-Office». Es ist mit Brettern vernagelt.

Die meisten der Wohnblocks, das sehen wir im Näherkommen, stehen leer. Auch das einzige Hotel des Ortes ist verlassen. Die Fensterscheiben sind eingeschlagen, die Eingangstüren zertrümmert. In der Gästewohnung der Bezirksverwaltung, die wir in einem noch zur Hälfte bewohnten Plattenbau beziehen, sind die Heizkörper herausgerissen, in der Küche laufen munter quietschende Ratten herum. Aber es gibt fließendes Wasser und – das Wichtigste für uns – Strom.

Nastja, eine Bekannte des Bezirkschefs, die für uns kocht, ist Russin. Sie ist vor 25 Jahren nach Lawrentija gekommen, mit ihrem Mann, der beim Militär war, aber inzwischen pensioniert ist. Seit ihre Kinder aus dem Haus sind und die meisten Soldaten und Offiziere aus Lawrentija abgezogen wurden, ist es einsam geworden für Nastja und ihren Mann. «Jede Woche ziehen Leute weg. Es gibt keine Arbeit mehr, und auch sonst weiß man kaum noch, wie man hier überleben soll. Früher waren wir besser versorgt als Moskau oder Leningrad. Alles, was dort Mangelware war, gab es hier. Sogar Apfelsinen und andere Südfrüchte. Und viele Schiffe kamen von Juli, wenn das Eis weg war, bis Oktober.» Das erste Schiff, so Nastja, brachte im Frühjahr Fleisch. Dann folgten die Schiffe mit Konsumgütern, Kühlschränken, Fernsehern, Möbeln. Im September kamen die Tanker mit Diesel und die Kohlefrachter. Und die letzten Schiffe im Herbst brachten Obst und Gemüse. Am sehnsüchtigsten aber, so Nastja, wurde das «trunkene Schiff» erwartet, das Wodka geladen hatte. «Kaum war es in Blickweite, standen die Männer schon ungeduldig am Strand.» Heute dagegen kommen so gut wie keine Schiffe mehr. Nur gelegentlich ein paar Dampfer, die Kohle und Diesel für das Kraftwerk anlanden.

Zur Begrüßung hat uns Nastja Walfleisch gekocht – in kleine Würfel geschnittene Stücke, die je zur Hälfte aus Schwarte und Fett bestehen. Uns erscheinen sie selbst mit Salz und Knoblauch gewöhnungsbedürftig. «Früher hat hier kein Russe ein Stück Walfleisch angerührt, nie. Heute essen es alle. Das andere Fleisch, das hin und wieder hier eintrifft, ist halb verdorben und ungenießbar. Selbst Rentierfleisch gibt es nicht mehr, sie haben die Herden fast alle abgeschlachtet», erklärt Nastja.

Nach dem Essen sitzen wir noch eine Weile zusammen. Nastja fragt nach unseren Plänen, und ich erzähle, dass ich von Tschukotka hinüber nach Alaska will. «Oje», sagt Nastja und verdreht die Augen, «die meisten Menschen hier hätten nichts dagegen, wenn anstelle der Russen die Amerikaner kämen. Und das sage ich, obwohl ich Russin bin.»

Da sich der Himmel inzwischen zugezogen hat, dichte dunkle Wolken den Blick auf das Meer und die Berge entlang der Küste verhüllen und es zudem unablässig regnet, ist an eine Weiterreise nach Ekven oder Uelen vorerst nicht zu denken. Weder mit dem Hubschrauber, der für eine astronomische Summe bereit stünde, noch mit einem Boot, noch mit dem geländegängigen Kettenfahrzeug, das aussieht wie ein russischer Schützenpanzer. Durch den Regen hat sich die Tundra in einen nassen Schwamm verwandelt, das Fahrzeug würde mindestens einen halben Meter tief einsinken, bis auf den ewig gefrorenen Grund. Wir haben Zeit, uns in Lawrentija umzuschauen.

Die beiden ungepflasterten, breiten Straßen, aus denen die noch nicht völlig zerstörte Hälfte des Ortes besteht, sind fast menschenleer. Nur hin und wieder begegnet man, wenn der Regen mal aufhört, ein paar spielenden Kindern; auch Männern, die an Hauswänden lehnen oder am Straßenrand hocken, und älteren Frauen, die mit großen Einkaufstaschen dem Dorfladen zustreben. Zuweilen rumpelt ein Lastwagen durch die mit Pfützen übersäten Straßen oder ein Traktor, der einen Anhänger mit Kohle zum rußgeschwärzten Heizkraftwerk bringt. Am Strand entdecken wir nicht ein einziges seetüchtiges Schiff, nur kleine offene Boote für die Meeresjagd in Küstennähe. Von den mehr als 4000 Menschen, die einst in Lawrentija lebten, so hat uns Nastja erzählt, haben fast 3000 den Ort in den letzten Jahren verlassen – Militärs, Lehrer, Ärzte, Verwaltungsangestellte, Polizisten, Hafenarbeiter, Angehörige der kommunalen Versorgungsbetriebe und viele andere.

Was sich in Lawrentija im Kleinen zeigt, gilt für ganz Tschukotka. In den vergangenen zehn Jahren sind über 100 000 Menschen aus dieser Riesenregion am äußersten Rand Russlands weggezogen, mehr als die Hälfte der Bevölkerung. Geblieben sind gerade mal 60 000, etwa 12 000 von ihnen sind Tschuktschen und knapp 700 Eskimos. Und die Abwanderung geht weiter. Seit der Kalte Krieg beendet ist und die unrentablen Staatsbetriebe geschlossen wurden, haben hochgerüstete Garnisonen wie Lawrentija und andere Küstenorte Sibiriens ihre Funktion verloren, sind die mit enormen Staatsmitteln subventionierten Siedlungen des Hohen Nordens für Moskau Ballast, den man so schnell wie möglich loswerden möchte.

Wenigstens ist in Lawrentija das Kulturhaus noch nicht zugenagelt, es dient samstags als «Diskothek». Bibliothek und Heimatmuseum sind sogar an sechs Tagen in der Woche geöffnet. In der Bibliothek, in der es viele ältere Ausgaben russischer Klassiker und umfangreiche Literatur zur Geschichte Sibiriens gibt, ist die aktuellste Zeitschrift mehr als ein halbes Jahr alt. «Geld für Ankäufe haben wir schon lange nicht mehr», sagt die junge Bibliothekarin, «ich bin froh, wenn ich wenigstens mit ein paar Monaten Rückstand mein Gehalt bekomme.»

Im Flur der Bibliothek hängt gut sichtbar die Kopie eines Interviews, das der Gouverneur von Tschukotka, der Jungunternehmer und Ölbaron Roman Abramowitsch, unlängst der Gebietszeitung von Anadyr gegeben hat. «Es ist sicher», heißt es da, «dass Dörfer und Siedlungen auf Tschukotka geschlossen werden.» Den Menschen dort sollen Wohnungen in Zentralrussland angeboten werden, vor allem in den Regionen Omsk, Tula und Woronesch. «Aber», so der Gouverneur, «es ist nicht sicher, ob sie für alle reichen werden.» Hinsichtlich der wirtschaftlichen Perspektiven Tschukotkas erklärt Abramowitsch, dass die Produktion von Zinn und Wolfram nicht wieder aufgenommen werde, da sie, wie ausländische Experten festgestellt hätten, «unrentabel» wäre. Ähnliches gelte für die Goldgewinnung. Den häufig geäußerten Verdacht, er habe sich den Gouverneursposten mit teuren Wahlgeschenken erkauft und ihn nur angestrebt, um sich in den Besitz der Erdöl- und Erdgasvorkommen zu bringen, die besonders im Küstengebiet Tschukotkas vermutet werden, weist Roman Abramowitsch ungefragt, doch mit Entschiedenheit zurück. Probebohrungen amerikanischer Experten hätten gezeigt, dass es «überhaupt keine nennenswerten Vorkommen gibt».

Das allerdings steht in krassem Widerspruch zu dem, was in anderen russischen Publikationen zu lesen ist. In einem Anfang des Jahres 2002 in Moskau erschienenen Bericht über Tschukotka werden allein die Erdölvorräte, die hier im Schelf vor der Küste lagern, mit 200 Millionen Tonnen angegeben. Insgesamt sei das Öl- und Gasfeld in der Tschuktschensee «größer als das vor der Küste Alaskas». Alles in allem seien die «Schätze» entlang der Küste Tschukotkas und der Ostsibirischen See geeignet, die Region zu einem «Kuwait der Arktis» werden zu lassen.

Derzeit aber ist Tschukotka, laut offizieller russischer Statistik, gemessen am Pro-Kopf-Einkommen der Bevölkerung, die ärmste Region Russlands. Die Arbeitslosenquote liegt bei 70 Prozent, die jährliche Selbstmordrate ist fünfmal so hoch wie im übrigen Russland. Und die Lebenserwartung der Tschuktschen und Eskimos beträgt nicht einmal 40 Jahre.

Troja der Arktis

Im Heimatmuseum von Lawrentija empfängt uns eine stattliche ältere Dame in langem schwarzem Kleid und grauer Strickweste. Sie trägt das Haar streng aus dem Gesicht gekämmt und hinten zum Knoten gesteckt. Sie ist, wie sie sagt, Direktorin, Konservatorin, Buchhalterin, Angestellte und Garderobenfrau zugleich. Laut Stellenplan müsste sie drei Mitarbeiterinnen haben, aber gezahlt wird nur ein Gehalt, «wenn überhaupt».

Die Räume des Museums sind klein und verwinkelt und voll gestopft mit allem, was die Tier- und Pflanzenwelt Tschukotkas an Besonderheiten zu bieten hat. Das «Heiligtum des Museums», wie die Direktorin formuliert, aber ist der Raum, der dem Leben und der Kulturgeschichte der Eskimos auf Tschukotka gewidmet ist. Hier finden sich Modelle der in den Felsen geschlagenen oder halb in die Erde gegrabenen Wohnhöhlen der Eskimos, archaische Kleidungsstücke wie bestickte Felljacken und Stiefel, bei deren Fertigung Eskimofrauen die Häute mit bloßen Zähnen gegerbt haben, körperlange Regenumhänge aus Walrossdarm und Kinderhöschen aus weichem Renkalbleder, die hinten eine Klappe hatten, in die Tundramoos gesteckt wurde. Dazu Harpunen und Speere unterschiedlichster Art und Größe, Werkzeuge und Haushaltsgeräte wie Ulus, die scharfen, halb runden Eskimomesser, sowie mit Robbenfett gefüllte Tranlampen, die Licht und Wärme verbreiteten.

Vor einer der Vitrinen gerät die Museumsdirektorin ins Schwärmen: «Sehen Sie diese Zeugnisse unserer prächtigen arktischen Kultur. Welche Verzierungen, welcher Einfallsreichtum, welch kunsthandwerkliches Geschick!» Es sind Funde aus Ekven, nur 80 Kilometer nördlich von Lawrentija gelegen, unmittelbar am Ufer der Beringstraße. Sie stammen fast alle aus Gräbern, die man auf dem Friedhof hinter der Ekven-Siedlung gefunden hat.

Bis 1995 wurden von russischen Archäologen gemeinsam mit Professor Müller-Beck und anderen Kollegen aus Deutschland, der Schweiz, Dänemark und Kanada in 329 Gräbern mehrere tausend Werkzeuge, Kultgegenstände und Schmuckstücke entdeckt. Darunter viele kunstvoll geschnitzte Elfenbeinobjekte, die in ihrer Schönheit, so die Museumsdirektorin, «alles übertreffen, was wir vorher aus der Geschichte der Eskimokultur kannten».

Auch fast jeder Gebrauchsgegenstand, jeder Messergriff, jede Gürtelschnalle, jeder Stiel eines Schöpflöffels, ist mit Elfenbeinreliefs oder Gravuren verziert. Nachdrücklich weist uns die Direktorin auf kleine geschnitzte Elfenbeinskulpturen hin, die je nach Blickwinkel zwei Tiere erkennen lassen – einen Eisbären und ein Walross, eine Robbe und einen Vogel, einen Fisch und ein Rentier. Zuweilen zeigen sie auch ein Tier und einen Menschen. Sie gelten als Ausdruck des Glaubens der Eskimos, dem zufolge in der Natur alles miteinander verwoben ist, sich alle Seelen und Körper der Lebewesen ineinander verwandeln können. Ähnliche «polykonische Skulpturen» wird uns einige Tage später ein Elfenbeinschnitzer in Uelen schenken.

Als bemerkenswertestes Fundstück aus Ekven stellt uns die Direktorin ein schmetterlingsartig geflügeltes Objekt aus Walrosselfenbein vor, das den Forschern lange Zeit ein Rätsel war. Zunächst hielten sie es für den Kultgegenstand eines Schamanen, dann wieder für ein Werkzeug, das die Eskimos beim Bau ihrer Boote verwendeten. Bis sie schließlich in einem der Gräber eine Harpune mit einem Holzschaft fanden, an dessen Ende einer dieser geschnitzten Elfenbeinschmetterlinge steckte. Er diente, wie sich die Wissenschaftler inzwischen einig sind, zur Stabilisierung der Flugbahn und stärkte zugleich die Durchschlagskraft der Harpune. Eine, so die Direktorin, «aerodynamische Spitzenleistung, die die physikalischen Erkenntnisse späterer Generationen intuitiv vorwegnahm». Die Harpunenköpfe waren so konstruiert, dass sie tief in den Tierkörper eindrangen und sich in der Wunde um 90 Grad drehten. Dabei löste sich der Schaft der

Harpune vom Harpunenkopf und schwamm auf dem Wasser. Auf diese Weise wurde verhindert, dass der Holzschaft brach, wenn das verwundete Tier unter eine Eisscholle zu tauchen versuchte. Derartige Harpunenkonstruktionen, erklärt die Museumsdirektorin, wurden von den prähistorischen Meeresjägern speziell für die Jagd in der Arktis entwickelt, wo – wie in der Beringstraße – die See zuweilen auch im Sommer von Eis bedeckt ist. Die Tatsache, dass man in den Gräbern von Ekven sehr unterschiedliche Formen von Harpunenköpfen gefunden hat, lasse darauf schließen, dass die prähistorischen Eskimos schon ganz bewusst experimentierten, um ihre Jagdgeräte immer weiter zu vervollkommnen.

Die Ekven-Funde, da ist sich die Museumsdirektorin sicher, zeigen, dass an den Ufern der Beringstraße vor mehreren tausend Jahren eine Eskimokultur existierte, die durchaus vergleichbar ist mit den alten Kulturen, die man als den Beginn der Zivilisation ansieht. Und sie fühlt sich selbst als Nachfahrin dieser Kultur. Ihre Mutter war Russin, ihr Vater Eskimo. «Tschukotka», so die Direktorin mit Nachdruck, «ist kein kulturloser Raum.» Die Funde von Ekven seien ein «großartiges Beispiel für die einzigartige Fähigkeit des Menschen, sich selbst den schwierigsten Bedingungen der Natur anzupassen und dabei eine ganz eigene, komplizierte und hoch stehende Kultur zu entwickeln, eine arktische Zivilisation».

Im Büro der Direktorin, einer winzigen, mit Büchern, Aktenordnern und Pappschachteln bis unter die Decke zugestapelten Kammer, deren einziger technischer Luxus ein elektrischer Wasserkocher ist, werden uns Tee und Kekse angeboten. «Wenigstens das gibt es noch», lautet der sarkastische Kommentar der offenkundig verbitterten Frau. Darüber, dass sie die Arbeit im Museum ganz alleine bewältigen müsse, sagt sie, wolle sie sich nicht beklagen. Aber der Zustand der Kultur und Wissenschaft insgesamt sei eine «Tragödie». Früher habe es in Lawrentija jedes Wochenende Konzerte und Theateraufführungen gegeben; eine «lebendige Kulturszene» sei es gewesen. «Heute herrscht nur noch Langeweile und Zerfall.» Und mit der Wissenschaft sei es ebenso.

In ganz Tschukotka, so die Museumsdirektorin, arbeite heute kein einziger hauptberuflicher Archäologe mehr. «Allein auf Hokkaido haben die Japaner 2000 Archäologen im Einsatz. Wir haben nicht einmal das Geld für drei Leute, ein Zelt und drei Spaten, um dort zu graben, wo Deschnjow einst landete.» In der Hauptstadt Anadyr, an der Universität, gebe es keinen Historiker, keinen Ökologen, der wissenschaftliche Kontakte ins benachbarte Amerika unterhalte. Und auch innerhalb Russlands werde der wissenschaftliche Austausch immer schwieriger. «Vor 200 Jahren waren die wissenschaftlichen Kontakte zwischen Jakutsk und Tschukotka enger als heute. Und damals gab es noch keine Flugzeuge.»

Die Ursache des Übels liege vor allem darin, dass sich heute alles nur noch um den schnellen materiellen Gewinn, den ökonomischen Nutzen drehe. «Man hat keine Achtung vor der Wissenschaft.»

«Und wie sieht es mit der Bildung aus?», fragen wir.

Die Direktorin lacht höhnisch. «Bildung? Eine gute Bildung gibt es heute nur noch für die Kinder derer, die das Land ausgeraubt haben.»

Darüber, was auf örtlicher Ebene als Erstes geschehen müsste, um die sozialen Verhältnisse, aber auch die kulturelle Situation nachhaltig zu verbessern, hat die Direktorin konkrete Vorstellungen: «Das Wichtigste ist der Kampf gegen den Alkoholismus. Etwa 70 Prozent der einheimischen Bevölkerung sind alkoholkrank. Wir haben in Lawrentija mit einer Gruppe von Frauen versucht, Therapiemöglichkeiten für Alkoholkranke aufzubauen. Wir haben uns deshalb mit der Bitte um Unterstützung an Moskau gewandt. Von da kam die Antwort: Die Betroffenen müssen selbst für sich sorgen. Stattdessen überschwemmt man unsere Geschäfte, unsere Dörfer und Siedlungen mit Wodka, und zwar allerschlechtester Qualität. Unser Volk ist durch

Krankheiten, Alkohol, Assimilierung und Mischehen ohnehin schon auf tragische Weise dezimiert, Tschuktschen wie Eskimos. Gerade mal 12 000 der Ureinwohner leben noch auf Tschukotka. Nun wollen sie das Volk hier wohl endgültig ausrotten.»

Als wir uns von der Direktorin verabschieden, fragt sie, ob wir eigentlich wüssten, dass zur Zeit ein Archäologe aus Moskau in Lawrentija sei, der wie wir auf besseres Wetter warte, um nach Ekven zu kommen? Sein Name sei Dr. Dnjeprowskij, und er sei in irgendeinem ungenutzten Raum des Kulturhauses untergekommen.

Eine halbe Stunde später sitzen wir Kyrill Dnjeprowskij gegenüber. Er war uns bekannt aus verschiedenen wissenschaftlichen Veröffentlichungen über die Ausgrabungen von Ekven und als Kollege von Professor Müller-Beck. Er ist angestellt am Moskauer Staatlichen Museum für die Kunst der Völker des Ostens und leitet seit 1987 die archäologischen Arbeiten auf Tschukotka. Nach unseren Informationen sollten in diesem Jahr keine Grabungen in Ekven stattfinden, aus Geldmangel. Doch irgendwie, sagt Dnjeprowskij, habe man noch Mittel aufgetrieben, auch wenn Professor Müller-Beck, wie er vermutet aus Altersgründen, schon seit einigen Jahren nicht mehr dabei ist. Kyrill Dnjeprowskij ist etwa 50 Jahre alt und von kräftiger Statur. Sein Gesicht umrahmt ein voller, etwas struppiger Bart, hinter der randlosen Gelehrtenbrille mustert ein offener, Engagement verratender Blick uns archäologische Laien.

Die Bedeutung Ekvens, so Dnjeprowskij, sei in ihrer ganzen Tragweite noch gar nicht richtig erkannt. 1995 habe man die Ausgrabungen im Friedhofsbereich stoppen müssen, weil die einheimische Urbevölkerung das Erforschen der Gräber als Sakrileg empfand und eine weitere Störung der Totenruhe ihrer Ahnen nicht hinnehmen wollte. Stattdessen habe man sich nun auf den Wohnbereich der steinzeitlichen Meeresjäger konzentriert. Bisher habe man 30 der halb unterirdischen Häuser erforscht. Sie wurden aus Walfischknochen, angeschwemmtem Holz und Häuten verschiedener Meerestiere wie Walen, Walrossen und Robben errichtet. Jedes Haus hat einer Familie mit etwa zehn Personen Platz geboten und war durch eine raffinierte Anordnung von Feuerstellen und unterirdischen Eingangstunneln gegen das Eindringen der arktischen Kälte geschützt. Es bestehe, so Dnjeprowskij, Grund zu der Annahme, dass es in Ekven noch etwa 30 weitere Häuser dieser Art gegeben hat. Dies würde heißen, dass rund 600 Menschen den Ort am Ufer der Beringstraße bewohnten, Ekven also «das Zentrum, die Hauptstadt» einer uralten Eskimokultur im nordpazifischen Raum gewesen sein muss. Darauf deuteten auch die Kultstätten hin, die auf einem Hügel etwas abseits der Siedlung aus den mächtigen Schädelknochen von Grönlandwalen errichtet wurden.

Die Jagdtechniken, die Jagdgeräte, die Harpunen mit ihren Flügelelementen, die so konstruiert sind, als wären die Gesetze der Mechanik und Aerodynamik bereits bekannt gewesen, die kunstvoll verzierten Schmuckstücke und Haushaltsgeräte, kurz, die gesamte Lebensweise und Kultur der Menschen von Ekven zeige, dass sich «trotz der geographischen und klimatischen Besonderheiten Tschukotkas, trotz seiner Abgeschiedenheit und Isoliertheit hier im Laufe von Jahrtausenden eine ihrer ethnischen Zusammensetzung wie auch ihrer Größe nach erstaunlich stabile Gesellschaft auf hohem zivilisatorischem Niveau entwickelt hat». In der Kultur von Ekven fänden sich im Übrigen auch Elemente noch weit älterer Kulturen und archaischer Traditionen. Dazu zähle die Kollektivjagd auf Großwild, wie sie die steinzeitlichen Mammutjäger schon 15 000 oder 20 000 Jahre zuvor in den nördlichen Zonen Eurasiens praktiziert haben.

Bis heute völlig unklar sei allerdings, «was aus dem Volk von Ekven geworden ist. Irgendwann ist es verschwunden. Doch keiner weiß, warum und wohin.»

Den Vergleich mit Troja hält Dnjeprowskij für durchaus gerechtfertigt. «Die Funde von Ekven sind für die Erforschung der arktischen Zivilisation mit Sicherheit nicht weniger bedeutend als die Ausgrabungen von Troja für unser Wissen über die frühe Zivilisation der Ägäis.»

Nur in einem ist Dnjeprowskij «bei aller Wertschätzung» doch etwas anderer Meinung als Professor Müller-Beck: der Bestimmung des Alters der Funde von Ekven. «Nach allem, was wir heute wissen, sind sie nicht 3000 Jahre alt, sondern etwas mehr als 2000. Was aber ihrer historischen Bedeutung nicht den geringsten Abbruch tut.»

Auf unsere Frage, warum Professor Müller-Beck 1993 der deutschen Ausstellung von Funden aus Ekven dennoch den Titel «Waljäger vor 3000 Jahren» gegeben hat, lächelt Dnjeprowskij fein: «Vielleicht, damit es besser klingt und mehr Besucher kommen. Verständlich, oder?» Wir lächeln auch.

Waljagd

«Früher bedeckten Kälte und Finsternis den Raum, in dem weder Erde noch Himmel, noch Wasser zu unterscheiden waren.» So beginnt die Schöpfungsgeschichte der Tschuktschen in der Nacherzählung von Juri Rytchëu.

«Alles war gleichermaßen dunkel ... Die Strahlen der Sonne durchstießen nicht die düsteren Wolken, aus denen ununterbrochen kalte Nässe rann ... Da erschien eine Frau. Mit nackten, warmen Füßen ging sie über die kalte Erde, und dort, wo sie auftrat, wuchs plötzlich grünes Gras hervor. Sich umschauend, lächelte sie; nun durchbrach die Sonne die schwarzen, nässetriefenden Wolken und antwortete ihr mit blendendem Schein, der die Finsternis vertrieb und den ganzen einförmigen Raum mit Wärme überflutete. Und die Frau sah: Es gibt die Erde und das Meer ... Und das Meer ... ist erfüllt von Leben, erfüllt von schwimmendem und tauchendem Getier. Die Frau lief am Ufer umher ... Und sie wusste nicht, dass sie ein Mensch war, denn es gab niemanden ..., mit dem sie hätte reden können. So lange, bis die Große Liebe zu ihr kam.

Die Große Liebe verwandelte einen Wal in einen Menschen, und er nahm sich diese Frau zum Weibe. Und die Frau gebar kleine Walkälber. Sie wuchsen zunächst in der Lagune heran, doch als sie erwachsen waren, ... zogen sie ... hinaus ins offene Meer zu ihren Verwandten. Dann gebar die Frau Kinder mit menschlichem Antlitz. Diese Kinder sind unsere Urväter, von denen wir unsere Abkunft herleiten.»*

Diese Legende von Nau, der Urmutter des Menschengeschlechts, und Rëu, dem Wal, der aus Liebe zu ihr zum Men-

* Juri Rytchëu, Wenn die Wale fortziehen, Zürich 1995 (Unionsverlag), S. 65 f.

schen wird und Wale wie Menschenkinder zeugt, hat der Schriftsteller Juri Rytchëu aufgegriffen und neu erzählt. 1930 als Sohn einer Eskimofrau und eines Tschuktschen in Uelen geboren, hat er als einer der Ersten die von Generation zu Generation mündlich überlieferten Legenden der Tschuktschen schriftlich festgehalten. In fast allen seiner auch ins Deutsche übersetzten Bücher, in denen er die Geschichte des Volkes der Tschuktschen und der mit ihnen verwandten Eskimos bis auf den heutigen Tag fortschreibt, spielen Wale und das besondere Verhältnis der Menschen zu ihnen eine zentrale Rolle.

Der Gedanke, dass diese mächtigen Tiere nicht nur Ernährer der Küstenbewohner, sondern ihre Brüder sind und es dem arktischen Menschengeschlecht gut gehen wird, solange es in Liebe und Einverständnis mit seinen tierischen Verwandten lebt, ist – das haben wir schon nach kurzer Zeit auf Tschukotka begriffen – einer der Schlüssel zum Verständnis dieser Region. Auch zum Verständnis ihrer aktuellen Probleme. Und zu diesen Problemen gehört die Frage, dürfen Wale gejagt werden oder nicht.

Das Dorf Lorino, etwa 40 Kilometer westlich von Lawrentija gelegen, gilt als Heimat der geschicktesten Waljäger Tschukotkas. Doch dorthin zu gelangen ist, wie alles in dieser abgeschiedenen und in ihren zivilisatorischen Strukturen zerrütteten Region, nicht einfach. Natürlich gibt es weder Privatautos noch Mietwagen oder Taxis; ein Autobus nach Lorino fährt einmal die Woche, so jedenfalls sagt man uns auf der Bezirksverwaltung, aber sicher sei auch das nicht. Unsere Rettung fürs Erste: das Postauto von Lawrentija, ein riesiger Lkw mit geschlossener Ladefläche, zwischen deren Brettern faustdicke Ritzen klaffen. Da die Post nur einmal pro Woche kommt – mit dem Flugzeug aus Anadyr, wenn es denn fliegt –, spricht nichts dagegen, den Lkw kurzerhand in einen Teamwagen für das Deutsche Fernsehen zu verwandeln.

Die Piste nach Lorino verläuft in einigem Abstand von der Küste durch karges, sanft gewelltes Hügelland. Hier und da blinken inmitten der prächtig blühenden Tundra noch Schnee- und Eisfelder. An einigen Stellen hat das Frühjahrshochwasser der Flüsse und Bäche die Piste fortgeschwemmt; von der Brücke, die über den größten Fluss führt, sind drei der fünf Betonpfeiler weggerissen. Dennoch fährt Vitja, der Postbote, darüber – mit höchstmöglichem Tempo.

Auf halbem Weg nach Lorino stehen in einer lang gestreckten Kurve zwei ältere Frauen am Straßenrand und winken. Vor sich zwei prall gefüllte Säcke. Die beiden Frauen, eine Greisin mit ihrer Tochter, haben Kräuter gesammelt. «Heilkräuter», wie sie sagen, und andere, die sie zubereiten «wie Russen ihren Kohl». Die beiden Tschuktschenfrauen sind freundlich und haben nichts dagegen, dass wir sie filmen. Ihr Russisch allerdings ist nur schwer zu verstehen, auch für die Kollegen aus St. Petersburg. Was in den Heilkräutern, die sie, wie jedes Jahr, in der Tundra gesammelt haben, enthalten ist, wissen die Frauen nicht. «Aber wir können genau sagen, bei welchen Beschwerden sie helfen: bei Magenschmerzen, hohem Blutdruck, Rheuma, Zahnschmerzen …» Doch viel wichtiger, sagen sie, seien die Kräuter gegen den Hunger.

«Ohne diese Kräuter hätten wir den vorletzten Winter nicht überlebt. Da hat in Lorino Hunger geherrscht. Wir haben sogar die Hunde geschlachtet.»

Von Hunger in den Eskimo- und Tschuktschendörfern hatten wir in Moskauer Zeitungen gelesen, waren aber nicht sicher, ob die Berichte tatsächlich stimmten. Wir fragen die Frauen, wie es zu dieser Notlage kam.

«Ganz einfach: Man hat nichts mehr geliefert. Im Dorfladen gab es keine Kartoffeln, kein Mehl, kein Brot, kein Fleisch, keine Nudeln, nichts, gar nichts. Nur Wodka und eingelegte Gurken».

«Aber die Männer in Lorino jagen doch Wale?»

«Natürlich. Aber unser Dorf ist so groß, da reicht das Fleisch nicht für den ganzen Winter.»

«Und die Rentierherden, die mal zu Lorino gehörten?»

«Die sind doch fast alle geschlachtet. Und außerdem sind die Tiere so weit weg in der Tundra, da kommt man im Winter kaum hin.»

Danach, im folgenden Sommer und auch im nächsten Winter, sei es wieder besser geworden. Da seien, erzählen die Frauen, Lebensmittel kostenlos verteilt worden, vom neuen Gouverneur Abramowitsch und vom Roten Kreuz. Sogar aus Alaska seien Hilfspakete eingetroffen. «Aber davor wären wir ohne unsere Kräuter verhungert.»

Die Frauen sind am Morgen mit dem Bus aus Lorino gekommen und haben sich mitten in der Tundra absetzen lassen – dort, wo sie immer Kräuter sammeln. Am Nachmittag sollte der Bus aus Lawrentija zurückfahren. Nun ist es schon Abend, und er ist immer noch nicht da. So hatten die Frauen gerade beschlossen, sich zu Fuß auf den Weg nach Lorino zu machen. Es sei ja nicht weit, nur 20 Kilometer. «Aber der Großmutter fällt das Gehen schwer. Und dann haben wir ja noch die Säcke.»

Im Postauto ist Platz genug. Allerdings bereitet es etwas Mühe, die Großmutter auf den hohen Beifahrersitz zu hieven.

Lorino liegt auf einem sandigen Steilufer hoch über der Bucht von Lawrentija. Etwa 1500 Menschen leben hier, die meisten in kleinen, von Wind und Wetter zerzausten Holzhäusern. Einige neuere Wohngebäude sind aus hellen Steinen gemauert, auch die zweigeschossige Schule, der solideste Bau im Dorf. Nähert man sich Lorino vom Land, so erblickt man zunächst ein riesiges Gerüst aus mannshohen Holzpfählen, auf das viele kleine Käfige montiert sind. Die Türen der Käfige stehen offen, die Gitterstäbe sind verrostet oder herausgebrochen.

«Das war einmal die Pelzfarm: Polarfüchse, Zobel, Nerze …», erklärt Vitja, der Postbote, im Vorbeifahren. Als Nächstes kommt ein Schrottplatz in Sicht – Traktoren ohne Räder, Frontlader mit abgebrochenen Schaufeln, Raupenfahrzeuge, denen die Ketten fehlen, Jeeps ohne Sitzbänke, ein Lkw, von dem nur noch die Ladefläche übrig ist.

«Das ist der Maschinenpark», sagt Vitja. «Der Betrieb hier war einmal berühmt.» Der «Betrieb», von dem Vitja spricht, ist der einzige Arbeitgeber im Dorf. Ihm untersteht alles, auch die Holzbaracke mit dem Schild «Krankenhaus» und dem Plumpsklo dahinter. Nur die Garnison am Ortsrand, direkt über dem Ufer, gehört nicht zum «Betrieb». Sie besteht aus einem Leutnant und acht Rekruten und wird vom Kommando der Grenztruppen befehligt. Früher nannte sich der «Betrieb» mal «Kolchose», mal «Sowchose», mal «Genossenschaft», meistens in Verbindung mit dem Namen Lenins, aber auch Stalins; und ganz früher hieß er einfach «Weg zum Kommunismus».

Heute ist der «Betrieb» eine «staatliche Kooperative», wie die Direktorin mit etwas maliziösem Lächeln erklärt.

Was das bedeutet?

«Na ja», sagt die Direktorin, «nach der Wende wurde aus der Kolchose eine Genossenschaft. Mitglieder waren die Kolchosmitglieder. Die haben dann ihre Anteile freiwillig dem Staat übergeben. Jetzt gehört der Betrieb dem Staat und den Arbeitern, symbolisch. Verstehen Sie?»

Wir verstehen.

Die Direktorin ist eine resolute Frau mit wasserstoffblondem Haar. In ihrem engen Arbeitszimmer, in dem sich auch noch ein paar Mitarbeiter drängen, läuft in voller Lautstärke ein Fernseher. Doch die Stimme der Direktorin übertönt alles. Die Dame ist Russin, gelernte Buchhalterin und vor 26 Jahren aus Rjasan nach Tschukotka gekommen. Seit 25 Jahren arbeitet sie im «Betrieb». In der Endzeit der Sowjetmacht stieg sie zur Stellvertreterin des Direktors auf, danach hat sie dessen Position übernommen. Vor sieben Jahren ist ihr Mann, ein Tschuktsche aus Lorino, gestorben. Ihr Sohn, der sich, wie einst ihr Mann, «ganz als Tschuktsche» fühlt, leitet jetzt die Buchhaltung des «Betriebs». Fast 400 Arbeiter stehen auf seiner Lohnliste, dazu noch die Pensionäre. Man betreibt Pelztierjagd, Meeresjagd, Fischerei, Rentierzucht, Schweinezucht. In einigen Werkstätten werden Felle zu

Kleidung und Schuhen verarbeitet und Souvenirs aus Walross-elfenbein geschnitzt.

Trotz ihrer langen beruflichen Sowjetvergangenheit ist die Direktorin von einer Offenheit und einem Verständnis für die Neugier westlicher Journalisten, dass wir alle nur staunen.

«Schauen Sie sich um, wo Sie wollen, filmen Sie, was Sie wollen. Was sollen wir Ihnen denn vormachen? Wir wissen doch, wie es bei uns aussieht.»

Und dann macht sie selbst noch Vorschläge und fordert uns auf, wann immer wir Hilfe brauchen, zu ihr zu kommen. Natürlich stimme es, dass die Arbeiter nach der Wende sieben Jahre lang keinen Lohn bekommen hätten, dass im vorletzten Winter Hunger geherrscht habe in Lorino und dass der Betrieb auch heute noch nicht rentabel arbeite. «Wir haben am Boden gelegen, jetzt sind wir auf den Knien. Und in fünf Jahren, hoffentlich, werden wir stehen und auf eigenen Füßen gehen können.» Staatliche Subventionen gebe es nur bei den Löhnen, ansonsten müsse der Betrieb eigenverantwortlich wirtschaften. Und das Schwierigste dabei sei das alte Denken – auf allen Ebenen. Früher habe es auf Tschukotka niemand nötig gehabt, richtig zu arbeiten. «Alles war kostenlos – Fleisch, Gemüse, Heizung, Strom, Benzin.» Die Leute verstehen nicht, warum sie heute bezahlen sollen.

«Doch das Schlimmste», und dabei schaut die Direktorin zu ihren Mitarbeitern hinüber, «das Schlimmste ist, dass die Menschen bei uns kein Selbstvertrauen haben. Dabei sind unsere Waljäger die besten an der ganzen Beringstraße. Und bei einem Englisch-Lehrgang in Alaska, zu dem zehn junge Leute von uns eingeladen waren, haben von 87 Gruppen, die aus aller Welt kamen, unsere Tschuktschen am besten abgeschnitten.»

Das entscheidende Problem für den «Betrieb» sei das Misstrauen bei den Banken. «Wir bekommen bei keiner Bank einen Kredit. Die Bankleute glauben nicht, dass Tschuktschen irgendetwas auf die Beine stellen können. Sie glauben, die Tschuktschen sind faul und versaufen ja doch alles.» Bei den staatlichen Behörden sei das Problem das «bürokratische Denken», die «Sowjetpsyche, die nur etwas auf Befehl macht und Angst vor jeder Initiative hat. Egal, ob vor der eigenen oder der anderer.»

Dabei, so die Direktorin, seien da so viele Möglichkeiten, wenn man nur die Mittel für Investitionen hätte – in Verarbeitungsmaschinen, Transport oder Computer für Buchhaltung und Verwaltung. «Wir gehen schließlich auf Gold, buchstäblich und im übertragenen Sinne. Was gibt es nicht alles in der Tundra – Wild, Pilze, Beeren, Kräuter. Und was könnten wir für Geld verdienen, wenn wir unser Walfett nach Japan verkaufen dürften. Aber der Handel mit Walprodukten ist ja international verboten.»

Doch das alles, sagt die Direktorin und schiebt dabei ihr Kinn trotzig nach vorn, könne sie nicht entmutigen. Als Nächstes wolle sie anfangen, mit den primitiven Mitteln, die sie hier in Lorino hätten, Gewächshäuser zu bauen, um Gurken und Tomaten ziehen zu können. Und vielleicht finde sich ja auch ein Investor, der an den warmen Heilquellen, die in der Umgebung reichlich vorhanden seien, ein Hotel errichtet.

«Angesichts all der Probleme, die Sie haben – fühlen Sie sich nicht manchmal ein wenig wie Don Quichotte?», frage ich.

Die Direktorin denkt lange nach. Dann sagt sie, und lächelt dabei: «Manchmal fürchte ich zu vergessen, dass ich eine Frau bin.»

Natürlich ist die Direktorin auch nicht überrascht, als wir fragen, ob es möglich sei, ihre Männer mit der Kamera bei der Waljagd zu begleiten. Im Gegenteil, meint sie, sie sei stolz auf ihre Meeresjäger, immerhin würden sie das Überleben des Dorfes sichern und seien wegen ihrer Erfahrung und Gewandtheit «berühmt auf beiden Seiten der Beringstraße». Allerdings habe sie die Bitte, dass wir das Benzin für die Außenbordmotoren bezahlen und vielleicht eine kleine Prämie für die Männer, die jeden Rubel gebrauchen könnten. Und natürlich müssten wir vorher die Zustimmung des Garnisonskommandanten einholen. Schließlich sei man an der Küste im Grenzgebiet, und selbst die Jäger und Fischer des Dorfes müssten jedes Mal, bevor sie aufs Meer hinausfahren, eine «sprawka», eine schriftliche Genehmigung des Militärs, beantragen. Das sei zwar «idiotisch» und gehe noch auf die Sowjetzeit zurück, «als wir Angst vor den Amerikanern hatten», aber so sei nun mal das Grenzregime, und zudem müssten die Militärs ja auch noch irgendwas zu tun haben. Und dann verweist uns die Direktorin an Aljoscha, den Chef der Meeresjägerbrigaden. Beim Abschied versichern wir ihr – und meinen dies ganz ernst –, dass uns der Besuch beeindruckt hat.

«Es ist immer interessant, die Steinzeit zu besichtigen», ist die lakonische Antwort.

Aljoscha ist, wie alle Jäger in Lorino, Tschuktsche. Und wie fast alle Tschuktschen trägt er keinen tschuktschischen Vornamen mehr, sondern einen russischen. Er ist etwa 45 Jahre alt, dunkelhaarig und von drahtiger Figur. Sein kantiges Gesicht ist wettergegerbt. Wenn er lacht, geben seine schmalen Lippen eine gewaltige Lücke in der oberen Zahnreihe frei. Demnächst, sagt er, will er das in Alaska reparieren lassen. Er ist dort zu einer Konferenz über Meeresjagd eingeladen.

Die Waljagd, erzählt Aljoscha, ist heute durch internationale Abkommen streng reglementiert. Jede Eingeborenensiedlung an der Beringstraße, in Tschukotka wie auf Alaska, hat eine bestimmte Quote. Lorino zum Beispiel darf in jedem Jahr einen der riesigen Grönlandwale sowie 48 Grauwale erlegen. «Für ein so großes Dorf viel zu wenig, aber immerhin …» Früher nämlich, zu Sowjetzeiten, durften die Männer von Lorino überhaupt nicht auf Waljagd gehen. Da hat die sowjetische Walfangflotte mit riesigen Schiffen die Wale «einfach abgeknallt» und dann an den Strand von Lorino geschleppt, wo sie die Tschuktschen zerlegen und ausnehmen mussten. «Sie haben uns Jäger zu Schlächtern gemacht.» Die Jagd auf Walrosse sei zwar nicht verboten gewesen, war aber unergiebig. «Die Kriegsmarine hat die Walrosse auf den Felsen vor der Küste zu Tausenden mit Maschinengewehren niedergemäht, sodass für uns bald keine mehr übrig waren.»

Natürlich, so Aljoscha, sei es gut, dass sie jetzt wieder jagen könnten, und er verstehe ja, dass es bestimmte Regeln geben müsse, um die Bestände zu schützen. Aber die Quoten seien zu niedrig, und auch das Verbot, mit Walfleisch oder anderen «Walprodukten» wie Fett und Knochen zu handeln, bedeute für die Tschuktschen und Eskimos eine bittere Einschränkung ihrer Verdienstmöglichkeiten.

Am nächsten Morgen um 5.30 Uhr, wenn es das Wetter erlaubt, will Aljoscha mit seiner Brigade auf Waljagd gehen.

Wir sind pünktlich zur Stelle. Die Brigade besteht aus zwölf Männern, ausschließlich Tschuktschen. Die drei offenen Aluminiumboote mit ihren starken japanischen Außenbordmotoren sind noch Geschenke des alten, inzwischen wegen Korruption angeklagten Gouverneurs von Tschukotka, der auf diese Weise vor der letzten Wahl die Stimmen der Fischer und Meeresjäger gewinnen wollte.

Mit großer Sorgfalt, geradezu andächtig, machen die Männer am Strand die Boote klar. Immer wieder prüfen sie den Sitz des eisernen Harpunenkopfes auf den langen Holzschäften, der nach dem gleichen Drehprinzip konstruiert ist wie bei den eiszeitlichen Waljägern von Ekven. Wie Speerwerfer, die sich auf einen Wettkampf vorbereiten, machen sie immer wieder dieselbe, einen Wurf andeutende Armbewegung. Und sie prüfen die Leinen, die an den Harpunenköpfen befestigt sind. Ans Ende dieser Leinen werden große Plastikbojen geknüpft, die leuchtend gelb, rot oder weiß angemalt sind. Zur Ausrüstung jedes Bootes gehören auch zwei Karabiner sowie kleine, kegelförmige Metallteile, deren Funktion uns vorläufig noch unbekannt ist.

Die Mannschaft besteht aus einem Kapitän, der zugleich Steuermann ist, einem Mechaniker für den Außenbordmotor und zwei Harpunieren. Alle tragen Wollpullover, dicke Schaffelljacken und unförmige, mit Watte gefütterte Spezialhosen, die aufrecht stehen bleiben, wenn man sie auf den Boden stellt. Die meisten der Männer haben gestrickte Pudelmützen auf, manche aber auch Baseballkappen mit der Aufschrift «Alaska» oder «Fairbanks». An den Gürteln hängen lange Jagdmesser.

Aljoscha ist stolz auf die Boote und vor allem die starken Außenbordmotoren. Früher, mit den alten kleinen Booten und den schwachen Motoren, die ständig kaputt gingen, habe es andauernd Unfälle gegeben, viele Männer seien auf See geblieben. Aber man dürfe sich nicht täuschen und wir sollten uns dessen bewusst sein: Auch heute sei die Meeresjagd alles andere als ungefährlich. «Auch unsere Boote kann ein Wal jederzeit umwerfen.»

Was früher passierte, wenn ein Wal oder ein Walross bei der Jagd ein Boot beschädigte und die Männer, von denen keiner schwimmen konnte, im eisigen Wasser zu ertrinken drohten, hatten wir bei Juri Rytchëu gelesen: «Wenn es keine Hoffnung auf Rettung gab, zückte der Bootsälteste, welcher am Steuer gesessen hatte, sein Jagdmesser, erdolchte die anderen und darauf sich selber. Das wurde so gemacht, um die Menschen vor unnötigen Qualen zu bewahren.»

Der Bootsälteste, dem Sascha und ich zugeteilt werden, heißt Dima. Mit seinen dunklen, buschigen Augenbrauen, dem mächtigen Schnauzbart und der tiefen, rauen Stimme macht er einen durchaus martialischen Eindruck. Kameramann Maxim und Toningenieur Andrej steigen zu Aljoscha, dem Brigadier, ins Boot. Das Meer ist vergleichsweise ruhig, der Himmel leicht verhangen. «Ideales Jagdwetter!», dröhnt Dima, unser Kapitän, und lässt den Außenbordmotor aufheulen. Wir machen einen gewaltigen Satz über die Wellen. In voller Fahrt rasen die drei Boote vom Ufer aus fächerförmig auf das offene Meer hinaus. Andrej muss Maxim mit beiden Händen festhalten, damit er mit seiner schweren Kamera nicht über Bord geschleudert wird. Die Blicke der Männer schweifen aufmerksam über die Wasseroberfläche, ihre Körperhaltung drückt äußerste Anspannung aus. Sie verständigen sich mit knappen Zurufen, einem Kopfnicken oder auch nur der Andeutung einer Handbewegung. Ihre Augen glänzen, Jagdfieber hat sie erfasst.

Nach 25 Minuten ertönt zum ersten Mal der Ruf: «Da!» Wladimir, einer unserer beiden Harpuniere am Bug des Bootes, zeigt mit ausgestrecktem Arm in südwestliche Richtung. In der Tat: Dort steigt in regelmäßigen Abständen eine Fontäne aus dem Wasser. Aljoscha hatte uns gesagt, dass man niemals Muttertiere jage, die mit einem Walbaby unterwegs seien, und dass geübte Jäger diese schon aus der Ferne erkennen könnten. «Unser Wal» ist offenbar kein Muttertier, und so rasen alle drei Boote auf ihn zu. Wir erreichen die Stelle, an der die Fontänen aufgestiegen sind, als Erste. Unsere beiden Harpuniere stehen wurfbereit am Bug, doch der Wal ist verschwunden. Nach einigen Augenblicken taucht seitlich von uns eine Schwanzflosse aus dem Meer. Blitzschnell wendet Dima das Boot und fährt mit Höchstgeschwindigkeit auf die Stelle zu. Nun ist auch der mächtige Rücken des Tieres unter der Wasseroberfläche zu erkennen. Als wir noch etwa zehn Meter vom Wal entfernt sind, schleudert Igor, einer der beiden Männer am Bug, mit gewaltiger Kraft die erste Harpune. Sie trifft. Dima, der Kapitän, reißt sofort das Steuer herum und lenkt das Boot am Wal vorbei, möglichst weit weg, denn der verwundete Wal, so schreit Dima uns zu, ist unberechenbar. Zumal es ein Grauwal ist, der als besonders aggressiv gilt und auf Boote wie Menschen gleichermaßen losgeht. Sollte er eines der Boote rammen oder mit einem Schlag der mächtigen Schwanzflosse umwerfen – nicht auszudenken. Im eiskalten Wasser überlebt der Mensch nicht einmal zehn Minuten.

Durch die weiße Plastikboje, die mit einer langen Leine am Harpunenkopf befestigt ist, können die Männer nun den Weg des Wales genau verfolgen. Obwohl sie die Karabiner dabei haben, gilt ein altes ungeschriebenes Gesetz der Eskimos und Tschuktschen, dass Wale und Walrosse, bevor sie getötet werden, zunächst harpuniert und mit Bojen kenntlich gemacht werden müssen. Nur so lässt sich verhindern, dass das verletzte Tier abtaucht und möglicherweise qualvoll verendet oder das tote Tier sofort wie ein Stein auf den Grund des Meeres sinkt und verloren geht. «Unser Ziel ist», hatte uns Aljoscha gesagt, «dass die Tiere so wenig wie möglich und so kurz wie möglich leiden müssen.»

Nachdem die erste Harpune gesetzt ist, nähern sich die Boote immer wieder dem Wal, der nun wild um sich schlägt, sich aufbäumt, aber nicht abtaucht, weil ihm dies durch die Boje, die am Harpunenhaken hängt, nur noch zusätzliche Schmerzen bereiten würde. Mit höchster Konzentration schleudern die Männer immer neue Harpunen auf das Tier, wobei einige ihr Ziel auch verfehlen. Nach jedem Wurf dreht das Boot sofort wieder ab. Der Respekt vor dem gewaltigen Tier hält die Männer auf Distanz.

Inzwischen zieht der Wal sieben große Bojen hinter sich her, und wir beobachten, wie die Harpuniere nun die kleinen spitzen Metallkegel auf das vordere Ende des Harpunenschaftes stecken. Wenn jetzt ein Wurf den Wal trifft, gibt es einen kurzen, hellen Knall, als ob ein Luftballon platzt. Es sind Explosivgeschosse, die beim Aufprall tiefe Wunden in das Fleisch des Tieres reißen. Die Karabiner liegen immer noch unbenutzt da.

Allmählich erlahmen die Widerstandskräfte des Wals; bald schlägt er nur noch matt und in kurzen Zuckungen mit der Schwanzflosse. Zuweilen bäumt sich der Rücken, in dem jetzt etwa zehn Harpunen stecken, aus dem Wasser, steigt noch einmal eine schwache Fontäne auf. Schließlich ertönt aus dem Boot des Brigadiers, das nun ganz dicht an den Wal herangefahren ist, der Ruf: «Er bewegt sich nicht mehr!»

Genau 25 Minuten sind seit dem Entdecken der ersten Fontäne vergangen. «Manchmal kämpfen wir einen ganzen Tag mit dem Wal oder kommen auch ohne jede Beute nach Hause», sagt Aljoscha.

Dann tritt Stille ein. Wie auf Kommando schalten die Männer die Außenbordmotoren ab, legen sich die Boote längsseits nebeneinander. Zusammengesunken, als wären sie versteinert, sitzen die Jäger auf ihren Bänken, manche haben den Kopf in die Hände gestützt. Es ist, als hielten sie Totenwache.

Nur nach und nach löst sich die Erstarrung, weicht die Anspannung aus den Gesichtern, erwachen die Männer aus ihrem tranceähnlichen Zustand. Wie in Zeitlupe zünden sie sich eine Zigarette an, holen wortlos aus leinenen Essensbeuteln dicke Scheiben hellen, großporigen Brotes, auf das sie Margarine schmieren. Dazu schneiden sie mit ihren langen Jagdmessern Walspeck auf, den sie in großen Stücken, eingewickelt in Stoffreste, unter den Sitzbänken verstaut hatten. In einem der Boote wird ein Primuskocher für Teewasser in Gang gesetzt, in einem anderen eine Plastiktüte mit hartem Kringelgebäck herumgereicht. Nun beginnen die Männer auch langsam wieder zu sprechen, hin und wieder gluckst ein verhaltenes Lachen auf. Ansonsten ist nur das Gekreisch eines entfernten Vogelschwarms zu hören und das Wasser, das plätschernd an die Wände der Aluminiumboote schlägt.

«Unsere Vorfahren haben geglaubt», sagt Aljoscha, der Brigadier, der seine schwarze Lederjacke aufgeknöpft und die Wollmütze aus der verschwitzten Stirn geschoben hat, «dass nicht wir die Wale erlegen, sondern dass sie sich selbst als Opfer darbringen, als Ernährer der Menschen. Vielleicht ist da tatsächlich was dran. Denn die meisten der Tiere flüchten nicht, wenn sie unsere Boote bemerken, sondern scheinen eher neugierig auf uns zu warten. Wenn sie dann allerdings von den ersten Harpunen getroffen sind, versuchen sie natürlich zu fliehen oder greifen uns an. Aber das ist verständlich.»

Aljoscha, das merkt man, hat sich viele Gedanken über seinen Beruf gemacht. Auch darüber, was die Waljagd für sein Volk bedeutet. «Zu Sowjetzeiten hätten wir viele unserer Traditionen beinahe verloren. Wir haben verlernt, wie man Boote baut, wie man die großen Meerestiere jagt. Und unsere Alten, die es noch wussten, waren fast alle gestorben. Wir mussten uns alles erst mühsam wieder aneignen.»

«Was ist denn heute Ihr größtes Problem bei der Waljagd?»

Aljoscha kratzt sich am Kopf und lächelt.

«Heute? Heute ist es unsere tägliche Arbeit. Natürlich ist es immer noch gefährlich, aber längst nicht mehr so wie für unsere Vorfahren. Wir haben viel stärkere Boote, Motoren, mit denen wir flink und wendig sind. Das alles hatten die Alten nicht. Die mussten rudern, den Walen hinterher aufs offene Meer hinaus, manchmal tagelang … Da sind viele umgekommen.»

«Nun gibt es ja sehr viele Gegner der Waljagd, die sagen, sie sei grausam, überflüssig. Wie denken Sie darüber?»

Aljoscha scheint diese Frage erwartet zu haben. «Stimmt», bekräftigt er, «auch bei uns gibt es sehr viele Gegner der Waljagd. Wir nennen sie ‹Grüne›. Aber schließlich ist der Wal nicht nur unsere Nahrung, unsere Existenzgrundlage. Er ist Teil unseres Lebens. Wir verehren ihn, wir feiern ihn mit Liedern und Tänzen. Und natürlich gehört auch die Waljagd zu unserem Leben. Ein Leben ohne Waljagd können wir uns gar nicht vorstellen.»

«Aber Sie können sich doch heute viele andere Lebensmittel kaufen. Ist denn da die Waljagd überhaupt noch nötig?»

«Natürlich ist sie nötig», antwortet Aljoscha und scheint dabei ein wenig ungehalten. «Natürlich ist sie nötig. Sobald wir den Wal ans Ufer gebracht haben, kommt die ganze Dorfbevölkerung, um sich Stücke vom Wal zum Essen zu holen. Ihr werdet es nachher selbst sehen! Sicher, es gibt Geschäfte mit anderen Lebensmitteln, mit Delikatessen, Bananen, Gurken und was sonst noch so importiert wird. Aber unsere Menschen kommen zum Ufer – sie wollen das Walfleisch.»

«Nun heißt es ja, dass die Waljagd demnächst durch internationale Abkommen ganz verboten werden könnte?»

«Wir werden mit allen Kräften und Möglichkeiten dagegen kämpfen. Wir werden alles daransetzen, dass uns die Jagd auf

Wale nicht verboten wird. Es ist unsere Nahrungsgrundlage, unsere Form des Lebens. Wer sind denn diejenigen, die sich anmaßen, uns die Waljagd zu verbieten? Wie kommen denn Länder dazu, die selbst überhaupt keine Wale fangen, in denen noch nie Wale gejagt wurden, uns die Waljagd zu verbieten? Die Waljagd ist unsere Tradition, nach der seit Jahrtausenden unsere Vorfahren gelebt haben. Wale gehören zu unserem Leben, die Jagd ist Teil unserer Identität. Das können sie uns doch nicht nehmen!»

«Und wenn die Waljagd dennoch verboten wird, was dann?»

«Wir hoffen, dass es nicht zu diesem Verbot kommt.»

«Und wenn doch, werden Sie weiter jagen?»

Aljoscha zögert ein wenig, schaut zu den Männern in den anderen Booten hinüber und sagt dann, wie zu sich selbst, leise, aber bestimmt: «Natürlich!»

Von einem winzigen, altersschwachen Kutter wird der erlegte Grauwal zum Ufer geschleppt. Dort hat sich inzwischen die gesamte Dorfbevölkerung versammelt. Mit Eimern, Plastiktüten, Rucksäcken bewaffnet, in den Händen lange Messer oder die traditionellen halbrunden Ulus. Männer, Frauen, selbst kleine Kinder schneiden sich aus dem Wal heraus, was und wie viel sie wollen und tragen können. Besonders begehrt ist die dicke marmorfarbene Haut mit der darunter liegenden weißen Speckschicht. In kleine Würfel geteilt, wird sie sofort roh verzehrt. Auch die Kinder schieben sie sich, mit offensichtlichem Wohlbehagen und das Fett über das ganze Gesicht verschmierend, in den Mund. Ein junges Ehepaar spült ein halbes Dutzend riesiger Fleischstücke im Meerwasser ab und verstaut sie in einem Plastiksack. Zwei ältere Frauen knien im Sand und waschen ein paar Meter der armdicken Därme, die inzwischen aus dem Bauch des riesigen Tieres quellen. Es ist elf Meter lang und wiegt, wie die Jäger schätzen, etwa 20 Tonnen. Einige der kleineren Kinder sind auf den Wal hinaufgeklettert und benutzen ihn laut juchzend als Rutschbahn. Am Schwanzende reißen sich die Dorfhunde ihre Stücke aus der Haut. Eine junge Frau mit rotem Kopftuch, einer

Gummischürze und in langen Hosen kriecht mit einem Ulumesser in der Hand in die Bauchhöhle des Wals, so tief, dass nur noch ihre Beine zu sehen sind. Nach einiger Zeit kommt sie wieder heraus, das Kopftuch blutverschmiert, in der einen Hand das Messer, in der anderen ein riesiges Stück triefenden roten Fleisches. Es ist ein Teil der Leber, die als besondere Delikatesse gilt.

Ringsum herrscht ausgelassene Stimmung wie bei einem Volksfest. Man schwatzt, lacht, beköstigt sich gegenseitig mit kleinen Fleischstückchen, manche haben auch Salz und Pfeffer sowie Knoblauch mitgebracht. Nach etwa einer Stunde ist der Wal fast ganz zerlegt. Das übrig gebliebene Fleisch wird in einen großen rostigen Container geworfen, als Hundefutter. Das restliche Fett wird am Strand angezündet, kokelt noch tagelang und verbreitet einen pestilenzartigen Geruch, der durch das ganze Dorf zieht.

Früher hat man die Fleischreste und das Fett auf den Pelztierfarmen verfüttert, an Polarfüchse, Nerze und Zobel, aber die Pelztierfarm in Lorino ist längst außer Betrieb. Verkauft werden dürfen die Reste auch nicht; und so vergammeln sie eben. Doch ohne die Wale, das haben wir gesehen, würden die Menschen in Lorino nicht überleben.

Uelen, das Ende der Welt

Wir haben es geschafft! Wir sind in Uelen. In der Sprache der Tschuktschen hieß der Ort früher Pokytkyn, Ende der Welt. Uelen, gesprochen U-elen, ist das letzte Dorf im äußersten Nordosten Sibiriens, unmittelbar gegenüber von Alaska. Es liegt auf einer schmalen Landzunge zwischen dem Nördlichen Polarmeer und einer Lagune an der Mündung des Flusses, der ebenfalls Uelen heißt.

Unser Hubschrauber war auf einer kleinen Betonplattform außerhalb des Dorfes gelandet, wo wir von lauter Uniformierten empfangen wurden: dem Kommandeur der Garnison von Uelen, die den Grenztruppen des russischen Innenministeriums untersteht, dem Chef der örtlichen Miliz, die zwei Beamte zählt, und dem KGB-Chef von Uelen, der lediglich sich selbst befehligt – als einziger hauptamtlicher Mitarbeiter dieser Organisation. Bis vor wenigen Monaten, so hatten uns die Piloten des Hubschraubers erzählt, bestand die Garnison von Uelen aus 14 Mann. Jetzt sind es nur noch zehn. An einem dunklen Wintertag war ein Soldat Amok gelaufen und hatte drei Kameraden und einen der beiden Offiziere erschossen. Kälte, Einsamkeit, Hunger, Schikanen der Offiziere und Quälereien der Kameraden, Wodka oder andere Narkotika, vermutet man, dürften die Ursachen gewesen sein – wie in so vielen anderen Kasernen Russlands; nur, dass hier im Hohen Norden die Lebensbedingungen der Soldaten noch härter sind.

Warum uns außer dem Kommandanten der Garnison, der den Wust unserer Reisedokumente kontrolliert, auch noch zwei Rekruten begrüßen, stellt sich schnell heraus. Sie fahren den Armeelastwagen, den einzigen intakten Lkw in Uelen, und helfen uns beim Aufladen unseres Gepäcks und der Kameraausrüstung.

Untergebracht werden wir in der Schule von Uelen, dem größten Gebäude des Ortes – dreigeschossig, gemauert aus hellem Stein. Ein Teil der Fensterscheiben allerdings ist zerbrochen und nur notdürftig mit Presspappe abgedeckt. Da Schulferien sind, werden für uns in einem Klassenzimmer Tische und Bänke zusammengeschoben und vier eiserne Bettgestelle aufgebaut. Wie alle Flure und die übrigen Räume des Gebäudes durchzieht auch das Klassenzimmer ein ständiger, durchdringender Fäkalengeruch. Bei keiner Toilette im Haus funktioniert die Spülung.

Uelen besteht aus einer einzigen, etwa zwei Kilometer langen Straße, die parallel zur Küste des Polarmeeres verläuft. Sie ähnelt einer ausgewaschenen Hügellandschaft, in deren Tälern sich riesige Pfützen gesammelt haben. Links und rechts der Straße trotzen kleine dunkle Holzhäuschen dem Polarwind, dazwischen ragt hin und wieder ein etwas größerer verwitterter Wohnblock aus Holz oder Stein hervor. Jarangas, die traditionellen runden, mit Walrosshaut bespannten Hütten der Tschuktschen, gibt es nicht mehr.

Am östlichen Ende des Dorfes, Richtung Kap Deschnjow, liegen der Friedhof von Uelen und die Garnison. Auf dem Friedhof hat der Permafrost einige Särge aus dem Boden gedrückt; sie modern vor sich hin. Keiner scheint sich darum zu kümmern. Gleich hinter der Garnison erhebt sich der Tschenljukwin-Felsen, an dem früher, wie wir bei Juri Rytchëu gelesen haben, die Bewohner von Uelen nach erfolgreicher Jagd den Meeresgöttern Opfer brachten. Heute durchziehen Schützengräben die sandige Kuppe des Felsens, befestigt mit verrosteten Ölfässern, aus denen blaue und gelbe Tundrablumen wachsen. An einen schief aus der Erde ragenden Holzpfahl ist ein Schild genagelt: «Halt! Sonst wird geschossen.» Als wir mit unserer Kamera am Schild vorbeistapfen, murmelt Maxim: «Da werden sich die Amerikaner aber erschrecken.»

Auf der Dorfstraße, die Hauptverkehrsader, Flaniermeile, Nachrichtenbörse, Spielplatz für Kinder und Hunde sowie

Rennbahn für ein paar stolze Besitzer von Motorrädern ist, torkeln schon am frühen Morgen mehrere Männer, aber auch einige Frauen herum. Die Männer haben fast alle lange Messer am Gürtel, manche tragen einen Karabiner über der Schulter. Das erleichtert die Dreharbeiten nicht unbedingt. Maxim jedenfalls entschließt sich, entgegen seiner Gewohnheit schon am Vormittag einen Schluck Wodka zu trinken – aus einer Flasche, die ihm mit vorgehaltenem Karabiner gereicht wird.

Am Ufer des Polarmeeres sind einige der offenen Aluminiumboote, wie sie auch die Waljäger in Lorino verwenden, auf den Strand gezogen. Vor kleinen Geräteschuppen, in denen Netze, Angelgeräte, Harpunen, Bojen, Benzinkanister und winterfeste Kleidung herumliegen, hocken Männer in hüfthohen Gummistiefeln und dicken, abgewetzten Wattejacken. Sie warten auf günstiges Wetter, um auf Walrossjagd zu gehen. Nein, sagen sie, verdienen könne man dabei nichts mehr, aber man brauche das Fleisch für die Familie. Das Walrosselfenbein kaufe kaum noch jemand, seit die berühmte Elfenbeinschnitzerei von Uelen praktisch pleite sei. Nur gelegentlich verirrten sich noch Schwarzhändler hierher, doch die wüssten genau um die Not der Leute im Dorf und würden die Preise entsprechend drücken. Das Wenige, das man verdiene, reiche kaum für die Munition, geschweige denn für eine neue Ausrüstung oder irgendwelche Anschaffungen im Haushalt. «Was wir haben, essen wir auf», sagen die Männer. Einer schnippt sich dabei mit dem Mittelfinger an den Hals – die in ganz Russland verständliche Geste für «Wodkatrinken».

Ein paar hundert Meter vom Ufer entfernt ankert ein Frachter, aus dem Kohle in eine kleine Schaluppe geladen wird – der Wintervorrat für das örtliche Heizkraftwerk. Er kommt aus Wladiwostok und ist wohl, wie die Männer vermuten, das letzte Versorgungsschiff in diesem Sommer. Einen eigenen seetüchtigen Kutter hat Uelen nicht mehr. Dafür, sagen die Männer und zeigen auf ein Boot neben ihrer Hütte, bauen wir jetzt wieder selbst unsere Bajdarkas, «wie unsere Vorfahren». In der Tat liegt dort, aufgebockt auf ein paar leeren Ölfässern, eines jener traditionellen Tschuktschenboote aus Walrosshaut, die über ein Holzgerippe gespannt ist. Die Walrosshaut ist noch feucht, in einigen Wochen, so sagen die Männer, werden sie mit diesem leichten Boot aufs Meer fahren und wie ihre Ahnen jagen. «Dafür brauchen wir kein Benzin.»

Der Bürgermeister von Uelen residiert in einem winzigen Büro im Parterre eines der ältesten Wohnblocks aus Brettern. Der Raum ist mit herumliegenden Aktenschachteln aus Pappe übersät, die mit einem dünnen Bändchen zugeknotet werden und im Russischen «papka» heißen. Etwas zusammengesunken sitzt der Dorfchef mit dem Rücken zum dreifach verglasten Fenster. Rechts von ihm ist ein niedriges hölzernes Besucherbänkchen an die Wand gerückt.

Das Gesicht des etwa 35-jährigen Tschuktschen mit den schwarzen Haaren und dem schütteren Backenbart wirkt blass, seine Augen blicken melancholisch. Die Stimme klingt leise, aber fest, er formuliert präzise und ohne bürokratische Floskeln. Vor sich auf dem Schreibtisch hat er eine handgeschriebene Statistik. Aus ihr geht hervor, dass vor zehn Jahren in Uelen 1101 Menschen lebten, heute hingegen sind es nur noch 669 – fast ausschließlich Tschuktschen sowie eine Hand voll Eskimos. Nur einige der Lehrer, ein paar Polarforscher, der Arzt, der Bäcker und ein Heizer des Kraftwerks sind Russen. Obwohl das Dorf eine hohe Geburtenrate aufweise, so der Bürgermeister, nehme die Bevölkerungszahl dramatisch ab. Das habe zum einen mit der Kindersterblichkeit zu tun, die auf Tschukotka um ein Mehrfaches höher sei als im übrigen Russland, was sich natürlich auch auf die statistische Lebenserwartung auswirke. Diese betrage in Uelen 37 Jahre. Zum anderen würden aber auch immer mehr Menschen wegziehen, weil es keine Arbeit mehr gebe und keinen «zivilisierten Wohnraum».

Der größte Arbeitgeber im Dorf, die staatliche Elfenbein-schnitzerei, die in früheren Zeiten 110 Leute beschäftigte, hat nur noch 47 Angestellte. Auf der Polarstation sind von 35 Arbeitsplätzen gerade mal 10 geblieben. Das Kindergartenpersonal musste reduziert werden, ebenso die Zahl der Lehrer. Die alten Holzhäuser im Dorf haben weder Wasseranschluss noch irgendwelche sanitären Anlagen, viele von ihnen sind akut vom Einsturz bedroht. Mittel für den Wohnungsbau sind frühestens im Haushalt 2004 vorgesehen, in den nächsten beiden Jahren müssen zunächst das Kraftwerk und die Bäckerei repariert werden.

Vor zwei Jahren, das gibt der Bürgermeister unumwunden zu, habe man auch in Uelen gehungert. Der letzte Versorgungs-dampfer hatte es nicht mehr rechtzeitig vor Wintereinbruch bis hierher geschafft, er war im Eis bei Kap Deschnjow stecken geblieben. Mit Hundeschlitten und den beiden noch vorhandenen Kettenfahrzeugen der Gemeindeverwaltung habe man versucht, die 40 Kilometer über die gefrorene See möglichst viele Vorräte vom Dampfer nach Uelen herüberzuholen; aber Packeis und heftige Schneestürme hätten dies immer wieder verhindert. Daher werden für den kommenden Winter jetzt schon ausreichend Vorräte herangeschafft: Kohle, Diesel für das dörfliche Strom-aggregat sowie Mehl, Zucker, Reis und Gefrierfleisch. Was aber, so der Bürgermeister, «natürlich» fehle, seien Vitamine, Säfte, Obstkonserven, Früchte. Dies sei umso schlimmer, als es auch in diesem Sommer als Folge des besonders langen Winters kaum Beeren gebe, die sonst einen Teil des Vitaminbedarfs der Bevölkerung decken.

Die meisten Menschen in Uelen, so der Bürgermeister, lebten weiterhin von der Jagd, obwohl die staatliche Jagdkolchose längst aufgelöst sei. «Doch in jeder Familie, in der es einen Mann gibt, gibt es auch ein Gewehr.» Die Jäger haben sich jetzt in einer Genossenschaft organisiert, die zugleich darüber wacht, dass die Walfangquote eingehalten und das Walrossfleisch einigermaßen gerecht verteilt wird. «Alles kann man freilich nicht unter Kontrolle haben», sagt der Bürgermeister mit einem leichten Achselzucken. Und die Männer würden immer noch genügend Mittel und Wege finden, um an Wodka zu kommen: im Tauschhandel gegen illegal gefangene Fische, illegal gejagtes Wild, Felle von Bären, Polarfüchsen und anderen Pelztieren und heimlich zur Seite geschafftes Elfenbein. «Der Alkoholismus ist unser schrecklichstes Problem. Er verdüstert unser ganzes Leben.» Der Bürgermeister sagt es so sachlich, wie er eingangs die Zahlen aus der Bevölkerungsstatistik zitiert hat. «Die Arbeitslosenhilfe, die Kinderzuschüsse – alle sozialen Gelder werden sofort versoffen. Das Problem ist schlimmer, als es jemals in unserer Geschichte war. Noch ein oder zwei Generationen, und unser Volk wird es nicht mehr geben. Zwangstherapien wären nötig und viele andere soziale und medizinische Maßnahmen. Aber dafür hat unser Staat kein Geld. Vielleicht will man uns auch gar nicht helfen. Vielleicht sind wir in deren Augen nur eine Belastung für das Land.»

Zunehmend, so der Bürgermeister, seien die Eskimos und die Tschuktschen entlang der Beringstraße zu Almosenempfängern geworden. Nach dem Hungerwinter 1999 seien von einem Hilfsfonds, den der neue Gouverneur ins Leben gerufen habe, kostenlos Lebensmittel an die Bevölkerung verteilt worden. Das Rote Kreuz habe Unterstützung bei der Einrichtung von Heimwerkstätten geleistet, in denen Frauen Pelzkleidung nähen. Und aus Alaska seien Hilfslieferungen mit Gebrauchsgegenständen für die Jagd und den Bootsbau gekommen sowie große Pakete mit Kinderkleidung. Aber das alles sei auf Dauer doch keine Lösung für die grundsätzlichen, die strukturellen Probleme der Region und ihrer Menschen.

Ob er denn gar keine Perspektiven für Tschukotka oder zumindest für Uelen sehe, frage ich den Bürgermeister.

«O doch», sagt er, «es gibt zwei Dinge, die mir Mut machen. Zum einen die Tatsache, dass immer mehr junge Leute aus dem Dorf die Zulassung zum Studium schaffen, in Anadyr oder Chabarowsk, und dann vielleicht auch, als vertragliche Gegenleistung für das Stipendium, später für einige Zeit zurück nach Uelen kommen, als junge Ärzte, Ingenieure oder Baufachleute. Und zum anderen zwingt uns die blanke Not, der Geldmangel, der Benzinmangel und vieles mehr, uns wieder auf alte Traditionen und die Fähigkeiten unserer Vorfahren zu besinnen. In den letzten beiden Jahren haben wir im Dorf fünf Fellboote aus Walrosshaut und Holz gebaut, eine Kunst, die wir fast vergessen hatten.»

Unser nächster Weg führt uns in die nur wenige Meter vom Bürgermeisteramt entfernte, weit über die Grenzen Tschukotkas bekannte Elfenbeinschnitzerei. Sie nimmt zwei Etagen eines großen Wohnblocks ein, der sich von den anderen im Dorf durch hohe und breite Fenster unterscheidet. Im Erdgeschoss sind die Werkstätten untergebracht. Doch fast alle Räume sind verschlossen. Nur in einem sitzen drei Frauen und ein Mann und polieren mit feinen Bohrern kleine Skulpturen aus Elfenbein – Bären, Walrosse und den Eskimogott Peliken in verschiedensten Größen. Warum die anderen Arbeitsplätze nicht besetzt sind, fragen wir eine der Frauen. «Weil Jagdsaison ist», antwortet sie, ohne von ihrer Arbeit aufzuschauen. Und auf unsere etwas verständnislose Nachfrage erklärt sie: «Sobald die Jagd losgeht, sind die Männer hier weg, egal, was gerade zu tun ist. Nur Onkel Wanja ist noch hier, der ist schon zu alt.»

Dasselbe hören wir vom Direktor der Werkstätten, dessen Büro sich ein paar Zimmer weiter befindet. Der Jagdtrieb liege nun einmal in den Genen der Männer von Tschukotka, da könne man eben nichts machen. Zu Sowjetzeiten habe allerdings mehr Disziplin geherrscht, und unter Stalin sei man sofort ins Lager gekommen, wenn man anstatt zur Arbeit auf die Jagd ging. Ob es bedauert oder nicht, ist aus seinem Tonfall nicht herauszuhören. Einen Hehl macht der Direktor aber nicht aus der Tatsache, dass es früher der Werkstatt und ihren Arbeitern viel besser ging.

«Der Staat hat uns großzügig unterstützt. Wir wurden zu Ausstellungen eingeladen, nicht nur nach Moskau, Leningrad und in viele andere russische Städte, sondern sogar ins westliche Ausland. Mitglieder des Künstlerverbandes der UdSSR hatten wir unter unseren Meistern, Träger von Staatspreisen der Sowjetunion. In den Museen von Japan, Frankreich, der Schweiz und anderen Ländern haben wir unsere Schnitzereien gezeigt. Doch das ist nun alles vorbei.» Der Staat, so der Direktor bekümmert, habe die Subventionen gestrichen, die Werkstatt sei heute eine «Kooperative», die sich selbst finanzieren müsse. «Aber kein russisches Museum hat noch Geld für Ankäufe, und im Ausland interessiert sich kaum jemand für uns. Wie sollen wir da überleben?»

Offiziell trägt die Werkstatt heute den Namen «Nördliche Souvenirs» und produziert vor allem für den Tourismusmarkt. Doch mit dem Tourismus aus dem Ausland, so der Direktor, sei es in Russland auch bergab gegangen, und die Russen bräuchten ihr Geld ohnehin «für Brot und nicht für unsere Schnitzereien». Etwas ganz anderes wäre es, so der Direktor, wenn man auf den amerikanischen Markt könnte, der ja nur 100 Kilometer entfernt sei. Aber dorthin zu exportieren sei so gut wie unmöglich, weil die amerikanischen Behörden mit strengen Einfuhrverboten das Elfenbeingeschäft ihrer eigenen Eskimos schützten, die auf der anderen Seite der Beringstraße auf Walrossjagd gehen.

Damit wir einen Eindruck davon gewinnen, welch große künstlerische Tradition in Uelen zu verschwinden droht, schlägt uns der Direktor vor, das Museum im ersten Stock zu besichtigen. Nach langem Suchen findet sich jemand, der den Schlüssel hat. Überwältigt bauen wir unsere Kamera auf. Vor unseren Augen entfaltet sich der gesamte Kosmos des Lebens, der Geschichte und Tradition der Völker links und rechts der Beringstraße – gesägt, geschnitzt, gemalt und geritzt in das Elfenbein von Walrosszähnen.

Die meist nur wenige Zentimeter großen, filigranen Skulpturen und Figurengruppen, die sich in etwas angestaubten Vitrinen auf engstem Raum drängen, zeigen auch den ganzen Tierreichtum des Hohen Nordens – Wale, Walrosse, Robben, Fische, Bären, Wölfe, Polarfüchse, Elche, Rentiere, Schlittenhunde und Vögel aller Art; dazu in unzähligen Varianten den Eskimogott Peliken und Einzeldarstellungen typischer Arktisbewohner – Jäger, Fischer, Rentierhirten. Die Mehrzahl der Motive jedoch sind Jagdszenen. Fast alle wurden aus einem einzigen Stück Elfenbein geschnitzt. Eskimos mit langen Lanzen auf Walrossjagd und mit Harpunen beim Erlegen eines Wals, ein Jäger, der nur mit einem Messer in der Hand gegen einen Bären kämpft, Männer bei der Robbenjagd, auf Wolfsjagd und bei der Jagd auf Schneegänse. Aber auch Bären, die mit Walrossen kämpfen, und Hunde, die einen Bären verfolgen, der sich auf einen Baum geflüchtet hat.

Eine besonders dramatische Szene zeigt, ebenfalls aus einem einzigen Walrosszahn geschnitzt, ein Rudel Wölfe, das eine Rentierherde überfällt. Während die Hirten in dicker Pelzkleidung mit Messern und Karabinern versuchen, ihre Tiere gegen die Angreifer zu verteidigen, hat sich einer der Wölfe bereits im Nacken des Leithirsches festgekrallt. Wie eine Ballettszene, getanzt von Figuren Ernst Barlachs, erscheint die Skulpturengruppe mit dem Titel «Landung der Meeresjäger im Sturm», ein Boot mit Jägern und erlegten Seehunden, das von Dorfbewohnern aus tobender See auf den Strand gezogen wird. Den archaischen Kampf des Menschen gegen die meist übermächtige Natur spiegelt auch eine andere Szene wider: zwei Eskimos in ihrem winzigen Kajak, gefangen im Packeis. Die Gesichter und die Körperhaltung der Männer lassen keinen Zweifel: Eine Rettung gibt es nicht.

Viele der Arbeiten sind dem Alltag und Familienleben der Tschuktschen und Eskimos gewidmet. «Eine Frau gerbt Robbenfelle», «Ein Boot wird gebaut», «Der erste Schritt des Kindes». Beim «Kampf um eine Frau» liegt einer der beiden Männer erstochen am Boden, während die Frau und die anderen Zuschauer entsetzt die Hände vors Gesicht schlagen. Und immer wieder sind Schlittengespanne zu sehen: Hundeschlitten, Rentierschlitten, aber auch Menschen, die Schlitten mit Kindern oder schweren Lasten ziehen.

Als eine unmittelbare Anknüpfung an die Tradition der jahrtausendealten Eskimokultur aus Ekven erscheinen die vielen kleinen «polykonischen Skulpturen» der zeitgenössischen Elfenbeinschnitzer von Uelen, die je nachdem aus welchem Blickwinkel man sie betrachtet ein anderes Tier zeigen, gelegentlich auch ein Tier, dessen Form in die eines Menschen übergeht.

An einer Stellwand am Ende des kleinen Ausstellungsraums dokumentieren Fotos und Zeitungsausschnitte die ruhmreiche Vergangenheit der Elfenbeinwerkstatt von Uelen. Auf einem der Fotos, aufgenommen vor 60 Jahren, sehen wir ein Gruppenbild der Meister, die sich auch um die Ausbildung des Nachwuchses kümmerten. Wir zählen 40 Frauen und Männer. Heute arbeiten in der Elfenbeinschnitzerei «Nördliche Souvenirs» noch vier Meister.

Beim Verlassen des Museums spricht mich auf der Straße eine ältere Frau in abgeschabtem Wintermantel und einem grauen Wolltuch um den Kopf an. Zunächst vermute ich, dass sie mir, wie so häufig in Uelen, irgendeine Elfenbeinschnitzerei anbieten oder einfach um Geld für Wodka bitten will, doch dann nennt sie ihren Namen. Ich hatte ihn soeben im Museum gesehen, unter einigen wunderschön kolorierten Elfenbeingravuren. Fast drei Jahrzehnte arbeitete sie als Meisterin in der Werkstatt, war Mitglied des Künstlerverbands der Sowjetunion und hatte Ausstellungen sogar in Japan, Skandinavien und Deutschland.

Tatjana Alexandrowna stammt aus einer der angesehensten und ältesten Familien Uelens. Ihre Vorfahren an diesem Ort lassen sich, wie sie sagt, bis zum Jahr 1701 zurückverfolgen. Ihr Urgroßvater besaß eine Handelslizenz des Zaren und unterhielt Geschäftsbeziehungen bis hinunter nach San Francisco. Einer ihrer Großväter gründete eine Handelsniederlassung in Nome, der einstigen Goldgräbermetropole Alaskas; der andere Großvater war stolzer Besitzer einer riesigen Rentierherde und Dorfchef von Uelen. Heute zählt ihr Clan 98 Mitglieder. Doch alles, was ihm geblieben ist, sagt Tatjana Alexandrowna, ist der Stolz auf die Familiengeschichte. Nicht nur angesehene Handelsleute habe ihr Clan hervorgebracht, sondern auch viele Künstler, Elfenbeinschnitzer, Graveure, Legendenerzähler und den ersten Piloten Tschukotkas. Sie selbst sei nun Rentnerin und arbeite ehrenamtlich als Lehrerin an der Schule. Sie wolle den Kindern all das vermitteln, «von dem sie sonst kaum etwas erfahren». Und dazu gehöre vor allem die tschuktschische Sprache.

«Jahrzehntelang war den Kindern in der Schule verboten, Tschuktschisch zu sprechen. Und wer es dennoch tat, musste sich zur Strafe den Mund mit Seife auswaschen. Nur wer gut Russisch konnte, hatte eine Chance, irgendetwas zu werden. Bis heute», so Tatjana Alexandrowna, «gibt es keine ‹vernünftigen› Lehrbücher der tschuktschischen Sprache, und auch die meisten einheimischen Lehrer können die Sprache ihres Volkes nicht. Wenn wir jetzt nichts dagegen machen, geht unsere Sprache verloren.» Aber dazu reiche nicht allein der gute Wille einiger Idealisten. Man brauche neben Lehrbüchern vor allem Spezialisten, Kurse, in denen Sprachlehrer ausgebildet werden, wissenschaftliche Symposien, die sich mit der Didaktik der Sprache beschäftigen, und vieles mehr. Und das alles wäre, selbst wenn es Geld dafür gäbe, längst nicht genug. «Man muss die Kinder wieder lehren, wie man Kleidung näht, was man mit den Produkten der Natur alles machen kann, muss sie in den alten Traditionen unseres Lebens, unseres Handwerks, unserer Kunst unterrichten. Wenn wir das nicht schaffen, stirbt unsere Kultur.»

Natürlich ist Tatjana Alexandrowna nicht gegen den Fortschritt. «Wir brauchen Penicillin und das Radio, und meinetwegen auch das Fernsehen. Aber muss man deshalb alles Wertvolle der eigenen Kultur vergessen?» Und wenn man schon, so Tatjana

Alexandrowna, die «Segnungen der Zivilisation» benutzt, dann solle man sich auch um die Beseitigung des «Mülls» kümmern, den sie produziert. «Unsere Dörfer sehen doch aus wie Abfallgruben oder Schrottplätze. Wenn sich die Erwachsenen nicht drum kümmern, müssen wir eben die Kinder dazu erziehen.»

Ihre Hoffnung setzt Tatjana Alexandrowna auf den neuen jungen Gouverneur. Der habe Lebensmittel verteilen lassen und Medikamente und dafür gesorgt, dass die Kinder in den Ferien wieder in den Süden fliegen können. «Wenn er weggeht, werden wir wieder vergessen sein.» Und noch eine Hoffnung hat Tatjana Alexandrowna: «Dass es für uns wieder so einfach werden wird, nach San Francisco und Alaska zu reisen, wie für meinen Großvater und Urgroßvater.»

Alaska in Sicht

Wieder einmal hat das Wetter unsere Pläne vereitelt. Am Morgen wollten wir mit den Meeresjägern von Uelen hinausfahren, in die Nähe vom Kap Deschnjow, wo eine große Walrossherde gesichtet wurde. Wir hatten die Spezialkleidung anprobiert, die extradicken, sturm- und regenfesten Anzüge, die uns die Männer von der Jagdgenossenschaft ausleihen wollten, die «sprawka» von der Garnison eingeholt und unsere Kameras, Objektive und Tongeräte wasserdicht verpackt. Sascha hatte vorsorglich eine seiner Tabletten gegen Seekrankheit eingenommen, und auch Proviant und Wasser hatten wir gebunkert, für alle Fälle. Doch dann hatte über Nacht der Wind gedreht, von Süd auf Nord, und einen kilometerbreiten Streifen Packeis an die Küste getrieben. Wir saßen fest. Kein Boot kam aus Uelen heraus, keins hinein. Wie lange die Barriere aus wild ineinander geschobenen und zu Blöcken aufgetürmten Eisschollen den Weg aufs offene Meer versperren würde, konnte niemand sagen. Einen Tag könne es dauern, eine Woche oder einen Monat, meinten die Meeresjäger. «Am Polarmeer kannst du das Wetter nur für eine Stunde voraussagen.»

Ähnliches hatten wir schon erlebt, als wir mit dem Hubschrauber nach tagelangem Warten endlich von Lawrentija Richtung Uelen starteten. Wir wollten das Kap Deschnjow umrunden und einen Zwischenstopp in Ekven, dem «Troja der Arktis», einlegen. Doch nach nur einer halben Stunde Flug zog sich urplötzlich und aus heiterstem Himmel eine undurchdringliche Nebelwand zusammen, hinter der sowohl Kap Deschnjow, das schon in Sichtweite war, als auch Ekven verschwanden. Nur dank eines riesigen Umwegs, bei dem der Pilot immer wieder sorgenvoll auf die Treibstoffanzeige blickte, erreichten wir schließlich Uelen.

So reizvoll es für uns gewesen wäre zu warten, bis sich das Packeis auflöst und die Meeresjäger zu den Walrossen hinaus können – die Aussicht, eine Woche oder einen Monat in Uelen festzusitzen, hätte nicht nur unsere Expeditionskasse in unvertretbarer Weise strapaziert, sondern die gesamte weitere Reiseplanung über den Haufen geworfen. Denn um den einzigen Ort zu erreichen, von dem aus es in diesem Sommer noch eine vage Möglichkeit gab, von Tschukotka nach Alaska zu gelangen, blieben genau vier Tage. Dieser Ort heißt Prowidenija und liegt etwa 200 Kilometer südlich von Lawrentija. Also entschieden wir, das strahlende Sonnenwetter, das uns der Nordwind bescherte, zu nutzen und per Satellitentelefon in Lawrentija den Hubschrauber zu ordern, der uns schon nach Uelen gebracht hatte. Vielleicht, so unser zusätzliches Kalkül, könnten wir ja diesmal das Kap Deschnjow aus der Nähe filmen und in Ekven zwischenlanden.

Wie man uns in Uelen empfangen hatte, so war auch der Abschied. Der Kommandant der Garnison erschien, der Milizchef mit seinem Untergebenen und der örtliche KGB-Mann, der hier sein eigener Chef ist. Und natürlich wieder die beiden Soldaten mit dem Armeelastwagen, die voller Liebenswürdigkeit unser Gepäck verstauten. Dazu noch eine Lehrerin, die die Ankunft des Hubschraubers beobachtet hatte und nun auf eine Möglichkeit hoffte, zur seit langem geplanten und dringend erforderlichen Zahnbehandlung nach Lawrentija zu kommen.

Nach einer weiten Schleife über die Lagune und Uelen nimmt der Hubschrauber Kurs auf Kap Deschnjow. Immer an der Küste entlang, unter uns das im hellen Sonnenlicht glitzernde Packeis, an dessen nördlichem Rand weiße Schaumkronen auf dem graublauen Wasser des Polarmeeres tanzen. Und dann fliegen wir tatsächlich um Kap Deschnjow herum. Wie ein dunkler, von einigen Schneerinnen durchzogener Kegel erhebt sich der gezackte, kahle Felsen aus dem Meer. Das Packeis an seinem Fuß hat sich bereits aufgelöst und treibt in großen Schollen Richtung Süden, die Beringstraße hinab.

In Ekven können wir aber auch diesmal nicht landen. Der heftige Nordwind macht unseren Piloten schon über der offenen See schwer zu schaffen. Dafür wird uns ein Schauspiel geboten, das, wie sie sagen, nur drei- oder viermal im Jahr zu sehen ist – der Blick über die gesamte Beringstraße hinüber nach Alaska, etwa 80 Kilometer entfernt. Vor der Küste Alaskas, die trotz des strahlenden Sonnenwetters in einen leicht bläulichen Dunstschleier gehüllt ist, zeichnen sich deutlich die Große und die Kleine Diomede-Insel ab. Genau zwischen ihnen verläuft die Staatsgrenze zwischen Russland und den USA.

Obwohl Alaska in Sicht und zum Greifen nah ist, gibt es kaum eine Chance, auf direktem Weg dorthin zu gelangen. Es existiert weder eine reguläre Flugverbindung noch eine Schifffahrtslinie. Selbst mit Booten der Einheimischen ist es unmöglich, von einem Ufer der Beringstraße ans andere überzusetzen. Nicht nur Visaprobleme, sondern Zollvorschriften auf beiden Seiten verhindern es; von den Patrouillenbooten der amerikanischen und russischen Küstenwacht und der nach dem 11. September 2001 allgegenwärtigen Terroristenfurcht ganz abgesehen. Nicht einmal Post wird über die Beringstraße befördert. Wenn Eskimos in Alaska ein Päckchen mit Hilfsgütern für ihre russischen Stammesverwandten aufs heimische Postamt tragen, muss es den Weg rund um den Erdball nehmen.

Viele Jahrzehnte lang hat der Eiserne Vorhang auch die Menschen diesseits und jenseits der Beringstraße getrennt. Eskimodörfer in Tschukotka, deren Einwohner sich während des Zweiten Weltkriegs und in den Jahren danach heimlich mit ihren Verwandten aus Alaska trafen, ließ Stalin kurzerhand liquidieren. Ihre Ruinen säumen noch heute das russische Ufer der Beringstraße. Erst unter Michail Gorbatschow wurde der Eiserne Vorhang auch an der Beringstraße ein wenig durchlässiger. Es gab Visaerleichterungen und vereinfachte Besuchsregelungen für die einheimische Bevölkerung Tschukotkas und Alaskas. Und 1988 startete der erste «Freundschaftsflug» zwischen Prowidenija und

Nome in Alaska. Doch alle Hoffnungen, daraus eine reguläre Flugverbindung werden zu lassen und vielleicht noch eine Fährverbindung zu installieren, sind vorläufig gescheitert. Schuld daran sind sicher die anhaltende ökonomische Krise und die jede marktwirtschaftliche Initiative im Keim erstickende Bürokratie auf russischer Seite, vor allem aber der offenbar fehlende politische Wille auf beiden Seiten. Und so sind als einzige Direktverbindung gelegentliche Charterflüge der rührigen privaten Bering-Air aus Nome geblieben. Wenn Hilfsgüter aus Alaska nach Tschukotka gebracht werden und auf dem Rückflug noch Platz in den kleinen Maschinen ist, werden dann und wann Passagiere mitgenommen. Doch feste Flugtermine dafür gibt es nicht, ganz abgesehen vom Wetter, das an der Beringstraße ohnehin jede Planung unmöglich macht.

Nachdem wir die Diomede-Inseln auf der linken Seite hinter uns gelassen haben, macht Sascha dem Piloten einen Vorschlag: Wie wär's, wenn wir die Lehrerin in Lawrentija absetzten und gleich nach Prowidenija weiterflögen? Das Wetter sei doch, abgesehen vom etwas ruppigen Nordwind, gut. «Und wer weiß, wie es morgen und in den folgenden Tagen wird.» Am 9. Juli, also in vier Tagen, so hatte ich von Freunden aus Alaska gehört, lande vielleicht eine Maschine aus Nome in Prowidenija, die mich auf dem Rückflug eventuell mitnehmen könnte. Wann danach wieder ein Flugzeug aus Alaska starte, sei völlig ungewiss.

Doch unser Hubschrauberpilot winkt ab. Erstens sei dies für heute nicht vorgesehen, und zweitens werde der Flughafen in Prowidenija, wo man landen müsse, um 16 Uhr geschlossen. Auf Saschas Hinweis, dass man es bis zu diesem Zeitpunkt doch ganz bequem nach Prowidenija schaffe, antwortet der Pilot kurz: «Das stimmt. Aber dann kommen wir nicht mehr zurück nach Lawrentija. Dort macht der Flugplatz auch um 16 Uhr dicht.» Es hilft kein Bitten und kein Flehen und kein Winken mit den grünen Scheinen. Die Hubschrauberbesatzung weiß, dass wir, wenn wir irgendwann nach Prowidenija wollen, ohnehin auf sie angewiesen sind, eine andere Verkehrsverbindung dorthin gibt es nicht. Heute aber wollen die Männer pünktlich zu Hause sein. Schluss, Ende, wie auch die Russen zu sagen pflegen.

Also landen wir in Lawrentija, machen es uns wieder in der Wohnung mit den herausgerissenen Heizkörpern und den Ratten in der Küche gemütlich, treiben irgendwo Nastja auf, die uns Walfleisch kocht, und hoffen auf gutes Wetter am nächsten Tag.

Vergebens. Nebel, Regen, kein Gedanke ans Fliegen ... Bleiben noch drei Tage bis Prowidenija. Und wir scheinen Glück zu haben. Am nächsten Morgen trübt kein Wölkchen den Himmel, ideales Flugwetter. Doch wir haben nicht daran gedacht, dass heute Samstag und der Flughafen von Lawrentija am Wochenende geschlossen ist. Jeder erwachsene Mann geht auf die Jagd, auch der Flughafendirektor und der Meteorologe.

Trotzdem gelingt es Sascha irgendwie, die Hubschrauberbesatzung, die am Vormittag noch nüchtern erscheint, den Flughafendirektor und den Meteorologen zu überreden, die Jagd auf Sonntag zu verschieben. Wir können also nach Prowidenija fliegen. Freudig packen wir unsere Sachen, lassen uns diesmal – das Postauto ist kaputt – von einem der beiden Milizfahrzeuge zum Flugfeld transportieren, um dort zu erfahren, dass leider, leider, das Wetter in Prowidenija schlecht sei. Immerhin, zwei Tage haben wir ja noch, um rechtzeitig zum Flug nach Alaska einzutreffen.

Doch am Sonntag das gleiche Spiel. Auf dem Umweg über das ARD-Büro in Moskau – eine Satelliten- oder sonstige Telefonverbindung aus unserer Wohnung nach Prowidenija gibt es nicht – erreichen wir sogar den dortigen Flughafenchef. Leider, leider, so auch diesmal die Auskunft, sei das Wetter in Prowidenija immer noch schlecht und eine Besserung heute nicht mehr zu erwarten. Morgen vielleicht, Genaueres könne niemand sagen. Aber da soll schon der Flieger nach Alaska gehen, der letzte vielleicht in diesem Sommer. Nach langem Hin und Her, nach Beratungen mit dem Bezirkschef von Lawrentija, dem Flughaenchef, dem Milizchef, der uns sein Auto geliehen hat, und Nastja, die sich in Wetterfragen auch gut auskennt, macht Sascha plötzlich einen Vorschlag: Wir könnten doch die Waljäger in Lorino fragen, ob sie uns mit ihren offenen Booten die 200 Kilometer über das Meer nach Prowidenija bringen würden – vorausgesetzt, das gute Wetter hält sich; und wir müssten mit zwei Booten fahren, aus Sicherheitsgründen.

Also machen wir uns mit dem Milizauto auf den Weg nach Lorino, und am Abend liegen tatsächlich zwei Boote startklar am Strand, besetzt mit je vier Männern, erfahrenen Seeleuten, wie man uns versichert. Über jedes Boot wird eine behelfsmäßige Plane gespannt, unter die wir das Gepäck verstauen und uns dann, auf Anweisung des Kapitäns, selber hocken. Die Waljäger sind von Kopf bis Fuß in Ölzeug gekleidet und haben wasserdichte Regenbrillen auf. Schon nach wenigen Minuten begreifen wir, warum. Die See ist inzwischen rauer geworden, und die starken japanischen Außenbordmotoren jagen die leichten Aluminiumboote mit einer Geschwindigkeit über das Wasser, dass uns Hören und Sehen vergeht. Mit beiden Händen klammern wir uns an die Sitzbänke, um nicht unter der Plane hinweg über Bord geschleudert zu werden. Bei jeder Welle macht das Boot einen gewaltigen Satz in die Höhe, um dann krachend wieder auf dem Wasser aufzuschlagen. Kübelweise ergießen sich die Brecher über die beiden Schiffe. Durch die Risse und Löcher der altersschwachen Plane rinnen unaufhörlich Ströme von Salzwasser nicht nur über das Gepäck und die, wie wir glauben, gut verpackte Kameraausrüstung, sondern auch über unsere Anoraks und Hosen, die sich auf Dauer als keineswegs so regenfest erweisen, wie sie die Werbung angepriesen hat.

Von Zeit zu Zeit macht unser Boot völlig abrupte und unvermittelte Wendemanöver, wobei es sich so schräg legt, dass die Bordkante fast unter Wasser gerät. Wieso er denn so zickzack fahre, brülle ich dem Kapitän unter der Plane hervor zu. «Wegen der Wale», schreit er zurück. Zunächst halten wir es für einen Witz, doch dann begreifen wir, warum das Boot vier Mann Besatzung hat. Zwei Männer stehen am Bug und machen tatsächlich nichts anderes, als nach Walen Ausschau zu halten und den Kapitän mit kurzen, lauten Zurufen zu warnen. Eine Kollision mit einem Wal, erklärt der Kapitän uns später, sei gefährlicher, als auf einen Felsen zu rasen. So ein Meeresriese könne das Boot und seine Besatzung nämlich noch mit seinem Zorn verfolgen. Und in der Beringstraße wimmele es um diese Jahreszeit von Walen.

Nach sechs Stunden, gegen Mitternacht, gehen wir in der Nähe von Prowidenija an Land. Ein Teil der Kameraausrüstung ist von den harten Schlägen des Bootes und dem Salzwasser, das durch alle Abdichtungen gedrungen ist, beschädigt. Auch wir fühlen uns, wie Maxim formuliert, etwas zerschlagen.

Am hellen Nachthimmel, an dessen unterem Rand noch immer die Sonne steht, ist kein Wölkchen zu entdecken. Der hiesige Flughafenchef hat uns offensichtlich belogen. Wie sich später herausstellt, hatte er einfach keine Lust, am Wochenende zu arbeiten.

In Prowidenija, das ebenso verfallen und menschenleer ist wie Lawrentija, trennen sich unsere Wege. Sascha, Maxim und Andrej werden versuchen, irgendwie nach Anadyr zu gelangen und dort einen Flieger nach Moskau zu erwischen. Die Amerikaner stellen für russische Kameraleute zur Zeit keine Arbeitsvisa aus. Ich warte auf die Bering-Air aus Nome, die mich vielleicht nach Alaska bringt. Im nächsten Jahr spätestens werden wir uns wieder sehen, in St. Petersburg, der Heimatstadt der Freunde, die dann ihren 300. Geburtstag feiert.

Die Eskimos von Teller

Es hat geklappt. Jim ist tatsächlich mit seiner kleinen zweimotorigen Piper Navajo, die neun Passagieren Platz bietet, nach Prowidenija gekommen. Der Flughafendirektor und der Meteorologe erwarten ihn, dazu eine resolute Dame vom Zoll und zwei Grenzsoldaten, die umständlich, als täten sie es zum ersten Mal, die Pässe kontrollieren. Jim, der Pilot, ein schlaksiger junger Amerikaner, höchstens 25 Jahre alt, hat ein paar Brocken Russisch gelernt. Er drängt, nachdem er die Hilfspakete ausgeladen hat, den Flughafenchef, die Formalitäten möglichst schnell zu erledigen. Das Wetter über der Beringstraße verschlechtere sich dramatisch.

Außer mir besteigen noch drei junge Tschuktschen die Navajo, Meeresjäger, die auf Einladung des U.S. National Park Service, der amerikanischen Naturschutzbehörde, an einer Konferenz über Waljagd teilnehmen wollen. Der Flug ist trotz allem ruhig. Von der Beringstraße ist unter der dichten Wolkendecke nichts zu sehen. Pünktlich nach anderthalb Stunden landen wir in Nome. Ich kann es kaum fassen, ich bin in Alaska – auf direktem Weg von Sibirien.

Auch Reinhard, mein Kameramann aus Köln, und sein Team sind zur Stelle: Der letzte Abschnitt der mehr als 10 000 Kilometer langen Reise vom Baikalsee zu den Nachfahren der Ureinwohner Amerikas kann beginnen.

Von Nome, der alten Goldgräberstadt an der Küste des Beringmeeres, die heute Verwaltungszentrum für ein Dutzend umliegender Eskimodörfer ist und 3500 Einwohner zählt, fahren wir mit dem Auto Richtung Nordwesten. Unser Ziel: die etwa drei Stunden entfernte Eskimo-Siedlung Teller. Der Teller-Highway, wie sich die gut ausgebaute und gepflegte Schotterpiste nennt, führt über sanfte Hügelketten. Auf der einen Seite sehen wir zu-

weilen das Meer und auf der anderen wild zerklüftete, noch mi
Schneefeldern bedeckte kahle Berge. Von Zeit zu Zeit tauche
verlassene Goldgräberhütten auf und die Reste verrosteter Bag
ger. Auch hier ist der Goldrausch längst vorbei. Nur am Stran
von Nome haben wir einige Männer getroffen, die mit selbst ge-
bastelten staubsaugerähnlichen Ungetümen den Meeresbode
noch immer nach Gold absuchen. An der Piste nach Teller hin
gegen sehen wir statt Goldsuchern frei laufende Moschusoch
sen, zottige urzeitliche Tiere, die einst über die Bering-Land
brücke von Sibirien nach Alaska kamen.

Das Dorf Teller liegt malerisch am Ufer einer Lagune, ge
schützt vor den tückischen Strömungen und den Stürmen de
Beringstraße durch eine sichelförmige Landzunge. Knapp 30(
Menschen leben hier, ganz überwiegend Eskimos vom Stamm
der Inupiat. Der Name «Eskimo», der eigentlich ein Schimpfwor
aus einer Indianersprache ist und so viel wie «Rohfleischesser
bedeutet, wird von den Küstenbewohnern auf beiden Seiten de
Beringstraße keineswegs als Beleidigung empfunden. Vielmeh
nennen sie sich selbst so – in trotzigem Stolz und bewusster Ab
grenzung von Indianern und Tschuktschen. Die Zahl der heut
noch in Alaska lebenden Eskimos wird mit etwa 40 000 angege
ben. Die meisten wohnen in kleinen, weit verstreuten Dörfer
entlang der Küste sowie an einigen Flüssen im Landesinneren
Nur wenige haben sich auf Dauer in größeren Orten wie Nom
oder gar Anchorage niedergelassen.

Wie alle Nachfahren der Urbevölkerung Alaskas, Native
genannt, haben auch die Eskimos von Teller das Recht auf «sub
sistence» – ein Begriff, der sich im Deutschen mit «Subsistenz
wirtschaft» nur unzureichend wiedergeben lässt. «Subsistence
bedeutet hier die gesetzlich garantierte Möglichkeit für die Na
tives, das, was sie zum unmittelbaren Lebensunterhalt, also zu
Ernährung, für sich und ihre Familien benötigen, durch Jage
und Fischen aus der Natur zu holen. Der Handel mit eventuel
len Erzeugnissen daraus ist, von wenigen Ausnahmen abgesehen

streng verboten. Auch der Umfang der «subsistence» ist reglementiert, um Missbrauch vorzubeugen und die natürlichen Bestände an Fisch und Wild nicht zu zerstören.

Dass in Teller «subsistence» betrieben wird, ist auf den ersten Blick zu erkennen. Überall am Strand sind kleine Netze ausgelegt; an Fischracks, hölzernen Gestellen, die sich bis zu zwei Meter über den Boden erheben, baumeln frisch gefangene blutrote Lachse. Unter einem dieser Gestelle nimmt eine junge Eskimofrau mit einem Rundmesser ein paar Prachtexemplare aus, die sie soeben aus dem Wasser gezogen hat. Manche dieser Lachse sind fast einen halben Meter lang. Auf dem Rücken der Frau hängt in einem grauen Wolltuch ein kleines schwarzhaariges Kind, das der Mutter beim Ausnehmen der Fische neugierig über die Schulter schaut. Außer der Frau und ihrem Kind sowie einem offensichtlich betrunkenen Mann, der laut fluchend versucht, den Außenbordmotor seines Bootes in Gang zu setzen, sind an diesem Sonntagnachmittag nur noch einige Halbwüchsige unterwegs, die sich mit Motorschlitten auf Rädern, 4-Wheelers, waghalsige Duelle liefern und dabei Staub aufwirbeln wie eine Herde Mustangs im Wilden Westen.

Die Holzhäuschen entlang der Uferstraße machen einen heruntergekommenen Eindruck. An vielen Stellen sind sie notdürftig mit Brettern, Pappe oder Wellblech geflickt, manche sind mit abenteuerlichen Anbauten in verschiedenster Form oder Größe erweitert. Zumeist sind es kleine Räucherkammern, deren Türen offen stehen. Zwischen einigen Häuschen sind Drähte gespannt, an denen Lachse in der Sonne trocknen. Am Ende der Uferstraße versteckt sich zwischen einem Lagerschuppen und der dumpf brummenden Generatorhalle, die den Strom für das Dorf liefert, eine kleine Holzkirche mit einem Glockenturm, der wie ein Pickel auf dem Dachfirst sitzt. Sie gehört einer der vielen lutherischen Gemeinden Alaskas. Ihr gegenüber, direkt auf dem Sandstrand, ragt eine riesige Satellitenschüssel in den Himmel, die Fernsehantenne des Dorfes. Auch an ihrer Unterseite hängen Lachse. Unmittelbar vor und neben den kleinen Wohnhütten stapelt sich Müll: Autowracks, auseinander genommene Schneemobile, ausrangierte Fernsehgeräte, Bettgestelle, verfaulende Matratzen, Küchenabfälle aller Art. Entlang der zweiten Dorfstraße, die ebenfalls parallel zum Ufer verläuft, finden sich einige Bauten offenkundig neueren Datums – identisch aussehende, kastenförmige Fertighäuser aus Holz, die Baracke mit der Krankenstation, die Schule, die das einzige gemauerte Bauwerk im Ort ist, ein kleines leer stehendes Warenhaus im Westernstil und ein protziger Fremdkörper aus Glas und Beton, das Post-Office. Auf einem schmalen asphaltierten Spielfeld vor der Schule tändeln ein paar Jungen unter einem Basketballkorb, auf den Stufen vor der Krankenbaracke sitzt ein Mann und schläft.

Joe Garnie zu finden ist ganz einfach. Wir müssen nur in die Richtung gehen, aus der das lauteste Hundegebell schallt. Joe Garnie, der wohl bekannteste Schlittenhundeführer unter den Eingeborenen Alaskas, belegte mehrfach vordere Plätze beim legendären «Iditarod-Trail», der als das härteste Hundeschlittenrennen der Welt gilt. Es führt über fast 1800 Kilometer von Anchorage nach Nome und erinnert an den legendären «Serum Run», bei dem es 1925 um Leben und Tod ging.

Im Winter dieses Jahres war in Nome eine Diphtherie-Epidemie ausgebrochen, doch der benötigte Impfstoff befand sich im weit entfernten Anchorage. Da es weder eine Straße noch eine Eisenbahnverbindung von Anchorage nach Nome gab und die gerade erst beginnende Buschfliegerei in Alaska wegen der offenen Cockpits bei Temperaturen von 40 Grad unter null lahm gelegt war, wurde eilends eine Hundestaffel mit 20 Gespannen organisiert. Trotz heftiger Schneestürme brachten die Schlitten in fünfeinhalb Tagen das dringend benötigte Serum an seinen Bestimmungsort. Die Epidemie wurde gestoppt, das Rennen zu Ehren der 20 Hundeführer und ihrer Gespanne zu einem der sportlichen Großereignisse im heutigen Nordamerika. Die Siegprämie beträgt 50 000 US-Dollar.

In einem eingezäunten sandigen Areal vor dem verschachtelten, niedrigen Holzhäuschen Joe Garnies toben etwa 30 Hunde verschiedener Rassen, in der Mehrzahl blauäugige Huskies. Sie alle sind angekettet, jeder hat seine eigene Hütte, jeder seinen eigenen Fressnapf. Hütten und Näpfe stehen so weit auseinander, dass die Tiere sich nicht gegenseitig ins Gehege kommen können. Zwischen den Hütten wuchern kleine Buchsbäume und andere winterharte Gewächse. Die Hunde wirken sauber und gepflegt, nirgendwo liegt Unrat. An der Außenseite des Zauns lehnt ein hölzerner Hundeschlitten. Darunter hocken drei kleine Kinder und beobachten uns. Ihr Vater, sagen sie, sei im Haus, er könne nicht laufen.

Das Häuschen Joe Garnies besteht aus einem lang gestreckten Wohnraum, der so niedrig ist, dass wir mit dem Kopf fast an die Decke stoßen, sowie einem kleinen Schlafraum, in dem zwei Doppelstockbetten für die Kinder stehen. Der Wohnraum, dessen vorderer Teil auch als Küche dient, ist anheimelnd und überraschend komfortabel. Ein Herd, der an Propangasflaschen angeschlossen ist, eine italienische Kaffeemaschine, ein Fernseher mit Videorecorder und eine mächtige Stereoanlage. In einer Glasvitrine unzählige Silberpokale, in die Hundeköpfe oder Schlittengespanne sowie Jahreszahlen eingraviert sind, an den Wänden viele Familienfotos. Ein besonders großes zeigt ein Eskimomädchen mit dem Hut einer High-School-Absolventin. Es ist die Schwägerin Joe Garnies. Seine Frau hat gerade frische Kanister mit Trinkwasser ins Haus geschleppt und bietet uns Kaffee an.

Joe Garnie liegt auf dem Sofa in der hintersten Ecke des Wohnraums, den Kopf und die Schultern leicht erhöht auf einem Kissen. Er ist 48 Jahre alt, wirkt aber viel jünger. Das kräftige schwarze Haar fällt widerborstig in die Stirn, um die schmalen, hellwach blickenden Augen ziehen sich feine Lachfältchen.

Es tue ihm Leid, sagt er, dass er uns auf diese Weise, liegend, begrüßen müsse, aber er habe gestern beim Fischen einen Unfall mit dem Motorboot gehabt. Dabei sei er mit beiden Beinen in die Schraube des Außenbordmotors geraten. Auf der Krankenstation habe die Sanitäterin die Wunden mit je 20 Stichen genäht, ohne besondere Betäubung, und nun könne er nichts tun als liegen und auf Besserung warten. Dabei hebt er die bunte Wolldecke und zeigt auf zwei dicke Verbände, die vom Knöchel bis zum Knie reichen.

Natürlich reden wir als Erstes über die Hunde. Joes Großvater war «musher», wie die Hundeschlittenführer in Alaska genannt werden, sein Vater ebenso. «Hier in Teller, an der Küste der Beringstraße, sind die Hunde unsere Partner im täglichen Leben. Sie helfen uns bei der Jagd, sie ziehen Lasten, sie arbeiten für uns. In Alaska waren die Huskies immer Arbeitstiere. Gerannt sind wir mit ihnen allenfalls mal in unserer Freizeit, zum Vergnügen.»

Die Schlittenhunderennen in ihrer heutigen Form, so Joe Garnie, haben eigentlich nichts mehr zu tun mit dem Alltag, mit dem Leben in den Eskimodörfern. Sie seien eine «High-Tech-Industrie» geworden, in der die Hunde mit ausgeklügelter Spezialnahrung voll gepumpt, die Schlitten als Rennmaschinen nach den neuesten Erkenntnissen der Ingenieurwissenschaften konstruiert werden und ganze Pulks von Veterinären, Helfern und Beratern den «mushern» zur Seite stehen. «Das alles ist so teuer, dass du ohne Firma im Rücken, ohne Sponsoren gar nichts ausrichten kannst. Dafür musst du ein Vollprofi sein, der den ganzen Tag nichts anderes tut, als mit den Hunden zu trainieren. Wie sollen wir Eingeborenen, wir Eskimos und Indianer, das denn machen? Unser Lebensstil ist doch ein ganz anderer. Wir gehen jagen und fischen, brauchen die Hunde zum Arbeiten und müssen natürlich auch selbst das Futter besorgen. Da haben wir doch keine Chance!»

Besonders wichtig sind die Hunde für Joe Garnie bei der

Jagd auf Elche und Karibus, die nordamerikanische Art der Rentiere. Und natürlich als «Frühwarnsystem» vor Bären und Wölfen.

Das Beschaffen des Futters für die mehr als 30 Hunde ist auch in Teller ein Problem. «Es gibt hier keinen Laden, keine Möglichkeit, irgendwie Futter zu kaufen. Also gehe ich für die Hunde fischen. Jeden Tag, im Sommer wie im Winter. Und da alle im Dorf jagen und fischen, bekomme ich auch von ihnen was, die Abfälle – Köpfe, Därme, die ganzen Innereien ... Und wenn ich mich trotzdem mal wieder auf ein Rennen vorbereiten will, muss ich beides gleichzeitig machen, mit den Hunden trainieren und Futter besorgen.»

Immer wieder beschäftigt sich Joe Garnie, wie er sagt, mit dem Leben der Menschen hier in Teller, ihrer Geschichte, ihrer Zukunft. Eine Zeit lang war er Sprecher der Native-Kooperative im Dorf, einer Art Eskimo-Selbstverwaltung. «Die Veränderungen bei uns sind einfach unglaublich. Allein wenn ich mein Leben betrachte. Als ich Kind war, gab es im Dorf als Transportmittel nur Hunde. Dann kamen die Motorschlitten, und plötzlich waren die Hunde weg. Und was ich von meinem Vater als Hundeschlittenführer gelernt habe, konnte ich nicht mehr gebrauchen. Früher sind wir gepaddelt und gesegelt, heute bauen wir Unfälle mit dem Motorboot. Wo Sie auch hinschauen, die Veränderungen fordern ihren Preis. Wir ernähren uns anders, wir kleiden uns anders, wir sind ein Volk geworden, das nicht einmal mehr seine eigene Sprache kennt. Wir Eskimos in der Arktis sprechen heute eine fremde Sprache, Englisch. Wir wissen nur noch wenig über uns selber, haben als Volk kein Gedächtnis mehr. Wir versuchen, uns zurechtzufinden, aber es ist wie ein Puzzle, das nicht aufgeht. Wir sind kaputt gemacht worden. Deswegen auch die vielen sozialen Probleme. Wir haben in Teller die höchste Selbstmordrate – nicht nur innerhalb unseres eigenen Volkes, sondern in den gesamten USA. Jeder will sich einmischen, jeder hat Erklärungen, jeder gibt uns Ratschläge. Ich habe keinen Zweifel – es hängt alles mit diesen gewaltigen Veränderungen zusammen, die ich ja am eigenen Leib erlebe.»

«Haben Sie eine Hoffnung für Ihre Kinder?»

Joe Garnie schaut auf die Wand, an der das Foto seiner Schwägerin als High-School-Absolventin hängt.

«Meine Hoffnungen sind groß. Die Kinder haben, glaube ich, viele Chancen. Das Wichtigste: Wir müssen aufhören, vor uns hinzustolpern und zu fallen. Wir müssen uns wieder aufrichten und uns darüber klar werden, wo wir heute stehen. Damit wir unseren Kindern in dieser veränderten Welt eine Richtung zeigen können. Darum geht es. Es ist gar nicht so viel. Nichts, was wir nicht schaffen könnten. Und wir müssen es packen, denn die Probleme sind da, und sie werden nicht von allein verschwinden. Wir müssen damit klarkommen. Wir müssen einfach.»

Wenn ihm das Jagen, Fischen, Füttern und Trainieren der Hunde Zeit lässt, hilft Joe Garnie beim Aufstellen der Fertighäuser. Seine Frau arbeitet in der Verwaltung der Krankenstation.

Nach dem Besuch bei Joe Garnie schlendern wir noch einmal durchs Dorf. Es wirkt noch immer wie ausgestorben. Nur in der Tür einer kleinen Hütte, an der ein handgemaltes Schild «Shop» hängt, steht ein jüngerer blonder Mann mit schütterem Bart und in kurzen Khaki-Hosen – der erste Nicht-Eskimo, den wir in Teller sehen. Es ist Kenneth Ferguson, der Besitzer des Dorfladens, gleichzeitig Bürgermeister. Außerdem arbeitet er, wie er stolz erzählt, als «Airline-Agent» für vier kleine Flugunternehmen, die mit ihren einmotorigen Maschinen gelegentlich auf einem Feld am Dorfrand von Teller landen. Überdies ist er Taxi-Unternehmer, der mit seinem Privatauto Dorfbewohner nach Nome und zurück transportiert, sowie Veranstalter von Bootstouren, falls sich im Sommer mal Touristen nach Teller verirren. Er wurde in Teller geboren, seine Eltern waren hier Lehrer. Verheiratet ist er mit einer Eskimofrau. Nachdem er längere Zeit in Anchorage ge-

ebt hat, kam er wieder zurück. «Hier hast du tolle Möglichkei-
en, wenn du arbeiten kannst und willst.»

Eigentlich wollen wir vom Bürgermeister nur wissen, ob morgen, am Montag, vielleicht mehr Menschen auf der Straße sind,
die wir filmen könnten. Doch Kenneth Ferguson winkt ab.
«Morgen wird es genauso leer sein wie heute. Die Leute sind um
diese Jahreszeit entweder beim Fischen, oder sie sitzen zu Hause
und saufen. Auf der Straße sind sie nur einmal im Monat, wenn
sie ihre Sozialhilfe im Post-Office abholen.»

Aber Teller ist doch, wie die meisten Eskimo-Siedlungen in
Alaska, ein «trockenes Dorf», ein Ort, in den kein Alkohol gebracht werden darf und wo der Verkauf von Alkohol streng verboten ist, wenden wir ein.

«Na und», sagt der Bürgermeister, «der Besitz von Alkohol ist
doch nicht verboten. Und wer soll denn kontrollieren, was die
Leute von anderswo mitbringen?»

Die meisten Einheimischen im Dorf, zumindest die Männer,
davon ist Kenneth Ferguson überzeugt, «wollen nicht arbeiten,
können nicht arbeiten oder sind nicht qualifiziert. Ihnen genügt
es, wenn sie fischen und jagen können, mehr wollen sie nicht.»
Eher würden sich die Eskimofrauen in der «cash-economy», der
Geldwirtschaft, zurechtfinden. Manche würden versuchen, auf
der Krankenstation zu arbeiten, bei der Post oder in der Verwaltung. «Aber allzu viele Jobs gibt's ja nicht bei uns.» Vor Jahren
habe man angefangen, eine Heringsfabrik zu bauen, die stehe
nun als Investitionsruine da. Was im Rahmen der «subsistence»
gejagt und gefangen werde, Wild, Lachse, Robben und anderes,
dürfe zwar nicht verkauft werden, aber beim Heringsfang habe
Teller eine Handelslizenz für 40 Tonnen pro Jahr. «Doch wir
liegen zu abseits, der Weg für die Aufkäufer ist viel zu weit.
Außerdem sind die Heringspreise im Keller, seit die Japaner
nicht mehr so scharf auf den Rogen sind, weil sie lieber zu
McDonald's gehen.» Voller Neid blickt der Bürgermeister auf
den Norden Alaskas, auf das Erdöl, das es dort gibt, das Blei und

die vielen anderen Bodenschätze. «Wir hatten nur Gold. Und auch das ist längst vorbei.»

Drei Wochen nach unserem Besuch in Teller lernen wir auf dem Schiff, das uns zu den Tlingit-Indianern nach Sitka im Süden Alaskas bringt, einen etwa 45-jährigen Mann kennen, der fast 20 Jahre in Eskimo- und Indianerdörfern als Lehrer gearbeitet hat, unter anderem in Teller. Er ist Weißer, geboren in Fairbanks, wo er auch studiert hat. Vor kurzem hat er seinen Lehrerjob an den Nagel gehängt und arbeitet nun in der Schulverwaltung in Anchorage.

Teller, sagt er, ist ein sehr schwieriges Dorf, «wie fast alle Native-Dörfer». Manche Eltern sind schon in der vierten oder fünften Generation alkoholkrank, kümmern sich nicht um die Kinder, lassen sie verwahrlosen. Und auch das Ansehen der Schule sei bei den Eltern oft nicht groß, und das sei sogar verständlich, meint der Lehrer. «Die Natives haben meist schlechte Erfahrungen mit der Schule gemacht. Sie fühlten sich von den Lehrern nicht richtig verstanden, haben wenig gelernt, durften ihre eigene Sprache nicht sprechen, wurden dafür sogar bestraft.» Da habe es auch nichts geholfen, dass die Regierung mit viel Geld schöne neue Schulen gebaut hat. Denn weder konnten sich die Lehrer auf die Psyche der Native-Kinder einstellen, noch waren die Lehrbücher brauchbar. «Was sollte ein Eskimokind am Eismeer mit einem Lehrbuch anfangen, bei dem es am Beispiel von Bäumen, Ampeln oder Kornspeichern rechnen zu lernen hatte?»

Er selbst habe als Weißer mit den Native-Kindern auch sehr viele Probleme gehabt. «Sie sitzen einfach da und beteiligen sich nicht am Unterricht. Sie reden kaum, und nur dann, wenn sie fest überzeugt sind, dass sie etwas wirklich genau wissen. Sie sagen nicht, lass uns mal dies oder jenes probieren. Wie im Alltag schauen sie lange zu und warten ab, bis sie es wirklich können. Erst dann melden sie sich oder machen sie etwas.»

Warum es denn so wenig Native-Lehrer gebe, die in die Dörfer zurückgehen, um die Kinder zu unterrichten, wollen wir wissen.

«Aus meinem Studienjahrgang in Fairbanks», sagt unser Gesprächspartner, «ging von den fünf Lehrerstudenten, die Natives waren, nur einer zurück ins Dorf.»

«Warum?»

«Das ist ein politisches und ein psychologisches Problem. Da ist zum einen die Tatsache, dass im Dorf fast alle miteinander verwandt sind. Der Lehrer müsste also ständig seine eigenen Verwandten oder die Kinder seiner Verwandten unterrichten. Nicht einfach! Und zum anderen wird die Schule von den meisten Natives nicht als Teil des Dorfes akzeptiert, sicher auch aufgrund ihrer eigenen Erfahrungen. Der Lehrer steht also automatisch auf der ‹anderen Seite›, selbst wenn er ein Native ist. Die meisten Eltern interessierten sich überhaupt nicht für die Schule und die schulischen Leistungen ihrer Kinder. Zu einem Elternabend sind sie nur gekommen, wenn wir versprochen haben, dass es Gewinnmöglichkeiten beim Bingo gibt.»

Die beste Chance, an die Kinder und die Dorfgemeinschaft heranzukommen, das hätten die letzten Jahre gezeigt, habe die Schule, wenn sie Sportmöglichkeiten anböte, vor allem Basketball. Der sei auf dem besten Wege, zu einer Art Volkssport der Eskimos und Indianer zu werden. Die Schule als Ort, wo sich die Kinder «austoben und abhängen» können. Das werde von den Einheimischen akzeptiert. Aber dabei entstehe schon wieder das nächste Problem. Wie sollen die Kinder verstehen, dass gerade in den Sommermonaten, wenn die Tage am längsten sind, die Schule geschlossen wird und die weißen Lehrer in Urlaub fahren. «Was, bitte schön, fragen die Dorfbewohner, ist denn Urlaub?»

Ob es Resignation sei, die ihn dazu gebracht habe, aus dem aktiven Schuldienst bei den Natives auszuscheiden, wollen wir schließlich wissen. Der Lehrer denkt lange nach. Dann sagt er: «Ich weiß es nicht. Ich glaube, das Problem der Native-Erziehung wird nie zu lösen sein. Sie sind eben anders als wir.»

Die Begegnung mit dem Lehrer lässt uns ratlos zurück. Wie auch die mit vielen anderen Bewohnern des Eskimolandes. Wir haben Joe Garnie kennen gelernt, den eingeborenen Jäger, Fischer und Hundeschlittenführer, Kenneth Ferguson, den Bürgermeister von Teller, und den langjährigen Lehrer dieses Eskimo-Dorfes in Alaska. Gespräche wie mit ihnen, so oder ähnlich, haben wir dutzende Male auch auf der anderen Seite der Beringstraße, in Tschukotka, geführt. Und hier wie dort haben wir keine Antwort gefunden, wie es mit den Menschen, die seit Jahrtausenden in dieser unwirtlichsten Region der Erde überlebt haben, weitergehen wird.

Archäologen am Karibu-Trail

Sie landen auf Seen und Flüssen, Waldlichtungen und Wiesen, Schotterstraßen und Sandwegen, Gletschern und Eisschollen – Alaskas Buschpiloten. Nirgendwo auf der Welt gibt es – in Relation zur Einwohnerzahl – mehr Piloten als hier im nordwestlichsten Staat der USA; und nirgendwo mehr Flugzeugunglücke. Alaskas Piloten fliegen aus Leidenschaft, aber nur in den seltensten Fällen zum reinen Vergnügen. In der wilden unendlichen Weite des Landes sind viele Regionen und Siedlungen lediglich aus der Luft zu erreichen – es sei denn, man hat Kraft, Zeit und die nötige Erfahrung für Monate dauernde Fußmärsche durch tief verschneite Tundra und gewaltige vereiste Gebirgsmassive. Alaskas Buschpiloten transportieren in ihren winzigen einmotorigen Maschinen Waren und Medikamente, Post und Personen. Und so mancher Privatpilot benutzt das Flugzeug wie ein Zweitauto. Nach Dienstschluss wirft er den Motor an und fliegt mal eben die 100 oder 200 Kilometer zu seinen bevorzugten Fischgründen. Rechtzeitig zum Spätprogramm im Fernsehen ist er wieder zurück.

Erik ist Berufspilot. Allerdings reicht dies allein nicht, um die gesamte Familie zu ernähren. Mindestens ebenso wichtig ist, was er vom Jagen und Fischen nach Hause bringt. Im Grunde, sagt Erik, lebe er in einer «Idealkonstruktion». Wenn bei dem kleinen Flugunternehmen, für das er arbeitet, wenig zu tun ist, nimmt er eine der Maschinen und braust mit Freunden dorthin, wo gerade die fettesten Lachse ziehen oder eine Karibu-Herde aufgetaucht ist. Nur den Sprit muss er bezahlen.

An Erik sind wir in Kotzebue geraten, einer Eskimosiedlung an der Küste der Beringstraße, knapp 250 Kilometer nördlich von Nome. Der heute etwa 3000 Einwohner zählende Ort unmittelbar am Polarkreis trägt den Namen des deutschen Kapitäns Otto von Kotzebue, der in Diensten des russischen Zaren auf Entdeckungsreisen rund um die Welt ging. Im Jahr 1818 segelte er mit seiner «Rurik» als erster Europäer in die später nach ihm benannte Bucht an der Westküste Alaskas, kartographierte und beschrieb sie aufs Genaueste. Zu seiner Expedition gehörte auch der Botaniker Adelbert von Chamisso, in Deutschland vor allem bekannt als empfindsamer Dichter der Romantik.

Erik ist etwa 30 Jahre alt, fliegt aber, wie er sagt, schon seit frühester Jugend – in Alaska nichts Ungewöhnliches. Mit seiner kleinen viersitzigen Cessna soll er uns nach Norden bringen, ins Tal des Kugururok River, eines Nebenflusses des Noatak. Dort, am Fuß des 4250 Meter hohen Copter Peak, sollen russische und amerikanische Archäologen ein Camp aufgeschlagen haben, in dem sie nach Spuren ihrer gemeinsamen Vorfahren graben.

Erik klemmt sich in den Pilotensitz, zeigt uns vorschriftsmäßig den Feuerlöscher, den Notfallfunk und die Schwimmwesten, die allerdings irgendwo hinten unter unseren Zelten, Schlafsäcken und der Kameraausrüstung vergraben sind. Der Flug geht in geringer Höhe über eine karge, baumlose Landschaft, durchzogen von einer Unzahl größerer und kleinerer Flussläufe, von denen die meisten ausgetrocknet sind. Je weiter wir nach Norden kommen, umso gebirgiger wird es. Kahle, schroffe Felshänge, deren Gipfel mit Schnee bedeckt, an einigen Stellen auch von Wolken und Nebel verhüllt sind. Zuweilen reichen die Nebelbänke fast bis ins Tal. Doch Erik, der weder Blindfluggeräte noch Radar hat, fliegt einfach hindurch. Auffallend häufig biegt Erik links und rechts in Seitentäler ab, wobei er so nah an den Berghängen entlangkurvt, dass man sie fast mit den Händen berühren kann.

Erik, so stellt sich heraus, ist noch nie am Kugururok River gewesen, und wo das Camp liegt, weiß er auch nicht genau. Nach anderthalb Stunden entdecken wir am Ende eines kleinen, mit Büschen und Tundragras bewachsenen Tales ein paar gelbe und weiße Punkte. Das müssen die Zelte der Archäologen sein.

Doch das Tal ist so eng, dass Erik keine Möglichkeit hat, eine Platzrunde zu fliegen, um die Landebedingungen zu erkunden. Also rast er im Tiefflug auf die Zelte zu und setzt wenige Meter davor die Cessna einfach ins Gras. Es rumpelt etwas, aber wir kommen unmittelbar neben dem Camp zum Stehen. Nach wenigen Minuten ist unser Gepäck ausgeladen, hat Erik die Cessna gewendet und ist wieder davongebraust. Etwas ratlos stehen wir mit Sack und Pack in der Ödnis, aus dem Camp dringt kein Laut, keine Menschenseele ist zu sehen. In der Gegend wimmele es von Bären, hatte uns Erik noch gesagt, aber da war er schon wieder auf dem Abflug.

Das Camp ist von einem anderthalb Meter hohen Elektrozaun umgeben. Doch wie man ihn öffnet, bleibt uns zunächst ein Rätsel. Schließlich entdeckt Christa, unsere Technikerin, irgendwo einen Hartgummigriff und vermutet, dass dies eine Art Türöffner sein könnte. Als sie ihn betätigt, setzt allerdings ein ohrenbetäubendes Sirenengeheul ein. Uns ist es egal, wir wollen nur rein ins Camp und das Tor wieder schließen, bevor vielleicht wirklich ein Bär kommt.

Das Camp macht einen durchaus komfortablen Eindruck. Neben neun Einmannzelten gibt es ein Küchenzelt, ein Vorratszelt, ein Klozelt und ein Duschzelt. Ein Generator speist die Lampen im Küchenzelt und die Kühltruhen. Es existiert sogar eine Wasseraufbereitungsanlage.

Nach einiger Zeit erfüllt das Knattern eines Hubschraubers die Luft. In dem kleinen Cockpit, das drei Passagieren Platz bietet, sitzt Bob Gal, der Chefarchäologe des National Park Service, der zugleich an der Universität von Alaska in Anchorage lehrt. Mit ihm sind wir verabredet.

Trotz seiner 55 Jahre, seines grauen, das ganze Gesicht bedeckenden Stoppelbarts und des unübersehbaren Bauchansatzes wirkt Bob Gal jungenhaft. Sein breites Lachen klingt fröhlich und gutmütig zugleich, seine Augen blicken warmherzig und wach. Sechs Wochen ist er schon hier oben am Kugururok, zusammen mit acht anderen Archäologen – Professoren, Dozenten, Doktoranden. Unter ihnen Professor Sergej Slobodin vom Archäologischen Institut der Russischen Akademie der Wissenschaften in Magadan. Ihre Grabungen sind Teil eines Sechs-Jahres-Projekts, das der Erforschung der Lebensbedingungen und Wanderbewegungen der prähistorischen Eiszeitjäger in den arktischen Regionen Alaskas dienen soll. Finanziert wird das Ganze vom National Park Service, der größten amerikanischen Naturschutz- und Umweltbehörde, deren Aufgabe auch die «Erforschung und Bewahrung der archäologischen und kulturellen Ressourcen der Vereinigten Staaten» ist.

Das Ausgrabungsfeld, in dem Bob Gal und seine Mitarbeiter nach Spuren der prähistorischen Eiszeitjäger suchen, kann nur mit dem Hubschrauber erreicht werden. Er wird aber nicht nur zum täglichen Hin- und Rücktransport des Teams an die Grabungsstelle benötigt, sondern auch um das gesamte Gebiet rund um den Copter Peak nach weiteren archäologisch möglicherweise ergiebigen Fundorten abzusuchen.

Da der Arbeitstag der Archäologen noch nicht zu Ende ist und sich die letzten Nebel- und Wolkenreste verzogen haben, lädt uns Bob Gal ein, sofort mit zur Ausgrabungsstelle zu fliegen. Als der Hubschrauber abhebt, sehen wir einen mächtigen Grizzlybären, der, aufgeschreckt durch den Lärm des Rotors, in kurzen hoppelnden Sätzen durch das Gebüsch unmittelbar neben dem Camp tobt.

Der Flug dauert etwa 15 Minuten und geht durch einen lang gestreckten Canyon mit bizarren Felsformationen auf ein Hochplateau, von dem aus man einen weiten Blick hinüber zum Copter Peak, in das Kugururok-Tal und die angrenzenden Schluchten hat. Nahe der zum Fluss abfallenden Seite der Hochebene, die spärlich mit hartem Tundragras bewachsen ist, sind 15 Felder schachbrettartig abgesteckt, wobei jedes genau ein Meter im Quadrat misst. In den Feldern, aber auch im weiteren Umkreis von ihnen sehen wir überall gelbe, rote oder orange Fähnchen im Boden. In einigen der markierten Quadrate knien oder hocken Männer und Frauen mit dicken Anoraks und warmen Mützen und kratzen vorsichtig mit kleinen Löffeln, Messern oder Pinzetten in der Erde. Von Zeit zu Zeit ziehen sie einen Pinsel aus der Tasche, um irgendetwas, das sie gerade freigelegt haben, zu säubern. Mit einer Art Rechenschieber vermessen sie das Teil und machen sich in einer Kladde Notizen. Ein wenig abseits schaufelt eine junge Frau abgetragene Erde durch ein feinmaschiges Sieb. Neben ihr im Gras liegt ein Karabiner.

Wieso, fragen wir Bob Gal, ist er auf die Idee gekommen, im riesigen Alaska ausgerechnet an dieser Stelle zu graben?

«Wir haben lange beobachtet, welche Wege die großen Karibu-Herden bei ihren jährlichen Wanderungen nehmen», antwortet Gal. Und dann erklärt er zunächst einmal, was Karibus sind: die wilden Verwandten der skandinavischen und sibirischen Rentiere, nur viel größer. Im Sommer halten sie sich vorwiegend in der flachen arktischen Tundra oder in der Gebirgstundra wie am Copter Peak auf. Hier bringen sie ihre Jungen zur Welt und ziehen im Winter in die bewaldeten Täler südlich des Polarkreises. Bis zu 2000 Kilometer legen sie jährlich auf ihrer Wanderung zurück. «Wir brauchten also nur die Pfade zu finden, auf denen die Karibus auch heute noch ziehen, und uns anzuschauen, welche Stellen für die Eiszeitjäger, die den Herden auflauerten oder nachzogen, die günstigsten waren, um sie mit Pfeilen und Speeren zu erlegen oder in Fallen zu fangen. Und ein solcher Platz ist zweifellos dieses enge Flusstal. Hier muss ein eiszeitliches Jägerlager gewesen sein.» Dabei weist Gal auf die Hufabdrücke unzähliger Karibus, die offensichtlich erst vor kurzem durch das Tal gezogen sind.

Und dann führt er uns unmittelbar zu den markierten Feldern, in denen seine Mitarbeiter kratzen, schaufeln, schaben, putzen, schreiben und zeichnen. In einer Schicht etwa 30 Zentimeter unter der Grasnarbe, so erläutert er, habe man schon in den ersten Wochen eine Fülle höchst bemerkenswerter Funde gemacht – Steinwerkzeuge, Waffen und kleinste Splitter, die offenbar beim Herstellen der einzelnen Teile entstanden sind. Mit einem Pinsel legt Sergej Slobodin gerade die Oberfläche eines dunkel glänzenden Steins frei, der sich nach einiger Zeit als ein, wie Bob Gal formuliert, «vorbildlich gearbeiteter Faustkeil» erweist. Deutlich zu erkennen sind über der unteren Spitze des Keils die seitlichen Einkerbungen, in die genau vier Finger passen, sowie die größere Kerbe auf der anderen Seite des Steins, in der der Daumen Platz hat. Verzückt betrachten die beiden Archäologen den Fund und drehen ihn vorsichtig nach allen Seiten, vergleichen ihn mit den Zeichnungen, die Sergej Slobodin in seinem Notizbuch schon von anderen Faustkeilen gemacht hat, und legen ihn dann behutsam wie ein neugeborenes Baby wieder ins Gras.

«Wie alt, schätzen Sie, ist dieser Faustkeil?»

«Ungefähr 10 500 Jahre», antworten Bob und Sergej wie aus einem Mund. Und dann lachen sie und winken die anderen heran, die das Alter bestätigen, aber gelassen meinen, so alt sei doch alles, was sie hier finden. Jedes der unzähligen Fähnchen, das in der Erde steckt, so lernen wir nun, markiere ein Artefakt, wie die Funde in der Sprache der Archäologen heißen. Manche der Artefakte sind schon eingesammelt und in Kisten verstaut, andere liegen noch neben den Fähnchen. Kleine und größere Faustkeile, Speer- und Pfeilspitzen, schmale, halbseitig oder beidseitig bearbeitete Klingen und Schaber aus Stein, wie sie im Prinzip bis heute von den Eskimos beim Bearbeiten der Felle benutzt werden. Die gleichen Klingen hatten wir bereits bei Professor Motschanow in Jakutsk gesehen.

Über 150 «archäologisch aussagekräftige» Artefakte, so Bob Gal, habe man bereits in den ersten drei Wochen hier oben am Kugururok River gefunden. «Dank dieser Vielzahl von Exemplaren beginnen wir langsam zu begreifen, wie die Steinzeitmenschen hier gelebt und gejagt haben.» Da so viele Waffen und

Werkzeuge gleicher Art entdeckt wurden, sei zu vermuten, erklärt Gal, dass es an dieser Stelle nicht nur ein Jägerlager, sondern zugleich eine Art Werkstatt gegeben hat, in der all diese Dinge hergestellt wurden. Und möglicherweise hat man nicht nur für den eigenen Gebrauch «produziert», sondern vielleicht auch, um diese Werkzeuge und Waffen auf die weitere Wanderung mitzunehmen und damit Handel zu treiben. Das jedenfalls vermutet Bob Gal aufgrund der großen Menge von Steinsplittern und anderen Resten, wie sie beim Bearbeiten der Rohlinge durch Schlagen und Hämmern entstehen. Aus ihnen lässt sich schließen, dass in dieser «Steinzeitwerkstatt» weit mehr Waffen und Werkzeuge hergestellt wurden, als man hier gefunden hat. «Aber das ist vorerst, wie so vieles, nur eine Theorie.»

Am Alter der Funde hat Bob Gal nicht den geringsten Zweifel. Sie alle sind «um die 10 000 Jahre» alt. Das jedenfalls hätten Laboruntersuchungen von Stücken ergeben, die er bereits im letzten Jahr hier ausgegraben habe. Vor ein Rätsel stellen ihn allerdings zwei neue Funde aus der vergangenen Woche: zwei mit Sicherheit von Menschenhand bearbeitete Steinspitzen, die aber so groß und schwer sind, dass sie unmöglich mit einem Pfeil oder Speer geschleudert werden konnten. Vielleicht, so Gal, gehörten sie zu großen Lanzen, das müsse jedoch erst noch weiter untersucht werden.

«Woher kamen denn Ihrer Meinung nach überhaupt die ersten Amerikaner?»

Bob Gal lacht. «Im Grunde glaube ich schon, dass sie alle irgendwie aus Afrika stammen. Aber wie sie nach Alaska gelangt sind, daran habe ich nicht den geringsten Zweifel – über die Bering-Landbrücke aus Sibirien. Ich weiß, dass es inzwischen alle möglichen anderen Theorien gibt, zum Beispiel, dass sie übers Meer aus dem südpazifischen Raum gekommen sind oder aus Australien oder sogar Europa, aber das halte ich alles für ziemlich unwahrscheinlich. Ich will mich auch gar nicht in den Streit einmischen, wer die ersten Amerikaner überhaupt waren, aber

Alaska, darauf deuten alle Forschungen hin, wurde von Sibirien aus bevölkert. Eine ganz andere Frage ist, wann das passierte. Wahrscheinlich hat es mehrere Einwanderungswellen gegeben. Eine vor etwa 12 000 Jahren, die sich dann, wie viele Anthropologen meinen, fortsetzte bis Mexiko und hinunter bis Feuerland. Eine zweite vor etwa 6000 Jahren, das waren die Vorfahren der heutigen Indianer in Alaska, also der Athabasken, Tlingit und Haida sowie der Apachen und Navajos im Südwesten der USA. Und mit der dritten Einwanderungswelle aus Asien kamen die Eskimos, so etwa vor 4000 Jahren, von denen ein Teil an der Beringstraße blieb und ein anderer weiterzog bis Kanada und Grönland.»

Nicht auszuschließen ist aber auch, so Bob Gal, dass es schon viel früher eine Einwanderungswelle gab – irgendwann zwischen 30 000 und 10 000 Jahren vor unserer Zeit. Doch dafür fehlen noch immer die letzten Beweise.

Auch Professor Slobodin zweifelt nicht daran, dass die Ureinwohner Alaskas aus Sibirien kamen, und zwar aus dem Baikal-Gebiet. «Von dort sind sie in verschiedene Richtungen gezogen, nach Osten über den Amur, nach Norden die Lena hinab, angekommen jedoch sind sie in Alaska über Tschukotka und die Beringstraße.» Slobodin hat viele Jahre Ausgrabungen im Gebiet der Kolyma durchgeführt und darüber auch seine Habilitation geschrieben. «Wir haben in Kolyma die gleichen Artefakte gefunden wie jetzt hier in Alaska; die gleiche Technik, die gleichen ‹microblades›, die zweiseitig bearbeiteten Klingen, die gleichen Speerspitzen. Die Funde in Kolyma sind nach unseren Untersuchungen etwa 18 000 Jahre alt. Die von weiter westlich, von der Lena stammenden, die identisch sind mit denen an der Kolyma und in Alaska, sind rund 30 000 Jahre alt. Wie die Wanderbewegungen im Einzelnen verlaufen sind, wissen wir nicht. Auch über die verschiedenen Transformationsprozesse von einer Kultur in die andere wissen wir noch wenig. Aber eins ist sicher: Die paläoarktische Tradition in Sibirien und Alaska ist dieselbe.»

Warum, so fragen wir Bob Gal, gibt es in Sibirien Funde, die 18 000 oder gar 30 000 Jahre alt sind? In Alaska hingegen haben die ältesten Funde gerade mal ein Alter von 11 000 Jahren.

«Ich weiß es nicht», sagt er und schaut dabei nachdenklich auf den eben erst zutage geförderten Faustkeil. «Vielleicht sind die noch älteren Artefakte ja alle mit der Bering-Landbrücke am Ende der Eiszeit im Meer versunken. Vielleicht haben wir einfach noch nicht genug gegraben oder vielleicht an den falschen Stellen. Auch wir in Alaska haben doch gerade erst begonnen, diese Probleme intensiv, extensiv und systematisch zu erforschen. Und je mehr wir entdecken, umso mehr Fragen haben wir. Wir machen selbst innerhalb Alaskas Funde, die sich einerseits ganz ähnlich sind, gleichzeitig aber große Unterschiede aufweisen. Warum? Wir haben auch noch kaum eine Ahnung, wie sich die Indianerstämme bei uns im Einzelnen entwickelt haben, wann sie wohin gezogen sind, welche Einflüsse die entscheidenden waren und vieles mehr. Fragen, Fragen, Fragen …»

Sergej Slobodin nickt heftig mit dem Kopf. «Bei uns in Russland ist es genauso. Wir wissen viel zu wenig, und es wird auch viel zu wenig geforscht, gerade in Sibirien, wo es mit Sicherheit noch sehr viel zu entdecken gibt. Es ist in Russland ein Elend mit der Archäologie. Es gibt kein Geld und vor allem kein Verständnis für uns. Die heutige Nomenklatura denkt bei alter Kultur allenfalls an Ikonen. Und Schluss! Alte Steine, was soll das?»

Und dann verweist Sergej Slobodin auf die Glanzzeit der russischen Archäologie und auf Professor Okladnikow, den wohl berühmtesten russischen Archäologen und Sibirienforscher des 20. Jahrhunderts. «Damals gab es noch Geld für Exkursionen, wurden die Ergebnisse der Forschung auch gedruckt, in hohen Auflagen. Ich kann doch nur in Alaska graben, weil mich die Amerikaner eingeladen haben!»

Auf Professor Okladnikow waren wir schon im Zusammenhang mit den Felszeichnungen von Schischkino am Oberlauf der Lena gestoßen. In seinen Forschungen zur kulturgeschichtlichen

Entwicklung Sibiriens hat er sich auch ausführlich mit der Kultur der ersten «Wanderjäger» beschäftigt, die sich gegen Ende des Paläolithikums, vor etwa 12 000 Jahren, im Norden Sibiriens herausbildete. Zu den «charakteristischen Grundelementen» dieser «Schneeschuhkultur», die die Kultur der im Winter sesshaften Mammut-, Nashorn- und Rentierjäger ablöste, gehörten Ski, Mokassins, leichte Kleidung aus Fellen, Wigwams. Im Gefolge der Besiedlungswellen aus Asien hat sich diese Kultur, daran bestand schon für Professor Okladnikow kein Zweifel, über die Beringstraße in die Neue Welt, nach Amerika, ausgebreitet. «Mit der Evolution dieser Kultur entstand die ganze ethnisch-kulturelle Welt, welche die Indianer des nordamerikanischen Kontinents bis zum Aufkommen des Ackerbaus bildeten.»

Am Abend im Camp zeigt uns Sergej Slobodin die Zeichnungen, die er bei seinen Grabungen entlang der Kolyma von den steinzeitlichen Faustkeilen, Klingen, Schabern, Sticheln, Speer- und Pfeilspitzen angefertigt hat. Sie gleichen den Werkzeugen und Waffen, die wir an der Grabungsstelle von Bob Gal im Tal des Kugururok River gesehen haben, wie ein Ei dem anderen.

Und dann macht uns Sergej noch auf jüngste Forschungen aus einem anderen Fachgebiet aufmerksam – die Arbeiten des Instituts für Zellforschung und Genetik an der Akademie der Wissenschaften in Nowosibirsk. Mit Hilfe aufwendiger, von der deutschen Humboldt-Stiftung unterstützter DNS-Analysen hätten die Molekulargenetiker aus Nowosibirsk die stammesgeschichtlichen Merkmale der kleinen, vom Verschwinden bedrohten Urvölker Sibiriens untersucht und mit dem Erbgut anderer eingeborener Ethnien der nördlichen Hemisphäre verglichen. Dabei habe sich herausgestellt, dass das Volk, das den nordamerikanischen Indianern genetisch am nächsten ist, heute in Südsibirien lebt – die Tuwa, turksprachige Rentierzüchter, Jäger und Ackerbauern westlich des Baikalsees.

Bei unserer Rückkehr nach Deutschland finden wir einen Bericht in der «Frankfurter Allgemeinen Zeitung» über die Arbeit der Genetiker in Nowosibirsk. Er bestätigt jedes Detail der Schilderung Sergej Slobodins.

Im Kugururok-Tal sehen wir noch in der Nacht vom Camp aus, wie eine riesige Karibu-Herde von mehreren tausend Tieren mit ihren Jungen durch das fast ausgetrocknete Flussbett nach Süden zieht. Das wie Kastagnetten klingende vielstimmige Klackern, das von der Herde herüberdringt, stammt nicht von den Hufen der Tiere, sondern von ihren Gelenken. Es ist ein Charakteristikum der Karibus. Auch das lernen wir von den Archäologen.

Wald-Indianer

Er war Analphabet, konnte weder lesen noch schreiben und sprach kein Wort Englisch. Und dennoch besiegte er zweimal die Regierung der Vereinigten Staaten von Amerika. Mike Alex war der letzte traditionelle Häuptling des Eklutna-Stamms vom Volk der Athabasken. Sein ursprünglicher Vorname lautete Maxim, so hatten ihn russische Priester getauft. Amerikanische Beamte machten daraus später Mike. Den Lebensunterhalt für sich, seine Frau und seine 13 Kinder verdiente Mike Alex im Sommer durch Jagen und Fischen und in der restlichen Zeit des Jahres als Streckenarbeiter bei der Alaska Railroad. In den Jahren zwischen 1950 und 1970 versuchte die US-Regierung, das Indianerdorf Eklutna aufzulösen, um das Land an Bauspekulanten zu verkaufen. Mike Alex verpflichtete auf eigene Kosten einen Native-Anwalt und stand an seiner Seite zwei Prozesse durch – siegreich. Eklutna ist noch heute Eigentum der Indianer.

Die Athabasken nennen sich in ihrer eigenen Sprache «Denaina», was übersetzt heißt: «Wir sind das Volk.» Als Wald-Indianer, die vor allem im Landesinneren von Alaska leben, ernähren sie sich traditionell vom Fischfang und der Jagd auf Elche und Karibus. Ihre Lebensbedingungen sind weitaus härter als die der Küstenbewohner. Das Landesinnere ist aufgrund seines Kontinentalklimas noch kälter als die Eismeerküste und dabei so karg, dass die Wildtiere auf der Suche nach Nahrung und in ihrem Gefolge die Indianer riesige Strecken zurücklegen müssen. Zudem fehlt das Meer mit seinem Reichtum an Walen, Robben und Walrossen – unschätzbar vor allem als Fett- und Vitaminlieferanten für die Bewohner des Hohen Nordens.

Die Zahl der Athabasken, die heute in Alaska leben, wird auf etwa 14 000 geschätzt. Sie sind, zusammen mit den Tlingit an der Südostküste, die älteste Volksgruppe in Alaska und gehören zu len wenigen Indianerstämmen Nordamerikas, die noch mit Entschiedenheit versuchen, zumindest in einigen Bereichen an ihrer traditionellen Lebensweise festzuhalten.

Das Dorf Eklutna liegt knapp 50 Kilometer nordöstlich von Anchorage, an der Mündung des gleichnamigen Flusses in einen Nebenarm des Cook-Inlet – eines riesigen Fjords, der sich trichterähnlich zum Pazifik hin öffnet. Hier kreuzten sich mehrere traditionelle Indianerpfade. Einer von ihnen war der Iditarod-Trail, der später dem berühmten Schlittenhunderennen seinen Namen gab. Mindestens seit 1650, das haben archäologische Forschungen ergeben, befand sich hier eine feste Indianersiedlung. Der Fischreichtum der Umgebung und das große Angebot an jagbarem Wild in den küstennahen Wäldern ließ den Eklutna-Stamm früh sesshaft werden, im Gegensatz zu den Athabasken weiter im Norden Alaskas, die auf der Suche nach Nahrung ständig hinter den großen Karibu-Herden herziehen mussten.

Heute besteht Eklutna aus einem knappen Dutzend kleiner Holzhäuser, versteckt in einem Kiefernwald, in dem dichtes Unterholz wuchert. Sie gruppieren sich im Halbkreis um das Ende eines Sandwegs, über den das Dorf vom Glenn-Highway aus, der Anchorage mit dem nördlichen Alaska verbindet, zu erreichen ist. Etwa 60 Menschen wohnen hier. Die übrigen rund 200 Mitglieder des Eklutna-Stammes leben verstreut in Anchorage oder anderen Orten am Cook-Inlet.

Auf den Grundstücken sieht es ähnlich aus wie bei den Eskimos in Teller. Es handele sich aber keineswegs um Müll, sagt uns Lee, der einzige Erwachsene, den wir auf der Straße antreffen. Was Sie hier sehen, ist unsere ‹Bank›. Wir können einfach nichts wegwerfen, denn unsere Tradition hat uns gelehrt, dass alles noch einmal verwendet werden kann. Egal, ob es sich um die Reste eines Tieres, die Haut, die Knochen, die Sehnen handelt oder einen alten Fernseher, Küchenschrank oder Sattel eines Schneemobils. Alles wird irgendwann wieder zu gebrauchen sein, vielleicht lässt es sich sogar verkaufen.»

Lee, etwa 35 Jahre alt, ein muskulöser Mann mit breiten in
dianischen Gesichtszügen, dessen Jeansjacke auf der Rückseit
ein großer gestickter Weißkopfseeadler ziert, strahlt ein starke
Selbstbewusstsein aus. Er macht nicht den geringsten Hehl dar
aus, was er von uns hält. «Wir mögen keine Touristen», sagt e
kurz und unmissverständlich und fügt hinzu: «Wir haben ein tie
fes Misstrauen gegen Weiße. Wir wollen nicht, dass sie, wie unter
in den USA, zu uns Indianern kommen, als gingen sie in de
Zoo. Und dann vielleicht auch noch fragen, ob wir nicht mal un
seren Federschmuck aus dem Wigwam holen können.»

Lee ist stellvertretender Dorfchef und zugleich Vorstandsmit
glied der Native-Kooperative, der das Dorf Eklutna gehört. Al
wir unsere Kamera ausschalten, wird er etwas zugänglicher
«Natürlich haben wir unsere Probleme. Fast 80 Prozent der Leu
te im Dorf sind arbeitslos. Entweder sind sie so schlecht ausge
bildet, dass sie keinen Job bekommen, oder sie wollen nicht ar
beiten. Jedenfalls nicht in den Strukturen der Weißen, wo si
sich immer als ‹underdogs› fühlen. Sie bleiben viel lieber z
Hause, trinken, rauchen Marihuana oder Haschisch und gehe
gelegentlich zum Fischen oder auf die Jagd.»

Dabei, so Lee, ist die Native-Kooperative Eklutna keinesweg
arm. Anders als im übrigen Teil der USA leben die Indiane
Alaskas nicht in Reservaten. Gleichsam als Entschädigung fü
jahrhundertelanges Unrecht, die Ausbeutung der Bodenschätz
und die Zerstörung ihrer natürlichen Lebensräume erhielten si
1971 vom Amerikanischen Kongress einen nicht unerhebliche
Landbesitz zugesprochen. Fast zwölf Prozent des Territorium
von Alaska gehören heute regionalen Gesellschaften der Urein
wohner, Indianern wie Eskimos. Auch die Native-Kooperativ
von Eklutna verfügt über einen beachtlichen Landbesitz sowi
Immobilien in begehrten Lagen von Anchorage. Zwar sei da
Management, so Lee, nicht immer das «effektivste», und außer
dem sei die Zerstrittenheit einiger Familienclans «ein Problem»
doch gebe es jährlich für alle Dorfbewohner immer noch gut

Dividenden. Aber genau das, meint er in aller Offenheit, sei eine weitere Schwierigkeit: «Warum, so denken viele unserer Leute, sollen wir arbeiten gehen, wenn wir auch so genug Geld bekommen?» Selbst Lee scheint sich nicht ganz sicher, ob die Dividenden, die die Mitglieder seines Stammes regelmäßig und ohne eigenes Zutun erhalten, nicht zugleich «ein Fluch» sind. Andererseits: «Alaska ist doch unser Land. Sollen die Weißen dafür bezahlen!» Dabei, so Lee, geht ein Riss durch seinen eigenen Stamm. «Die einen sind stolz auf ihre Kultur und möchten so viel wie möglich davon bewahren. Die anderen wären am liebsten voll integriert in die Gesellschaft der Weißen. Beides zusammen geht wohl nicht. Am besten wäre, wenn man uns einfach in Ruhe ließe. Auch deshalb mögen wir keine Touristen.»

Willkommen sind Touristen in Eklutna nur auf dem historischen Friedhof, etwas abseits des Dorfes. Er ist ein einzigartiges Zeugnis der Kolonialgeschichte und der Verschmelzung zweier Kulturen im äußersten Norden Amerikas. Auf mehr als hundert Grabhügeln erheben sich kleine bunt bemalte Holzhäuschen, die aussehen wie Kindersärge oder Bauten aus einer Puppenstube. Es sind «spirit houses», in die, so glauben die Athabasken, die Seelen der Verstorbenen nach dem Tod Einzug halten. Vor jedem dieser indianischen Seelenhäuschen steht ein russisch-orthodoxes Kreuz. Die Größe der Häuschen ist unterschiedlich und richtet sich nach den Körpermaßen der Toten. Die kleinsten Häuser sind die Seelenwohnungen von Säuglingen.

Angemalt werden die «spirit houses» in den jeweiligen Farben der Familienclans. Besonders häufig ist die Farbe Rot. Den Eingang des Friedhofs säumen zwei Kapellen aus Holz mit zwiebelförmigen Kuppeln, beide dem heiligen Nikolaus geweiht. Die kleinere, aus dunklen Balken roh zusammengefügt, wurde um 1840 errichtet, als die ersten russischen Missionare im Gebiet von Anchorage erschienen. Sie gilt als das älteste Gebäude der Region. Die in strahlendem Weiß gestrichene größere Gebetska-

pelle wurde 1962 fertig gestellt. Ihren Bau hatte Häuptling Mik‹
Alex initiiert. Sie sollte sein Lebenswerk krönen.

Auf einer Bank vor einem der Seelenhäuschen kommen wi›
mit zwei Frauen ins Gespräch, zu deren Füßen ein kleines Kin›
spielt. Die ältere der beiden ist die 80-jährige Pauline Chilligar
die Einzige des Eklutna-Stamms, die noch mehr als nur ein paa›
Worte Athabaskisch kennt. Im Dorf wird sie verehrt als «Hüteri
der Sprache». Ihre Tochter, die sie auf den Friedhof begleitet ha›
kennt außer den Grußformeln und einigen Tiernamen kein›
Wörter mehr aus dem Idiom ihrer Vorfahren.

In leichtem Singsang beginnt Pauline auf Athabaskisch ei›
paar Sätze aus einer Legende zu erzählen, von Männern, die au
die Jagd gehen. Doch schon nach kurzer Zeit bricht sie ermüde‹
ab. «Ich bin es nicht mehr gewohnt, diese Sprache zu sprechen
Aber auch Englisch fällt ihr schwer, sie hat es, wie sie sagt, ni›
richtig gelernt. Und in einfachen Worten erklärt Pauline, was i›
ihrem Leben das Wichtigste ist: «Mein Glauben, so wie ich ih›
von den russischen Priestern gelernt habe. Und ich wäre glück‹
lich, wenn auch meine Tochter und meine Enkelin nach diesen
Glauben leben würden.»

Dann erläutert uns Paulines Tochter die Seelenhäuschen. Na›
türlich würden auch heute noch die Verstorbenen aus Eklutn›
hier nach dem alten Ritus beerdigt. Erst 40 Tage nach dem Be
gräbnis darf mit der Errichtung des «spirit house» begonnen wer
den. Bis dahin wird das Grab lediglich mit einem dicken Tuc›
abgedeckt und mit Steinen beschwert. Früher wurden den Tote›
in die Seelenhäuschen Schmuck und andere Dinge aus ihren
Besitz beigegeben, «aber das macht man heute nicht mehr». Au
unsere Frage, warum, lächelt die Tochter nur.

Wenn es ihr Gesundheitszustand erlaubt, geht Pauline regel
mäßig zum Gottesdienst in die St.-Nikolaus-Kapelle. Zu Vate
Simeon, der seit 19 Jahren als russisch-orthodoxer Priester i›
Eklutna seinen Dienst versieht.

Heute ist ein Wochentag, doch uns zu Ehren hat Vater Simeo›

sein Ornat mit der klassischen russisch-orthodoxen Priesterhaube angelegt. Er ist etwa 60 Jahre alt, von hohem stattlichem Wuchs und begrüßt uns mit kräftiger, voll tönender Stimme. Pauline, die sichtbar unter der Sommerhitze und den Myriaden von Stechmücken auf dem Friedhof leidet – es sind 33 Grad im Schatten –, hat sich, mühsam auf ihren Stock gestützt, die drei Stufen zum Eingang der Kapelle emporgequält. Dort küsst sie dem wartenden Vater Simeon die Hand und lässt sich von ihm zu einer Ikone geleiten. Sie zeigt die Himmelfahrt der Jungfrau Maria. Pauline verbeugt sich tief und schlägt mehrmals ein Kreuz nach russisch-orthodoxem Ritus. Unhörbar, nur an ihren Lippen abzulesen, spricht sie ein Gebet. Nachdem sie mit zittrigen Fingern eine Kerze angezündet hat, geleitet Vater Simeon sie wieder zur Tür. Pauline küsst ihm die Hand und versichert, dass sie, wie immer, zum nächsten Gottesdienst erscheinen werde. «Wenn mir der Herr Gesundheit schenkt.»

Die Ikone, vor der Pauline gebetet hat, ist, wie Vater Simeon stolz erzählt, etwa 350 Jahre alt. Mit russischen Schiffen wurde sie im frühen 18. Jahrhundert nach Alaska gebracht, wie viele andere Ikonen in der kleinen Kapelle auch. «Ein richtiges Museum haben wir», freut sich der Priester, und «aus Ehrfurcht» habe man es bisher auch nicht gewagt, eines dieser inzwischen nachgedunkelten und von feinen Rissen durchzogenen Kunstwerke zu restaurieren.

Seine Gemeinde, so Vater Simeon, zählt etwa 100 Mitglieder, rund 80 Prozent davon sind Ureinwohner. Nicht nur Athabasken und andere Indianer, sondern auch Aleuten und Eskimos. Er selbst, dessen Vorfahren vor rund 120 Jahren aus Russland kamen, bezeichnet sich als «Mischling». Außer russischem Blut fließe in seinen Adern Aleuten-, Athabasken- und sogar schwedisches Blut.

«Wie geht das hier in Eklutna auf dem Friedhof zusammen – indianische ‹spirit houses› und russisch-orthodoxe Kreuze?», fragen wir Vater Simeon.

«Eigentlich ganz einfach», sagt der Priester und lächelt. «Bevor die Russen kamen, beteten die Ureinwohner den Großen Geist an. Sie wussten, dass es ein höheres Wesen gibt. Sie kannten Sonne und Mond, Ebbe und Flut, die Veränderungen im Wetter, den Wechsel der Jahreszeiten, Winter, Frühling, Sommer, Herbst. Blätter wuchsen und fielen herab. Wer sorgte dafür? Die Natur. Sie war das Werk des Großen Geistes. Also beteten sie ihn an als ihren Gott. Als dann die Russen kamen, erklärten diese ihnen die Dreifaltigkeit. Aus dem Großen Geist wurde der Heilige Geist. Nur ein Wörtchen änderte sich. Die Menschen behielten den Großen Geist bei, auf ihren Gräbern. Sie bauten ihm Denkmale, die Seelenhäuschen. Hierher brachten sie die Besitztümer der Toten, um sie mit dem Großen Geist zu teilen: Schmuck, Muscheln, Teller und andere kostbare Dinge.»

Der Priester macht eine Pause, als falle ihm das Weiterreden an dieser Stelle schwer. Dann sagt er bekümmert: «Heute passiert das aber nicht mehr.»

«Warum?»

«Weil so viele Leute kommen, um zu plündern und zu stehlen. Wenn heute jemand stirbt, werden die Seelenhäuschen natürlich immer noch als Denkmale für den Großen und den Heiligen Geist gebaut. Aber die Sachen, die man früher hineingelegt hat, teilt man nun unter der Familie des Toten auf oder verschenkt sie, zuweilen auch der Kirche.»

«Aber gab es nicht Konflikte zwischen den Riten und Traditionen der Ureinwohner und dem russisch-orthodoxen Glauben, dem Christentum überhaupt?»

Nun lächelt Vater Simeon wieder.

«Selbstverständlich gab es diese Konflikte. Wenn ein Häuptling zwei oder drei Frauen hatte und der Missionar verkündete, dass ein Christ nur eine Frau haben darf, dann verbündeten sich die Eingeborenen gegen ihn, stellten seine Macht, sein Prestige in Frage. Nicht selten töteten sie den Geistlichen und machten ihn zum Märtyrer. Aber in unserer Gegend ist das nicht vorgekommen. Hier haben die Leute akzeptiert, dass die christliche Lehre nur eine Frau erlaubt. Es war ein allmählicher Prozess, eine allmähliche Verschmelzung der ursprünglichen Kultur mit der christlichen Kultur. Und es gab ja auch sonst viele Gemeinsamkeiten: Die Ureinwohner verehren in ganz besonderer Weise die Alten. Das tun wir auch. Wir haben ja sogar ein Gebot: Ehre deinen Vater und deine Mutter! Das half ebenfalls, die Kulturen zusammenzubringen. Eine andere Sache ist es mit der Heiligen Dreifaltigkeit. Das mit dem Heiligen Geist war einfach zu verstehen. Das war der Große Geist. Aber die Sache mit Gottvater und Sohn – das war für die Menschen hier schwierig. Doch das ist sie ja auch für Christen.»

«Glauben Sie nicht», fragen wir Vater Simeon, «dass die russische Kirche in Alaska zugleich ein Instrument der Kolonisierung war?»

«In gewisser Weise schon», sagt er ohne zu zögern. «Als die orthodoxe Kirche vor 200 Jahren hierher kam, hatte das Russische Reich einen Zaren, waren Herrschaft und Kirche dasselbe. Die russischen Missionare kamen, um Menschen zu bekehren. Die Geschäftsleute kamen, um das Land zu kolonisieren. Die einfachste Methode für beides, Kolonisierung und Bekehrung, war es, Mischehen mit den Ureinwohnern zu fördern. So wurden die Kinder zu russischen Bürgern und automatisch auch zu Christen. Es war der wirksamste Weg, die Einheimischen zu kontrollieren. Finanziert wurde die Missionierung vom Zaren – und der war reich, sehr reich. Kolonisierung und Christianisierung speisten sich also aus ein und derselben Quelle – dem russischen Imperium.»

«Aber hat der Kolonialismus nicht letztlich die Kultur der Ureinwohner zerstört?»

«Nein, nicht die orthodoxe Kirche. Sie ersetzte lediglich eine Naturreligion durch das Christentum. Mag sein, dass dies für einige auch ein Verlust war. Letztlich jedoch wurden die Ureinwohner durch das Christentum bereichert. Es schenkte den

Menschen in gewissem Sinne Würde, hat diejenigen, die als Sklaven für die Häuptlinge arbeiten mussten, frei gemacht. Natürlich ging es nicht ohne Streit ab. Vor allem die Indianer im Südosten Alaskas leisteten Widerstand, es gab große Kämpfe. Aber schließlich siegte auch hier das Christentum, auch wenn es ziemlich lange dauerte.»

Am nächsten Morgen sind wir mit Dan Alex verabredet, dem Sohn von Mike Alex, jenes Häuptlings, der gegen die amerikanische Regierung in zwei Prozessen siegreich blieb. Es ist die Zeit des Lachsfangs, und so hat Dan Alex vorgeschlagen, uns unweit der Kirche am Eklutna-Fluss zu treffen.

Als wir gegen 9 Uhr dort ankommen, liegt noch leichter Frühdunst über dem Fluss. Nur schemenhaft sind in der Ferne die schneebedeckten Gipfel der Chugach Mountains zu erkennen. Vor zwei Stunden hat Dan Alex das etwa 20 Meter lange Netz, das mit einem Pfosten am Ufer festgemacht ist, ausgebracht. Nun steigt er mit hohen Gummistiefeln ins Wasser und holt es ein. Genau 15 mächtige Königs- und Silberlachse sind die Beute. Auf einem in den Boden gerammten Holztisch säubert er die Fische und wirft sie in zwei große, mit Trockeneis gefüllte Kühlboxen. Einmal in der Woche, so sehen es die Regeln der «subsistence» für den Eklutna-Stamm vor, kann er mit dem Netz auf Lachsfang gehen. Zehn Fische darf er jeweils für sich behalten, was darüber hinausgeht, muss er an andere Familien abgeben.

Dan Alex ist 55 Jahre alt und der Erste seines Stammes, der ein Hochschulstudium abgeschlossen hat. Er studierte Mathematik und Physik und arbeitete danach als Statiker bei verschiedenen Baufirmen sowie in der Selbstverwaltung der Eklutna Korporation. Heute ist er nur noch gelegentlich in seinem erlernten Beruf tätig. «Subsistence» und sein Engagement für die Rechte der Natives füllen ihn, wie er sagt, «mehr als genug» aus. Ein Interview vor der Kamera möchte er beim Fischfang nicht geben. Dafür wolle er sich erst umziehen und seine Clanfarbe anlegen. Und als Ort für das Gespräch schlägt er das Blockhaus gegenüber der Kirche von Eklutna vor, das sein Vater gebaut hat und in dem er geboren wurde.

Am Nachmittag steht Dan Alex tatsächlich in seiner Clanfarbe vor uns, einem Polohemd in leuchtendem Rot. Neben der Blockhütte, die er nur noch an Wochenenden bewohnt – er ist längst ins nahe gelegene Anchorage gezogen –, erhebt sich ein mannshohes Holzgerüst, das aussieht wie ein überdimensionales Vogelhaus. Es ist eine traditionelle Vorratskammer der Ureinwohner, hoch über der Erde, unerreichbar für Bären und andere wilde Tiere. Die Leiter kann nur von Menschen aufgestellt werden.

Voller Stolz erzählt Dan Alex zunächst von seiner Familie. Nicht nur sein Vater war Häuptling, auch sein Großvater und Urgroßvater. Der Großvater mütterlicherseits war Medizinmann und Schamane des Susitna-Stammes der Athabasken. Er hat die Vernichtung seines Stammes durch die Weißen vorausgesagt und Recht behalten.

Sein Vater, so Dan Alex, sei zwar Analphabet gewesen, «trotzdem verstand er viel vom Geschäftsleben». Wenn es die Tradition der Häuptlinge noch gäbe, wäre Dan Alex heute der «chief» des Eklutna-Stammes. «Aber wir leben ja in modernen Zeiten, mit anderen Strukturen.» Als «elder» und Sohn des letzten Häuptlings genieße er allerdings, wie er ganz unprätentiös anfügt, durchaus ein «besonderes Ansehen».

Als wichtigste Werte, die ihm seine Vorfahren vermittelt haben, nennt er «Ehre, Integrität und Ehrlichkeit». Und er setzt erläuternd hinzu: «Meine Eltern würden es so sagen: Es gibt nur einen Weg, nämlich immer die Wahrheit zu sagen und ehrlich und ehrenhaft mit anderen umzugehen.»

«Und was ist mit der Sprache der Athabasken? Ist sie wirklich vom Aussterben bedroht?»

«Ja», sagt Dan Alex mit einem resignierenden Unterton, «sie ist schon so gut wie verschwunden. Und das hat mit der Vergangenheit zu tun. Erst kamen die Russen und brachten viele neue Dinge, Begriffe, eine neue Sprache, eine andere Kultur. Da passten wir uns schon ziemlich an. Und dann kamen die Amerikaner. Noch eine neue Sprache, noch eine neue Kultur. Und das größte Problem für uns ist, dass so viele Menschen umgekommen sind. Fast die gesamte Urbevölkerung. Nur ein Zehntel unserer Leute überlebte die Krankheiten, die der Weiße Mann eingeschleppt hat. Das bedeutet eine Vernichtungsrate von 90 Prozent. Die hierarchischen Strukturen wurden zerstört, die Familieneinheiten. Das alles macht unsere Situation heute so schwierig.»

«Aber es gibt doch viele Indianer-Gemeinschaften in Alaska, die sehr reich sind, denen viel Land gehört und wo dennoch Armut herrscht und soziale Not.»

Dan Alex scheint diesen Einwand schon öfter gehört zu haben. «Ich habe mich sehr intensiv mit diesem Problem beschäftigt und deshalb nicht nur andere Indianer-Gemeinschaften in Alaska besucht, sondern auch Reservate im übrigen Amerika, in Kalifornien und anderswo. Und immer wieder habe ich die Erfahrung gemacht: Es hängt von den Leuten ab, die an der Spitze der Gemeinschaften und Reservate stehen. Da gibt es fähige und unfähige, fleißige und faule, ehrliche und unehrliche Leute. Menschen, die mit Geld umgehen können, und solche, die es nur verschwenden. Alles kommt auf die Führung an.»

«Und welche Perspektiven sehen Sie für Ihren Stamm?»

«Die Perspektiven sind besser geworden. In meiner Generation war ich der Erste, der ein Studium zu Ende gebracht hat. Jetzt hat unsere Korporation einen Fonds gegründet, der jungen Leuten eine komplette Universitätsausbildung finanziert. Wir haben inzwischen eigene Rechtsanwälte, eigene Ärzte, Ingenieure. Unser langfristiges Ziel ist, möglichst vielen Menschen zu helfen, sich in den Strukturen der modernen Gesellschaft zurecht zu finden, das Wirtschaftssystem zu verstehen und für sich zu nutzen. Und ich habe die Hoffnung, dass es klappt.»

Das Vermächtnis des Tlingit-Häuptlings

Drei Flaggen wehen über der Stadt: die Fahne Alaskas, die Fahne der Vereinigten Staaten von Amerika und die russische Zarenflagge mit dem Doppeladler. Der Hügel trägt den Namen des ersten russischen Gouverneurs von Alaska, Baranow. Hier standen das russische Fort und der Gouverneurspalast. Geblieben sind außer dem Namen und der russischen Fahne noch zwei Kanonen mit dem Wappen der Zaren, die trutzig auf den Pazifik gerichtet sind. Ansonsten ist Baranow-Hill eine Aussichtsplattform, die vor allem von den Touristenscharen unzähliger Kreuzfahrtschiffe bevölkert wird.

Alexander Baranow hatte der 1799 von ihm gegründeten russischen Siedlung an der Südostküste Alaskas den Namen Neu-Archangelsk gegeben. Heute heißt der Ort wieder Sitka, was in der Sprache der hier heimischen Tlingit-Indianer «Dorf hinter den Inseln» bedeutet.

Das in einer malerischen Fjordlandschaft gelegene, etwa 8000 Einwohner zählende Sitka wird in vielen Reiseführern als «eine der schönsten kleineren Städte Nordamerikas» beschrieben. Dank des warmen Alaska-Stroms ist das Klima relativ mild; selbst im Winter fällt das Thermometer kaum unter den Gefrierpunkt. Die Berghänge entlang der Küste gelten als der größte außertropische Regenwald der Erde, der sich durch einen ungewöhnlichen Artenreichtum auszeichnet – Zedern, Douglastannen, Zypressen, Sitkafichten und viele Arten von Laubbäumen. Auch die Tierwelt ist weitaus reicher als im kargen und kalten inneren Alaskas. Ein ideales Siedlungsgebiet, dessen Schätze des Meeres wie des Waldes gleichermaßen günstige Lebensgrundlagen boten.

Die ersten Spuren menschlicher Existenz, die im Gebiet um Sitka gefunden wurden, sind etwa 10 000 Jahre alt und ähneln denen, die Bob Gal und seine Kollegen am Kugururok River in Nordalaska ausgegraben haben. Doch nicht wenige Archäologen und Anthropologen vermuten, dass schon vor rund 30 000 Jahren Menschen an der Küste von Sitka entlangzogen – auf dem Weg von Sibirien über die Bering-Landbrücke hinunter in den Süden Amerikas.

Die Tlingit-Indianer, auf die die Russen 1799 in der Nähe von Sitka stießen, galten nicht nur als besonders kriegerisch, stolz und widerspenstig, sondern auch als gewiefte Geschäftsleute, die mit den Indianerstämmen im Inneren Alaskas einen schwunghaften Handel trieben. Zugleich zeichneten sie sich durch ein Kulturniveau aus, das nach Meinung von Völkerkundlern «nur hinter dem der Inka und Azteken zurücksteht». Sie lebten in großen, fensterlosen Langhäusern, vor denen kunstvoll geschnitzte Totempfähle standen; sie waren berühmt für ihre äußerst fein gewebten und mit phantastischen Motiven verzierten farbenprächtigen Decken und Tücher aus Bergziegenwolle, ihre aus Bast und Schilf geflochtenen und mit raffinierten Mustern versehenen Schalen und Körbe. Mit ihren schweren, aus einem Stamm gehauenen und mit Tierzeichen bemalten Booten, die bis zu 20 Meter lang waren und Platz für 50 Personen hatten, unternahmen sie Handelsfahrten von mehr als 1000 Kilometern entlang der Küste. Sie besaßen eine komplizierte Sozialstruktur, eine Art frühes Dreiklassensystem, vergleichbar dem europäischen Ständestaat aus Adeligen, Bürgern und Leibeigenen. Es war eine matrilineare Gesellschaft, geteilt in zwei große Stämme – Adler und Raben. Jeder Stamm bestand aus unzähligen Familienclans, die ihre Herkunft jeweils von einem mythologischen Tier ableiteten. Heiraten waren grundsätzlich nur unter Angehörigen der verschiedenen Stammeshälften gestattet, wobei die Ehemänner automatisch Mitglied des Clans ihrer Frauen wurden, sich alle Privilegien in der mütterlichen Linie fortsetzten.

Im Gegensatz zu anderen Eingeborenenstämmen Alaskas unterwarfen sich die Tlingit den Russen nicht freiwillig, sondern erst nach jahrelangem blutigem Kampf. Im Jahr 1808 schließlich machte Alexander Baranow Sitka zur Hauptstadt Russisch-Amerikas. Erst 20 Jahre später kehrten die Tlingit, die zuvor von den russischen Eroberern vertrieben worden waren, an diesen Ort zurück.

In den 60 Jahren, in denen Sitka, das nun Neu-Archangelsk hieß, nicht nur Hauptstadt Russisch-Amerikas war, sondern auch Sitz der mächtigen Russisch-Amerikanischen Handelskompanie, wurde das einstige «Indianerdorf hinter den Inseln» zur größten Hafenstadt an der Nordküste des Pazifiks. Sie übertraf jeden anderen Ort an der Westküste Amerikas an Bedeutung, sogar die damals noch kleine Missionsstation San Francisco. Von Sitka aus gingen Schiffe mit kostbaren Pelzladungen nach Russland, China, England und Frankreich, wurden Lachs und Eis aus Alaska bis nach Kalifornien, Mexiko und Hawaii verschifft. Die Zahl der Einwohner Sitkas wuchs auf mehr als 3500, und der Kontrast zu seiner wilden Umgebung ließ es manchem als «Paris des Pazifiks» erscheinen. Finanziert weitgehend von den gigantischen Gewinnen der Russisch-Amerikanischen Handelskompanie, die das Monopol auf den Pelzhandel in Alaska hatte, gab es hier zwei Krankenhäuser, ein Altersheim, ein Waisenhaus und ein Kinderheim, außerdem vier Schulen und sogar ein Gymnasium. Eine bombastische russisch-orthodoxe Kathedrale wurde gebaut und der erste Leuchtturm an der Küste Westamerikas. Theateraufführungen fanden statt, Konzerte und rauschende Bälle im Palast des russischen Gouverneurs. Französisch war – wie in St. Petersburg und Moskau – die Sprache der Oberschicht in Sitka. Doch für die Eingeborenen geriet die Welt zunehmend aus den Fugen.

Unvorstellbare Exzesse der russischen Jäger, Händler und Soldaten, Alkohol und von Weißen eingeschleppte Krankheiten, Zwangsprostitution der Eingeborenenfrauen sowie rücksichtslose Ausrottung der Pelztierbestände und anderer natürlicher Ressourcen führten zu unaufhaltsamer Verelendung der einheimischen Bevölkerung und zu wachsenden Spannungen zwischen den Tlingit-Indianern und den russischen Besatzern in Sitka. Außerhalb des Stadtgebiets konnten sich die Russen nur mit bewaffneten Eskorten bewegen, und innerhalb der Festungsmauern waren die Kanonen rund um die Uhr auf die Wohnviertel der Tlingit gerichtet. «Ihre Herzen», schrieb ein russischer Chronist über die Indianer in Sitka, «sind voller Rachsucht. Sie glühen vor offener Feindseligkeit und warten nur auf eine Gelegenheit zum Zuschlagen.» Auch die russisch-orthodoxe Geistlichkeit mit dem an der Lena geborenen Bischof Innokentij Wenjaminow an der Spitze vermochte das zerrüttete Verhältnis zwischen der Besatzungsmacht und den Einheimischen nicht grundsätzlich zu verbessern. Allerdings sind sich russische und amerikanische Historiker heute einig, dass die orthodoxe Kirche in Alaska zumindest mäßigend auf die «Brutalität der russischen Kolonisation» einwirkte, die Sprache und Kultur der Eingeborenen weitgehend respektierte und versuchte, die sozialen Folgen der Fremdherrschaft abzumildern.

Das Ende von Russisch-Alaska und der Herrschaft der russischen Gouverneure in Sitka kam schnell. Nachdem die wertvollsten Pelztiere weitgehend erlegt waren, die Suche nach Gold und Silber ergebnislos verlief und dem russischen Zaren Alexander II. dämmerte, dass die geopolitische Lage seiner einzigen überseeischen Kolonie mehr als ungünstig war, dass er mit seiner Flotte nicht die geringste Chance hatte, sie auf Dauer vor den Begehrlichkeiten anderer aufstrebender Staaten zu schützen, verkaufte er Alaska kurzerhand an die Vereinigten Staaten von Amerika – für 7,2 Millionen Dollar, zahlbar per Scheck. Am 18. Oktober 1867 wurde die Zarenfahne vor dem russischen Gouverneurspalast in Sitka eingeholt, nicht ohne Schwierigkeiten allerdings. Sie war am Mast festgefroren und musste von einem russischen Soldaten, der die vereiste Stange hinaufgeklettert war, mit bloßen Händen gelöst werden. Das langsam herabschwebende Tuch, so berichtet ein Augenzeuge, fiel auf die präentierten Bajonette der angetretenen russischen Ehrenkompanie. Der Zarenadler wurde von den scharfen Spitzen durchbohrt, die Frau des Gouverneurs sank ohnmächtig in die Arme ihres Gatten. Auf die Amerikaner, so der Bericht weiter, habe die Szene einen derart starken Eindruck gemacht, dass sie auf lauten Jubel verzichteten. «Ohne Sang und Klang stieg das Sternenbanner im Mast empor.»

Doch die Geschichte Alaskas blieb auch unter amerikanischer Herrschaft eine Geschichte der Ausbeutung, das Los der Eingeborenen fast ein weiteres Jahrhundert lang das von Menschen zweiter Klasse. Im Gegensatz zu den russischen Priestern versuchten amerikanische Missionare fortan, die Sprache der Eingeborenen auszurotten, und die amerikanische Regierung verbot die zentrale Stammeszeremonie der Tlingit und anderer Küstenindianer, das Potlach-Fest. Dieses geht mit dem Verteilen großzügiger Geschenke einher und soll dem sozialen und gesellschaftlichen Rang des Familienclans Ausdruck verleihen. Zugleich wird dabei über alle wichtigen Fragen des Stammes entschieden. Erst 1951 wurde das Verbot der Potlach-Zeremonie wieder aufgehoben.

Heute erweckt Sitka den Eindruck friedlicher kultureller Koexistenz. Es ist eine amerikanische Stadt, deren Zentrum architektonisch geprägt wird von der russisch-orthodoxen St.-Michaels-Kathedrale mit ihrem Zwiebelturm. Im Februar 1966 bis auf die Grundmauern niedergebrannt, ist der Holzbau heute in seiner historischen Gestalt wieder hergestellt. Er dient noch immer als Gotteshaus für die russisch-orthodoxe Gemeinde in Sitka, die zum Großteil aus Angehörigen des Tlingit-Volkes besteht.

In den Andenkenläden auf der Hauptstraße Sitkas werden russische Samoware und Matrjoschkas neben Indianerschmuck und Holzschnitzarbeiten der Tlingit verkauft, die wichtigste Kunstgalerie wird von einem Russen und einem Indianer geführt, in den Restaurants steht russischer Borschtsch neben Räucherlachs aus Alaska auf der Speisekarte. Und der histori-

sche russische Friedhof wurde auf Initiative eines Clanchefs de
Tlingit restauriert. Zwei Folklore-Tanzgruppen aus Sitka sin
weit über die Grenzen des südlichen Alaska hinaus bekannt: di
New Archangel Dancers, die russische Volkstänze vorführen, un
die Tänzer des Naa-Kahidi-Clanhauses, die im Jahr 2002 als ers
te Gruppe der Tlingit-Indianer zur zentralen Feier des Unab
hängigkeitstages nach Washington eingeladen waren.

Etwa die Hälfte der heutigen Bewohner Sitkas sind indiani
scher Herkunft. Sie gehören zwölf Familienclans an, die noc
immer weitgehend die Regeln des gesellschaftlichen Zusammen
lebens bestimmen. Ihren Unterhalt verdienen sie durch Fisch
fang, in der Tourismus- und Immobilienbranche, aber auch i
der Papiermühle, dem größten Arbeitgeber am Ort, sowie durc
traditionelles Kunsthandwerk. Unter den sozialen Probleme
gilt auch bei den Tlingit-Indianern in Sitka der Alkoholismus al
das bedrückendste. Eine Reihe staatlicher und privater Initiati
ven hat hier aber nach Einschätzung unabhängiger Beobachte
in den vergangenen Jahren erste positive Wirkungen gezeigt.

Auf dem felsigen Ufer an der Mündung des Indian River in de
Pazifik fand 1804 die letzte blutige Schlacht zwischen den Tlin
git-Indianern unter ihrem legendären Häuptling Katlian un
den russischen Eroberern statt. Heute gehört das Schlachtfel
zum Sitka-Nationalpark, einem mit riesigen Tannen und Zeder
bestandenen Regenwald, den die amerikanische Regierung 189
vom indianischen Kiksadi-Clan erwarb. Entlang eines schmalen
parallel zum Ufer des Pazifiks verlaufenden Pfades ragen zwi
schen den Bäumen und aus dem Unterholz geheimnisvolle, mi
geschnitzten Tierköpfen und anderen mythischen Zeichen ver
zierte Totempfähle empor, die aus verschiedenen Teilen des Sied
lungsgebiets der Tlingit stammen. Am Beginn des Pfades gib
ein aufwendig gestalteter Museumskomplex Einblick in die Ge
schichte und Kultur der Küsten-Indianer von Sitka.

Als wir den Nationalpark besuchen, findet gerade ein Fest zu

Wiedereröffnung des von Grund auf renovierten Museums statt. Es ist allerdings eine geschlossene Veranstaltung, eine Art Stammesversammlung der Tlingit-Clans. Hier mit der Kamera zu filmen, erklärt Debbie von der Verwaltung des Nationalparks, ist völlig ausgeschlossen. Dazu würden wir die Genehmigung aller zwölf Clanchefs brauchen, und diese wiederum müssten sich zuvor erst mit ihren jeweiligen Familien beraten. Und dann müssten sich alle einig sein, und das könnte Monate dauern.

Debbie, eine attraktive junge Frau, ist «officer» des National Park Service, dem die Verwaltung des Museumskomplexes obliegt. Sie trägt die olivgrüne Uniform der Park Ranger mit einer gewaltigen Pistole am Gürtel, gegen Bären und Wilderer, wie sie beiläufig erklärt.

Die Beziehungen zu den Clanchefs und zur Selbstverwaltung der Indianer-Organisationen, so sagt Debbie, seien «ein wenig kompliziert». Das hänge nicht nur damit zusammen, dass der National Park Service zwar formal Besitzer des Museumskomplexes und des umgebenden Landes ist, das letzte Wort in allen Fragen den Park und das Museum betreffend jedoch die Vertreter der Tlingit-Clans haben. Vielmehr gebe es, so Debbie, noch immer eine Reihe «mentaler Probleme», die selbst sie als «Amtsperson mit zehn Jahren Erfahrung» im Umgang mit den Clanchefs, den «elders», wie sie genannt werden, habe. «Im Gespräch mit einem Clanchef musst du immer wieder den Blick zu Boden senken, als Zeichen der Hochachtung. Und du darfst ihn um Himmels willen nie unterbrechen. Sonst ist er in seiner Würde verletzt und das Gespräch zu Ende.» Diese Regeln, so Debbie, gelten im Clan, aber man erwarte, dass sie auch von allen anderen, die mit den Clanchefs zu tun haben, beachtet werden.

Nach langem Hin und Her mit dem offenbar einflussreichsten der Clanchefs erreicht Debbie schließlich, dass wir als Zuschauer an der Festversammlung teilnehmen dürfen, allerdings ohne Kamera und Tongerät. Im Saal des Museums sind etwa

200 Menschen jeden Alters versammelt, die meisten von ihnen prächtig gekleidet: Sie tragen Wollumhänge in den Clanfarben bestickt mit Tiersymbolen, die Auskunft über die mythologische Herkunft geben – Raben, Adler, Biber, Bären, Wölfe, Frösche Killerwale. Dazu topfförmige oder helmartige Kopfbedeckungen aus Holz und Stoff, ebenfalls bemalt in den Clanfarben und verziert mit Tiergesichtern. Einer der Männer trägt einen weißen Fuchspelz auf dem Kopf, ein anderer einen Hermelin um die Schultern. Frauen haben bunt bestickte Stirnbänder angelegt, an denen seitlich kleine Zobelfelle hängen. Ein jüngerer Stammeshäuptling hat sich einen dicken, fein ziselierten Silberring durch die Nase gezogen, der eindrucksvoll mit dem schwarzen Schnauzbart kontrastiert. Die Gesichter der Menschen und ihre Körperhaltung strahlen Würde aus, Kraft und Selbstbewusstsein. Es scheint, als feierten sie ihr Überleben.

Die meisten Reden werden in Englisch gehalten, manche aber auch in Tlingit. Es sind viele und lange Reden. Sie handeln zumeist von der Geschichte der Tlingit, ihrem Kampf mit den russischen Eroberern und den amerikanischen Kolonisatoren Einige beschäftigen sich aber auch mit der Gegenwart, mit den Hoffnungen, den Problemen beim Bewahren der Kultur und der alten Traditionen. Und zuweilen klingt ein Wort des Dankes durch für die, wie sie sagen, in den vergangenen Jahren «besser gewordenen» Beziehungen zwischen den Indianer-Organisationen in Alaska und der amerikanischen Regierung.

Nach den Reden wird zu Trommelschlägen und Gesang getanzt. Jung und Alt beteiligt sich. Es sind rituelle Lieder und Tänze, wie sie seit Jahrhunderten in den Clans der Tlingit überliefert sind. Doch als wir eine junge Frau in einem roten Wollumhang mit einem großen weißen Wal auf dem Rücken fragen, worum es in dem Lied geht, das von allen im Saal mit besonderer Hingabe gesungen wird, erklärt sie, das dürfe sie niemandem sagen. «Unsere Lieder und Legenden gehören nicht uns, sondern denen, in deren Köpfen sie entstanden sind. Wir dürfen sie nur an die nächste Generation unseres Clans weitergeben, sie aber nicht öffentlich verbreiten. Sie sind unser Eigentum, und darüber darf niemand anders bestimmen als unser Häuptling. Fragen Sie ihn, vielleicht sagt er Ihnen etwas zu diesem Lied.» Dabei weist die junge Frau auf einen weißhaarigen Mann, dessen schwarzen Umhang die Schwanzflosse eines Wales ziert. Es ist Marc Jacobs, der Chef des berühmtesten Clans der Tlingit-Indianer im Gebiet von Sitka.

Marc Jacobs hört sich unsere Bitte an und denkt lange nach. Dann sagt er in etwas schwer verständlichem Englisch: «Ich bin bereit, mit Ihnen zu reden. Morgen Vormittag am Pfad der Totempfähle.»

Am nächsten Tag regnet es in Strömen, wie fast immer in Sitka. Marc Jacobs hat einen dünnen Anorak angezogen, die Strickweste darunter ist mit bunten Schmetterlingen und dem Wappentier seines Clans bestickt, einem Killerwal. Auf der Stirnseite seiner Baseballkappe prangt die Aufschrift: «Ich bin stolz, gedient zu haben.» Er ist Veteran des Zweiten Weltkriegs, hat bei den Marines im Pazifik gekämpft. Auf der Visitenkarte des 80-Jährigen steht «Rechtsanwalt». Diesen Beruf, sagt er, übe er bis heute aus, denn der Kampf um die Rechte der Indianer sei noch lange nicht gewonnen.

Vor dem Gespräch haben wir uns noch einmal ins Gedächtnis gerufen, was uns Debbie, die hilfsbereite Offizierin des National Park Service, über den Umgang mit Clanchefs, den früheren Häuptlingen, als Verhaltensregeln eingeschärft hat: «Den Blick immer wieder zu Boden richten und – um Himmels willen – nicht unterbrechen.» Dass vor allem Letzteres nicht einfach sein wird, begreifen wir schon nach den ersten Minuten. Die Erzählweise Marc Jacobs' ist ausladend, geschmückt mit unzähligen Hinweisen auf die Vorfahren, die Legenden, die Mythen, die Symbole und Traditionen seines Volkes. Es wird ein langes Gespräch, durchsetzt mit Begriffen, Redewendungen und Bildern,

die wohl selbst amerikanischen Muttersprachlern nicht imme
auf Anhieb verständlich wären.

Der Name «Tlingit», so Marc Jacobs gleichsam als Einfüh
rung, «bedeutet schlicht und einfach ‹Mensch›. Mit andere
Worten: Wenn man in der Ferne eine menschliche Gestalt er
blickt, und man erkennt ihre Nationalität nicht, dann nennt ma
sie einen Tlingit. Das heißt, sie ist kein Tier, also kein Bär ode
Hirsch, sondern ein unbekannter Mensch. Das ist die Bedeu
tung des Wortes Tlingit, und so werden wir genannt.»

Nach Ansicht von Marc Jacobs sind die Tlingit gemeinsan
mit den Athabasken die ältesten Ureinwohner von Alaska. «Ir
gendwann nach dem Ende der Eiszeit sind unsere Ahnen au
dem Landesinneren flussabwärts gezogen. Sie hatten entdeckt
dass eine wunderschöne Fischart, der Königslachs, die Flüss
aufwärts wandert, und vermutet, dass er vom unteren Lauf de
Flusses kommen muss. Also sind sie ihm flussabwärts gefolgt, in
der Hoffnung, rund ums Jahr mit Fisch versorgt zu sein. Zuvor
so erzählen unsere Legenden, hatte es immer wieder große Hun
gersnöte gegeben, weil die Kaninchen, eines der Hauptnah
rungsmittel unserer Vorfahren, nur zu bestimmten Zeiten gefan
gen werden konnten.»

Die Erwähnung der Kaninchen lässt Marc Jacobs gleich au
sein nächstes Thema kommen, die Verwandtschaft der Tlingi
mit anderen Indianerstämmen Nordamerikas. «Seit langem be
schäftige ich mich mit den Unterschieden und Gemeinsamkei
ten zwischen den vielen Indianersprachen. Und dabei habe ich
festgestellt, dass die Navajos und die Apachen an den Große
Seen das gleiche Wort für Kaninchen haben wie wir. Das gil
auch für viele andere Begriffe – wir können uns ohne große Pro
bleme verständigen. Für mich zeigt das, dass wir einst ein Voll
waren. Irgendwann haben wir uns getrennt, vielleicht wegen de
Jagdgründe oder eines Krieges, und sind in verschiedene Rich
tungen gezogen. Die einen nach Süden, wir hierher an die Küste
Aber Teile der Sprache sind gleich geblieben.»

«Wie war es, als die ersten Europäer, die Russen, hier auftauchten?»

«Die erste Begegnung fand in einer Bucht etwas nördlich von
Sitka statt. Die Russen hatten am Strand Rauchwolken entdeckt
und segelten auf diese zu. Als die Indianer sahen, wie dieses selt-
same Schiff einlief, paddelten sie in ihren Kanus hinaus, um es
zu empfangen. Der Stammesführer hatte seine besten Kleider
angezogen und war mit primitiven Waffen ausgerüstet. Die Russen warfen eine Strickleiter hinunter und winkten den Indianern
zu, sie sollten an Bord klettern, allen voran der Häuptling. Sobald er an Bord kam, sah er überall verrostete Eisenstücke. Er
zeigte auf seinen Mantel und dann auf das Eisen, um ein Tauschgeschäft anzubieten. So ging es los. Es entwickelte sich in der
Folgezeit ein reger Handel. Wir hatten die Felle, und sie hatten
die modernen Werkzeuge, Textilien, Stoffe und Reis. Der Handel
liegt uns im Blut. Wir hatten auch zuvor schon mit anderen Indianerstämmen gehandelt.»

«Und wie kam es zu den Konflikten?»

«Der erste Konflikt entstand wegen der Fische. Die Russen
hatten eine Festung gebaut, wo sie Fische einsalzten. Nun kon-
kurrierten sie mit den Indianern um die besten Fanggründe. Sie
versuchten, uns von ihnen fern zu halten oder zu vertreiben.
Daraufhin beriefen die Indianer eine Versammlung aller Stämme
ein und beschlossen, die Festung ohne Vorwarnung anzugreifen
und niederzubrennen. Nur zwei Russen ließ man am Leben, damit sie in ihrer Heimat darüber berichten konnten. Danach waren die Beziehungen zwischen den Russen und den Einheimischen hier sehr belastet.

Die Indianer bauten nun ihrerseits eine Festung, doch als die
Russen 1804 mit einem Kanonenboot kamen, war alles verloren;
da hatten wir keine Chance mehr. Es war unsere letzte blutige
Schlacht. Später haben sich viele von uns taufen lassen und nach
russisch-orthodoxem Ritus geheiratet. Es gab ja auch eine russische Schule, und wir haben die Sprache und russische Lieder

gelernt. Wir mussten uns an die andere Kultur anpassen. Als ic[h] ein Junge war, haben meine Großeltern untereinander noc[h] Russisch gesprochen. Aber die Russen haben unsere Sprach[e] auch respektiert, anders als die amerikanischen Missionare, di[e] hierher kamen, nachdem wir an die USA verkauft wurden. Ic[h] glaube übrigens, dass uns die Russen verkauft haben, weil wir z[u] kriegerisch waren und immer eine Bedrohung für sie dargestell[t] haben. Vielleicht haben sie gefürchtet, dass wir eines Tages soga[r] eine eigene Armee aufstellen könnten.»

Immer wieder kommt Marc Jacobs auf das Problem de[r] Sprache. Darauf, wie wichtig es sei, die eigene Sprache zu lerne[n] und «gleichzeitig das Bildungsangebot der neuen Kultur» wahr[zu]zunehmen. Daher biete man jetzt auch für die Jugend seine[s] Volkes verstärkt Sprachkurse in Tlingit an; Zeltlager, in dene[n] gleichzeitig alte Handwerkstraditionen wie die Weberei und de[r] Bootsbau sowie das Zubereiten indianischer Speisen gelehr[t] werden. «Es dürfen auch Nicht-Indianer daran teilnehmen, da[-] mit wir das Ganze von der Steuer absetzen können. Das Finanz[-] amt sagt, dass man Indianer und Nicht-Indianer gleich behan[-] deln muss.»

«Was hat denn aus Ihrer Sicht die so genannte moderne Zivi[-] lisation den Indianern in Alaska gebracht?»

«Dazu möchte ich gern meinen Vater zitieren: Was auch im[-] mer von der Zivilisation angesprochen oder berührt wird, mus[s] sterben. Und in gewisser Weise hatte mein Vater Recht. Nehme[n] wir als Beispiel die Umwelt: Viele unserer Schätze sind zerstör[t] oder siechen dahin. Manchmal ist dies unvermeidlich. Oft abe[r] wendet sich der anfängliche Nutzen, den die Zivilisation bringt[,] ins Gegenteil. Als beispielsweise die ersten Konservenfabriken i[n] Alaska gebaut wurden, war das sehr wichtig für die indianische[n] Stämme. Die Indianer wurden als Holzfäller angestellt, baute[n] Fabriken, brachten ihr Wissen ein, wie die Fische zu konservie[-] ren sind. Dann wurden die indianischen Frauen angestellt, un[d] die Fische zu entgräten und zu verarbeiten. Dafür bekamen si[e]

twas, das für sie völlig neu war – Lohn. Geld wurde plötzlich
ehr wichtig, vielleicht der wichtigste Begriff der modernen Zivi-
sation. Und dann passierte Folgendes: Die Konservenfabriken
·gten riesige Fischfallen an. Darin wurde alles gefangen, was
·egen den Wind schwimmt. Wale, Meeressäugetiere, alles verfing
·ch in den Fallen. Tausende und Abertausende Fische zogen sie
·us den Netzen. Doch die Fabriken wollten nur eins: Lachse. Al-
·s andere haben sie weggeworfen, verderben lassen. Welch unge-
·eure Verschwendung, welch grobe Verletzung der Umwelt! Un-
·ere heimischen Fischbestände wurden auf diese Weise immer
·ehr dezimiert, und wir konnten nichts dagegen unternehmen.
Ieute gibt es zum Glück Gesetze gegen das Überfischen. Aber
·ie Verschwendung geht weiter. Jetzt sind sie dabei, den Hering
·uszurotten. Ein kleiner Hering bietet viel Nahrung – für den
Aenschen, für die Vögel, für andere Meerestiere. Aber die In-
·ustrie will nur den Rogen, also etwa zehn Prozent vom Hering.
)er Rest ist Abfall. Das bedeutet: Sie rotten den Hering aus, um
·eden zehnten Fisch zu bekommen. Wir nennen es Zehn-Pro-
·ent-Fischen. Das ist typisch für die moderne Zeit – und wir sol-
·en damit leben, obwohl es unsere Lebensgrundlage gefährdet.
)agegen muss man kämpfen!»

Der 80-jährige Marc Jacobs, der nun schon fast eine Stunde
·hne jede Pause geredet hat, zeigt nicht die geringste Spur von
·rmüdung. Im Gegenteil, wir haben das Gefühl, dass er gerade-
·u aufblüht, je mehr er über die aktuellen Probleme seines Volkes
·nd die aktuellen Konflikte mit den Weißen spricht. Die Grund-
·chwierigkeit heute sei, so Marc Jacobs, dass «einige der west-
·chen Moralvorstellungen immer noch im Widerspruch stehen
·u der Art und Weise, wie wir traditionsgemäß Besitz und Land
·bertragen.»

Als Beispiel nennt Marc Jacobs den Streit mit den Behörden
·m die Besitzverhältnisse der traditionellen Clan-Häuser, in de-
·en die Familienverbände der Tlingit in manchen Orten auch
·eute noch leben. «Als sich die Behörde, die für indianische An-

gelegenheiten zuständig ist, einmischen wollte und versucht(
mir vorzuschreiben, an welche Erbschaftsgesetze ich mich b(
meinem Clan-Haus halten muss, habe ich das angefochten, d(
wir immer noch unsere eigene Instanz haben, nämlich die Po(
lach-Zeremonie, bei der wir auch die Nachlass- und Erbrecht(
fragen regeln. Da sitzen wir als Gastgeber zusammen mit den ar
deren Clans, zu denen wir Familienbeziehungen haben, un(
reden über die Geschichte unseres Hauses, unsere heiligen Ins(
gnien, unsere Kanus, über alles, was wir geerbt haben, auch üb(
unser Land. Das ist eine alte und starke Tradition. Und wenn w(
in diesem Punkt jetzt mit den Gesetzen und Statuten des Weiße(
Mannes konfrontiert werden, zitiere ich, gleichsam als mein Ve(
mächtnis, was meine Großmutter zur Frage der ethnischen Sou(
veränität sagte: Das ist unser Land. Das ist unsere Lebensart. E(
ist unsere Lebensweise, wie wir Nahrungsmittel sammeln, unse(
ren Kindern unsere Sitten und Gebräuche beibringen, wie w(
mit Menschen umgehen und wie wir Frieden schließen.»

Nun macht Marc Jacobs doch eine Pause, und ich habe Gele(
genheit, ohne ihn zu unterbrechen noch eine Frage loszuwerder

«Sie sind doch Jurist und wissen, dass auch Sie sich an di(
Gesetze halten müssen.»

Marc Jacobs nickt heftig. «Das ist richtig. Aber die Gesetze
die uns betreffen, müssen im Einklang mit unserer Lebensweis(
gemacht werden, und bei Gericht muss berücksichtigt werder
dass wir unsere eigene Tradition, unsere eigene Geschichte ha(
ben. In vielen Gerichtsverfahren, in denen über unsere Land(
und Besitzrechte entschieden wurde, hatte ich als einzige(
Beweismaterial oft nur unsere alten, mündlich überlieferte(
Erzählungen und Legenden. Selbstverständlich sind manche im
Laufe der Zeit von den Alten etwas dramatisiert oder geschön(
worden, um ihren jeweiligen Clan in besonders heldenhaften
Licht erscheinen zu lassen. Und es tauchen immer wieder unna(
türliche Dinge auf. Wenn ein Alter zum Beispiel erzählt, wie e(
von einem Vogel an den Haaren durch die Luft getragen wurde

ch weiß, dass die Geschichte nicht stimmt. Wie kann ein Vogel inen Menschen in die Luft heben? Aber ist deshalb die ganze Legende falsch? Wenn man vor Gericht aussagt, muss man zunächst die Hand auf die Bibel legen und geloben, die Wahrheit zu agen und nichts als die Wahrheit. Aber die Bibel wimmelt doch auch von unnatürlichen Dingen!»

Marc Jacobs macht jetzt wieder eine Pause, doch sein Blick ignalisiert, dass er gern ungefragt weiter sprechen möchte. «Wir müssen lernen, unsere eigenen Gewohnheitsrechte gegen die westliche Gesetzgebung anzuwenden. Auch heute, wo im Norden unseres Landes immer neues Öl gefunden wird und sich wieder die Frage stellt: Wie ist es mit unserem Land? Egal, welches Gesetz der Kongress in Washington oder ein anderes Parlament verabschiedet: Wenn es auf die Abschaffung der Grundrechte der Ureinwohner zielt, ist es Unrecht. Du kannst so ein Gesetz verabschieden, es verkünden, ins Bundesgesetzbuch aufnehmen – dennoch bleibt das Grundrecht der Ureinwohner gültig. Das kann man nur unterdrücken, aber nicht abschaffen. Und dies ist unsere Situation heutzutage.»

Inzwischen hat der Regen aufgehört. Durch die hohen, dicht stehenden Bäume zieht feiner Nebel. Marc Jacobs, dem nun doch eine gewisse Ermüdung anzumerken ist, schlägt vor, ihn auf den Pfad der Totempfähle zu begleiten. «Sie sind unser Heiligstes.»

Die mehr als zehn Meter hohen, aus mächtigen Zedernstämmen geschnitzten Pfähle zeigen stilisierte Darstellungen von Totemtieren – Adler, Raben, Wale, Elche, Frösche, Bären, Biber –, aber auch menschliche Gestalten und Gesichter sowie wundersame Fabelwesen, die nur jenen vertraut sind, die die alten Tlingit-Legenden kennen. Sie sind bemalt in kräftigen, weithin leuchtenden Naturfarben, vorwiegend rot, hellblau, ocker, schwarz und weiß. Sie erzählen von der Geschichte der Tlingit-Clans, von den Heldentaten der Häuptlinge, von phantastischen, schrecklichen und schönen Begebenheiten und vom mythischen

Ursprung der Welt. Niemand, so Marc Jacobs, dürfe den Sinn eines Totempfahls erklären, nur der Häuptling. Und auch er dür fe nur über den Pfahl seines eigenen Stammes und seines eige nen Clans reden.

Vor einem Pfahl, auf dessen Spitze ein riesiger holzgeschnitz ter Rabe sitzt, bleibt Marc Jacobs stehen. Er schaut nach oben und sagt langsam und jedes Wort feierlich betonend: «Der Rabe ist der Schöpfer der Welt. Am Anfang aller Zeit schuf er Land und Meer. Und aus dem Schlick vom Grunde des Meeres und dem Sand vom Ufer formte er den ersten Menschen. Auch die Tiere auf dem Land und die Fische im Wasser wurden von ihm erschaffen. Er war es auch, der den Menschen das Feuer brachte und ihnen Licht gab in Form von Sonne, Mond und Sternen. Der Rabe ist immer bei uns – unser mythischer Schöpfer.»

Dieselbe Legende von der Erschaffung der Welt durch den Raben hatten wir, ein wenig anders ausgeschmückt, bei den Ja kuten und Tschuktschen in Sibirien gehört. Und sogar bei den Burjaten am Baikalsee.

ANHANG

Nördliches Polarmeer

irische ee

Tschuktschen- see

Noatak

Bering- straße

Uelen

Nördlicher Polarkreis

KANADA

Lawrentija

Yukon

Anadyr

Prowidenija

Nome

USA

Fairbanks

Dawson

St-Lorenz-Insel

Beringmeer

Anchorage

Valdez

Skagway

Sitka

Golf von Alaska

Aleuten

Pazifischer Ozean

Teilkarte 2: Die untere Lena

Laptewsee

Jana-Indigirka-Tiefebene

Sagastyr

Sokol

Bykowskij

Tiksi

Tumat

Kasatschje

Ust-Kujga

Deputatskij

Irgitschjan

Siktjach

Bjosjuke

Namy

Kularrücken

Werchojansker

Natara

Batagaj

Batagaj-Alyta

Werchojansk

Nördlicher Polarkreis

Soboloch Majan

Gebirge

Dulgalach

Adytscha

Schigansk

Undjuljung

Nelgesse

Dianyschka

Lepiske

Lena

Tas-Tumus

Wiljui

Sangar

Tjugene

Aldan

Kolyma-Trasse

Ust-Tatta

Chandyga

Borogonzy

Tschuraptscha

Aldan

entraljakutische

Niederung

Jakutsk

Sinjaja

Amga

Pokrowsk

Teilkarte 3: Tschukotka und Alaska

Foto: Carlo Bergmann

Abenteuer Leben bei rororo

«Ich bin Mensch, ich habe gelitten, ich war dabei.»
Walt Whitman

Carlo Bergmann
Der letzte Beduine
Meine Karawanen zu den
Geheimnissen der Wüste
3-499-61379-4

Daniel Goeudevert
Wie ein Vogel im Aquarium
Aus dem Leben eines Managers
3-499-60440-X

Ruth Picardie
Es wird mir fehlen, das Leben
3-499-22777-0
und Großdruck 3-499-33167-5

Fred Sellin
Ich brech' die Herzen ...
Das Leben des Heinz Rühmann
3-499-61470-7

Volker Skierka
Fidel Castro
Eine Biographie
3-499-61386-7

Carola Stern
Doppelleben
3-499-61364-6

J. Randy Taraborrelli
Madonna. *Die Biographie*
3-499-61462-6

Ralph «Sonny» Barger
Hell's Angel
Mein Leben
«So subtil wie ein Tritt in den
Hintern.» San Francisco Chronicle

3-499-61453-7

Foto: FPG/Bavaria

Politik, Zeitgeschichte, Gesellschaft

«In Zeiten wie diesen gehört viel Mut dazu, den Finger in die Wunden des Westens zu legen.»
Süddeutsche Zeitung

Brisard/Dasquié
Die verbotene Wahrheit
*Die Verstrickungen der USA
mit Osama bin Laden*
3-499-61501-0

Martin/Schumann
Die Globalisierungsfalle
*Der Angriff auf Demokratie
und Wohlstand* 3-499-60450-7

**Prenzlauer Berg Museum/
Annett Gröschner**
**«Ich schlug meiner Mutter die
brennenden Funken ab»**
*Berliner Schulaufsätze aus dem
Jahr 1946* 3-499-60834-0

Inge Viett
Nie war ich furchtloser
Autobiographie 3-499-60769-7

**Donella Meadows/Dennis
Meadows/Jorgen Randers**
**Die neuen Grenzen des
Wachstums**
3-499-19510-0

Daniela Dahn
Spitzenzeit

*Lebenszeichen aus einem
gewesenen Land* 3-499-61117-1
Wenn und Aber
Anstiftungen zum Widerspruch
3-499-61458 8
Westwärts und nicht vergessen
Vom Unbehagen in der Einheit
3-499-60341 1

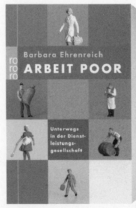

3-499-61451-0